Uhlig, Victor; Diener, Carl; Art

Beitraege zur Palaeontologie und Geologie Oesterreich-Ungarns und des Orients

Band 18

Uhlig, Victor; Diener, Carl; Arthaber, G. von

Beitraege zur Palaeontologie und Geologie Oesterreich-Ungarns und des Orients

Band 18

Inktank publishing, 2018

www.inktank-publishing.com

ISBN/EAN: 9783750104624

BEITRÄGE

ZUR

PALÄONTOLOGIE UND GEOLOGIE

ÖSTERREICH-UNGARNS UND DES ORIENTS.

MITTEILUNGEN

DES

GEOLOGISCHEN UND PALÄONTOLOGISCHEN INSTITUTES
DER UNIVERSITÄT WIEN

HERAUSGEGEBEN

MIT UNTERSTÜTZUNG DES HOHEN K. K. MINISTERIUMS FÜR KULTUS UND UNTERRICHT

VON

VICTOR UHLIG, **CARL DIENER,**

PROF. DER GEOLOGIE   PROF. DER PALÄONTOLOGIE

UND

G. VON ARTHABER,

PRIVATDOZ. DER PALÄONTOLOGIE.

BAND XVIII.

HEFT I UND II, MIT 46 TAFELN.

WIEN UND LEIPZIG.

WILHELM BRAUMÜLLER

K. U. K. HOF- UND UNIVERSITÄTS-BUCHHÄNDLER.

1905.

DIE GASTROPODEN DER SÄCHSISCHEN KREIDEFORMATION

von

Dr. Karl Deninger.

(Mit 4 Tafeln.)

Mitteilung aus dem königl. mineralogisch-geologischen Museum in Dresden.

Im Jahre 1875 hat Hans Bruno Geinitz seine Erforschung der sächsischen Kreideformation mit dem Werke »Das Elbtalgebirge in Sachsen« abgeschlossen. Die Arbeit stützt sich auf das reichhaltige Material, welches Geinitz im Laufe seiner langjährigen Tätigkeit für das kgl. Mineralog. Museum in Dresden gesammelt hat. Daß diesem verdienstvollen Werke eine Anzahl von Mängeln anhaften, dürfte den meisten Fachgenossen bekannt sein. Es fand deshalb bereits vor einigen Jahren eine Neubearbeitung der Ammoniten der sächsischen Kreide durch Petrascheck statt. Auf diesem Gebiet hatte sehr zahlreiches in den letzten Jahren gesammeltes neue Material eine Neubearbeitung besonders wünschenswert erscheinen lassen. Für die Gastropoden liegt der Fall etwas anders.

Was an neuem Material dieser Tierklasse seit der Veröffentlichung des »Elbtalgebirges« zum Vorschein gekommen ist, kann sich mit dem in diesem Werke bereits verarbeiteten durchaus nicht messen. Ganz besonders gilt dies von den Gastropoden des Cenomans. Die Fundpunkte, an denen in früheren Jahren die größte Zahl verschiedener Arten zum Vorschein gekommen ist, waren in der letzten Zeit entweder nicht mehr zugänglich (Fundpunkt am Forsthaus in Plauen, Tunnel von Oberau) oder befinden sich in einem Zustand, daß das Sammeln kaum mehr verlohnt (Gamighügel). Andere Fundpunkte, wie der Ratssteinbruch in Plauen, ergaben in der Hauptsache die häufigeren bereits bekannten Arten. In Strehlen ist gelegentlich eines Straßenbaues wieder eine hübsche Sammlung von Plänerfossilien zum Vorschein gekommen und in das kgl. Min. Museum in Dresden gelangt, aber ebenfalls hiebei fanden sich nur wenige für Sachsen neue Gastropodenarten.

Im Quadersandstein dagegen gehören bestimmbare Gastropoden zu den größten Seltenheiten. Obwohl nun unter diesen Umständen Herr Prof. Kalkowsky besonderen Wert auf den Ankauf älterer Sammlungen aus der sächsischen Kreide legte — so wurde z. B. die Sammlung des Apothekers Dr. Th. Lange (aus Dohna gebürtig) angekauft —, so muß doch das seit dem Erscheinen des »Elbtalgebirges« in das kgl. Min. Museum gelangte Gastropodenmaterial im Vergleich zu dem bereits vorhandenen als ziemlich unwesentlich bezeichnet werden. Auch das sonst in öffentlichen und privaten Sammlungen vorhandene Material, welches ich zu sehen Gelegenheit hatte, enthält nichts Neues.

Somit behandelt diese Arbeit in der Hauptsache das bereits von Geinitz im Elbtalgebirge bearbeitete Material. Daß hier eine Neubearbeitung notwendig geworden war, liegt wesentlich an dem zum Teile den heutigen Anforderungen nicht mehr entsprechenden Abbildungen im Elbtalgebirge. Bei der Herstellung dieser Abbildungen sind in den meisten Fällen Rekonstruktionen besonders der Mündungen vorgenommen worden, welche sich zum Teile als der Wirklichkeit nicht entsprechend ergaben. Auch sind die Skulpturen vieler Formen, besonders kleiner Formen stark schematisch wiedergegeben. Die Darstellung dieser kleinen Gastropoden, die durchwegs unter einer starken Lupe gezeichnet werden mußten, gehört sicher zu einer der schwersten Aufgaben für einen Zeichner, wodurch sich diese Ungenauigkeiten einigermaßen erklären. Auch einige andere merkwürdige Versehen sind vorgekommen. Ich möchte nur an die Elbtalgeb. I, Taf. 60, Fig. 1, wiedergegebenen Mundwülste von *Cerithium Guentheri* erinnern, welche sich als angeklebte Schalenstücke ergaben.

Aus diesen Gründen war die Benützung des überwiegenden brauchbaren Teiles des «Elbthalgebirges« in bezug auf Gastropoden in hohem Grade erschwert und diesem Mangel abzuhelfen ist der Zweck der vorliegenden Arbeit.

Für die Anregung zu dieser Arbeit sowie für die Überlassung des Materials des kgl. Min.-Museums in Dresden sage ich Herrn Professor Kalkowsky an dieser Stelle meinen herzlichsten Dank.

Hervorheben möchte ich, daß sich die Bestimmungen von Geinitz zum größten Teile aufrecht erhalten ließen. Einige schlecht begründete Arten mußten gestrichen und in zahlreichen Fällen Gattungsbestimmungen geändert werden. Ferner ergaben sich manche Ergänzungen und Berichtigungen in der Synonymik. Wo neue Zusätze überflüssig erschienen, habe ich mich auf Zitieren des »Elbtalgebirges« beschränkt. Der Hauptwert wurde auf korrekte Abbildung der in der Hauptsache von Geinitz beschriebenen Arten gelegt und dabei zum großen Teile die Originale von Geinitz benützt.

Das Vorkommen von Gastropoden ist in der sächsischen Kreide im wesentlichen an zwei Horizonte geknüpft; und zwar entstammt die Mehrzahl aller Arten dem cenomanen Pläner, wie er im plauenschen Grunde und am Gamighügel entwickelt ist. Er liegt hier bekanntlich transgredierend auf dem älteren Gebirge meist Syenit auf und läßt deutlich erkennen, daß seine Ablagerung in geringer Meerestiefe erfolgt ist. Die Fazies ist ziemlich wechselnd und schwankt zwischen groben Syenitkonglomeraten und feinen Mergelschichten. Von besonderem Interesse sind für uns hier die geologischen Verhältnisse einiger Lokalitäten, von denen das Hauptmaterial der cenomanen Gastropoden stammt.

Die wichtigsten von diesen, der Fundpunkt am Forsthaus in Plauen, ist leider jetzt nicht mehr zugänglich. Was etwa von Pläner dem Bahnbau nicht zum Opfer gefallen ist, liegt tief unter Schutt vergraben, und ich kann deshalb nur auf die Beschreibung von Geinitz verweisen, der eine charakteristische Abbildung von dieser Lokalität gibt. (Elbtalgeb. I, S. 13.) An der Basis des Pläners fanden sich hier als Ausfüllung zwischen Syenitblöcken Mergellagen, die noch einzelne Gerölle von Syenit umschlossen. Diese Mergel ergaben neben einer reichen Ausbeute von kleinen Muscheln, Tafeln von Seesternen, Seeigeln, Korallen und Bryozoen eine merkwürdige Mikrofauna von Gastropoden. Von den in dieser Arbeit aufgeführten 89 Gastropodenarten aus dem Cenoman wurden nicht weniger als 72 an dieser Lokalität gefunden, von denen der überwiegende Teil von anderen Fundpunkten noch nicht bekannt ist. Die hier vorkommenden Arten sind durchwegs sehr kleine Formen und da solche Mikrofaunen aus dem Cenoman anderwärts nicht beschrieben worden sind, erklärt es sich, daß sich so außerordentlich wenige Beziehungen zu Arten anderer Fundpunkte auffinden ließen. So konnte ich z. B. von den zahlreichen *Cerithien*-Arten, die hier die stattliche Entfaltung von 28 Arten aufweisen, nur 6 mit denen anderer Fundpunkte identifizieren. In einigen wenigen Fällen ließen sich mit den Zwergformen des Forsthauses übereinstimmende große Exemplare in cenomanen Plänerschichten an anderen Fundpunkten nachweisen.

Wo sonst fossilführende cenomane Plänerschichten vorkommen, wie im Ratsteinbruch in Plauen und in Koschütz, enthalten sie meist in zahlreichen Exemplaren aber meist recht schlecht erhalten eine Anzahl von Gastropoden wie *Pleurotomaria Geinitzi*, *Nerita nodosa*, Turbo- und Trochusarten.

Betrachten wir nun die Beziehungen der cenomanen Gastropodenfauna zu derjenigen anderer Gegenden, so sind, wie schon erwähnt, die Anknüpfungspunkte nicht sehr zahlreich. Vor allem ist auffallend wie wenig Arten (nur 6) sich bisher in der böhmischen Kreide nachweisen ließen. Diese gehören wesentlich dem cenomanen Hippuritenkalk von Koriczan an.

Mit dem Cenoman Frankreichs, Belgiens und Englands besitzt Sachsen im ganzen 15 gemeinsame Arten, von denen 5 in der Tourtia von Tournay vorkommen, während sich bisher nur 5 Arten mit solchen aus dem norddeutschen und schlesischen Cenoman indentifizieren ließen.

Da Petrascheck in seiner Bearbeitung der Ammonitenfauna auf die nahen Beziehungen zwischen sächsischer und indischer Kreide hingewiesen hat, wurde besonderer Wert auf den Vergleich der Gastropodenfaunen gelegt. Trotzdem ergaben sich nur zwei gemeinsame Arten.

Der Gesamtcharakter der Gastropodenfauna trägt somit ein sehr starkes lokales Gepräge und die wenigen Anknüpfungspunkte führen uns in der Hauptsache nach N.-W.

Der zweite Horizont der sächsischen Kreide, in welchem Gastropoden in reichlicher Menge vorkommen, ist der turone Pläner von Strehlen, Weinböhla und anderen Fundpunkten. Die hierin enthaltene Fauna läßt nur noch wenige Beziehungen zu der cenomanen erkennen. Identische Arten fehlen vollkommen und nur eine beschränkte Anzahl läßt sich von denen des sächsischen Cenomans ableiten. Viel enger sind hier die Beziehungen zu benachbarten Gebieten.

Von den 33 im turonen Pläner von Strehlen gefundenen Arten sind nur 4 in ihrer Verbreitung auf Sachsen beschränkt, während die große Mehrzahl auch anderwärts vorkommt. Von diesen gehört der größte Teil der böhmischen Kreide an und verteilt sich nach Friš folgendermaßen auf die verschiedenen Stufen:

Weißenberger Schichten 8 Arten
Teplitzer   »   6   »
Priesener   ?   11   »
Chlomeker   »   16   »

Hiebei fällt auf, wie stark die Übereinstimmung mit den Priesener- und Chlomeker Schichten ist, die doch in der Regel für wesentlich jünger gehalten werden als der Strehlener Pläner.

Diese Tatsache wird in Zukunft bei der Bearbeitung der böhmischen Kreideformation zu beachten sein.

Mit Kieslingswalde in Schlesien sind sechs, mit dem Senon von Aachen fünf Arten gemeinsam. Auch die übrigen Arten weisen auf Beziehungen zu Norddeutschland hin.

Ferner ergaben die Baculitenmergel von Zatzschke noch acht Gastropodenarten, von denen fünf ebenfalls in Strehlen vorkommen, weshalb diese Lokalitäten bei der Beschreibung der Arten vereinigt wurden. Von diesen acht Arten sind sieben ebenfalls aus Böhmen bekannt, u. zw. verteilen sie sich folgendermaßen:

Weißenberger Schichten 1 Art
Teplitzer   »   1   »
Priesener   »   5 Arten
Chlomeker   »   4   »

Es scheint mir nicht angebracht, aus diesen Vergleichen der einen Tiergruppe weitergehende geologische Schlüsse zu ziehen, solange die übrigen Tierklassen der sächsischen Kreide noch keiner modernen Neubearbeitung unterzogen worden sind. Hoffentlich wird diese Neubearbeitung bald von anderer Seite erfolgen, was in Verbindung mit einer geologischen Darstellung des gesamten sächsisch-böhmischen Kreidegebirges eine außerordentlich dankbare und verdienstvolle Aufgabe wäre.

Beschreibung der Arten.

Die Gastropoden des Cenomans.

Helcion plauense Gein.

1849. *Acmaea plauensis* Gein., Quad. Deutschl., S. 142, Taf. 9, Fig. 6.
1875. *Patella plauensis* Gein., Elbtal, I, S. 260, Taf. 57, Fig. 13.
1875.   »   *radiolitarum* Gein., Elbtal, I, S. 260, Taf. 57, Fig. 14.

Durch den verschiedenen Erhaltungszustand der Stücke wurde Geinitz verführt, verschiedene Arten aufzustellen. Die mäßig gewölbte Schale besitzt ovale Gestalt, stark nach vorn gerückten Wirbel und trägt etwas wellig verlaufende Radialstreifen und schwächere Zuwachslinien.

1*

Von den Abbildungen bei Geinitz stellt Fig. 13 ein etwas verdrücktes und verletztes Exemplar dar, dessen Form falsch ergänzt ist. Auch der eingekrümmte Wirbel ist durch Verletzung zu erklären. Fig. 14 stellt ein abgeriebenes Exemplar dar.

Vier Stück von Planen und Zscheila bei Meißen.

Patella sp.

1875. *Pileolus? subcentralis* Gein., Elbtal, I, S. 248, Taf. 57, Fig. 9. (Nicht *Acmaea subcentralis d'Archiac.*)

Die Präparation der Unterseite zeigt, daß es sich nicht um einen *Pileolus*, sondern um eine *Patella* handelt. Der Wirbel erhebt sich hoch, ist sehr wenig gekrümmt und dem Hinterrand genähert. Die Skulptur besteht aus unregelmäßigen Rippen, zwischen denen sehr feine Querstreifung auftritt. Diese Merkmale unterscheiden sie deutlich von *Acmaea subcentralis d'Arch.*, mit der sie Geinitz vereinigt. Gegen die Zuteilung zur Gattung *Acmaea* spricht die starke Skulptur und der dem Hinterrand genäherte Wirbel.

Fünf Stück von Plauen (Forsthaus).

Acmaea? capillaris Gein.

1875. *Pileolus capillaris* Gein., Elbtal, I, S. 249, Taf. 57, Fig. 10.

Die generische Stellung dieser Art bleibt zweifelhaft, obwohl die Präparation der Unterseite eher eine *Acmaea* als einen *Pileolus* vermuten läßt.

Die Oberfläche der Schale ist mit feinen etwas welligen Radialstreifen bedeckt. Die in der Abbildung von Geinitz angegebenen, in gleicher Entfernung stehenden stärkeren Radialfurchen sind nicht in dieser regelmäßigen Weise ausgebildet. Nur an wenigen Stellen bemerkt man derartige unbestimmte Furchen.

Zwei Stück von Plauen (Forsthaus).

Emarginula Buchi Gein.

Taf. I, Fig. 3—5.

1840. *Fissurella di Buchii* Gein., Char. II, S. 48, Taf. 16, 5.
1849. *Emarginula Buchi* Gein., Quad. Deutschl., S. 142.
1870.   »   »   Roemer, Geol. Oberschles., S. 339, Taf. 29, Fig. 13.
1875.   »   »   u. *pelagica* Gein., Elbtal, I, S. 259, Taf. 57, Fig. 15, 16, Taf. 58, Fig. 1.

Emarginula Buchi und *pelagica* bei Geinitz sind nur verschiedene Altersstadien derselben Art, die aber von *E. pelagica* Passy verschieden ist.

Die Abbildung Fig. 3, als Steinkern erhalten, ist das Original von Geinitz, Taf. 58, 1 und zeigt das charakteristische Profil dieser Art. Die Abbildungen Fig. 4 u. 5 stellen kleinere Exemplare mit erhaltener Skulptur dar.

15 Stück vom Forsthaus in Plauen und Oberau.

Pleurotomaria (Leptomaria) plauensis Gein.

1846. *Pl. neocomensis* Gein., Quad., S. 355, Taf. 15, Fig. 5, 6 (non d'Orb.).
1849. »   »   Gein., Quad. Deutschl., S. 134.
1875. *Pl. plauensis* Gein., Elbt., I, S. 258, Taf. 57, Fig. 17.

Neun Stück. Plauen (Ratssteinbruch), Tunnel von Oberau.

Pleurotomaria (Leptomaria) Geinitzi d'Orb.

Syn., siehe Gein., Elbt., I, S. 258.

Fünf Stück. Plauen, Zscheila.

Stelzneria Geinitz.

1875. Geinitz, Elbtal, I, S. 257, Taf. 58, Fig. 12.
1885. Zittel, Handbuch, II, S. 189.

Seit der Veröffentlichung von G e i n i t z über diese auffallende Gattung ist nichts Neues über sie mehr zum Vorschein gekommen. Z i t t e l stellt sie als fragliche Gattung zu den *Turbininae*. Ihn bewog jedenfalls dazu die Form der Anfangswindungen, welche aber noch mehr an *Trochus* als an *Turbo* erinnert.

Ganz abweichend von der Familie *Trochidae* ist aber die Mündung gebaut und ist wohl geeignet, über die systematische Stellung der Gattung einigen Aufschluß zu geben. In dem oberen Teile der Mündung legen sich Außen- und Innenlippe zusammen und schließen kanalartig eine kleine, rundliche Öffnung von der Mündung ab. Dieses Verhalten deutet mehr auf Beziehungen zu den Pleurotomariiden als zu den Trochiden. Hinter diesem Loch ist die Schale allerdings geschlossen und ein Schlitzband ließ sich an keinem unserer Stücke beobachten.

Bei der zu den Pleurotomariiden gehörigen Gattung *Catantostoma Sandberger* aus Devon und Trias finden wir die eigentümliche Gestalt von *Stelzneria* wieder. Auch hier ist die verengte Mündung plötzlich nach unten gewandt. Sie unterscheidet sich aber durch das Vorhandensein eines Schlitzbandes und den Mangel eines Nabels.

Stelzneria ist deshalb meines Erachtens am besten in die Nähe von *Catantostoma* zu den *Pleurotomariidae* zu stellen.

Stelzneria cepacea Gein.

Taf. I, Fig. 8—10.

1875. Gein., Elbtal, I, S. 257, Taf. 58, Fig. 12.

23 Stück von Plauen (Forsthaus und Ratssteinbruch).

Turbo (Solariella?) Goupilianus d'Orb.

1842. d'Orbigny, Terr. crét, II, S. 222, Taf. 185, Fig. 7—10.
1875. Geinitz, Elbtalgeb., I, S. 254, Taf. 56, Fig. 1.
1885. *Trochus Goupilianus* Zittel, Handbuch, 2, S. 198.

Der Beschreibung von G e i n i t z ist hinzuzufügen, daß der Nabel teilweise oder ganz von der Innenlippe bedeckt ist.

Ähnliche aber schwächere Skulptur zeigt *Turbo (Solariella) rimosus* Binkh. *var. granulata* Kaunhowen, Maestr. Kreide, S. 33, Taf. II, 4—6.

13 Stück von Plauen (Ratssteinbruch), Koschütz, Oberau, Zscheila bei Meißen.

Die von G e i n i t z unter dem Namen *Turbo* cf. *Raulini* abgebildeten und beschriebenen Stücke sind schlecht erhalten und gehören sicher nicht zu *Turbo*.

Turbo Leblanci d'Arch.

1847. d'Archiac. Mém. soc. géol. France, 2, II, 2, S. 339, Taf. 23, Fig. 8.
1875. Gein., Elbtal, I, S. 254, Taf. 55, Fig. 13, 14.

Die sächsischen Stücke sind ziemlich variabel in der Skulptur und nehmen, wie es scheint, eine vermittelnde Stellung zwischen den beiden von d'A r c h i a c beschriebenen Arten *T. Leblanci* und *Boblayei* ein. Die ziemlich kräftige Skulptur erinnert mehr an erstere, die nicht genabelte und nicht quergefaltete Basis mehr an die zweite Art.

Fünf Stück aus Plauen (Ratssteinbruch) und Koschütz.

Turbo scobinosus Gein.

1875. Gein., Elbtal., I, S. 253, Taf. 55, Fig. 12.

Diese Art hat durch ihre Skulptur und die wulstig verdickte Außenlippe viel Ähnlichkeit mit *Trochus Reichi*. Ihrer runden Mündung wegen muß sie aber bei *Turbo* belassen werden. Der Beschreibung von G e i n i t z habe ich noch hinzuzufügen, daß die Basis geknotete konzentrische Rippen trägt.

Turbo retifer Böhm (Holzapfel, Palaeontogr. 34, S. 169, Taf. 17, 1—4) ist unserer Art sehr ähnlich, doch scheint ihr der Mundwulst gefehlt zu haben.

Ein Stück vom Forsthaus in Plauen.

Turbo Naumanni Gein.

1875. Gein., Elbtal, I, S. 255, Taf. 56, Fig. 5 und 6.
1875. *Turbo Leonhardi* Gein., Elbtal, I. S. 255, Taf. 56, Fig. 7.

Unter dem Namen *Turbo Leonhardi* trennte G e i n i t z einige kleine Exemplare von *Turbo Naumanni* ab. Die ersten Windungen dieser Art sind flacher als die späteren und jüngere Exemplare besitzen daher ein niederes Gewinde als ältere. Man kann auch an den jüngeren Stücken das Einschieben feinerer Linien zwischen die gröberen beobachten, so daß es sicher ist, daß wir in *Turbo Leonhardi* nur Jugendexemplare von *Turbo Naumanni* zu sehen haben.

Nahe verwandt ist *Turbo granose-cinctus* Binkhorst, Gast. craie sup. Limbourg, S. 48, Taf. Va 1, Fig. 16.

15 Stück aus Plauen.

Trochus Duperreyi d'Arch.

1846. *Turbo Asterianus* Reuss, Böhm. Kreide., II, S. 112, Taf. 44, Fig. 22.
1847. d'Archiac Mém. Soc. géol. France 2, II, S. 336, Taf. 23, Fig. 2.
1849. *Trochus Reussi* Gein., Quad., Deutschland, S. 132.
1875. »   *Duperreyi* Gein., Elbtal, I., S. 252, Taf. 55, Fig. 8.
1885. *Cantharidus?* Duperreyi Zittel, Handbuch 2, S. 197.

Der Abbildung und Beschreibung von G e i n i t z habe ich nur hinzuzufügen, daß die Basis zwar in der Mitte vertieft aber nicht genabelt ist. Die Innenlippe trägt einen Zahn. Die Art ist deshalb vielleicht zur Untergattung *Turcica* zu stellen.

Nahe verwandt ist *Trochus parvus* Briart und Cornet, Meule de Braquegnies, S. 37, Taf. 3, Fig. 48, 49, und *Trochus decrescens* Kaunhowen, Gast. Maestr. Kreide, S. 35, Taf. II, Fig. 13, 14.

Mir liegen sechs Stück aus Plauen (Forsthaus und Ratssteinbruch?) und Oberau vor.

Außerdem kommt die Art im Hippuritenkalke von Koriczan in Böhmen und der Tourtia von Tournay vor.

Trochus (Turcica?) Fischeri Gein.

Taf. I, Fig. 1, 2.

1875. Geinitz, Elbtal, I, S. 252, Taf. 55, Fig. 9.

Die stumpfkonischen Schälchen erreichen eine Höhe von 5 *mm* und eine Breite von 4 *mm* und bestehen aus fünf schwach gewölbten oder ebenen Umgängen, welche oben und unten gekantet und durch vertiefte Nähte geschieden sind. Die Basis ist schwach gewölbt und wie die Außenseite der Schale gleichmäßig längsgestreift. Die rundliche Mündung hat eine verdickte Innenlippe mit drei Wülsten. Die Außenlippe ist scharf.

18 Stück vom Forsthaus in Plauen.

Trochus (Craspedotus) Geslini d'Arch. sp.

1847. *Turbo Geslini d'Archiac*, Mém. Soc. géol. France, 2 sér., II, 2, S. 933, Taf. 23, Fig. 7.
1850. *Trochus imbricatus* Nyst, Gein., Quad. Deutschland, S. 130.
1875. *Turbo Geslini* Gein., Elbtal, I, S. 252, Taf. 55, Fig. 10.

Die Abbildung von G e i n i t z ist zwar stark ergänzt, aber in der Hauptsache richtig ergänzt. Nur die Skulptur der Basis ist falsch wiedergegeben. Sie besteht aus flachen Knoten. In der Regel ist die Schale nicht erhalten. Die Steinkerne zeigen dann eine Skulptur aus scharfen Linien bestehend, welche derjenigen von *Trochus Reichi* Gein. (Taf. 55, Fig. 11) gleicht. Die von d'Archiac erwähnte feine Zuwachsstreifung kann man auch an den Plauenschen Stücken gelegentlich beobachten.

Daß diese Art nicht zu *Turbo*, sondern zu *Trochus* gehört, beweist die gezähnte Innenlippe und die wulstig verdickte Außenlippe. Obwohl die Innenseite der Mündung nicht ganz bekannt ist, bestimmt mich die nahe Verwandtschaft mit *Trochus Reichi* unsere Art zu *Craspedotus* zu stellen.

Sechs Stück aus Plauen und Koschütz.

Trochus (Craspedotus) Reichi Gein.

1840. *Trochus Reichii* Gein., Char. II, S. 47, Taf. 15, Fig. 24.
1849. Gein., Quad. Deutschland, S. 130.
1875. *Turbo Reichi* Gein., Elbtal., I, S. 252, Taf. 55, Fig. 11.

Die in der Hauptsache gute Abbildung bei G e i n i t z zeigt verschiedene kleine Mängel. Es fehlen ihr die sehr feinen Zuwachsstreifen, welche das Originalexemplar in den Zwischenräumen der Gitterskulptur deutlich zeigt. Die Verzierung der Basis ist mangelhaft wiedergegeben. Sie besteht aus gekörnelten Spiralrippen. Von der eingezeichneten umgeschlagenen Innenlippe ist am Original nichts zu sehen.

Nahe verwandt mit unserer Art ist jedenfalls *Trochus* Marçaisi d'Orb. (Terr. Crét., Taf. 186, Fig. 19), *Turbo Mulleti* d'Arch, die gleiche Skulptur trägt, soll eine andere Mündung besitzen.

24 Stück aus Plauen (Forsthaus), Koschütz und Oberau.

Trochus (Ziziphinus) Buneli d'Arch.

1846. *Phorus granulatus* Gein., Grundr., S. 349, Taf. 14, Fig. 18.
1847. *Trochus Corlieri, Buneli Huoti* d'Arch. Mém. soc. géol. France, 2 sér., II, 2, S. 335, Taf. 22, Fig. 8—10.
1449. » » Gein., Quad., Deutschland, S. 130.
1875. » *Buneli* Gein., Elbtal, I, S. 251, Taf. 55, Fig. 4—7.

Die Abbildungen bei G e i n i t z sind zwar stark schematisiert (besonders Fig. 6), geben aber die wichtigsten Eigenschaften der Art wieder. *Ziziphinus Geinitzianus* Stoliczka (Cret. Gast. South. India S. 373, Taf. 24, Fig. 11—15) ist deutlich genabelt und besitzt gewölbte Umgänge. Die Vereinigung dieser Art mit *Z. Buneli* wie es G e i n i t z tut, ist daher nicht statthaft.

In Plauen sehr häufig, außerdem in der Tourtia von Tournay.

Trochus (Ziziphinus) Geinitzi Reuß.

1840. *Trochus granulatus* Gein., Char. II, S. 46, Taf. 15, Fig. 20.
1846. » *Geinitzi* Reuss, Böhm. Kreide II, S. 112, Taf. 44, Fig. 24.
1847. » Rozeti d'Arch. Mém. Soc. géol. France 2, II, 2, S. 336, S. 22, Fig. 11.
1849. » *quinquelineatus* und *Geinitzi* Gein., Quad., Deutschland, S. 130.
1875. » *Geinitzi*, Gein., Elbtal, I, S. 350, Taf. 55, Fig. 1—3.

(Nicht: *Ziziphinus (Eutrochus?) Geinitzianus* Stol., Gast. South. India, S. 373, Taf. 24, Fig. 11—15 und *Trochus Eutrochus*) *Geinitzianus* Reuß, Zittel, Handbuch 2, S. 197. Die zu *Eutrochus* gehörige indische Form muß um weiteren Verwechslungen vorzubeugen einen anderen Namen erhalten, wofür ich den Namen *Eutrochus Stoliczkai* vorschlagen möchte.

Ebenso gehört nicht zu der Reußschen Art die von B r i a r t und C o r n e t aus dem oberen Gault von Bracquegnies als *Trochus Geinitzi* beschriebene Art. Sie scheint ebenfalls neu zu sein.)

Trochus Geinitzi wurde von G e i n i t z gut beschrieben und abgebildet. Er kommt in Plauen, Koschütz und Oberau, von wo mir elf Stück vorliegen, außerdem im Hippuritenkalk von Koriczan in Böhmen und der Tourtia von Tournay vor.

Teinostoma cretaceum d'Orb.

1846. *Rotella cretacea* d'Orb., Astrolabe, Taf. 4, Fig. 18—21.
1850. *Pitouellus cretaceus* d'Orb., Podr. Pal., II, 223.
1864. Stoliczka, Gast. South. India, S. 350, Taf. 25, Fig. 7.
1875. Geinitz, Elbtal, I, S. 257, Taf. 56, Fig. 13.
1897. Kossmatt, Pondicherri Cretac, S. 91, Taf. 8, Fig. 5.

Acht Stück von Plauen (Forsthaus?).

Teinostoma Stoliczkai Gein.

1875. Gein., Elbtal, I, S. 257, Taf. 56, Fig. 14.

Sieben Stück von Plauen (Forsthaus).

Neritopsis torulosa Gein.

1875. Gein., Elbtal, I, S. 247, Taf. 57, Fig. 2.

Zwei Stück von Plauen (Forsthaus).

Neritopsis costulata Roem.

1841. *Nerita costulata* Roem., Nordd. Kreide, S. 82, Taf. 12, Fig. 12.
1842. *? Neritopsis ornata* d'Orb., Terr. crét., II, S. 176, Taf. 176, Fig. 8—10.
1849. *Nerita costulata* Gein., Quad. Deutschl., S. 130.
1850. *Neritopsis costulata* d'Orb., Prodr., Pal., II, S. 222.
1875.   »   »   Gein., Elbtal, I, S. 247, Taf. 54, Fig. 24, 25, Taf. 57, Fig. 3.

Steinkerne dieser Art zeigen eine mehr oder minder vollkommene Resorption der ersten Umgänge und nähern sich somit *Nerita.*

Sehr häufig in Plauen (Forsthaus, Ratssteinbruch) und Koschütz.

Nerita nodosa Gein. sp.

1840. *Natica nodosa* Gein., Char., II, S. 47, Taf. 15, Fig. 27, 28.
1845.   »   »   Reuss, Böhm. Kreide, I, S. 50, Taf. 11, Fig. 2.
1846.   »   *nodoso-costata* Reuss, Böhm. Kreide, II, S. 113, Taf. 44, Fig. 21.
1847. *Nerita cestophora* de Ryckholt, Mél. pal., S. 82, Taf. 3, Fig. 17.
1865. *Nerita rugosa* Briart u. Cornet, Meule de Bracquegnies, S. 34, Taf. 3, Fig. 50—52.
1875. *Neritopsis nodosa* Gein., Elbtal. I, S. 246, Taf. 54, Fig. 19—23.

Die generische Stellung dieser Art macht große Schwierigkeiten. Die stets vollkommene Resorption des inneren Teiles der ersten Umgänge zeigt sie als Angehörige der Neritiden, doch steht sie durch den Mangel einer Innenlippe recht isoliert in dieser Familie. Sie scheint sich noch am nächsten an die Gattung *Lissochilus* anzuschließen. Ich gebrauche deshalb hier den Namen *Nerita* im weiteren Sinne.

Zu der Beschreibung von Geinitz habe ich nur hinzuzufügen, daß der Nabel nicht verdeckt ist, sondern daß es nicht zur Bildung eines Nabels kommt.

Nerita nodosa ist eines der häufigsten Fossilien in Plauen im Ratssteinbruch und am Hohen Stein, scheint dagegen am Forsthaus nicht vorgekommen zu sein. Ferner findet sie sich im Cenoman von Groß-Sedlitz bei Pirna und Oberau, im Hippuritenkalk von Kutschlin und Koriczan in Böhmen, in Bracquegnies und Tournay.

Nerita ovoides Gein. und Fischer.

1875. Gein., Elbtal, I, S. 247, Taf. 57, Fig. 4.

Ein Stück von Plauen (Forsthaus).

Neritina minutissima Gein. u. Fischer.

1875. *Nerita minutissima* Gein., Elbtal, I, S. 247, Taf. 57, Fig. 5.

Von *Neritina compacta* Forbes (Stol. Gast. South. India, S. 339, Taf. 28, 4) aus der Arrialoor Group scheint sie sich lediglich durch ihre sehr viel geringere Größe zu unterscheiden.

15 Stück vom Forsthaus in Plauen.

Pileolus Koninckianus Ryckh.

1847. *Acmaea Koninckiana* de Ryckh. Mél. pal., S. 62, Taf. 2, Fig. 33, 34.
1865. *Helcion Malaisi* Briart u. Cornet, Meule de Bracquegnies, S. 38, Taf. 3, Fig. 46, 47.
1875. *Pileolus Koninckianus* Gein. Elbtal, I, S. 248, Taf. 57, Fig. 7, 8.

11 Stück von Plauen (Forsthaus).

Pileolus Orbignyi Gein.

1875. Geinitz. Elbtal., I, S. 248, Taf. 57, Fig. 12.

3 Stück von Plauen (Forsthaus).

Pileolus semiplicatus nov. nom.

1875. Pileolus plicatus Gein. Elbtal., I, S. 249, Taf. 57, Fig. 11.

Der Name mußte geändert werden, da Sowerby bereits einen Pileolus plicatus aus dem Bathonien beschrieben hat.

Solarium Reussi Geinitz.

1875. Gein. Elbtal., I, S. 256, Taf. 56, Fig. 11.

Ist auf ein Exemplar von Plauen, und zwar wahrscheinlich vom Forsthaus gegründet.

Solarium Ackermanni Gein.

1875. Gein. Elbtal., I, S. 256, Taf. 56, Fig. 12.

1 Exemplar vom Forsthaus in Plauen.

Solarium Kirsteni Geinitz.

Taf. I, Fig. 7a—c.

1875. Gein. Elbtalgeb., I, S. 255, Taf. 56, Fig. 8.

Die Abbildung von Geinitz ist unbrauchbar.

Die Schale ist flach, das Gewinde tritt nicht vor. Die drei Windungen nehmen schnell an Größe zu. Ihr Querschnitt ist gerundet vierseitig, etwas breiter als hoch. Die Skulptur besteht aus geknoteten Längsrippen von wechselnder Stärke. Auf ihren Zwischenräumen und den Knoten läßt sich eine feine Querstreifung erkennen.

3 Stück vom Forsthaus in Plauen.

Solarium Zschaui Gein.

Taf. I, Fig. 6a—c.

1875. Gein. Elbtal., I, S. 256, Taf. 56, Fig. 9.

Durch die niedrig treppenförmige Gestalt ihrer 4 Umgänge unterscheidet sich diese Art leicht von S. Kirsteni. Die Verzierung besteht aus 2—3 Knotenreihen auf der Oberseite, von denen die innere die stärkste ist. Auf diese folgt nach außen eine kräftige, mehr oder weniger gekörnelte Rippe. Weiter folgen an der Außenseite und der äußeren Hälfte der Unterseite schwächer werdende glatte Rippen. Der scharf abgesetzte Nabel ist von einer unregelmäßigen Reihe starker Knoten umgeben, von denen radiale Falten ausstrahlen und die Spiralrippen auf dem inneren Teile der Unterseite verdrängen.

4 Stück von Plauen (Forsthaus).

Solarium Roemeri Gein. sp.

1875. Straparolus Roemeri Gein. Elbtal., I, S. 256, Taf. 57, Fig. 6.

Die Abbildung und Beschreibung von Geinitz ist richtig, bis auf die Wiedergabe der Zuwachsstreifung, die viel feiner ist. Lediglich die schwache Unsymmetrie der Schale läßt erkennen, daß es sich nicht um einen Ammoniten handelt, da Lobenlinien bei diesem Erhaltungszustand nicht zu erwarten wären.

Ob die von d'Orbigny (Terr. crét., Taf. 181, Fig. 12) und von Pictet (Moll. Grès vert., Taf. 21, Fig. 7) abgebildeten glatten Exemplare von Solarium Martinianum d'Orb. nicht besser zu unserer Art gestellt würden, entzieht sich bei der Ungenauigkeit der Beschreibung meiner Beurteilung.

2 Stück vom Forsthaus in Plauen.

Littorina pectinata nov. nom.

1875. *Littorina gracilis* (non Sow.) G e i n i t z. Elbt., I, S. 249, Taf. 54, Fig. 9.

Die von G e i n i t z beschriebene *L. gracilis* scheint mit S o w e r b y s Art nicht identisch zu sein. Die Abbildung bei F i t t o n (Observ. Taf. 18, Fig. 12) zeigt eine in einen spitzen Ausguß anslaufende Mündung, während der Unterrand der Mündung der sächsischen Art (siehe Abbildung G e i n i t z) gerundet ist. Außerdem scheinen die Umgänge der englischen Art gewölbter, die Querwülste zahlreicher und die Längsstreifung, die an den sächsischen Stücken kaum zu erkennen ist, kräftiger zu sein. Die zahlreichen, mir vorliegenden Exemplare sind meist schlanker als die Abbildung von G e i n i t z.

Sehr häufig am Forsthaus in Plauen.

Littorina minuta Gein.

1875. G e i n i t z. Elbtalgeb., I, S. 249, Taf. 54, Fig. 10.

Häufig am Forsthaus in Plauen.

Vanikoro carinata Sow. sp.

1837. *Natica carinata* S o w. Fitton, on some strata below the Chalk, S. 343, Taf. 18, Fig. 8.
1850. *Natica carinata* d'O r b. Prodrome Pal., II, S. 150.
1875. G e i n. Elbtalgeb. I, S. 245, Taf. 57, Fig. 1.

1 Exemplar vom Forsthaus in Plauen.

Natica dichotoma Gein.

1840. G e i n i t z. Charakteristik, II, S. 48, Taf. 13, Fig. 5. Taf. 18, Fig. 14.
1843.   »   Kieslingswalde, S. 10, Taf. I, Fig. 19.
1846. R e u ß. Böhm. Kreide, I, S. 50. II, S. 113, Taf. 44, Fig. 16.
1875. G e i n i t z. Elbtalgeb., I, S. 245, Taf. 54, Fig. 18 (z. Teil).
1883. *Nerita dichotoma* F r i č. Iserschichten, S. 94. (Nicht F r i č, Chlomeker Schichten, S. 42, Fig. 29.)
1900. S t u r m. Kieslingswalde, S. 65, Taf. 4, Fig. 8.

Unter dem Namen *Natica dichotoma* wurden von verschiedenen Autoren, so auch von G e i n i t z zwei verschiedene Arten, die eine kräftige Querrippung zeigen, aufgeführt.

Das Original von G e i n i t z zeigt sehr schnelle Größenzunahme der drei Windungen, keine vertieften Nähte und sehr starke Rippen, die sich zum Teile in der halben Höhe des letzten Umganges gabeln. Große Ähnlichkeit hiermit zeigt die Abbildung bei Reuß, doch liegt die Gabelungsstelle der Rippen höher. An Steinkernen sind die ersten Umgänge oben abgeflacht, der letzte dagegen ist oben kantig, was in der sehr mangelhaften Abbildung bei S t u r m (Original im k. Min. Museum in Dresden) nicht hervortritt.

Die andere unter diesem Namen beschriebene Art schließt sich an *Natica Roemeri*, Gein.[1]) an. Sie kommt unter anderen in Strehlen vor und unterscheidet sich durch größeres Gewinde, vertiefte Nähte und schwächere, nicht gegabelte Rippen. Beide Arten sind weit genabelt und unsere Art gehört deshalb zweifellos nicht zu *Nerita*, wohin sie Frič stellt. Von *N. dichotoma* liegt nur das Original von G e i n i t z aus den Konglomeratschichten von Oberau, ferner drei Stücke von K i e s l i n g s w a l d e vor. Außerdem findet sich diese Art nach R e u ß und G e i n i t z bei Koriczan und Kutschlin in Böhmen.

Natica cf. pungens Sow.

1875. *Natica pungens* Gein. Elbtalgeb., I, S. 243, Taf. 54, Fig. 15.

Diese von G e i n i t z gut abgebildete Art stimmt mit der Art S o w e r b y s[2]) in der äußeren Form vollkommen überein. Aus der Beschreibung bei F i t t o n geht aber nicht hervor, ob ein Nabel vorhanden ist, wie ihn unser Stück besitzt und die Übereinstimmung bleibt deshalb fraglich.

---

[1]) Vergl. S. 26, Taf. I, Fig. 11.
[2]) *Litorina pungens* S o w. bei Fitton, Observ., S. 343, Taf. XVIII, V.

Ähnlichkeit zeigt auch das von Holzapfel (Palaeontogr. 34, Taf. XIV, Fig. XXII) abgebildete Jugendexemplar von *Natica exaltata* Goldfuß, unterscheidet sich aber durch stark gewölbte Umgänge und vertiefte Nähte.

Es liegt nur das Originalexemplar von Geinitz von Plauen vor.

Natica (Amauropsis) extensa Sow.

1813. *Viripara extensa* Sow. Min. Conch., Taf. 31, Fig. 14.
1850. *Natica extensa* d'Orb. Prodr. Pal., II, S. 150.
1875.   »   »   Gein. Elbtalgeb., I, S. 242, Taf. 54, Fig. 14.

Unsere Stücke zeigen meist eine deutliche Zuwachsstreifung und gelegentlich auch dieser parallele Einschnürungen.

13 Stück von Plauen, Koschütz, Zscheila.

Natica (Lunatia) lyrata Sow.

1831. *Natica lyrata* Sow. Trans. Geol. Soc, III, Taf. 38, Fig. 11.
1841.   »   »   d'Orb. Terr. crét., II, S. 161.
1852.   »   »   und *semiglobosa* Zekeli. Gastrop. Gosau, S. 46, Taf. 8, Fig. 5, 6.
1865.   »   »   Stoliczka. Revision, S. 45.
1868. *Euspira lyrata* Stoliczka. Gastrop. South. India, S. 303, Taf. 22, Fig. 2.
1875. *Natica lamellosa* Gein. Elbtalgeb., I, S. 243 (z. Teil), Taf. 54, Fig. 17.

Diese Art wurde von Geinitz mit einer gänzlich verschiedenen von Strehlen zusammengezogen. (Vergl. *Natica cf. Vulgaris*, S. 27.)

6 Stück von Plauen (Forsthaus).

Natica (Lunatia) plauensis nov. nom.

1875. *Natica Gentii* Gein. Elbtalgeb., I. S. 244 (z. Teil), Taf. 54, Fig. 16.

Wie Holzapfel (Palaeontogr. 34, S. 141) bereits erwähnt, hat Geinitz unter dem Namen *N. Gentii* eine Anzahl Formen aus der gesamten Kreide vereinigt, die teilweise recht wenig miteinander zu tun haben. Auch die von ihm vereinigten Arten von Plauen und Strehlen sind stark verschieden. Nach dem Vorgehen von Holzapfel stelle ich die Strehlener Art zu *Natica (Lunatia) Geinitzi* d'Orb.

Die Art vom Forsthaus in Plauen muß daher einen neuen Namen erhalten. Die Schale besteht aus drei schnell an Größe zunehmenden Windungen, die auf der Oberseite etwas abgeflacht sind und an der Naht eine schwache Einsenkung zeigen. Das Gewinde tritt nur schwach hervor. Die Mündung ist rundlich und der Nabel bis auf eine schwache Ritze von der Innenlippe bedeckt.

Lunatia Stoliczkai und *Klipsteini* (Holzapfel, Palaeontogr. 34, Taf. XIV, Fig. XXIII, XXIV) haben Ähnlichkeit mit unserer Art, unterscheiden sich aber durch höheres Gewinde und weiteren Nabel.

3 Stück vom Forsthaus in Plauen.

Turritella Geinitzi nov. nom.

Taf. III, Fig. 2 u. 4.

1875. *T. subalternans* Briart u. C., Geinitz. Elbtal, I, S. 240, Taf. 54, Fig. 5, 6.

Die von Geinitz im Elbtalgebirge beschriebene Art ist sicher verschieden von der von Briart und Cornet beschriebenen. Der Gewindewinkel unserer Art beträgt 22—25° an größeren Gehäusen und kann an den ersten Windungen beträchtlich höhere Werte erreichen. Die im Alter schwach gewölbten, manchmal fast ebenen Umgänge tragen verschieden starke, aber meist sehr feine Längsstreifen, die etwas gerauht sind, ohne daß man sie doch als granuliert bezeichnen könnte. Die ersten Windungen weichen davon beträchtlich ab. (Taf. III, Fig. 4.) Hier fallen die Umgänge von zwei stark hervortretenden, glatten Rippen dachförmig zu den Nähten ab. Durch Einschieben weiterer Linien und Verflachen der Umgänge entsteht dann die Skulptur der späteren Umgänge. Die Basis ist gestreift.

2*

Taf. IV, Fig. 11 halte ich auch für ein Jugendexemplar dieser Art.
Am nächsten steht ihr wohl *Turritella alternans* Roemer.

17 Stück vom Forsthaus in Plauen.

Turritella Kirstoni Gein.

1875. **Gein**. Elbtalgeb., I, S. 240, Taf. 54, Fig. 1.
1875. *Turritella granulata* (non. Sow.) **Gein**. Elbtalgeb., I, S. 239, Taf. 54, Fig. 3, 4.

Es ist vollständig unmöglich, einen Unterschied zwischen den von **Geinitz** unter den beiden oben angeführten Namen bestimmten Stücken aufzufinden. Die Abbildung (Taf. 54, 3 *a*) ist augenscheinlich der Phantasie des Zeichners entsprungen. Die sächsischen Stücke unterscheiden sich von *T. granulata* Sow. durch eine größere Zahl von Längsrippen und dadurch, daß sie nirgends eine Querstreifung erkennen lassen, die bei der englischen Art die Veranlassung zur Knotenbildung gibt.

Die Gestalt der Schale ist in den Abbildungen von **Geinitz** gut wiedergegeben. Die Skulptur besteht aus meist sechs flachen, Knoten tragenden Längsrippen, deren breite Zwischenräume ein bis zwei meist glatte Längsstreifen aufweisen.

7 Stück von Koschütz, Plauen (Ratssteinbruch) und Zscheila bei Meißen.

Turritella subparallela Gein.

1875. **Gein**. Elbtalgeb., I, S. 240, Taf. 54, Fig. 2.

Diese Art ist auf ein einziges verdrücktes Exemplar von Plauen aufgestellt.

Mesostoma Beiseli Holzapfel.

1875. *Scala pulchra* **Gein**. Elbtalgeb., I, S. 241, Taf. 54. Fig. 7, 8.
1887. *Mesostoma Beiseli* **Holzapfel**. Palaeontogr., 34, S. 132, Taf. 54, Fig. 3.
1897. ? *Mesostoma Mülleri* **Kaunhowen**. Maestr. Kreide, S. 59, Taf. 3, Fig. 5.

Zwei der vorliegenden Stücke zeigen Andeutungen eines Kanals und beweisen, daß die Art nicht zu *Scalaria*, sondern zu *Mesostoma* zu stellen ist. Ihrer schlanken Gestalt und deutlichen Längsstreifung wegen stelle ich sie zu *Mesostoma Beiseli*. Besser zu dieser als zu *M. Mülleri* dürfte auch die den sächsischen Stücken sehr ähnliche *Mesostoma* passen, welche **Kaunhowen**, l. c., abbildet.

4 Stück vom Forsthaus in Plauen.

Chemnitzia Reußiana Gein.

1849. *Eulima arenosa* **Gein**. Quad. Deutschl., S. 126.
1875. *Chemnitzia Reußiana* **Gein**. Elbtalgeb., I, S. 241, Taf. 53, Fig. 4—6.

7 Stück von Plauen (zum Teil Ratssteinbruch).

Pseudomelania Stoliczkai Gein.

1875. *Euchrysalis Stoliczkai* **Gein**. Elbtalgeb., I, S. 242, Taf. 53, Fig. 2, 3.

11 Stück von Plauen (zum Teil Floßrechen).

Pseudomelania Laubeana Gein.

1875. *Euchrysalis Laubeana* **Gein**. Elbtalgeb., I, S. 242, Taf. 53, Fig. 1.

Sie ist der vorigen sehr ähnlich, unterscheidet sich aber konstant durch ihre schlankere Gestalt und erreicht nie deren Größe. In der Regel treten die Anwachsstreifen etwas deutlicher auf als bei der vorigen. *Eulima amphora* d'Orb. (Terr. crét., II, 66, Taf. 156, Fig. 1) steht zwischen den beiden sächsischen Arten in der Mitte. Diese drei Arten unterscheiden sich von *Pseudomelania gigantea* Stol. durch ihre unten gerundete Mündung ohne Ausguß.

9 Stück von Plauen (Ratssteinbruch).

Nerinea Geinitzi Goldf.

1844. Goldfuß. Petref. Germ., III, S. 47, Taf. 177, Fig. 8.
1875. Geinitz. Elbtalgeb. I, S. 265, Taf. 53, Fig. 7—9.

9 Stück von Koschütz und Plauen.

Nerinea Cottai Gein.

1875. Geinitz. Elbtalgeb., I, S. 266, Taf. 53, Fig. 10.

1 Stück von Koschütz.

Cerithium tectiforme Binkh.

Taf. II. Fig. 1, 3, 4 a, b.

1861. Binkhorst. Gasterop., craie sup., Limbourg, S. 24, Taf. I, Fig. 3.
1875. Cerithium Margaretae Gein. Elbtalgeb., I, S. 268, Taf. 60, Fig. 5.
1875. Cerithium Schlüteri Gein. Elbtalgeb., I, S. 272 Taf. 60, Fig. 21.

Die Gehäuse dieser Art sind spitz turmförmig. Der Gewindewinkel schwankt um recht beträchtliche Werte. Er liegt in der Regel zwischen 13 und 17^0, kann aber auf kurze Strecken sowohl unter 10^0 herabsinken sowie über 20^0 steigen. Die Umgänge tragen in ihrem unteren Teile eine stark vorspringende Reihe spitzer Knoten — meist zwölf auf einem Umgang.

In dem darüber liegenden Teile der Umgänge liegt auf den ersten Windungen eine Reihe von spitzen Knoten. In der Regel tritt neben dieser auf den späteren Windungen noch eine weitere Knotenreihe auf. In seltenen Fällen steigt die Zahl der kleineren Knotenreihen bis auf fünf. (Taf. II, Fig. 4.)

Die Basis ist flach, mehr oder weniger scharf abgesetzt und fein gestreift. Eine vollständige Mündung ist nicht erhalten. Sie war annähernd rechteckig, die Mundränder legen sich zu einer hohlen Spindel zusammen. Als Varietät dieser Art möchte ich die von Geinitz als C. Schlüteri beschriebene Form auffassen, da sich Übergänge in der Skulptur zwischen diesen beiden Formen finden. Hier treten an Stelle der Knotenreihen drei durch Querrippen verbundene Längsrippen, während die übrigen Merkmale des C. tectiforme gewahrt bleiben.

33 Stück vom Forsthaus in Plauen.

Cerithium Cornuelianum d'Orb.

Taf. II, Fig. 2.

1842. d'Orbigny. Terr. crét. 2, S. 361, Taf. 228, Fig. 11—13.
1875. C. Barrandei, Geinitz, Elbtalgeb. I, S. 273, Taf. 60. Fig. 28.
1902. Rehbinder, Cret. Schichten Baskuntschak, S. 145, Taf. 3, Fig. 11—16.

Die Plauener Exemplare sind durchweg sehr klein. Das größte mag 17 mm erreicht haben. Der Gewindewinkel beträgt 20—25°. Die Skulptur, aus Querwülsten und Längslinien bestehend, ist sehr variabel. Die Umgänge fallen etwa im oberen Drittel dachförmig ab. Darauf folgt eine stärker hervortretende Rippe, dann fallen sie senkrecht ab, werden wieder durch eine Rippe begrenzt, um nach der Naht zu wieder mehr oder weniger eingezogen zu werden. Die ganze Schale ist mehr oder weniger fein spiral gestreift. Die an Zahl sehr variablen wulstigen Querrippen zeigen an Stellen, an denen sie von den Spiralrippen gekreuzt werden, gelegentlich Knotenbildung. An dem abgebildeten Exemplar trägt die stärkere untere Linie auch auf den Zwischenräumen Knoten.

Eine ähnliche Skulptur besitzt das stumpfere C. Pescheilianum.

8 Stück vom Forsthaus in Plauen.

Cerithium interpunctatum Geinitz.

Taf. II, Fig. 6.

1875. Geinitz. Elbtalgeb., I, S. 274, Taf. 60, Fig. 24.

Diese äußerst zierliche Art trägt auf den gewölbten Umgängen ihrer spitzkonischen Schale (Gewindewinkel 30—40°) zahlreiche Querwülste, welche von drei fein gekörnten Längsrippen unter Knotenbildung geschnitten werden. Eine weitere, stets deutlich geperlte Schnur liegt in der Naht. Die Basis ist wenig gewölbt und trägt weitere glatte konzentrische Rippen. Die rundliche Mündung verläuft in einen mäßig langen, wenig gebogenen schmalen Kanal.

Bis 8 *mm* groß häufig am Forsthaus in Plauen.

Cerithium Peschelianum Geinitz.

Taf. II, Fig. 5 u. 10.

1875. *C. Peschelianum* u. *Lorioli* Geinitz. Elbtalgeb. I, S. 267 u. 275, Taf. 59, Fig. 20, 21. Taf. 51, Fig. 7.

Das spitzkonische bis turmförmige Gehäuse besteht aus acht anfangs weniger, später stärker gewölbten Umgängen. Die Verzierung wird von zahlreichen Querwülsten gebildet, die sich nach der Naht zu in wenig regelmäßige Knoten gabeln können. Die ganze Oberfläche ist mit feinen Längsstreifen bedeckt. Die Mündung ist nicht vollständig erhalten. Sie war schief rhombisch, nach oben lang ausgezogen, nach unten in einen offenen, schiefen Kanal verlängert. Die Innenlippe steht von der Spindel weit ab.

Die Abtrennung von *C. Lorioli* bei Geinitz ist durch nichts begründet.

6 bis 2 *cm* große Stücke vom Forsthaus in Plauen.

Cerithium Sturi Gein.

Taf. IV, Fig. 9.

1875. Geinitz. Elbtalgeb., I, S. 271, Taf. 60, Fig. 15.

Die Art ist auf ein einziges Exemplar gegründet. Die Schale besitzt einen Gewindewinkel von 35° und besteht aus vier Umgängen, welche von der Naht erst schräg und dann ein kurzes Stück senkrecht abfallen, so daß ein treppenförmiges Profil entsteht. Die Skulptur besteht aus etwa sieben Längsstreifen, die von zahlreichen schwächeren Querrippen unter Knotenbildung geschnitten werden. Die Basis ist gewölbt und gestreift. Die große Mündung trägt einen kurzen, gebogenen Kanal.

1 Stück vom Forsthaus in Plauen.

Cerithium infibulatum Geinitz.

Taf. II, Fig. 9.

1875 Geinitz. Elbtalgeb., I, S. 272, Taf. 60, Fig. 19.

Die Umgänge des spitzkonischen Gehäuses zeigen ein charakteristisches Profil. Sie fallen von der Naht an zunächst schräg, dann steil ab und sind nach der unteren Naht zu wieder etwas eingezogen. Ihre Skulptur besteht aus anfangs zwei, später drei Längsrippen, die mit schwächeren, eng stehenden Querrippen ein Gitterwerk bilden. Die Querrippen sind am deutlichsten auf dem schräg abfallenden Teile der Windungen und können auf dem steil abfallenden Teile ganz verschwinden. Die Basis ist gewölbt und trägt konzentrische Streifen. Die Mündung ist schief oval mit schwach ausgeprägtem Ausguß. Die Außenlippe ist verdickt.

5 *mm* groß häufig beim Forsthaus in Plauen.

Cerithium costellatum Sow.

Taf. II, Fig. 7.

1875. Geinitz. Elbtalgeb., I, S. 271, Taf. 60, Fig. 16.

Die spitz kegelförmige Schale besteht aus stark gewölbten Umgängen. Diese tragen eine scharfe Gitterskulptur, auf dem letzten Umgang aus zehn Längsrippen und zahlreichen gleich starken Querrippen bestehend. Auf der Außenseite der Spindel läßt sich dazwischen eine äußerst feine Querstreifung erkennen. Mündung schief mandelförmig mit verdickter Außenlippe und schmaler Innenlippe.

3 Stück vom Forsthaus in Plauen.

Cerithium macrostoma Geinitz.

Taf. II, Fig. 8 u. 11, Taf. IV, Fig. 7.

1875. Geinitz, Elbthalgeb. I, S. 274, Taf. 60, Fig. 18.
1875. C. solidum u. subvagans Gein. Ebenda. S. 270 u. 272, Taf. 60, Fig. 13 u 20.

Das spitz konische Gehäuse besitzt einen Gewindewinkel zwischen 25⁰ und 30⁰. Die Umgänge sind mäßig hoch, gewölbt und tragen zehn bis sechzehn Querwülste, die von glatten Rippen unter schwacher Knotenbildung übersetzt werden. In der Naht liegt eine Linie, die bei dem, Taf. IV, Fig. 7, abgebildeten Exemplar fein gekörnelt ist. Die Basis ist gewölbt und gestreift. Die Mündung ist fast rhombisch, nach oben in eine Ecke ausgezogen, nach unten mündet sie in einen verengten seitlichen Ausguß. Die Außenlippe läßt auf der Innenseite zwei kleine Zähnchen erkennen. Die Innenlippe ist umgeschlagen, von der Spindel etwas abstehend.

Die von Geinitz als C. solidum bestimmten Stücke gehören sicher zu unserer Art. Das beste Exemplar von ihnen stellt unsere Abbildung Taf. IV, Fig. 7 dar. Sie haben aber keine Ähnlichkeit mit der Abbildung im Elbtalgebirge.

C. subvagans ist auf ein abgerolltes Exemplar unserer Art begründet. (Taf. II, Fig. 11.)

4 Stück vom Forsthaus in Plauen.

Cerithium (Horizostoma nov. subgenus) heterostoma Gein.

Taf. II, Fig. 12, Taf. III, Fig. 9 u. 10.

1875. Geinitz. Elbtalg. I, S. 271, Taf. 60, Fig. 14.

Diese Art besitzt eine Mündung, welche sich nur entfernt an bekannte Formen anschließt. Sie ist fast viereckig und von der gleichmäßig breit umgeschlagenen Außen- und Innenlippe umgeben. Die Lippen schließen über dem wenig gebogenen Ausguß vollständig zusammen und nur eine schmale in die Röhre verlaufende Furche bezeichnet die Trennungsstelle. Wie die Gattungen, bezüglich Untergattungen Triforis und Eustoma zeigt unsere Art noch einen oberen Ausguß, der ebenfalls von der Mündung völlig abgeschnürt an der Naht mündet. Die Naht ist an dieser Stelle etwas nach oben gezogen.

Die Außenlippe trägt einige kleine Zähnchen. Das aus sechs Windungen bestehende Gewinde besitzt einen Winkel von 26 bis 39⁰ und trägt eine Skulptur aus sieben Längs- und zahlreichen Querrippen, die mehr oder minder kräftige Knoten bilden, so daß die Oberfläche entweder mehr mit Knotenreihen bedeckt oder mehr gegittert erscheint. Ein Exemplar zeigt auch einen deutlich ausgeprägten Längskiel.

Mit der jurassischen Untergattung Eustoma und mit der tertiären und rezenten Gattung Triforis hat unsere Art den oberen Ausguß gemein. Sie weicht aber im übrigen so bedeutend von ihnen ab, daß eine Vereinigung unmöglich ist. Die Eustoma-Arten besitzen turmförmige Schalen mit niederen, stark geknoteten Umgängen, Triforis ist stets links gewunden.

Eine so stark spezialisierte Art wie C. heterostoma mit dem Gattungsnamen Cerithium zu bezeichnen empfiehlt sich sicher nicht. Ich möchte deshalb vorschlagen, eine eigene Untergattung Horizostoma für sie aufzustellen, die wohl in die Nähe von Triforis zu stellen ist.

3 Exemplare bis 8 mm groß vom Forsthaus in Plauen.

Cerithium ternatum Reuss.

Taf. III, Fig. 14 und 15.

1845. Reuss. Verst. d. böhm. Kreideform. S. 42, Taf. 10, Fig. 3.
1875. C. aequale und C. sociale Zek. Geinitz. Elbtalgeb. I, Taf. 60, Fig. 8 und 9.

Das spitzturmförmige Gehäuse besitzt einen Gewindewinkel, der zwischen 10° bis 23° schwankt. Es wird von etwa 12 Umgängen gebildet, welche von 3 engstehenden Knotenreihen bedeckt werden. Die Knoten stehen in schiefen Reihen übereinander. Die Basis ist abgestutzt und war anscheinend sehr fein konzentrisch gestreift. Die Mündung ist niedrig, fast rechteckig und trägt einen kurzen schiefen Kanal. Das sehr nahestehende *Cerithium lassulum* Stol. aus der *Arrialoor Group* unterscheidet sich durch stärker vertiefte Nähte.

Forsthaus in Plauen.

Nach Reuss im pyropenführenden Konglomerat von Meronitz.

Cerithium intermixtum Geinitz.

Taf. II, Fig. 3.

1875. Geinitz, Elbtalgeb., I, S. 270, Taf. 60, Fig. 11.

Es ist nicht unmöglich, daß *C. intermixtum* mit *C. ternatum* eine Art bildet. Die als *C. ternatum* bestimmten Stücke würden dann das Jugendstadium von *intermixtum* darstellen. Da aber vollständig erhaltene Exemplare fehlen, läßt sich dies vorläufig nicht beweisen.

Der Gewindewinkel ist sehr spitz, 13° und weniger. Die Umgänge sind flach aber durch eine deutliche Naht getrennt. Die Oberfläche ist mit mindestens vier Knotenreihen von verschiedener Größe bedeckt, deren Knoten in senkrechten Reihen über einander stehen. Die Basis ist glatt abgestutzt und konzentrisch gestreift. Die Mündung ist rechteckig mit seitwärts gebogenem Kanal.

3 Stück vom Forsthaus in Plauen.

Cerithium Héberti Geinitz.

Taf. III, Fig. 13.

1875. Geinitz, Elbtalgebirge, I, S. 270, Taf. 60, Fig. 10.

Das kegelförmige Gehäuse besitzt einen Gewindewinkel von etwa 35°. Bei einer Höhe von 9,5 *mm* lassen sich neun Umgänge erkennen. Die Höhe des letzten beträgt 2,5 *mm*. Die flachen, durch eine wenig vertiefte Naht getrennten Umgänge tragen anfangs vier Reihen runder Knoten, zwischen die sich später weitere Knotenreihen einschieben können. Die Knoten stehen in nicht ganz regelmäßigen Reihen übereinander. In der Regel sind die oberste und unterste Reihe eines jeden Umganges die stärksten. Die Basis war flach. Von der Mündung ist nur ein Stück des schiefen Kanals erhalten.

3 Stück vom Forsthaus in Plauen.

Cerithium cf. Héberti Geinitz.

Taf. IV, Fig. 10.

Dieses von Geinitz zu *C. Barrandei* gestellte Stück stimmt in der kegelförmigen Gestalt (der Gewindewinkel beträgt 39°) sowie in der Skulptur der Anfangswindungen mit *C. Héberti* überein. Die Skulptur nimmt aber auf den späteren Windungen eine ganz andere Weiterentwicklung. Die Knotenreihen nehmen an Zahl (8 auf der letzten Windung) nicht aber an Stärke zu und mehr und mehr verschwindet die Knotenbildung. Dafür entwickeln sich kräftige Querwülste. Die Mündung ist nicht vollkommen erhalten, zeigt aber einen schmalen, seitwärts gebogenen Kanal. Das Stück zeigt einige Ähnlichkeit mit *C. conoideum* Böhm (Cret. Gastrop. v. Libanon, S. 210, Taf. VI, Fig. 7).

1 Exemplar vom Forsthaus in Plauen.

Cerithium dichachondratum nov. nom.

Taf. III, Fig. 11 und Taf. IV, Fig. 5.

1875. *C. gallicum* Geinitz. Elbtal. I, S. 269, Taf 60, Fig 7 (non d'Orb.)

Das Gehäuse ist spitz turmförmig, der Gewindewinkel liegt meist in der Nähe von 18°, schwankt aber in einzelnen Fällen zwischen 11° und 24°.

Die Umgänge sind flach, niederer als bei dem nahestehenden *C. tectiforme* und tragen stets nur 2 Knotenreihen, eine stärkere untere und eine schwächere obere. Durch diese Anordnung der Knotenreihen unterscheidet sich unsere Art von *C. gallicum* d'Orb., welches eine stärkere obere und schwächere untere Knotenreihe trägt.

Außerdem sind die Knoten der sächsischen Art wesentlich zahlreicher. Ebenso zeigt die Mündung Unterschiede. Auch von unserer Art liegen keine vollständig erhaltenen Mündungen vor. Was erhalten ist, erinnert sehr an *C. tectiforme*. Entsprechend den etwas niederen Umgängen ist sie etwas niederer, der Ausguß ist deutlich ausgeprägt. Die Basis ist flach und fein gestreift.

Bis 14 *mm* groß vom Forsthaus in Plauen (11 Stück).

Ob die von Geinitz hieher gestellten viel größeren Exemplare von Koschütz dieser Art angehören, erscheint zweifelhaft. Sie sind fast nur als Steinkerne erhalten und scheinen zwei, beinahe gleiche, durch eine breite Furche getrennte Knotenreihen besessen zu haben.

(Unsere Fig. 5, Taf. IV, ist vermutlich Original von Geinitz Taf. 60, Fig. 7.)

Cerithium Münsteri Keferstein.

Taf. III, Fig 1.

1829. Keferstein. Deutschland, VIII, S. 99.
1842. Goldf. Petref. Germ., III, S. 36, Taf. 174, Fig. 14.
1852. C. frequens, solidum, interjectum, (?) complanatum, Münsteri, breve, rotundatum Zek., Gastrop. Gosau, Taf. 20, Fig. 1, 3, 4, 8, Taf. 21, Fig. 1, 3—7.
1866. Stoliczka. Revision d. Gastr. Gosau, S. 101.
1875. C. Héberti (pars.) Geinitz. Elbtalgeb. S. 270.

Das einzige Stück dieser Art vom Forsthaus in Plauen zeigt wenig gewölbte Umgänge, die sich ein wenig umfassen. Vier Knotenreihen jedes Umganges bleiben ungedeckt. Die Knoten stehen in senkrechten Reihen übereinander.

Die Basis ist gewölbt und zeigt sechs weitere Streifen, von denen die drei oberen ebenfalls geknotet sind. Die Mündung ist schief mandelförmig mit kurzem gebogenen Kanal.

Die Höhe des Stückes beträgt 16, die Höhe des letzten Umganges 3, die Breite 5 *mm*.

Cerithium Fritschei Geinitz.

Taf. IV, Fig. 1.

1875. Geinitz Elbtalgeb., I, S. 271, Taf. 60, Fig. 12.

Die acht Umgänge des turmförmigen Gehäuses (Gewindewinkel 24°) sind anfangs wenig, später ziemlich stark gewölbt. Auffällig ist der Wechsel in der Skulptur, den alle hieher gehörigen Stücke zeigen. Die ersten Umgänge tragen fünf Längsreihen dichtgedrängter Knoten, die in Querreihen angeordnet sind. Auf den späteren Umgängen rücken diese Querreihen auseinander und bilden durch breite Täler getrennte Wülste, die von den Längslinien ohne Knotenbildung übersetzt werden. Nur die oberste Längslinie verliert ihre Knoten nicht und zieht als Perlenschnur unter der Naht hin. Die Längsrippen vermehren sich auf den späteren Umgängen dadurch, daß einzelne Rippen von der Unterseite auf die Außenseite heraufrücken. Die Basis ist gewölbt und kräftig gestreift. Die Mündung war schief mandelförmig mit kurzem schmalen Ausguß.

Das abgebildete Exemplar weicht von den übrigen dadurch ab, daß die ersten Windungen eine ähnliche Skulptur wie die letzten tragen und erst die dazwischen liegenden Windungen die dicht gedrängten Knotenreihen zeigen.

Einen ähnlichen Wechsel in der Skulptur zeigt das von Rehbinder, Cret. Sandst. von Baskundschak, Taf. IV, Fig. 1, abgebildete Stück von Cerithium Phillipsi.

3 Exemplare bis 11 *mm* groß vom Forsthaus in Plauen.

Cerithium Rudolphi Geinitz.

Taf. III, Fig. 6 u. 7. Taf. IV, Fig. 4.

1875. *C. Rudolphi, Hübleri, Strombecki* Geinitz, Elbtalgeb., I, S. 273, 274, Taf. 60, Fig. 23, 25, 26.

Das sehr spitze Gehäuse besteht aus über zehn gewölbten Umgängen. Diese tragen auf jedem Umgang neun bis zwölf Querwülste, die sich zu ziemlich deutlichen Reihen anordnen. Die darüber hinziehenden drei Längsrippen bilden auf ihnen mehr oder weniger ausgeprägte Knoten, und zwar sind die Knoten der Mittelrippe immer am stärksten. Außerdem liegt in der Naht eine Linie. Die Mündung war annähernd quadratisch mit kurzem, nach unten gewandten Kanal und abstehender Innenlippe.

Die von Geinitz als *C. Hübleri* und *Strombecki* beschriebenen Formen stellen die selteneren links gewundenen Stücke unserer Art dar.

Nicht selten am Forsthaus in Plauen.

Cerithium Gümbeli Geinitz.

1875. Geinitz. Elbtalgeb., I, S. 274, Taf. 60, Fig. 29, 30.

Das spindelförmige Gehäuse besteht aus zahlreichen (bis zehn) gewölbten Umgängen, die durch eine deutliche Naht getrennt sind. Sie tragen 12 bis 18 schmale, kräftige Querrippen auf einem Umgang. Außerdem läßt die Oberfläche eine feine Spiralstreifung erkennen. In der Naht liegt eine stärkere Spirallinie. Die enge Mündung trägt einen nach unten gewandten Kanal, die Spindel eine kräftige Falte. Diese häufige charakteristische Art wurde von Geinitz gut abgebildet.

Forsthaus in Plauen.

Cerithium conversum Geinitz.

Taf. III, Fig. 5.

1875. Geinitz. Elbtalgeb., I, S. 273, Taf. 60, Fig. 27.

Das vollständigste Exemplar besitzt bei einer Länge von 16 *mm* sieben Umgänge. Der im Verlauf des Wachstums spitzer werdende Gewindewinkel beträgt etwa 20°. Die Umgänge sind gewölbt, mit etwa zwölf Querwülsten verziert, die breite Täler zwischen sich frei lassen. Sie werden von sieben bis acht Längsstreifen übersetzt, die in den Tälern schmal sind und sich auf den Hügeln verbreitern. Die Basis ist gewölbt, konzentrisch gestreift. Die Mündung ist eiförmig und verläuft nach unten in einen breiten Ausguß. Die Innenlippe ist zurückgeschlagen und nach unten zu etwas vom letzten Umgang abgelöst. (Die Mündung ist in der Abbildung bei Geinitz total verzeichnet.)

Alle vorliegenden Exemplare sind links gewunden. Ich wage deshalb nicht, sie ohne weiteres mit dem sehr ähnlichen *C. reticulatum Sow.* (Reuß, Verst. böhm. Kreideform, S. 42, Taf. X, V) und *Cerithium vicinum Verneuil* (Descript. foss. Néocomien sup. Utrillas, S. 13, Taf. II, IV) zu vereinigen.

8 Stück vom Forsthaus in Plauen.

Cerithium provinciale d'Orb.

Taf. IV, Fig. 2.

1842. d'Orb. terr. crèt, S. 380, Taf. 233, Fig. 3.
1852. *C. provinciale* u. *torosum* Zekeli. Gastrop. Gosau, S. 109, 110, Taf. 22, Fig. 2 u. 5.
1860. Stoliczka. Revision, S. 106.
1875. *C. Rudolphi* (pars.) u. *C. sexangulum* Geinitz. Elbtal, I, S. 273, Taf. 60, Fig. 22.
1893. *C. cf. provinciale* Frič. Priesener Schichten, S. 88, Fig. XC.

Unser Originalexemplar, von Geinitz zu C. Rudolphi gestellt, ist ein Bruchstück, das aus fünf ziemlich flachen Windungen besteht. Diese tragen eine sich vermehrende Anzahl von Querwülsten — neun auf dem letzten Umgang, — die von fünf Längsrippen übersetzt werden. Eine weitere Längsrippe liegt in der Naht und hat demgemäß keinen gewellten Verlauf.

Die von Geinitz als C. sexangulum Zek. beschriebenen zwei kleinen Schälchen gehören bestimmt nicht zu der Gosauart. Ich möchte sie als Jugendstadien dieser Art auffassen.

3 Stück vom Forsthaus in Plauen.

Cerithium bizonatum Geinitz.

Taf. III, Fig. 12.

1875. Geinitz. Elbtalgeb., I, S. 269, Taf. 60, Fig 6.

Das einzige vorliegende Exemplar zeigt sich als Vertreter einer gut charakterisierten Art. Die Umgänge tragen zwei kräftige Längsgürtel, deren unterer sich auf den letzten Umgängen zu teilen beginnt. Der tief eingesenkte Zwischenraum zwischen den Gürteln ist fein quergestreift. Die Basis ist abgeflacht. Die Mündung scheint viereckig gewesen zu sein. Ein kleiner Nabel ist vorhanden.

Das 3 mm große Schälchen stammt vom Forsthaus in Plauen.

Cerithium Toermerianum Geinitz.

1875. Geinitz. Elbtalgeb., I, S. 268, Taf. 60, Fig. 2.

Die Schale hat einen Gewindewinkel nahe an 35⁰ und besteht aus mehr als fünf stark gewölbten Umgängen, die an Größe zunehmen und mit schmalen Spiralstreifen bedeckt sind. Die Mündung ist halbkreisförmig und läuft in einen gebogenen Kanal aus. Die Spindel trägt zwei Schwielen.

Die Abbildung von Geinitz ist ziemlich richtig. Die Spiralstreifen sind nur viel zahlreicher und der Verlauf der Spindelfalten, die auch kräftiger sind, ist steiler von oben nach unten.

2 Stück, etwa 2 cm groß, vom Forsthaus in Plauen.

Cerithium difficile Geinitz.

Taf. II, Fig. 8.

1875. Geinitz. Elbtalgeb., I, S 272, Taf. 60, Fig. 17.

Die turmförmige Schale besitzt einen Gewindewinkel von 26⁰ und besteht aus mehr als fünf stark gewölbten Umgängen, welche fünf starke Längsrippen und zahlreiche, etwas schwächere Querrippen tragen. Die auf dem am meisten vorragenden Teil der Umgänge gelegene vierte Längsrippe ist die stärkste. Die Basis ist gewölbt und trug jedenfalls konzentrische Streifen. Die Mündung ist nicht erhalten. Sie scheint rundlich mit kurzem Ausguß gewesen zu sein.

Die Art nimmt eine vermittelnde Stellung zwischen C. Rudolphi und infibulatum ein.

2 Stück vom Forsthaus in Plauen.

Cerithium acus Geinitz.

1875. Geinitz. Elbtalgeb., I, S. 268, Taf. 60, Fig. 4.

Dieser spindelförmige, glatte Cerithium wurde von Geinitz im allgemeinen richtig abgebildet. Die verletzte Mündung läßt aber nichts mehr von einem Kanal erkennen.

2 Stück vom Forsthaus in Plauen.

Cerithium (Fibula) detectum Stoliczka.

1868. Stoliczka. Cret. Gast. S. India, S. 192, Taf 15, Fig. 1.

1875. Geinitz. Elbtalgeb., I, S. 266, Taf. 59, Fig. 17.

Die Abbildung bei Geinitz ist zwar aus mehreren Stücken zusammengestellt, gibt aber den Charakter der Art richtig wieder.

Forsthaus in Plauen.

3*

Cerithium Fischeri Geinitz.

Taf. III, Fig. 8.

1875. Geinitz. Elbtalgeb., I, S. 268, Taf. 60, Fig. 3.

Das von Geinitz unter diesem Namen beschriebene Stück ist das einzige dieser Art. Daß es sich um ein Cerithium handelt, beweist der deutlich ausgeprägte, schmale Ausguß. Das Gehäuse ist turmförmig mit einem Gewindewinkel von etwa 20°. Bei einer Höhe von 10 *mm* besteht die Schale aus 13 Umgängen. Die Skulptur erinnert außerordentlich an gewisse Turitellen. Sie besteht aus zwei sehr stark hervortretenden, oben kantigen Längsstreifen, die auf ihrem oberen Teile eine glatte, aufgesetzte Linie tragen. Der nach unten abfallende Teil der Längskanten läßt stellenweise eine außerordentlich feine Querstreifung erkennen. Die Mündung ist eng und trägt einen schmalen, stark zur Seite gebogenen Kanal.

1 Stück vom Forsthaus in Plauen.

Cerithium belgicum Münst.

Taf. IV, Fig. 6.

1841—1844. Münst. und Goldf. Petref. Germ., III, S. 34, Taf. 174, Fig. 2.
1847. d'Archiac. Mém. soc. géol. France 2, II, 2, S. 344, Taf. 35, Fig. 2.
1850. d'Orb. Prodr. Pal., II, S. 156.
1875. Gein. Elbtalgeb., I, S. 267, Taf. 59, Fig. 18.

Die Abbildung und Beschreibung von Geinitz stimmt überein mit den ihm damals vorliegenden Stücken von Koschütz, nur ist der Außenteil der Mündung ergänzt. Unter dem neuerdings gesammelten Material aus dem Ratssteinbruch von Plauen befinden sich aber einige zu dieser Art gehörige Stücke, die nicht unbeträchtlich von den übrigen abweichen.

In der Regel umfaßt bei dieser Art der spätere Umgang den früheren, so daß der mit den kleinen Rippen verzierte Teil auf den vorhergehenden Umgang zu liegen kommt. Der bedeckte Teil trägt aber auch ebensolche Rippen, wie die Abbildung von d'Archiac am letzten Umgang erkennen läßt. Bei einigen mir vorliegenden Exemplaren umfassen sich die Umgänge nicht und lassen daher am oberen und unteren Teil die Rippen sehen. Einige von diesen Rippen sind auch stärker ausgebildet und treten mit den gegenüberliegenden durch geschwungene Linien in Verbindung. Die Längsstreifung ist auf der ganzen Schale deutlich. Hierdurch kommt eine Skulptur zu stande, welche mit der von *C. Guentheri* übereinstimmt, denn dieses besitzt, was Geinitz übersah, ebenfalls die spirale Streifung. Als Unterschied zwischen beiden Arten bleibt aber die spitzere Gestalt von *Cerithium belgicum* und die charakteristische Mündung von *C. Guentheri*, denn, wenn wir auch die Mündung von *C. belgicum* noch nicht vollständig kennen, so scheint sie doch von derjenigen von *C. Guentheri* abzuweichen.

Eine *C. belgicum* nahe verwandte Form beschreibt Koßmat unter dem Namen *C. Karasurense* aus dem Cenoman von Pondicherri. (Cret. Pondich., S. 89, Taf. VII, Fig. 5, 6.) Bis über 6 *cm* groß im Ratssteinbruch von Plauen, Koschütz und Zscheila bei Meißen.

Cerithium Guentheri Gein.

1875. Geinitz. Elbtalgeb., I, S. 267, Taf. 59, Fig. 19, Taf. 60, Fig. 1.

Die spitz konische Schale besteht aus etwa acht flachen Windungen, deren Höhe zur Breite sich wie 5 : 11 verhält. Sie tragen meist schwach s-förmig gebogene Querstreifen, die nach der Mitte zu oder auch nach oben und unten an Stärke abnehmen können und von ganz feinen Längslinien übersetzt werden. Die Mündung besitzt einen nur wenig schiefen, mäßig langen Ausguß und zeigt mehrere Verdickungen an Außenlippe, Innenlippe und Spindel. (Vergl. Abbildung bei Geinitz, Taf. LIX, Fig. 19.) Die von Geinitz, Taf. LX, Fig. 1, abgebildeten Mundwülste sind angeklebte Schalenstücke.

Cerithium Bircki Geinitz.

1850. Geinitz. Quad. Deutschland, S. 140, Taf. X, Fig. 1.
1868. Cerithium inauguratum Stoliczka. Cret. Rocks S. India, S. 193, Taf. XV, Fig. 20.
1875. Geinitz. Elbtalgeb., S. 268, Taf. 61, Fig. 8.

Der Abbildung und Beschreibung von Geinitz ist nichts hinzuzufügen. Von den von Stoliczka als *C. inauguratum* bestimmten Stücken gehört das Fig. 20 abgebildete Exemplar zu unserer Art. Für die übrigen abgebildeten Stücke erscheint die Bestimmung zweifelhaft. Sie sind vielleicht mit der von White (Cret. invert. fossils Brazil., S. 141, Taf. XIII, Fig. 9) beschriebenen *Nerinea inaugurata* identisch. Große Ähnlichkeit in Umriß und Skulptur zeigt *C. cf. inauguratum* Quaas aus den Overwegischichten.[1] Es besitzt jedoch ausgeprägte Spindelfalten, während unsere Stücke nur Andeutungen davon erkennen lassen. Auffallend ist ferner die Ähnlichkeit in der Skulptur mit den oberen Windungen der englischen eocänen Formen *incomptum* und *cornucopiae* (Diseon, Geologie of Sussex, S. 101, Taf. VI, 5, und S. 181, Taf. VI, 18). Hier scheint die ontogenetische Entwicklung auf die phyllogenetische zurückzuweisen.

Plauen, Hoher Stein, Gamighügel, Zscheila bei Meißen.

Dolium nodosum Sow.

1823. Sowerby. Min. Conch., Taf. 426 u. 427.
1842. *Pterocera incerta* d'Orb. Terr. crét., II, S. 308, Taf. 215.
1850. *Cassidaria incerta* Dixon. Geol. Sussex, S. 350, 358, Taf. 29, Fig. 7.
1875. Gein. Elbtalgeb., I, S. 261, Taf. 58, Fig. 13.

1 Exemplar von Plauen.

? Tritonium cretaceum Müller.

1851. Müller. Monogr., II, S. 47, Taf. 5, Fig. 2.
1857. *Turbo plauensis* Gein. Elbtalgeb., S. 255, Taf. 58, Fig. 11.
1887. Holzapfel. Palaeontogr., 34, S, 113, Taf. 10, Fig. 5—7.

Ein einzelnes Exemplar vom Forsthaus in Plauen ist von Geinitz unter dem Namen *Turbo plauensis* beschrieben und bis auf die Mündung richtig abgebildet worden. Von dieser ist nur wenig erhalten. Sie scheint aber nicht rund gewesen zu sein, sondern in einem Ausguß verlängert. Das Stück scheint daher ein Tritonium zu sein, und die Skulptur stimmt mit der Aachener *Tritonium cretaceum* überein.

1 Stück vom Forsthaus in Plauen.

Columbella insignis Gein.

1875. Gein. Elbtalgeb., I, S. 264, Taf. 59, Fig. 4.
1875. *Cancellaria minima* Gein. Elbtalgeb., I, S. 265, Taf. 59, Fig. 2.

Bei keinem der zahlreichen, von Geinitz als *Cancellaria minima* bestimmten Stücke ließen sich Spindelfalten nachweisen, außer bei einem, welches aber jedenfalls zu *Volutoderma insignis* gehört. Die Fig. 2 abgebildete umgeschlagene Innenlippe konnte ich ebenso wenig beobachten. Es fällt somit jeder Unterschied zwischen *Columbella insignis* und *Concellaria minima* weg. In Fig. 4 ist die Spindel etwas zu lang gezeichnet. Die meisten Stücke lassen deutlich eine feine Längsstreifung erkennen.

13 Stück von Plauen (Forsthaus).

Columbella (?) clathrata Gein.

1875. Gein. Elbtalgeb., I, S. 264, Taf. 59, Fig. 5 und 61, Fig. 3.

Die Exemplare dieser Art sind alle sehr schlecht erhalten. Wahrscheinlich handelt es sich um gar keine Columbella, sondern um ein Triton.

[1] Palaeontographica 30, 2. S. 262. Taf. 26, Fig. 27 *a—b.*

Murex armatus Gein.

1875. Gein. Elbtalgeb., I, S. 263, Taf. 59, Fig. 16.

1 Stück vom Forsthaus in Plauen.

Fusus electus Gein. sp.

1875. Trophon electum Gein. Elbtalgeb., I, S. 264, Taf. 59, Fig. 13.

4 Stück vom Forsthaus in Plauen.

Fusus audacior Gein

1875. Rapa audacior Gein. Elbtalgeb., I, S. 262, Taf. 59, Fig. 9.

3 Stück von Plauen (Forsthaus).

Pyropsis Corneti Gein. sp.

1875. Rapa Corneti Gein. Elbtalgeb, I, S. 263, Taf. 59, Fig. 11.

Wie Geinitz erwähnt, finden sich von dieser Art Zwergexemplare von wenigen Millimetern Länge am Forsthaus in Plauen. Im Ratssteinbruche dagegen sind Steinkerne dieser Art von 3 bis 4 cm Länge nicht selten. Eines der ersteren bildet Geinitz zwar etwas ergänzt, aber wohl richtig ergänzt ab. Die großen Exemplare zeigen auch an Steinkernen eine kräftigere Skulptur. Die Längsrippen, die sich an manchen Stücken etwas vermehren, können auf den Querrippen dicke Knoten bilden.

13 Stück von Plauen (zum Teile Forsthaus).

Fusus (Siphonalia) pauperculus Gein. sp.

Taf. IV, Fig. 8.

1875. Neptunea paupercula Gein. Elbtalgeb., I, S. 261, Taf. 59, Fig. 6, 7.
1875. Phasianella Beyrichi Gein. Elbtalgeb., I, S. 250, Taf. 54, Fig. 12, 13.
1875. ? Turbo cf. Raulini Gein. Elbtalgeb., I, S. 255, Taf. 61, Fig. 1, 2.

Das mäßig hohe Gewinde besteht aus fünf bis sieben gewölbten, fein längsgestreiften Windungen. Die halbkreisförmige Mündung verlängert sich in einem kurzen, etwas zur Seite gedrehten Kanal. Die Innenlippe ist umgeschlagen. Phasianella Beyrichi ist auf Exemplare dieser Art begründet. Unsere Abbildung stellt eines derselben dar.

Geinitz beschrieb als Turbo cf. Raulini zwei kleine Gastropoden, welche nicht sicher bestimmbar sind. Sie besitzen einen deutlichen Kanal und dürften vielleicht zu unserer Art gehören.

13 Stück von Plauen (Forsthaus) und Koschütz.

Volutoderma distincta Gein. sp.

1875. Fasciolaria distincta und Neptunea misera Gein. Elbtalgeb., I, S. 261, Taf. 59, Fig. 8, 15.

Das von Geinitz als Neptunea misera beschriebene Stück scheint ein schlecht erhaltenes Jugendexemplar unserer Art zu sein. Sie scheint nächstverwandt mit Volutoderma (Fulguraria) multistriata Stol. aus der Trichonopolygroup, Südindien.

11 Stück vom Forsthaus in Plauen.

Conus Briarti Gein. sp.

1875. Rapa Briarti Gein. Elbtalgeb., I, S. 263, Taf. 57, Fig. 12.

Das Gewinde ist etwas flacher als in der Abbildung bei Geinitz, die Kante des letzten Umganges schärfer und die Längsrippung kräftiger. Die Art gehört zweifellos zu Conus.

1 Stück von Plauen (Forsthaus).

Actaeon Bölschei Gein.

1875. Gein. Elbtalgeb., I, S. 275, Taf. 61, Fig. 6.

1 Exemplar von Plauen (Forsthaus).

Actaeon Braunsi Gein.

1875. Gein. Elbtalgeb., I, S. 275, Taf. 61, Fig. 5.

Die Knoten sind besonders in Abbildung 5 b zu kräftig wiedergegeben.

1 Exemplar von Plauen (Forsthaus).

Actaeon obscurum Gein. (Elbtalgeb., I, S. 275, Taf. 59, Fig. 1) ist auf ein nicht besonders gut erhaltenes Exemplar gegründet, welches wohl zu *Litorina minuta* gehört. Die zierliche Skulptur entstammt der Phantasie des Zeichners.

Actaeonella conica Briart u. Cornet.

1868. Briart u. Cornet. Meule de Bracquegnies, S. 42, Taf. 3, Fig. 13, 14.
1875 *Trochactaeon Briarti* Gein. Elbtalgeb., I, S. 275, Taf. 58, Fig. 7—10.
1897. *Actaeonella acuminata* Frič. Chlomeker Schichten, S. 48, Fig. XLVIII. (Nicht *Actaeonella Briarti* Gein., Frič: Ebenda, Fig. XLVII.)

Die Schale ist glatt und doppelt konisch. Von der breitesten Stelle, welche am oberen Teile des letzten Umganges liegt, verjüngt sich dieser mit einem Winkel von 12° zum unteren, schräg abgestutzten Teil des Gehäuses. Die Spindel trägt drei deutliche Falten. Sehr veränderlich ist, wie dies auch bei verwandten Arten meist der Fall ist, die Höhe des Gewindes. Sie ist nicht nur individuell verschieden, sondern ändert sich im Laufe der Entwicklung der Individuen, und zwar so, daß in der Regel ein in der Jugend spitzeres Gewinde im Alter stumpfer wird.

Actaeonella conica liegt mir in 15 Stücken (bis 16 mm groß) aus dem unteren Quader von Koschütz, ferner in etwas größeren Exemplaren von Kolubitz in Böhmen vor. Frič beschreibt sie aus den Schwefelkiesplatten von Tannenberge, Briart aus Bracquegnies.

Actaeonina (Etallonia) Stelzneri Gein. sp.

1875. *Trochactaeon Stelzneri* Gein. Elbtalgeb., I, S. 276, Taf. 58, Fig. 4—6.

8 Stück von Plauen (Forsthaus).

Cylichna cf. Bosqueti Holzapfel.

1887. *Cylichna Bosqueti* Holzapfel. Mollusken, Aachener Kreide, S. 75, Taf. 6, Fig. 7, 8.

Zwei nicht sicher bestimmbare Bruchstücke vom Forsthaus in Plauen haben große Ähnlichkeit mit der Art aus dem Grünsand von Vaals.

Bullina pusilla Sow. sp.

1837. *Phasianella pusilla* Sow. Fitton, Observ., S. 343, Taf. 28, Fig. 13.
1850.   »   »   d'Orb. Podr. Pal., II, S. 151.
1875.   »   »   Geinitz. Elbtalgeb., I, S. 250, Taf. 54, Fig. 11.

Die mit einer Falte versehene, gedrehte Spindel und der breite seitliche Ausguß lassen erkennen, daß diese Art nicht zu Phasianella, sondern zu den Actaeoniden gehört. Sie dürfte sich hier am besten an die Gattung Bullina anschließen.

4 Stück von Plauen (Forsthaus).

Die Gastropoden des Turon und Senon.

Patella inconstans Gein.

1875. Geinitz. Elbtalgeb., II, S. 167, Taf. 30, Fig. 1, 2.
1897. Friě. Chlomeker Schichten, S. 49.

5 Stück von Zatzschke, terner im Ob. Quader von Kreibitz in Böhmen.

Patella angulosa Gein., Elbtalgeb., II, S. 168, ist kein organischer Rest, sondern eine mineralische Bildung.

Pleurotomaria (Leptomaria) perspectiva Mant. sp.

1822. *Cirrus perspectivus* Mantell. Geol. Sussex, S. 194, Taf. 18, Fig. 12, 21.
1823.   »   »   Sow. Min, Conch., Taf. 428, Fig. 1 u. 2.
1842. *Pleurotomaria perspectiva* d'Orb. Terr. crét, II, S. 255, Taf. 196.
1846.   »   *linearis* Reuß. Böhm. Kreide, II, S. 47.
1870.   »   »   Roemer. Geol. v. Oberschlesien, S. 318, z. T. Taf. 35, Fig. 1.
1875.   »   *perspectiva* Gein. Elbtalgeb., II, S 166, Taf. 29, Fig. 11.
1889.   »   »   Friě. Teplitzer Schichten, S. 74, Fig. 49.

Diese Art, die sich von der folgenden durch ihr höheres Gewinde und gerundete Umgänge leicht unterscheidet, liegt nur in einem skulpturlosen Steinkern von Strehlen vor. Im gleichen Erhaltungszustand kommt sie in den Teplitzer Schichten vor.

Pleurotomaria (Leptomaria) linearis Mant. sp.

1822. *Trochus linearis* Mantell. Geology of Sussex, S. 110, Taf. 18, Fig. 16 u. 17.
1840. *Pleurotomaria distincta* (non Dujardin) Gein. Char., II, S 46, Taf. 13, Fig. 8, Taf. 15, Fig. 18 u. 19.
1844. *Pl. seriato-granulata, distincta, velata, granulifera* Goldfuß. Petref. Germ., III, S. 75, 76, Taf. 186, Fig. 10, 87, Fig. 1—3.
1846. *Pl. secans* (nicht *Pl. linearis!*) Reuß, Böhm. Kreide, I, S. 47, Taf. X, Fig. 8b u. c.
1849. *Pl. linearis* Gein. Quad. Deutschl., S. 134.
1850. *Pl. perspectiva* (non Mantell) Dixon. Geol. Sussex, S. 358, Taf. 27, Fig. 27.
1875. *Pl. linearis* u. *seriato-granulata* Gein. Elbtalgeb., II, S. 165 u. 166, Taf. 19, Fig. 10.
1883. *Pl. linearis* Friě. Iserschichten, S. 95, Fig. 57.
1888. *Pl. cf. distincta*, Goldf., Holzapfel. Aach. Kreide, S. 176, Taf. 20, Fig. 6.
1889. *Pl linearis* Friě. Teplitzer Schichten, S. 74, Fig. 48.
1893.   »   »   Priesener Schichten, S. 84.

Goldfuß beschrieb unter den oben angeführten Namen eine Anzahl Pleurotomarien, die untereinander große Ähnlichkeit besitzen und deren Identität von verschiedenen Autoren vermutet wurde (vergl. Holzapfel, Aach. Kreide, S. 175, 176). Nach dem mir vorliegenden Material aus Sachsen und einigen norddeutschen Vergleichsstücken glaube ich nicht, daß sich eine Trennung aufrecht erhalten läßt. Die besterhaltenen Stücke von Strehlen stehen der von Goldfuß als *Pl. seriato-granulata* abgebildeten Form am nächsten.

An anderen Stücken sind die Längsstreifen etwas zahlreicher und feiner. Von Ahlten b. Hannover liegt mir ein außerordentlich fein gestreiftes Exemplar vor, ein anderes zeigt diese feine Streifung nur auf der Außenseite der Umgänge, während die Oberseite der Schale noch die etwas gröbere Skulptur von *Pl. seriato-granulata* Goldf. bewahrt hat.

Ganz unbegreiflich bleibt unbedingt, daß Geinitz auch eine *Pl. seriato-granulata* anführt. Das betreffende Stück aus dem Mittl. Quader von Cotta bei Pirna ist zwar sehr schlecht erhalten. Es läßt sich aber kein Unterschied von den als *Pl. linearis* bestimmten Stücken auffinden.

Ob die von Friě, Weißenberger Schichten, *Pleurot. seriato-granulata*, Fig. 47, hieher gehört, scheint mir nach der schlechten Abbildung nicht ganz sicher, doch ist sie mindestens nahe verwandt.

Pleurotomaria linearis liegt mir vor aus dem Pläner von Strehlen und Weinböhla und dem Mittl. Quader von Großcotta bei Pirna, dem Turon von Quedlinburg, Ilseburg u. Ahlten b. Hannover, dem Senon von Bochum. In Böhmen hat sie ihre Hauptverbreitung in den Teplitzer Schichten.

Pleurotomaria (?) baculitarum Gein.

? 1845. *Pleurotomaria sublaevis* Reuß. Böhm. Kreide, I, 47, Taf. 10, Fig. 9, Taf. 12, Fig. 10.
1865. *Pl. baculitarum* und *funata* (non Reuß) Gein. Elbtalgeb., II, S. 167, Taf. 31, Fig. 9 u. 7.
1893. »   »   Frič. Priesener Schichten, S. 84, Fig. 73.

Die Schalen dieser Art kommen im Baculitenmergel von Zatzschke nur vollständig zusammengedrückt vor. Sie tragen auf der Oberseite eine unregelmäßige, stellenweise etwas gekörnelte Streifung. Die Unterseite ist noch feiner gestreift. Radialrippen lassen sich bei unseren Stücken nicht erkennen. Ein Schlitzband konnte ich nicht beobachten. Die Art könnte also auch zu Trochus oder Solerium gehören. *Pl. funata* bei Geinitz gehört hieher und hat mit der Art bei Reuß keine Ähnlichkeit.

7 Stück aus dem Baculitenmergel von Zatzschke. Nach Frič in den Priesener Schichten.

Turbo Steinlai Gein.

Taf. I, Fig. 12.

1875. Gein.: Elbtalgeb., II, S. 161, Taf. 29, Fig. 9.
1889. Fritsch: Teplitzer Schichten, S. 75, Fig. 51.

Sechs runde Umgänge bilden mit einem Winkel von etwa 70° das Gehäuse. Die Verzierung ist ziemlich veränderlich. Sie besteht aus geknoteten Längsrippen, welche auf der Oberseite meist bedeutend kräftiger sind als auf der Unterseite. Sind die Linien auf der Unterseite sehr fein, so kann ihre Knotung gänzlich verschwinden. In der Regel liegt im oberen Teil der Außenseite eine stärkere Knotenreihe.

10 Stück von Strehlen.

Turbo Buchi Goldf.

Taf. IV, Fig. 12.

1838. *Solarium decemcostatum* v. Buch: In Karstens Archiv, Bd. XI, S. 315.
1844. *Trochus Buchii* Goldf. Petref. Germ., III, S. 60, Taf. 182, Fig. 1.
1845. *Solarium decemcostatum* Reuß. Böhm. Kreide, S. 48, Taf. X, Fig. 12.
1875. *Turbo Buchii* Gein. Elbtalgeb., II, S. 161, Taf. 29, Fig. 8.
1889. *Turbo decemcostatus* Frič. Teplitzer Schichten, S. 74, Fig. 50.
1893.   »   »   »   Priesener Schichten, S. 82.
1897.   »   »   »   Chlomeker Schichten, S. 44.

Da Leop. v. Buch keine Abbildung dieser Art gibt, so hat der Goldfußsche Name die Priorität. Es liegen nur fünf ziemlich schlecht erhaltene Stücke von Strehlen vor.

Die Abbildung bei Geinitz ist recht schlecht. Die Nähte sind in Wirklichkeit stärker vertieft, die Längsrippen kräftiger und die Knoten stets, besonders bei dem Originalexemplar, viel schwächer.

Trochus amatus d'Orb.

Taf. IV, Fig. 14.

1844. *Trochus Basteroti* Goldfuß. Petref. Germ, III, S. 58, Taf. 181, Fig. 7.
1850.   »   *amatus* d'Orb. Prodr. Pal., II, S. 224.
1875. Gein.: Elbtalgeb., II, S. 164, Taf. 20, Fig. 7.
1893. Frič: Priesener Schichten, S. 82, Fig. 69.

Über fünf ebene, selten schwach gewölbte Umgänge bilden mit einem Winkel von etwa 45° die Schale und sind durch tiefe Nähte geschieden. Die Basis ist nur schwach gewölbt. Da von dieser Art nur Steinkerne erhalten sind, ist die Skulptur nur mangelhaft bekannt. Sie besteht in der Regel aus fünf Knotenreihen auf der Außenseite der Umgänge, während die Basis glatt ist; die Knoten sind meist in Reihen geordnet, die von der Naht schräg nach rückwärts laufen, und bei manchen Exemplaren durch schwache Querrippen verbunden sind.

8 Stück von Strehlen.

Trochus (Craspedotus) Engelhardti Gein.

1875. G e i n.: Elbtalgeb., II, S. 163, Taf. 29, Fig. 5.
1893. F r i č: Priesener Schichten, S. 82, Fig. 68.

Die Exemplare aus Böhmen, wo diese Art in den Priesener Schichten ungemein häufig ist, weichen von den sächsischen stets in der Skulptur etwas ab. (Vergl. Abbildung bei F r i č.) In der Regel sind bei der böhmischen Varietät die beiden unteren Knotenreihen der Umgänge am stärksten ausgebildet und über ihnen folgen ein bis zwei schwächere. In seltenen Fällen fand sich eine Verdickung der Außenlippe, ähnlich Trochus Reichi von Plauen, was mich veranlaßt, die Art zu Craspedotus zu stellen. Der böhmischen Varietät sehr ähnliche Stücke mit drei Knotenreihen, von denen die unterste die stärkste ist, finden sich im Baculitenmergel von Zatzschke (drei Stück). Außerdem liegen mir drei Stück von Strehlen vor, die mit der Abbildung von G e i n i t z übereinstimmen.

Natica (Gyrodes) acutimargo Roem.

Taf. IV, Fig. 13 u. 17.

1841. R o e m.: Nordd. Kreide, S. 83, Taf. 12, Fig. 14.
1887. H o l z a p f e l: Palaeontogr., 34, S. 142, Taf. 14, Fig. 27.
(Nicht 1901. S t u r m: Kieslingswalde, S. 65, Taf. 4, Fig. 7.)

Diese Art wurde verschiedentlich mit N. Geinitzi verwechselt. Nachdem H o l z a p f e l (l. c.) die Unterschiede zwischen beiden Arten klargelegt hatte, wurde die Natica Geinitzi wieder von S t u r m unter dem Namen unserer Art aufgeführt. Daß die echte N. acutimargo ebenfalls in Kieslingswalde vorkommt, ist ihm entgangen. Sie unterscheidet sich von N. Geinitzi durch flaches Gewinde, das nur gelegentlich dadurch etwas hervortritt, daß der letzte Umgang etwas heruntergezogen ist, weniger scharfe Begrenzung der Nahtfurche, noch schnellere Größenzunahme der Windungen, kantig begrenzten Nabel (daher der Name acutimargo), und dadurch, daß die größte Breite der Schale über der Mitte des letzten Umganges liegt. R o e m e r erwähnt eine feine Längsstreifung, die von späteren Autoren nicht mehr erwähnt wird, wahrscheinlich also selten erhalten ist. Unseren Strehlener Stücken fehlt sie ebenfalls, dagegen zeigt sie deutlich das einzige wohlerhaltene Exemplar aus Kieslingswalde im Min. Museum zu Dresden.

Natica acutimargo liegt mir in drei Exemplaren von Strehlen und einem Exemplar von Kieslingswalde vor.

Natica Roemeri Gein.

Taf. I, Fig. 11.

1840. N. rugosa G e i n. Char., S. 74, Taf. 18, Fig. 15.
1841. »   R o e m. Nordd. Kreide, S. 83, Taf. 12, Fig. 16.
1850. N. Roemeri G e i n. Char. (2. Ausgabe).
1850. N. subrugosa d'O r b. Prodr. Pal., II, Fig. 221.
1875. N. dichotoma G e i n. Elbtalgeb., I, S. 245 (z. Teil).
1877. N. Roemeri F r i č. Weißenberger Sch., S. 105, Fig. 44.
1883. »   »   » Iserschichten, S. 94.
1897. ? N. dichotoma F r i č. Chlomeker Sch., S. 42, Fig. 29.

Von N. dichotoma, mit der diese Art ihrer Querrippen wegen verwechselt wurde, unterscheidet sie sich durch ein breiteres Gewinde, vertiefte Nähte und schwächere Rippen, welche sich nach unten zu nicht gabeln, sondern allmählich verschwinden.

3 Stück von Strehlen.

Natica (Lunatia) Geinitzi d'Orb.

Taf. IV, Fig. 15.

1841. Natica canaliculata G e i n. Char., S 47, Taf. 15, Fig. 25, 26.
1843. »   »   » Kieslingswalde, S. 10, Taf. I, Fig. 20.
1847. »   Geinitzi d'O r b. Podr. Pal., II, S. 150.

1852. *Natica canaliculata* Müll. Mon., II, S. 13.
1875.   »   *Gentii* Gein. Elbtalgeb., II, Taf. 29, Fig. 12–14 (nicht Elbtalgeb., I, Taf. V, Fig. 4, 6).
1877.   »   »   Friě. Weißenberger Schichten, S. 106, Fig. 45.
1887. *Lunatia Geinitzi* Holzapfel. Palaeontogr., 34, S. 141, Taf. 14, Fig. 26.
1893. *Natica Gentii* Friě. Priesener Schichten, S. 82, Fig. 66.
1897.   »   »   »   Chlomeker Schichten, S. 43.
1901. *Natica (Gyrodes) acutimargo* Sturm (von Roemer). Kieslingsw., S. 65, Taf. IV, Fig. 7.

Die Stellung dieser Art, welche bald mit *N. canaliculata* Mant., bald mit *N. Gentii* Sow. und endlich von Sturm mit *N. acutimargo* Roem. zusammengeworfen wurde, wird von Holzapfel (l. c.) unbedingt richtig erläutert.

Die Merkmale von *Natica Geinitzi* bestehen in mäßig hervortretendem Gewinde, vertieften Nähten, deren Furchen durch eine scharfe Kante begrenzt werden. Die größte Breite der Schale liegt unterhalb der Mitte des letzten Umganges. Der Nabel ist n i c h t kantig begrenzt.

7 Stück aus dem Plaener von Strehlen und Prießnitz a. d. Elbe und dem Mittl. Quader von Großcotta, ferner 1 sicher bestimmbares Stück von Kieslingswalde.

Natica cf. vulgaris Reuß.

1843. *Natica vulgaris* Reuß, Gein. Kieslingsw., S. 10, Taf. I, Fig. 21—23.
1845.   »   »   Reuß. Böhm. Kreidef., I, 50, Taf. 10, Fig. 22.
1875. *N. lamellosa* Roem., Gein. Elbtalgeb., I, S. 243 (z. Teil).
1877. »   „   Friě. Weißenberger Schichten, S. 105, Fig. 43.
1893. *N. vulgaris*   »   Priesener Schichten, S. 82, Fig. 67.
1897. »   »   »   Chlomeker Schichten, S. 42.

Die Strehlener Form, welche Geinitz als *N. lamellosa* Roem. beschreibt, ist sicher verschieden von der Plauener *N. lamellosa* bei Geinitz, welche ich als *N. lyrata* Sow. bestimmt habe. *Natica lamellosa* scheint durch wesentlich höheres Gewinde von unserer Art abzuweichen. In Form und Streifung stimmt sie mit der Beschreibung von Reuß überein. Es liegen aber nur verdrückte Exemplare vor und die *Natica vulgaris* Reuß ist bisher so mangelhaft beschrieben, daß ich es nicht wage, sie bestimmt für gleich zu erklären. (Die Abbildung bei Reuß scheint recht mangelhaft zu sein, besonders erscheint das Gewinde nach der Beschreibung zu hoch.)

Über die Beschaffenheit der Mündung gibt aber weder Reuß noch Friě Aufschluß. Sie war bei der Strehlener Form oval und der Nabel durch eine Schwiele bedeckt, wie es die Abbildung bei Geinitz, Kieslingsw., Taf. I, Fig. 21, zeigt.

Unsere Strehlener Art kommt in Kieslingswalde vor und ist verschieden von der von Sturm aufgeführten *N. bulbiformis var. borealis*. Letztere unterscheidet sich durch schlankere Gestalt.

Es liegen mir vor sechs Stück von Strehlen, zwei aus Zatzschke und zwei aus Kieslingswalde, zwei vom Tunnel bei Oberau.

Rissoa Reussi Gein.

1845. *Turbo concinnus* Reuß. Böhm. Kreideform, I, S. 48, Taf. 10, Fig. 13 (non Roem.).
1875. *Rissoa Reußi* Gein. Elbtalgeb., II, S. 163, Taf. 31, Fig. 6.

Geinitz belegt mit diesem Namen eine kleine Schnecke, die meist ziemlich schlecht erhalten in Strehlen und dem Baculitenmergel von Zatzschke vorkommt. Ich führe sie unter dem gleichen Namen auf, da sich über ihre generische Stellung nichts bestimmtes aussagen läßt. Holzapfel (Palaeontogr., 34, S. 129) vermutet, daß sie zu Mesostoma gehöre.

Ihre sieben gewölbten Umgänge sind mit einer großen Zahl scharfer Längslinien bedeckt, die von schrägen Anwachsstreifen geschnitten werden. Auf den ersten Umgängen lassen sich schräge Querwülste beobachten. Mündung nicht erhalten. (Die recht schlechte Abbildung von Geinitz scheint sich auf ein Strehlener Stück zu beziehen.)

17 Stück von Zatzschke und Strehlen.

4*

Scalaria decorata Roem.

1841. *Melania decorata* Roem. Nordd. Kreide, S. 83, Taf. 12, Fig. 11.
1843. *Fusus striato-costatus* Goldf. Petref. Germ., III, S. 23, Taf. 171, Fig. 18.
1845. *Turrilites undulatus* Reuß. Böhm. Kreidef., I, S. 24, Taf. 7, Fig. 8, 9.
1875. *Scala decorata* Gein. Elbtalgeb., II, S. 162, Taf. 29, Fig. 4.
1877. » » Frič. Weißenberger Schichten, S. 105, Fig. 41.
1883. » » » Iserschichten, S. 94.
1887. *Scalaria cf. decorata* Holzapfel. Palaeontogr., 34, S. 165, Taf. 19, Fig. 1.
1893. *Scala decorata* Frič. Priesener Schichten, S. 81.

Der Gewindewinkel des Originals von Geinitz beträgt 30°, scheint aber bei größeren Exemplaren geringer zu werden. Es sind 16—20 Querrippen auf einem Umgang vorhanden, die von einer großen Zahl von Längslinien übersetzt werden. Diese sind an Stärke verschieden; meist wechseln kräftigere mit einer größeren Zahl von schwächeren ab, doch lassen sich keine Regeln über diesen Wechsel aufstellen. Ich glaube deshalb, daß die von Holzapfel abgebildete Form mit unserer übereinstimmt. Wie bereits von mehreren Autoren hervorgehoben wurde, scheint *Scalaria dupiniana* d'Orb. (Terr. crét., 2, S. 54, Taf. 154, Fig. 10—13) von unserer Art kaum abzuweichen.

3 Stück von Strehlen.

Turritella sexlineata Roem.

1841. Roemer: Nordd. Kreide, S. 80, Taf. XI, Fig. 22.
1844. *T. sexcincta* Goldfuß. Petref. Germ., III, S. 107.
1875. *T. multistriata* Reuß, Gein. Elbtalgeb., II, S. 161, Taf. 29, Fig. 1—3 (nicht Taf. 30, Fig. 18).
1887. *T. sexcincta* Frech. Suderode, S. 174, Taf. 16, Fig. 14—15.
1888. *T. sexlineata* Holzapfel. Palaeontogr., 34, S. 160, Taf. 16, Fig. 20, 24—25.
1897. » Frič. Chlomeker Sch., S. 41, Fig. 25.
1900. *T. sexcincta* Sturm. Kieslingsw., S. 66, Taf. IV, Fig. 9.

Unsere Strehlener Stücke stimmen mit denen von Kieslingswalde vollkommen überein. Um die Beziehungen zwischen der böhmischen *multistriata* Reuß und unserer Art sicher festzustellen, reicht das mir zur Verfügung stehende Vergleichsmaterial nicht aus. Ich möchte vermuten, daß die beiden Arten ident sind.

10 Stück von Strehlen und Prießnitz bei Dresden.

Turritella acanthophora Müll.

1851. Müller: Mon., II, S. 32, Taf. 4, Fig. 5.
1875. *T. multistriata* Gein. Elbtalgeb., II, S. 161 (z. Teil), Taf. 30, Fig. 18.
1887. Frech: Suderode, S. 178, Taf. 16, Fig. 1—7.
1888. Holzapfel: Palaeontogr., 34, S. 156, Taf. 16, 9, 10, Fig. 12.

1 Exemplar von Strehlen.

Turritella cf. egregia Kaunh.

1875. *T. lineolata* Gein. Elbtalgeb., I, S. 162 (nicht Roem.).

Das von Geinitz als *T. lineolata* bestimmte Bruchstück von Strehlen gehört sicher nicht zu der Roemerschen Art, da ihr die stärkeren Rippen im unteren Teile der Umgänge fehlen.

Es hat vielmehr Ähnlichkeit in der Skulptur mit der von Kaunhowen, Maestr. Kreide, S. 48, Taf. IV, Fig. 4, beschriebenen *Turritella egregia*, die sich durch ihre außerordentlich feine Längsstreifung und eine Längsrinne auf den Umgängen auszeichnet. In diesen Merkmalen stimmt unser Stück mit der Maestrichter Art überein. Es besitzt aber bedeutendere Größe und einen gleichmäßigen Gewindewinkel von etwa 20°.

1 Exemplar von Strehlen.

Cerithium subfasciatum d'Orb.

1845. *C. fasciatum* Reuß. Böhm. Kreide, I, S. 42, Taf. 10, Fig. 4.
1850. *C. subfasciatum* d'Orb. Prodr. Pal., II, S. 231.
1875.   »   »   Gein. Elbtalgeb., II, S. 175, Taf. 31, Fig. 3.
1893. *C. fasciatum* Frič. Priesener Schichten, S. 87.
1897. ? *C. fasciatum* Frič. Chlomeker Sch., S. 47, Fig. 44.

Diese Art liegt mir nur in ziemlich schlecht erhaltenen Stücken vor, welche aber erkennen lassen, daß diese Art von *C. pseudoclathratum* d'Orb. verschieden ist. Der Gewindewinkel scheint etwa derselbe wie bei dieser Art zu sein. Die Skulptur zeigt aber keine Querrippen und außer der in der Naht gelegenen nur zwei deutliche Knotenreihen. Zwischen diesen Knotenreihen liegen einige feine Längslinien. Zu dieser Art scheinen auch die beiden sehr schlecht erhaltenen Stücke zu gehören, welche Geinitz als *C. binodosum* Roem. beschrieb.

2 Stück von Strehlen.

Cerithium pseudoclathratum d'Orb.

Taf. IV, Fig. 3.

1841. *C. clathratum* Roem. Nordd. Kreide, S. 79, Taf. 11, Fig. 17.
1850. *C. pseudoclathratum* d'Orb. Prodrome Pal., III, S. 231.
1875.   »   »   Gein. Elbtalgeb, II, S. 175, Taf. 31, Fig. 5.
1893.   »   »   und *binodosum* Frič. Priesener Schichten, S. 88, Fig. 87 und 88.
1897.   »   Frič. Chlomeker Schichten, S. 47.

Die Skulptur dieser Art besteht aus knotentragenden Querrippen, deren Knoten in drei bis vier Längsreihen angeordnet sind. Eine weitere Knotenreihe liegt in der Naht. Zwischen die Knotenreihen schieben sich noch feine Längslinien ein. An der Mündung ließ sich ein kurzer, gerader Kanal und eine mit konvexen Bogen begrenzte Innenlippe erkennen.

Die von Geinitz abgebildete Mündung ist stark rekonstruiert. Von den beiden von Frič, Chlomeker Schichten, abgebildeten Cerithien halte ich Fig. 87 bestimmt für unsere Art, Fig. 88 gehört nach der vergrößerten Abbildung der Skulptur ebenfalls hieher, während bei der Abbildung in natürlicher Größe die Skulptur total verzeichnet zu sein scheint.

Von Strehlen liegen nur fünf Stück dieser Art vor. Frič führt sie von Tannenberg und Leneschitz vor.

Die von Geinitz als *Cerithium Luschitzianum* bezeichneten quergerippten Schälchen aus dem Baculitenmergel von Zatzschke lassen eine einigermaßen sichere Bestimmung nicht zu. Jedenfalls haben sie aber mit der Art von Luschitz keine Ähnlichkeit.

Aporrhais (Lispodesthes) Parkinsoni Mant.

1822. *Rostellaria Parkinsoni* Mantell. Geol. of Sussex, S. 72 u. 108, Taf. 18.
1828,   »   »   Sow. Min. Conch., Taf. 558, Fig. 5.
1837.   »   »   bei Fitton, Observ. Strata below the Chalk, S. 344, Taf. 18, Fig. 24.
1842. *Rost. Reußi* Gein. Char., III, S. 71, Taf. 18, Fig. 1.
1845.   »   »   Reuß. Böhm. Kreide, S. 45, Taf. IX, Fig. 9.
1847.   » *Parkinsoni* Pictet. Grès verts Genève, S. 551, Taf. 24, Fig. 5.
1875.   »   »   Gardner. Geol. Magazin, S. 200, Taf. 6, Fig. 4—7.
1875.   » *Reußi* Gein. Elbtalgeb., S. 169, Taf. 30, Fig. 9; (non *R. Parkinsoni* Sow., Gein. Elbtalgeb., II, S. 168, Taf. XXX, Fig. 7, 8; non *R. Reußi var. megaloptera* Gein., ebenda, Taf. XXX, Fig. 10, 11).
1893. *Aporrhais Reußi* Fritsch. Priesener Schichten, S. 84, Fig. 76.

Mit Holzapfel (Palaeontogr., 34, Anm., S. 119, 120) bin ich der Ansicht, daß *R. Reußi* Gein. die echte *R. Parkinsoni* ist. In dem kgl. Min. Museum ließ sich nur das von Gein., Elbtalgeb., II, Taf. XXX, Fig. 9, abgebildete Exemplar aus den Baculitenmergeln von Zatzschke auffinden.

Aporrhais (Lipodesthes) megaloptera Reuß.

1845. *Rostellaria megaloptera* Reuß. Böhm. Kreide, I, S. 45, Taf. 9, Fig. 3.
1875.   »   *Reußi var. megaloptera* Gein. Elbtalgeb, II, S. 199, Taf. 30, Fig. 10 und 11.

1885. *Aporrhais (Lipodesthes) Reuß var. megaloptera* Zittel. Handbuch, II, 8, 255, Fig. 349.
1877. Desgleichen, Frič. Weißenberger Schichten, S. 107.
1893. *Aporrhais megaloptera* Frič. Priesener Schichten, S. 84, Fig. 75.
1897. » » » Chlomeker Schichten, S. 46.

An besonders gut erhaltenen Stücken ließ sich in seltenen Fällen eine Längsstreifung beobachten. Im übrigen dürfte diese Form durch die Abbildungen von Reuß, Geinitz und Frič hinreichend bekannt sein. Es empfiehlt sich wohl, diese in Sachsen und Böhmen weit verbreitete Art von der hier viel selteneren *A. Parkinsoni = Reuß* Gein. zu trennen, da sie ihre abweichenden Merkmale an den verschiedenen Fundstellen treu bewahrt.

7 Stück von Strehlen.

Aporrhais (Helicaulax) Burmeisteri Gein.

1843. *Rostellaria Parkinsoni* (non. Mant.) Gein. Charak., Taf. 18, Fig. 3.
1844. » » (z. Teil) Reuß. Böhm. Kreide, S. 46, Taf. 9, Fig. 7.
1850. *Rostellaria Burmeisteri* Gein. Grundriß der Versteinerungskunde, S. 363, Taf. 13, Fig. 16.

Das Gewinde ist spindelförmig und mit Querrippen verziert. Die besterhaltenen Stücke lassen eine feine Längsstreifung erkennen, die sich über das ganze Gehäuse erstreckte. Der Kanal ist gerade und sehr lang und kann das Gehäuse an Länge übertreffen. Hintere Rinne länger als das Gewinde, nicht anliegend und schwach gebogen. Der einfache, ziemlich breite, gekielte Flügel ist an seinem Ende etwas zurückgebogen.

Diese Art liegt mir in fünf sehr gleichmäßig ausgebildeten Stücken von Tyssa vor. Es erscheint mir sehr zweifelhaft, ob wir alle von Reuß (l. c.) für *Rost. Parkinsoni* angegebenen Fundorte auf unsere Art beziehen dürfen.

Sie scheint am nächsten mit *H. granulata* Sow.[1]) verwandt zu sein. Als vermittelnde Form zwischen beiden Arten könnte man die von Frech (Zeitschr. d. d. Geol. Ges., 1887, Taf. IX, Fig. 9 u. 12) als *Aporrhais cf. stenoptera* Goldf. und *granulata* Sow. abgebildeten Stücke aus dem Untersenon von Quedlinburg ansehen.

5 Stück U. Qu., Tyssa.

Aporrhais (Lispodesthes) coarctata Gein. sp.

Taf. IV, Fig. 16.

1842. *Rostellaria coarctata* Gein. Char., III, S. 71, Taf. 18, Fig. 10.
1845. » » und *tenuistriata* Reuß. Böhm. Kreide., I, S. 44, Taf. 9, Fig. 1 u. 4.
1875. » » Gein. Elbt., II, S. 170, Taf. 30, Fig. 12.

Die gewölbten Umgänge der spindelförmigen Schale tragen zahlreiche, schwache Querrippen und eine feine Längsstreifung. Der Kanal ist mäßig lang, die Außenlippe ist bis zur Hälfte des vorletzten Umganges hinaufgezogen. Der breite Flügel verläuft schräg nach hinten in eine Spitze; sein vorderer Rand ist schwach umgeschlagen. Diese Art ähnelt sehr der *Rostellaria Robinaldina* d'Orb. (Terr. crét., S. 282, Taf. CCVI, Fig. 4) aus dem Neocom. Unterschiede bestehen in dem schwachen Umschlag des Flügels und der bestimmten ausgezogenen Spitze des Flügels unserer Art. *R. tenuistriata* Reuß hat keine Querrippen, dürfte aber zu unserer Art gehören.

Strehlen, 6 Zatzschke.

Aporrhais (Helicaulax) stenoptera Goldf. sp.

1844. *Rostellaria stenoptera* Goldf. Petref. Germ., III, S. 16, Taf. 170, Fig. 6.
1842. *R. calcarata* (non. Sow.) Gein. Char., III, S. 170, Taf. 18, Fig. 2.
1845. » » Reuß. Böhm. Kreideform, I, S. 45, Taf. 9, Fig. 5.
1875. » » Gein. Elbt., II, S. 170, Taf. 30, Fig. 13.
1887. *Helicaulax stenoptera* Holzapfel. Palaeontogr., 34, S. 116, Taf. 12, Fig. 1—3.

---

[1]) Holzapfel. Palaeontogr., 34, S. 117.

1893. *R. (calcarata) stenoptera* Sow., Frič. Teplitzer Schichten, S. 75, Fig. 52.
1893. *Aporrhais stenoptera* Goldf., Frič. Priesener Schichten, S. 85.
1897.   »   »   Frič. Chlomeker Schichten, S. 45, Fig. 39.

A. *calcarata* Sow. unterscheidet sich von *stenoptera* Goldf. durch deutlich gekielte Umgänge, während bei letzterer nur am letzten Umgang ein schwacher Kiel auftreten kann (vergl. Holzapfel l. cit.) Strehlen, 6 Zatzschke.

Aporrhais (Helicaulax) Buchi Münst.

1841. *Rostellaria Buchii* Goldf. Petref. Germ., III, S. 17, Taf. 170, Fig. 4.
1842.   »   »   Gein. Char., III, S. 70, Taf. 18, Fig. 4, 6.
1845.   »   »   *(und divaricata?)* Reuß. Böm. Kreidef., I, S. 45, 46. Tat. 9. Fig. 2 (7, 23?).
1875.   »   »   Gein. Elbt., II, S. 171, Taf. 30, Fig. 14.
1877.   »   »   Fritsch. Weißenb. Schichten, S. 107, Fig. 51.

2 Stück Strehlen, 1 Tyssa.

Tudicla costata Röm.

1841. *Pyrula costata* Roem. Nordd. Kreide, S. 19, Taf. XIf, Fig. 10.
1843.   »   »   Gein. Char., II, S. 40, Taf. 15, Fig. 4, 5; Kieslingsw., S. 9, Taf. I, Fig. 12, 13.
1875. *Rapa costata* Gein. Elbth., II, S. 173, Taf. 30, Fig. 19—21.

Von der sehr ähnlichen *T. quadricarinata* Müll. (Holzapfel. Aach. Kreide, S. 108, Taf. XI, 14, unterscheidet sie sich durch eine größere Anzahl von Längsrippen, die sich auf der Unterseite der Umgänge befinden.

3 Stück von Strehlen.

Tudicla quadrata Sow. sp.

1823. *Murex quadratus* Sow. Min. Conch, Taf. 410, Fig. 1.
1837. *Fusus*   »   Fitton. Strata bel. the Chalk, S. 343, Taf. 18, Fig. 17.
1841. *Pyrula Cottae u. carinata* Roem. Nordd. Kreide, 78, 79, Taf. 11, Fig. 9, 12.
1841.   »   »   Goldf. Petref. Germ., III, S. 27, Taf. 172, Fig. 13.
1843.   »   *carinata u. angulata* Gein. Kieslingsw., S. 9, 10, Taf. I. Fig, 14, 15.
1875. *Rapa quadrata* Gein. Elbt., II, S. 171, Taf. 30, Fig. 16 und 17.
1897. *Pyrula cf. Cottae* Kaunh. Maestr. Kreide, S. 91.

4 Stück von Strehlen.

Tudicla cf. cancellata Sow. sp.

1846. *Pyrula cancellata* Sow. Forbes. Trans. Geol. Soc. VII, S. 128, Taf. 15, Fig. 12.
1868. *Rapa cancellata* Stol. Cret. Gast. South. Ind., S. 154, Taf. 12, Fig. 12—16, Taf. 13, Fig. 1—4.
1875. Gein. Elbt., II, S. 174, Taf. 31, Fig. 10.
1897. Frič. Chlomeker Schichten, S. 46, Fig. 41.

Es liegt nur ein verdrücktes Bruchstück von Strehlen vor, das von Geinitz stark ergänzt abgebildet wurde. Sowohl Spitze wie Kanal fehlen dem Original. Die Umgänge sind in ihrem oberen Teile treppenförmig, auf der Unterseite tritt eine Kante etwas vor, doch läßt sich nicht entscheiden, ob auch hier der Umriß der Schale winkelig umbog. Die Oberfläche trägt zahlreiche runde Längsstreifen, und diese sind wie die Zwischenräume ebenfalls längsgestreift. Besonders in der oberen Hälfte der Umgänge treten deutliche, wellige Querfalten auf und eine feine Zuwachsstreifung verläuft über die ganze Schale.

Das von Fritsch abgebildete Stück von Chlomek könnte ein Jugendexemplar der gleichen Art sein.

1 Exemplar von Strehlen.

Chrysodomus Buchi Müll.

Taf. IV, Fig. 11.

1851. *Fusus Buchi* Müll. Mon., II, S. 35, Taf. 3, Fig. 15.
1888. *Chrysodomus Buchi* Holzapfel. Palaeontogr., 34, S. 102, Taf. 10, Fig. 9—12.

An unserem Exemplar tritt die Kante der Umgänge noch deutlicher hervor, als an den von Holz-apfel abgebildeten Exemplaren aus dem Grünsand von Vaals. Es sind ebenfalls etwa zwölf Querrippen vorhanden, die aber auf dem letzten Umgang undeutlicher und weniger regelmäßig werden.

I Stück von Strehlen.

Latirus elongatus Sow. sp. (nicht Voluta elongata d'Orb.).

1835. *Fasciolaria elongata* Sow. Geol. soc. Trans., S. 419, Taf. 39, Fig. 22.
1842. *Pleurotoma remote-lineata* Gein. Char., III, S. 70, Taf. 18, Fig. 5.
1842. *Pyrula fenestrata* Gein. Char., III, S. 72, Taf. 18, Fig. 13.
1846. ? *Voluta elongata* Reuß. Böhm. Kreide, II, S. 111.
1852. *Fusus tesselatus* Zek. Gastr. Gosau, Taf. 16, Fig. 6.
1852. *Fasciolaria nitida* Zek. Gastr. Gosau, Taf. 16, Fig. 10.
1875. *Voluta elongata* Gein. Elbtal, II, S. 172, Taf. 31, Fig. 1.
1877. » » Frič. Weißenberger Schichten, S. 109, Fig. 56.
1893. » » »Priesener Schichten, S. 88.
1897. » » »Chlomeker Sch., S. 47.

3 Stück von Strehlen.

Volutilithes subsemiplicatus d'Orb.

1844. *Pleurotoma semiplicata* Goldf. Petref. Germ., III, S. 19, Taf. 170, Fig. 11.
1850. *Fusus semiplicatus* d'Orb. Prodr. Pal., II, S. 229.
1875. *Voluta suturalis* Gein. Elbtalgeb., II, S. 172, Taf. 31, Fig. 2.
1877. » » Frič. Weißenberger Sch., S. 110, Fig. 55.
1887. *Volutilithes subsemiplicatus* Holzapfel. Palaeontogr., 34, S. 95, Taf. 10, Fig. 1—3.
1897. *Voluta semiplicata* Frič. Chlomeker Schichten, S. 47, Fig. 45.

Das Verhältnis zwischen ganzer Höhe und letztem Umgang beträgt bei den beiden Exemplaren von Strehlen etwa 1,7—1,8 : 1 stimmt also recht gut mit den Angaben von Holzapfel, wobei zu bedenken ist, daß es sich um verdrückte Exemplare handelt.

Das von Geinitz abgebildete Stück ist schlecht erhalten. Ein etwas besseres Stück zeigt etwas zahlreichere Querrippen und zwischen diesen unter der Naht liegende Zuwachsstreifen.

5 Stück von Strehlen.

Voluta (Volutoderma?) Roemeri Gein.

1841. *Rostellaria elongata* Roem. Nordd. Kreide, S. 78, Taf. 11, Fig. 5.
1875. *Voluta und Mitra Roemeri* Gein. Elbtal, II, S. 172, 173, Taf. 30, Fig. 15.
1887. *(Volutilithes?) Roemeri* Holzapfel. Palaeontogr., 34, S. 100, Taf. 9, Fig. 13.
1893. *Mitra Roemeri* Frič. Priesener Schichten, S. 88, Fig. 91.

Nicht zu unserer Art gehört selbstverständlich *Mitra Roemeri* Frič, Weißenberger Schichten, S. 110, Fig. 58, welche vielleicht ein Cerithium darstellt. Es ist unverständlich, warum Frič diese Abbildung in den Priesener Schichten neben einer richtigen Abbildung wieder zitiert.

Von dieser Art liegt mir keine vollständige Mündung vor. Nach der Abbildung von Frič, Priesener Schichten, Fig. 91, muß ich deshalb annehmen, daß drei kräftige Spindelfalten vorhanden waren. Danach würde sich die Art am besten der Gattung Volutoderma anschließen.

4 Stück von Strehlen.

Cancellaria Thiemeana Geinitz.

1875. Geinitz. Elbtal, II, S. 175, Taf. 31, Fig. 11.

4 Stück von Zatzschke.

Cinulia Humboldti Müll. sp.

1851. *Avellana Humboldti* Müll. Monographie Moll. Anch. Kreide, II, S. 12, Taf. 3, Fig. 15.
1875. *Actaeon ovum, Avellana cassis, Archiaciana, sculptilis* Gein. Elbt., II, S. 176, Taf. 29, Fig. 15, 16, 17.

1877. *Avellana Archiaciana* Frič. Weißenberger Schichten, S. 111, Fig. 61.
1887. *Cinulia Humboldti* Holzapfel. Palaeontogr., 34, S. 84, Taf. 6, Fig. 19—21.
1889. *Actaeon ovum* Frič. Teplitzer Schichten, S. 75, Fig. 53.
1893. *Avellana Humboldti* Frič. Priesener Schichten, S. 89, Fig. 96.

Die von Geinitz angeführten Actaeon- und Avellana-Arten gehören sämtlich einer Art an und unterscheiden sich ausschließlich durch den Erhaltungszustand. Die Mündung ist stets schlecht erhalten, doch läßt sich die Andeutung einer Falte noch erkennen. Form und Skulptur, soweit letztere erhalten ist, stimmen vollkommen mit der Aachener Art überein.

8 Stück von Strehlen.

Dentalium medium Sow.

1837. Sow., Fitton. Observ., S. 343, Taf. 18, Fig. 4.
1845. Reuß. Böhm. Kreidef., I, S. 40, Taf. 11, Fig. 4.
1875. Geinitz. Elbt., II, S. 178, Taf. 30, Fig. 3, 4.
1893. Frič. Priesener Schichten, S. 90, Fig 100.
1897.   »   Chlomeker Schichten, S. 49.

9 Stück von Strehlen, Zatzschke und der Walkmühle bei Pirna.

Dentalium polygonum Reuß.

1845 Reuß. Böhm. Kreideform, S. 41, Taf. 11, Fig. 5.
1875. *D. Rotomagense* ? d'Orb., Gein. Elbtal, II, S. 179, Taf. 30, Fig. 5.
1893. Frič. Priesener Schichten, S. 91, Fig. 101.

4 Stück von Strehlen.

Entalis Strehlensis Gein.

1875. *Dentalium Strehlense* Gein. Elbt., II, S. 179, Taf. 30, Fig. 6.

Diese Art zeichnet sich durch ihre nur in dem ersten Stück ganz schwach gebogene, später ganz gerade gestreckte, glatte Schale und sehr langen Schlitz aus. Sie erreicht eine beträchtliche Größe, da das von Geinitz abgebildete Exemplar, von dem wenig mehr als die Hälfte der Gesamtlänge erhalten ist, 6 cm mißt. *Entalis Gardneri* Holzapfel (Palaeontogr., 34, S. 178, Taf. XX, Fig. 10), welches den langen Schlitz mit unserer Art gemein hat, unterscheidet sich durch eine etwas stärkere Krümmung der Schale und schnellere Verjüngung nach der Spitze.

3 Stück von Strehlen.

Literaturverzeichnis.

1846. d'Archiac: Rapport sur les fossiles du Tourtia. Mém. Soc. géol. France 2. sér. Tome, II, 2. part.
1861. Binkhorst van den Binkhorst: Monographie des Gastéropodes et des Céphalopodes de la craie superieure du Limbourg.
1876. Brauns: Die senonen Mergel des Salzberges bei Quedlinburg. Zeitschrift für die gesamte Naturwissenschaft Bd. XLVI.
1891. Böhm, Joh.: Die Kreidebildungen des Fürberges und Sulzberges bei Siegsdorf in Oberbayern. Palaeontographica. Bd. XXXVIII.
1900. Böhm und: Über cretaceische Gastropoden vom Libanon und vom Karmel. Zeitschr. d. deutsch. geol. Ges., 52.
1868. Briart und Cornet: Descript. min. géol. et paléont. de la Meule de Bracquegnies. Mém. publié par l'Acad. royal de Belgique.
1886. Choffat: Recueil d'études paléontologiques sur la faune crétacique du Portugal. Comm. des travaux géol. du Portugal.
1902. Dacqué: Mitteilungen über den Kreidekomplex von Abu Roash bei Kairo. Palaeontographica, Bd. XXX, II.
1850. Dixon: Geology and Fossils of the tertiary and cret. formation of Sussex.

1863. Drescher: Über die Kreidebildungen der Gegend von Löwenberg. Zeitschrift der deutsch. geol. Ges., 15.
1885. Fallot: Étude géol. sur les Étages moyens et supèrieurs du terrain crétacé dans le sud-est de la France.
1837. Fitton: Observations on some of the strata between the Chalk and the Oxford Oolite in the South-east of
        England.
1887. Frech: Die Versteinerungen der untersenonen Thonlager zwischen Suderode und Quedlinburg. Zeitschr. der
        deutsch. geol. Ges., Bd. XXXIX.
1869. Frič: Palaeontologische Untersuchungen der einzelnen Schichten in der böhmischen Kreideformation (Perucer
        u. Korycaner Schichten). Archiv der naturwissenschaftl. Landesdurchforschung von Böhmen, Bd. I.
1877. Frič: Die Weißenberger und die Malnitzer Schichten. Ebenda, Bd. IV.
1883.   »   Die Iserschichten. Ebenda, Bd. V.
1889.   »   Die Teplitzer Schichten. Ebenda, Bd. VII.
1893.   »   Priesener Schichten. Ebenda, Bd. IX.
1897.   »   Die Chlomeker Schichten. Ebenda, Bd. X.
1901.   »   u. Bayer: Perucer Schichten. Ebenda, Bd. XI.
1892. Futterer: Die oberen Kreidebildungen der Umgebung des Lago di Santa Croce in den Venetianer Alpen.
        Palaeontolog. Abhandl. v. Dames u. Kaiser, N. F., Bd. II.
1875. Gardner: On the Gault Aporrhaidae. On the cretaceous Aporrhaidae. Geological Magazine Dec., II, Vol. II.
1840. Geinitz: Charakteristik der Schichten und Petrefakten des sächs.-böhm. Kreidegebirges sowie der Versteinerungen
        von Kieslingswalda. (2. Ausgabe, 1850.)
1846. Geinitz: Grundriß der Versteinerungskunde.
1849, 1850. Geinitz: Das Quadersandsteingebirge oder die Kreideformation in Deutschland.
1850. Geinitz: Das Quadersandsteingebirge oder die Kreideformation in Sachsen mit besonderer Berücksichtigung
        der glauconitreichen Schichten.
1875. Geinitz: Das Elbtalgebirge in Sachsen (1. und 2. Teil.) Palaeontographica, Bd. XX, 1 u. 2.
1898. Gerhardt: Beitrag zur Kenntnis der Kreideformation in Venezuela, Peru u. Columbien. Neues Jahrbuch für
        Min. Beilagebd. XI.
1841, 1844. Goldfuß: Petrefacta Germaniae, 3. Teil.
1889. Griepenkerl: Die Versteinerungen der senonen Kreide von Königslutter im Herzogtum Braunschweig. Palaeonto-
        logische Abhandl. v. Dames u. Kaiser, Bd. IV.
1885. Holzapfel: Die Fauna des Aachener Sandes und seine Äquivalente. Zeitschr. d. deutsch. geolog. Gesellsch.,
        Bd. XXXVII.
1887, 1888. Holzapfel: Die Mollusken der Aachener Kreide. Palaeontographica, Bd. XXXIV.
1901. Imkeller: Die Kreidebildungen und ihre Fauna am Stallauer Eck und Enzenauer Kopf bei Tölz. Palaeonto-
        graphica, Bd. XLVIII.
1850. Kner: Die Versteinerungen des Kreidemergels von Lemberg und seiner Umgebung. Haidingers naturw. Ab-
        handl., Bd. III.
1869. Krejči: Studien im Gebiete der böhm. Kreideformation. Archiv der naturw. Landesdurchforschung von Böhmen.
        Bd. I.
1897. Koßmat: The cretaceous deposits of Pondicherri. Recors. geol. Survey of India. Vol. 30, Part. 2.
1897. Leonhard: Die Fauna der Kreideformation in Oberschlesien. Palaeontographica, Bd. XLIV.
1822. Mantell: Geology of Sussex.
1847. Müller: Petrefacten der Aachener Kreideformation. Programm Gymn. Aachen.
1849.   »   Die Gastropoden der Aachener Kreide. Ebenda.
1855.   »   Neue Beiträge zur Petrefaktenkunde der Aachener Kreideformation. Ebenda.
1886. Noetling: Entwurf einer Gliederung der Kreideformation in Syrien und Palästina. Zeitschr. d. deutsch. geol.
        Ges., Bd. XXXVIII.
1842. d'Orbigny: Paléontologie Française, Terrains crétacés, Bd. II.
1850.   »   Prodrôme de Palaeontologie.
1902. Petraschek: Die Ammoniten der sächs. Kreideformation. Beitr. z. Geol. und Paläont. Österr.-Ung., Bd. XV.
1847. Pictet: Description des Mollusques fossiles des Grès verts des environs de Genève.
1902. Quaas: Beitrag zur Kenntnis der obersten Kreidebildungen in der libyschen Wüste. Palaeontographica, 30, II.
1902. Rehbinder: Fauna u. Alter der cretaceischen Sandsteine in der Umgebung des Salzsees Baskuntschak. Mém.
        du comité géol. St. Petersbourg, Vol. 17, Nr. 1.
1844. Reuß: Die Kreidegebilde des westl. Böhmens.
1845, 1846. Reuß: Die Versteinerungen der böhm. Kreideformation.
1870. Roemer F. A.: Geologie von Oberschlesien.
1841.   »   Ferd.: Die Versteinerungen des nordd. Kreidegebirges.
1843.   »   Ferd.: Die Versteinerungen des Harzgebirges.

1847. de Ryckkolt: Mélanges Paléontologiques. Mém. Acad. royale de Belgique, Bd. XXIV.

1837. Sowerby: Großbritanniens Mineral-Konchologie. Deutsche Bearbeitung von Agassiz.

1881. Steinmann: Über Tithon u. Kreide in den peruanischen Anden. Neues Jahrb. f. Min., Bd. II.

1865. Stoliczka: Eine Revision der Gastropoden der Gosauschichten in den Ostalpen. Sitzungsber. der k. Akad. d. Wissensch., Wien, Bd. LII.

1868. Stoliczka: Cretaceous fauna of southern India, Vol. 2, The Gastropoda. Mémoirs of the geol. Survey of India.

1863. Strombeck: Über die Kreide am Zeltberg bei Lüneburg, Zeitschr. d. deutsch. geol. Ges., Bd. XV.

1900. Sturm: Der Sandstein von Kieslingswalde in der Grafschaft Glatz und seine Fauna. Jahrb. d. kgl. preuß. geol. Landesanst., Bd. XXI.

1868. de Verneuil u. de Lorière: Description des fossiles du Néocomien superieur de Utrillas.

1902. Wanner: Die Fauna der obersten weißen Kreide der libyschen Wüste. Palaeontographica, 30, II.

1888. White: Contributions to the Paleontology of Brazil. Cretaceous Invertebrate Fossils. Archivos do Museu Nacional do Rio de Janeiro, Vol. VII.

1891. Whitfield: Cretaceous fossils from the Beyrut District of. Syria. Bull. Amer. Mus. of Nat. Hist., Vol. 3.

1902. Wollemann: Die Fauna der Lüneburger Kreide. Abhandl. d. preuß. geol. Landesanst., H. 37.

1890. Yokoyama: Versteinerungen aus der japanischen Kreide. Palaeontographica, B XXXVI.

1852. Zekeli: Die Gastropoden der Gosaugebilde. Abhandl. d. k. k. geol. Reichsanst Bd. I.

1881, 1885. Zittel: Handbuch der Paläontologie Bd. II.

1903. Zittel: Grundzüge der Paläontologie, 2. Auflage.

DIE FISCHRESTE DES MITTLEREN UND OBEREN EOCÄNS VON ÄGYPTEN.

I. TEIL: DIE SELACHIER, A. MYLIOBATIDEN UND PRISTIDEN.

Von

Ernst Stromer

(München).

Meinem verehrten Lehrer, Geheimrat v. Z i t t e l, dem ich für so vieles verpflichtet bin, hatte ich es zu danken, daß ich im Winter 1902 mit meinem Kollegen, Herrn Dr. M. B l a n c k e n h o r n, im Tertiär Ägyptens nach Fossilien suchen konnte. Über die mitteleocänen Fischreste, die wir bei dieser Reise aus dem Uadi Ramlich und dem Norden des Fajum für die Münchner paläontologische Sammlung mitbrachten, habe ich schon zwei kleine Veröffentlichungen (siehe das Literaturverzeichnis am Schlusse, 1903!) gemacht.

Durch die Güte von Herrn Prof. E. F r a a s erhielt ich dann zur Bearbeitung noch sehr reiches und schönes Material von Fischresten, welche der Naturalienhändler M a r k g r a f in Kairo im Verlaufe dreier Jahre im Kalkstein des untersten Mokattam bei Kairo und in den Eocänschichten im Norden des Fajum für das Stuttgarter Naturalienkabinett gesammelt hat; ähnliches Material der Münchner Sammlung, von den gleichen Fundorten und demselben Händler stammend, war Herr Prof. R o t h p l e t z so freundlich, mir auch zu übergeben und endlich konnte ich, dank der Liberalität des leider vor kurzem verschiedenen Herrn Dr. A. v. R e i n a c h, für die Senckenbergische Gesellschaft in Frankfurt a. M. im letzten Winter mit dem genannten Sammler an denselben Fundorten tätig sein und erhielt so noch weitere Fossilien zur Bearbeitung. Schließlich hatte Herr Geheimrat B r a n c o die Liebenswürdigkeit, die von Prof. S c h w e i n - f u r t h im Eocän des Mokattam und im Norden des Fajum gesammelten und größtenteils von D a m e s schon beschriebenen (1883, 1886 und 1888) Fischreste mir zum Vergleich zu senden. (Anm.: Im folgenden werden die aus der Münchner, Frankfurter, Stuttgarter und Berliner Sammlung stammenden Fossilien mit den Buchstaben M., Fr. St. und B. bezeichnet.)

Infolgedessen habe ich ein so reiches und zum Teil sehr gut erhaltenes Material von fossilen Fischen zur Verfügung, wie es wohl nicht oft einem Paläontologen vorlag, und ich kann nur auf das tiefste bedauern, daß ich es Herrn Geheimrat v. Z i t t e l, der meinen Arbeiten stets das wohlwollendste Interesse entgegenbrachte und sich über den schönen Zuwachs deutscher Sammlungen gewiß auf das höchste gefreut hätte, nicht mehr vorlegen konnte. Seinem Andenken möchte ich aber wenigstens diese Arbeit widmen, die ich hoffentlich in seinem Sinne durchführen kann.

Leider fand ich bei der Verwirklichung meiner Absicht, möglichst viele rezente Formen als sicheren Ausgangspunkt zum Vergleiche heranzuziehen, große Schwierigkeiten, da es an den nötigen Vorarbeiten an diesen fehlt und nur schwer eine größere Zahl präparierter Hartteile sich beschaffen läßt. Zwar danke ich Herrn Prof. C o r i in Triest die Zusendung zahlreicher Haifischschädel und ich erhielt auch Gebisse von Haien aus der hiesigen zoologischen und vergleichend anatomischen Sammlung, aus dem Stuttgarter Naturalienkabinett und dem Basler zoologischen Institut, wofür ich den Herren Prof. R. H e r t w i g und Kustos Dr. L e i s e w i t z in München, Prof. L a m p e r t in Stuttgart und Prof. R. B u r c k h a r d t in Basel erkenntlich bin, auch gab mir Herr Dr. Pappenheim, Kustos am zoologischen Museum in Berlin, und Herr Prof. O. Jäkel einige wertvolle Aufschlüsse, doch reichte mein Vergleichsmaterial zur Lösung vieler wichtiger Fragen nicht aus, und gewiß ist auch der Umstand, daß ich ein Neuling in der so schwierigen Bestimmung fossiler Fischreste bin, daran schuld, daß manche Unvollkommenheiten und Unsicherheiten im folgenden zu finden sein werden.

Jedenfalls bin ich all den genannten Herren, die mit Rat oder durch Überlassung von Material meine Arbeit ermöglichten und förderten, zum größten Danke verpflichtet, dem ich hiemit Ausdruck gebe.

A. Myliobatiden und Pristiden.

Das größtenteils aus dem untersten Mokattam bei Kairo und der Birket el Kerun-Stufe im Norden des Fajum (siehe Blanckenhorn: Sitzungsber. d. kgl. bayr. Akad. d. Wiss., math. phys. Kl., Bd. XXXII, H. 3, München, 1902) stammende Material fossiler Haie und Rochen ist zwar sehr reich, besteht aber fast nur aus isoliert gefundenen Resten, vor allem wohlerhaltenen Zähnen, dann Wirbeln, Stacheln und verkalkten Rostren.

Wie schwierig die Lösung der Frage einerseits der Zusammengehörigkeit und anderseits der systematischen Trennung solcher vereinzelter Hartteile ist, brauche ich nicht erst zu betonen. Hier machte sich eben der Mangel an genügenden Vorarbeiten und an reichem Vergleichsmaterial aufs Empfindlichste bemerkbar. Ich gehe bei meiner Arbeit von dem Grundsatze aus, daß eine wirkliche Förderung der Systematik sich nur erreichen läßt, wenn bloß nach Erkennung spezifischer Unterschiede sicher deutbare Reste nach den Regeln der binomen Nomenklatur benannt werden. Es bedeutet nach meiner Ansicht eine Vorspiegelung falscher Tatsachen, etwa isolierte Wirbel oder Stacheln bestimmten Arten zuzuteilen, nur auf vage Vermutungen hin und ohne Prüfung, ob überhaupt irgend welche spezifische Merkmale nachzuweisen sind. Deshalb müssen zuerst die lebenden Formen vom paläontologischen Gesichtspunkte aus systematisch durchgearbeitet sein, weil die zoologischen Systematiker leider die fossil erhaltungsfähigen Teile oft nur nebenbei oder gar nicht berücksichtigen, wie ja überhaupt das Studium der Anatomie und der Lebensweise von ihnen meistens sehr vernachlässigt wird. Aber Arbeiten an rezentem Material, so nötig sie sind, genügen hier nicht allein, denn es ist zu bedenken, daß in relativ weit zurückliegenden Zeiten einesteils die Verwandten der noch lebenden Formen anders organisiert gewesen sein können, andernteils ganz erloschene mit ihnen auftreten und endlich jetzt wohl differenzierte Formen kaum geschieden sein können. Ein erheblicher Fortschritt unserer Kenntnisse ist deshalb nur auf Grund glücklicher Funde sicher zusammengehöriger Reste einzelner Individuen und durch Monographien einzelner Formengruppen, indem man von rezenten Vertretern zu immer älteren zurückgeht, zu erwarten. Alles andere schafft meist nur ein ewig unsicheres Element, einen unnützen Ballast und dient oft dazu, die paläontologische Wissenschaft zu diskreditieren.

Ich will deshalb zunächst ausführlich nur über zwei Familien publizieren, bei welchen Vorarbeiten und rezentes sowie sehr schönes und reiches fossiles Material einen wirklichen Wissenszuwachs gestatten und zu zeigen erlauben, daß die Genera *Myliobatis* und *Aëtobatis* und die Familie der *Pristidae* zur Mitteleocänzeit eine besonders reiche und vielleicht ihre höchste Blüte hatten. Ich muß aber gleich vorausschicken, daß ich die Zeit noch nicht für gekommen halte, weitgehende Schlüsse auf Entwicklungsgesetze zu ziehen, da fast jeder neue lokale Fund von Wirbeltierresten zeigt, eine wie unzureichende und von Zufälligkeiten abhängige Kenntnis wir in diesem Stamme besitzen.

Myliobatidae: Subf. Myliobatinae.

Bei meiner Beschreibung der mitteleocänen Myliobatiden-Kauplatten vom Kressenberg und Grünten (1904) erwähnte ich schon, daß mir schönes Material aus dem ägyptischen Paläogen vorliege. Die meisten und besten Stücke stammen aus dem Kalke des untersten Mokattam unter dem Hauptlager des *Nummulites gizehensis* bei der Tingijé-Moschee (einige bei Abbasije) bei Kairo und aus den Mergel- und Sandsteinschichten der Kerun-Stufe nördlich der Birket el Kerun im Fajum, wenige aus ähnlichen Schichten der Sagha-Stufe und den sandigen Schichten der Fluviomarin-Stufe derselben Gegend. Wohl nur infolge eines Zufalles sind nur wenige obere Kauplatten darunter, denn bei dem erstgenannten Material bestand kein solches Mißverhältnis, das man bei diesen Tieren ja kaum so erklären darf, wie die größere Häufigkeit fossiler Säugetier-Unterkiefer, weil bei ihnen das Palatoquadratum fast ebenso locker am Schädel befestigt und ebensowenig erhaltungsfähig wie das Mandibulare ist. Bruchstücke von Kauplatten und einzelne Zähne finden sich übrigens nicht selten in dem Material aus den ersten drei Stufen. Ich lasse sie unbestimmt, da die erwähnte und eine zweite kurze Vorarbeit (1904, a) keinen Anhalt für exakte Bestimmung solcher Reste gab, wie ja leider auch wegen der Geringfügigkeit des mir zugänglichen, rezenten Materials selbst über die systematisch maßgebenden Merkmale und die Variabilität der best erhaltenen Kauplatten zum Teil eine Sicherheit sich nicht gewinnen ließ.

Myliobatis.

Zu den von mir in der erstgenannten Abhandlung bestätigten Ausführungen von A. Smith Woodward (1888) über den Erhaltungszustand von Kauplatten ist auf Grund des vorliegenden Materials nur nachzutragen, daß viele Platten an ihrer Basis genau ebensolche Wurzelleisten wie *M. microrhizus Delfortrie* (1872, Taf. X, Fig. 37) besitzen, offenbar nur, weil die Leisten von den Grenzen der Einzelzähne aus besonders leicht verwittern, so daß das durch die Kronen gebildete Dach der am Halse der Zähne vorhandenen Kanäle von unten sichtbar wird.

Die Maße aller beschriebenen Platten sind aus praktischen Gründen in der folgenden Tabelle zusammengestellt und die auf Tafel V (I) abgebildeten Stücke sind in ihr mit einem Kreuze bezeichnet.

Maßtabelle von Myliobatis-Kauplatten.[1)]

	Mittelzähne		Verhältnis		Innerste Seitenzähne lang	Verhältnis 3
	lang	dick	1	2		
M. Pentoni Sm. W. nach seiner Fig. unten . .	120—130	14—16	8·1—8·5	?2	—	2
» Fraasi, Kerun-Stufe (St.) unten†) . .	42	8·8	4·7	1·5	4·5—5	1·8—1·9
» aff. Pentoni, unt. Mokattam (M.) unten . .	70·5	10·5	6·7	2·5	7·5	1·4
» aff » unt. Mokattam (M.) unten	—	10·5—11	—	1·7—1·8	7	1·4
» » Sm. W. nach seiner Fig. oben . . .	130—135	18	7·2—7·5	? 1·8	—	2
» cfr. Pentoni, unt. Mokattam (St.) oben†) .	53	10·5—11	4·8—5	(2)	5	2
» Dixoni, Kerun-Stufe (St.) unten†)	72	12	6	2·1	4·5	2·7
» elatus, unt. Mokattam (St.) unten†)	?90	14	?6·5	2·7	5	2·6—2·7
» mokattamensis, unt. Mokattam (St.) unten†)	39	8	4·1	2·1	7—7·5	1·1
» aff. mokattamensis, unt. Mokattam (St.) unten	36	7·5	4·8	1·6	5·5	1·3
» toliapicus, unt. Mokattam (M.) unten . . .	?35	5	7	—	5·5	0·9
» Edwardsi Dixon nach seiner Fig. unten .	33·5—34	6·8—7	4·9	—	—	1·1
» » unt. Mokattam (St.) unten . . .	24·5	5	4·9	1·8	6	0·8
» » » » » †) . . .	26·2	5	5·2	2·2	5	1
» » » » » » . . .	30·5	6 · 6·5	4·7—5·1	1·7—1·9	3·5	1·1
» » » » » » . . .	34—35	5·5—6·5	5·3—6·2	—	5·5	1·09
» » » » » †) . . .	43·5—45	7—7·5	6—6·2	1·8—2	6—6·5	1·1—1·2
» » » » » » . . .	42—43·5	6·8	6·2—6·4	2·1	5—5·5	1·2—1·4
» cfr. Edwardsi Fluviomarin-Stufe (St.) oben	38—39	6	6·3—6·4	1·1	—	—
» cfr. striatus, unt. Mokattam (St.) oben . .	30	6·5	4·9	1·4	—	? 1·5
» striatus, Kerun-Stufe (M.) oben†)	33	7	4·7	1·7	6·4	1·6
» latidens, » » (M.) unten	16·8	2·5	6·7	1·8	—	—
» » unt. Mokattam (St.) unten†) . . .	17·5	2·9	6	—	2·5	1
»? » » Kerun-Stufe (St.) unten	19·5	? 2·8	?6·9	? 1·8	? 2	—
»? » » » (M.) »	22	3—4	5·5—7·3	—	—	—
» » » » (St.) »	22	2·8	7·8	2·1	3	1·1
» » » » (M.) » †)	23	2·4	9·5	2·5	2·3—2·4	1
»? » » » (St.) »	24	3	8	2	—	—
» » » » (M.) »	25	2·5	10	2·9	3	0·8
» cfr. latidens, Sagha-Stufe (Fr.) unten	53	4	13	2·5	—	—
» latidens, unt. Mokattam (St.) oben †)	22·5	2·9	7·7	—	2	1

[1)] Anmerkung: Maße in Millimetern. Verhältnis 1 = Länge zur Dicke, 2 = Dicke zur Höhe der Mittelzähne, 3 = Dicke zur Länge der innersten Seitenzähne.

Myliobatis Pentoni A. Smith Woodward, 1893, Taf. XLVIII, Fig. 1, 2.

Taf. V (I), Fig. 1, 1 *a*.

Bisher ist nur diese eine, wahrscheinlich aus dem unteren Mokattam bei Kairo stammende Art des ägyptischen Tertiärs beschrieben worden. Die außerordentlich große untere und obere Kauplatte gehört zu einem Individuum, bei dem ebenso wie bei den rezenten *M. aquila* und *M. bovina* die oberen Mittelzähne länger als die unteren sind.

Das Verhältnis 1, zwischen 7·2 und 8·5 schwankend, ist in Anbetracht der Größe der Zähne nicht hoch, wird es ja doch nach Smith Woodward (1888) bei kaum halb so großen Exemplaren von *M. striatus* und *M. toliapicus* erreicht. Bei kleineren Kauplatten derselben Art muß man also nach den zitierten Ausführungen (A. Smith Woodward, 1888; Stromer, 1904) ein relativ niederes Verhältnis 1 erwarten, aber die quere Wölbung, die stumpfen Seitenwinkel der Mittelzähne und die Form der sehr deutlich labiolingual gestreckten Seitenzähne müssen ziemlich die gleiche sein, es muß also große Ähnlichkeit mit *M. Dixoni* Ag. und *M. goniopleurus* Ag. bestehen. Bei der ersteren Art ist aber das Verhältnis 1 doch etwas niederer, die Wölbung speziell unten eine andere und die Seitenzähne sind in der Regel noch mehr verdickt und bei der anderen ist die labiolinguale Wölbung der oberen Kauplatte sehr stark und der Abfall der unteren Mittelzähne zu den Seitenreihen deutlich.

Die Kauplatte von *M. toliapicus* Geinitz (1883, S. 38, 39, Taf. II, Fig. 2,2 *a*) aus dem Eocän von Helmstedt in Braunschweig dürfte demnach zu *M. Pentoni* gehören, obwohl ihre Seitenzähne relativ länger und ihre Mittelzähne unten stärker gewölbt sind. Auch die leider nicht genügend beschriebenen Kauplatten von *M. copeanus* Clark aus dem Eocän der Ostküste Nordamerikas (Clark, 1896, S. 61, Taf. VII, Fig. 3, und Eastman, 1901, S. 99—100, Taf. XII, Fig. 2, Taf. XIII, Fig. 7) scheinen recht ähnlich zu sein, nur sollen ihre Mittelzähne zum Teil stark gebogen und unten auch gewölbt sein.

Aus meinem Material reihen sich an die Helmstedter Form zwei wenig größere untere Kauplatten aus dem untersten Mokattam (M.) an. Ihre Mittelzähne sind unten ebenso gewölbt, aber ganz gerade und die allein erhaltenen inneren Seitenzähne sind noch länger, gleichen also den durch Verwachsung entstandenen der oberen Originalplatte. Die vollständigere zeigt übrigens auch eine flache Einsenkung in der Medianlinie, so daß man eine ziemlich große Variabilität annehmen muß, wenn man diese Stücke zu *M. Pentoni* rechnen will.

Eine auch nur mittelgroße obere Platte von Abbasije (St.) (Taf. V (I), Fig. 1, 1 *a*) ist nach dem Ausgeführten auch hieher zu rechnen. Sie ist aber anormal, wie ihr Querschnitt deutlich zeigt, indem ihre Mittelpartie nur auf einer Seite stark quer und längs gewölbt ist.[1]

Myliobatis Fraasi nov. spec.

Taf. V (I), Fig. 7, 7 *a*.

Eine etwas kleinere untere Kauplatte, die aus der Birket-Stufe (St.) stammt (Taf. V (I), Fig. 7, 7 *a*), paßt zwar im Querschnitt und in den Größenverhältnissen sehr gut hieher, die Seitenzähne sind aber etwas schief und ihre vorderen und hinteren Enden schmal und die Mittelzähne sind median gerade, seitlich jedoch ein wenig rückgebogen. Diese Unterschiede dürften zur Aufstellung einer Art genügen, die ich nach Herrn Prof. E. Fraas nenne.

M. vomicianus Cope aus dem Miocän Nordamerikas scheint übrigens nach Leidys (1879, S. 242, Taf. XXXIII, Fig. 5) Beschreibung und Abbildung ähnlich zu sein, und es ist bemerkenswert, daß nach ihm wie bei der oben genannten unteren Kauplatte (M.) eine mediane Einsenkung vorhanden ist und daß wahrscheinlich die obere Kauplatte von *M. gigas* Cope (ibidem, Fig. 4), bei der wie oben bei *M. Pentoni* die Zähne der zwei inneren Seitenreihen auf einer Seite verschmolzen sind, zu derselben Art gehört. Bei beiden Formen sind aber die Mittelzähne gestreckter als bei unserer Art.

---

[1] Anm.: Vielleicht ist das auch der Fall bei der halben Kauplatte aus dem Eocän von Kasch, auf welche Lydekker (Palaeontologia indica, Ser. 10, Vol. 3, 1886, S. 244, Taf. XXXV, Fig. 9, 9 *a*) eine neue Art *M. curvipalatus* gründete.

Myliobatis Dixoni Ag.

Taf. V (I), Fig. 6, 6a.

Betreffs der Synonymie verweise ich auf meine eingangs genannte Arbeit (1904, S. 256) und bemerke nur, daß Smith Woodward wie ich Formen hieher zählen, bei welchen das Verhältnis 3 bald über 2·5 ist, bald 2 kaum übersteigt.

Danach könnte eine in ihrem Querschnitt gut zu *M. Dixoni* passende, große, rissig verwitterte untere Kauplatte (St.) mit tiefer Kaugrube aus graugrünem Sandstein der Zeuglodon-Schicht der Kerun-Stufe zu der Art gehören. Ihre Seitenzähne gleichen denjenigen von *M. eureodon* Schafhäutl, also einer Varietät von *M. Dixoni*, die Mittelzähne sind aber median kaum rückgebogen und zeigen dieselbe schwache Rückbiegung ihrer Enden wie diejenigen von *M. Fraasi*.

Weitere bestimmbare Stücke dieser Art liegen mir nicht vor.

Myliobatis elatus nov. spec.

Taf. V (I), Fig. 4, 4a.

Eine große, auffällig hohe untere Kauplatte aus dem untersten Mokattam bei Kairo (St.), leider nur zur Hälfte erhalten, gehört zu einer *M. Dixoni* sehr nahe stehenden Art. Die bis fast 30 *mm* hohe Krone der wohl etwa 90 *mm* langen Mittelzähne zeigt aber zum deutlichen Unterschiede eine auffällige Vorbiegung ihrer Enden und gleicht darin etwas dem Original von *M. micropleurus* Agassiz (Ag. S. 318, Taf. XLVI, Fig. 17), das auch in der Höhe der Mittelzähne und der Form der seitlichen nahe steht. Der wohlerhaltene Schmelz der Mittelzähne meines Originals ist übrigens nicht wie meistens längsgestreift, sondern zeigt ein sehr feines Netzwerk von Längsfurchen und jeder Seitenzahn ist ein wenig gewölbt. Von den Wurzelleisten ist dann noch zu erwähnen, daß die seitlichsten der Mittelzähne abgeplattet spindelförmig sind.

Myliobatis mokattamensis nov. spec.

Taf. V (I), Fig. 5, 5a.

Ein schönes Stück einer mittelgroßen unteren Kauplatte vom gleichen Fundort (St.) (Fig. 5, 5a) zeigt den deutlich längsgestreiften Schmelz der eben rückgebogenen Mittelzähne. Es vermittelt insofern zwischen *M. Dixoni* Ag. und *toliapicus* Ag., als sie wie bei ersterem wenig gestreckt und unten ziemlich gewölbt sind, während wie bei letzterem die Oberfläche kaum konvex ist, und die Seitenzähne nur sehr wenig von regelmäßigen Sechsecken abweichen.

Eine wenig kleinere untere Kauplatte von ebenda (St.) mit nur einer erhaltenen Seitenreihe weicht aber von dem Original durch ein höheres Verhältnis 1 und 3 und ein kleineres 2 ab, vermittelt also zu *M. striatus* Stadium IV in Smith Woodward (1888, S. 43, Taf. I, Fig. 7), das nur durch wenig kürzere Seitenzähne und schmälere Mittelzähne sich unterscheidet.

Myliobatis toliapicus Ag.

Eine leider nur in den 3 Reihen der Seitenzähne einer Seite und dem größten Teile der Mittelzähne erhaltene untere Kauplatte (M.) vom unteren Mokattam bei Kairo muß entschieden zu dieser Art gezählt werden, von deren Typus sie nur darin abweicht, daß die Mittelzähne ein wenig gestreckter und die randlichen Seitenzähne ein bischen schräg verzerrt sind.

Myliobatis Edwardsi Dixon (1850, S. 199—200, Taf. XI, Fig. 16).

Taf. V (I), Fig. 3 und 9.

Sechs gut erhaltene, mittelgroße, untere Kauplatten vom untersten Mokattam bei Kairo (die größte und kleinste von Abbasije bei Kairo), von welchen die größte in Fig. 3 und die zweitkleinste in Fig. 9 abgebildet ist, gehören trotz einiger Unterschiede offenbar zusammen. Die zwei kleinsten und die größte sind oben ganz flach, die anderen aber ein wenig quergewölbt. Die Verschiedenheit des Verhältnisses 2 hängt aber nicht nur davon ab, sondern ist auch durch die nur selten vollständige Erhaltung der Wurzelleisten bedingt, also irrelevant. Die Basis ist übrigens stets etwas bis deutlich quergewölbt, die Mittelzähne sind gerade, nur bei dem größten etwas unregelmäßig gebogen, ihre Oberfläche ist deutlich längsgestreift. Ihre Seitenecken sind wenig stumpfwinklig und sehr wenig ungleichseitig. Die Seitenzähne sind regelmäßig sechseckig; bemerkenswert ist aber, daß die innersten Seitenzähne bei der kleinsten Form länger als dick sind und bei größeren immer dicker werden. Auch die mittleren Seitenzähne sind bei den größeren Platten fast stets etwas dicker als lang und die äußersten ebenfalls. Bei den kleineren Platten und der zweitgrößten sind sie aber kaum dicker als lang, was von dem Original unterscheidet, und ein weiterer Unterschied davon ist das höhere Verhältnis 1.

All diese Differenzen sind aber so verteilt, daß eine Trennung unmöglich ist. Das Original zu *M. Edwardsi* wurde nun von A. Smith Woodward (1888, S. 43, 44) mit Vorbehalt zu *M. striatus* Ag. gestellt, *M. toliapicus* in Dixon (l. c., Taf. X, Fig. 3, 4) hat aber ebenso verdickte Seitenzähne. Die vorliegenden Stücke überbrücken nun noch weiter den Abstand von *M. toliapicus* Ag., *mokattamensis mihi*, *striatus* Ag. und *Edwardsi* Dixon, denn wo die Seitenzähne deutlich dicker als lang sind, ist bei ihrem höheren Verhältnis 1 ein Unterschied von *M. striatus* fast nur in der Geradheit der Mittelzähne vorhanden, wo sie kaum dicker als lang sind, trennt von *M. toliapicus* und *mokattamensis* nur das Verhältnis 1.

Leider habe ich aus dem untersten Mokattam keine obere Kauplatte, die zu *M. Edwardsi* gehört, wohl aber könnte man den einzigen *Myliobatis*-Rest aus dem Sand der Fluviomarinstufe nordwestlich von Tamiëh im Fajum dazu rechnen. Die wohlerhaltenen Mittelzähne (St.) gleichen ganz den unteren, vor allem auch in ihrer Geradheit, nur ist ihre Basis kaum, ihre Oberfläche deutlich quergewölbt. Da aber die Seitenzähne fehlen und das geologische Alter ihrer Schicht erheblich geringer ist, kann ich das Stück nur mit Vorbehalt hier erwähnen. Wahrscheinlich steht übrigens *M. mordax* Leidy (1879, S. 235) nach seiner Fig. 3, Taf. XXXIII, unserer Form nahe, doch sind dort die Seitenzähne deutlich dicker als lang und etwas schräg abgestutzt.

Myliobatis striatus Ag.

Taf. V (I), Fig. 10, 10a.

Eine kleine, obere Kauplatte vom untersten Mokattam (St.), an der Basis wenig quergewölbt, an der Oberfläche aber deutlich quer- und längsgewölbt, könnte nach der Form und den Größenverhältnissen der Zähne wohl zu dieser Art gehören. Die Mittelzähne sind etwas rückgebogen, was von der vorigen Form unterscheidet und die leider nur schlecht erhaltenen, inneren Seitenzähne scheinen deutlich dicker als lang zu sein.

Ist hier wegen des Erhaltungszustandes die Bestimmung unsicher, so kann eine obere Kauplatte (M), welche aus der an Zeuglodon-Resten reichen Schicht der Kerun-Stufe stammt, und die in Fig. 10, 10a bis auf den abgekauten Teil abgebildet ist, ohne weiteres zu dieser Art gerechnet werden.

Wenn ich noch erwähne, daß die vom oberen Montmartre in Paris stammende obere Kauplatte von *M. Rivieri* Sauvage (1878, S. 623, Taf. XI, Fig. 3, 3a) ganz gut zu *M. toliapicus* Ag. paßt, in ihren Seitenzähnen aber wie *M. Edwardsi* Dixon sich verhält, also zu der von Dixon, l. c., Taf. X, Fig. 3, 4, als *M. toliapicus* abgebildeten unteren Kauplatte gehören dürfte, so ist, wenn auch nicht so vollständig wie bei den unteren Platten, ein Vorkommen von Übergangsformen auch für die oberen festgestellt.

Myliobatis latidens A. Smith Woodward.

Taf. V (I), Fig. 2, 2a, 11 und 12, 12a.

Die in den gleichalterigen Bracklesham Beds Englands und vielleicht auch am Kressenberg in Bayern (Stromer, 1904, S. 260) vertretene Art ist in der Kerun-Stufe sehr häufig, aber auch im untersten Mokattam vorhanden und wird anscheinend kaum größer als die rezente *Myliobatis aquila*.

Die in gut erhaltenen Exemplaren von verschiedener Größe vertretenen unteren Kauplatten haben eine ebene oder nur ganz wenig querkonvexe Oberfläche und sind unten fast sämtlich noch weniger gewölbt als das abgebildete Stück (Fig. 2a, M.). Ihre Mittelzähne, deren Schmelz, wenn gut erhalten, längsgestreift ist, sind stets gerade, an den Enden mit eben stumpfwinkligen, fast gleichschenkligen Ecken versehen und sehr lang, wenn auch nicht so wie bei der englischen Form. Wie sehr das Verhältnis 1 aber variieren kann, zeigt eine kleine, aus der roten Schalenschicht der Kerun-Stufe stammende Platte (M.), wo es lingual über 7 ist, also normal, in der Mitte, noch hinter der Kaugrube jedoch nur $= 5\cdot5$, also wie bei *M. toliapicus* Ag. Die Seitenzähne endlich sind bis auf die äußeren stets so regelmäßig hexagonal wie bei dieser Art und normal in je drei Reihen entwickelt. Die Kaugrube ist außer bei dem einen prächtig erhaltenen Stück aus dem untersten Mokattam (St., Fig. 11) sehr flach, bei ihm aber, wie selten zu beobachten, auch noch von einem ganz flachen Hof umgeben. Das in Fig. 2 abgebildete, ebenfalls vorzüglich erhaltene Stück ist endlich noch dadurch bemerkenswert, daß seine Mittelzähne labialwärts etwas treppenförmig abgesetzt sind.

Aus der Sagha-Stufe, wo *Myliobatis* nur selten ist, muß ich ein nur aus vier unteren Mittelzähnen bestehendes Stück (Fr.) hier erwähnen. Seine Basis ist ganz flach und die Zähne sind so gestreckt, wie es für die Art bei dieser Größe zu erwarten wäre, aber die Oberfläche ist ein wenig mehr gewölbt als bei den kleinen Platten und die Zähne sind etwas gebogen, es kann also nur mit Vorbehalt zu *M. latidens* gerechnet werden.

Zu der unteren Platte vom untersten Mokattam (Fig. 11, St.) paßt vorzüglich eine ebendort gefundene obere (Fig. 12, 12a, St.). Sie ist stark längs- und deutlich quergewölbt und ihre auch weniger als bei der englischen Form gestreckten Mittelzähne sind etwas rückgebogen. Aus der Kerun-Stufe liegt aber leider nur eine schlecht erhaltene kleine obere Platte (M.) vor, die sehr wahrscheinlich hieher gehört.

Aëtobatis.

Taf. V (I), Fig. 8.

Es liegen mir leider nur wenige Reste von mittelgroßen unteren Kauplatten vor, die nach S m i t h W o o d w a r d (1889, S. 128) unbestimmbar sind.

Ein Stück eines Zahnes aus dem untersten Mokattam bei Kairo (Fr.) und eines aus der Kerun-Stufe (M.) gleichen dem zu erwähnenden aus der Fluviomarinstufe. Eines aus der Knochenschicht der Sagha-Stufe (M.) aber ist etwas größer und weniger gebogen. Die zum Teil vollständiger erhaltenen sechs Kauplatten (St.) aus der Fluviomarin-Stufe, wovon die kleinste (Fig. 8) abgebildet ist, zeichnen sich alle dadurch aus, daß die Zähne nicht nur stark nach vorn konvex und median breit sind, sondern daß ihre schmalen Seitenteile meist so lang nach hinten ausgezogen sind, daß die gerade Verbindung ihrer Hinterenden in der Medianlinie den hinteren Rand des dritten folgenden Zahnes treffen würde. Ich fand unter den zahlreichen abgebildeten Formen keine derartigen, glaube also eine neue Art oder doch Varietät vor mir zu haben, hüte mich aber aus den angegebenen Gründen sie aufzustellen und bilde das Stück nur ab, um zu zeigen, wie spezialisierte *Aëtobatis*-Arten im Obereocän (oder Oligocän?) existierten.

Myliobatiden — Schwanzstacheln.

Wie bei der Häufigkeit von Zähnen und Kauplatten zu erwarten, liegen mir auch zahlreiche, zum Teil gut erhaltene Stacheln vor, ein großer (M.) und einige kleine (St.) aus dem untersten Mokattam, ein Stück eines sehr großen, aus der höchsten Schicht des oberen Mokattam unter dem Gebel el Ahmar bei Kairo (B.), besonders schöne aus der Kerun-Stufe des Fajum (St., wenige B, 1 M.) und mehrere Stücke aus der dortigen Sagha-Stufe (M).

Bestimmbar sind sie leider so wenig wie die bisher beschriebenen, denn niemand hat die nötigen Vorarbeiten bei rezenten Formen gemacht, wo die Zugehörigkeit zu den verschiedenen Familien, Genera und Arten sich allein sicher feststellen läßt. Ich kann also nur auf das vorhandene Material aufmerksam machen.

Die paläogenen Myliobatinae Westeuropas und Nordafrikas.

Ein Vergleich der besprochenen Reste mit den aus dem Alttertiär von Tunis von S a u v a g e (Bull. Soc. géol. de France, Paris 1889 (3), T. XVII, S. 561, Fig. 1) und P r i e m (ibidem, 1903 (4), T. III,

6*

S. 396—399, Taf. XIII) beschriebenen Kauplatten und Stacheln ist leider nutzlos, da jene alle bei dem jetzigen Stande der Kenntnisse unbestimmbar sind. Auch die zahlreichen aus dem Alt- und Mitteltertiär des östlichen Nordamerikas von L e i d y, C o p e u. s. w. beschriebenen Kauplatten bedürfen erst einer Revision an Hand der Originale und mit neuem Material, ehe ein Vergleich damit genügend sichere Resultate geben kann.

Fast ganz außer acht muß ich auch die wenigen nicht genau bestimmbaren Myliobatinen-Reste aus der Sagha- und Fluviomarin-Stufe des Fajum lassen und kann so eigentlich nur die Myliobatinen aus dem untersten Mokattam bei Kairo und aus der Kerun-Stufe des Fajum mit denjenigen des Mitteleocäns der bayrischen Alpen und des englischen Eocäns vergleichen.

Die Myliobatiden-Reste eignen sich nun gar nicht zu Leitfossilien, schon aus dem äußeren Umstande, daß wohlerhaltene, sicher bestimmbare Kauplatten ziemlich selten sind, und dann, weil einerseits manche Übergänge und Variationen bei gleichalterigen Formen sich finden und anderseits nach den Angaben von S m i t h W o o d w a r d (1889, S. 109 ff.) manche Arten durch mehrere Tertiärstufen sich verfolgen lassen (z. B. ist nach ihm *M. toliapicus* und *Aët. irregularis* im London clay, in den Bracklesham beds und im Bartou clay verbreitet). Wenn übrigens die Myliobatinen-Fauna des untersten Mokattam und der Kerun-Stufe etwas verschieden ist, so muß auch der Faziesunterschied in Betracht gezogen werden: Hier sind reine, marine, an Nummuliten reiche Kalke, dort Tone, Mergel und feinkörnige, kalkige Sandsteine mit Spuren von Süßwassernähe vorhanden.

Jedenfalls lassen sich die Formen alle gut mit der Annahme vereinigen, daß am ersteren Fundort unteres Parisien vertreten ist, am anderen jüngere Schichten derselben Stufe. Für Mitteleocän spricht vor allem die Häufigkeit von *M. latidens*, der bisher nur aus diesem bekannt ist. Daß übrigens die meisten der Formen wohl nur geographische Abarten, Standortsvarietäten oder Übergangsformen der im Mittel- und Obereocän Englands verbreiteten sind, geht ja schon aus der Detailbeschreibung hervor und ist in der folgenden Erörterung über die Phylogenie der Myliobatinen (Unterfamilie der Myliobatiden) noch des weiteren auszuführen.

Tabelle der Verbreitung von eocänen Myliobatinae in

England	den bayrischen Alpen	Ägypten	
M. Dixoni » striatus » toliapicus Aët. irregularis		M. cfr. Edwardsi, 1 Stück, mittelgroß Aët. spec. nov. indet. 6 Exemplare, mittelgroß	Obereocän Barton clay in England, Fluviomarin-Stufe in Ägypten
M. Dixoni « Edwardsi » goniopleurus » latidens » striatus » toliapicus Aët. irregularis » marginalis	M. Dixoni var. eureodon häufig » goniopleurus var. pressidens häufig »? latidens, 1 Stück » striatus, 2 Exemplare » toliapicus, 1 Stück Aët. giganteus, 4 Exemplare » spec. indet, 1 Exemplar	M. Dixoni, 1 Exemplar, groß » Fraasi, 1 Stück, mittel » latidens, viele Exemplare, klein » striatus, 1 Stück, mittel Aëtobatis spec. indet., 1 Stück, klein M. Edwardsi, häufig, mittelgroß » elatus, 1 Stück, sehr groß » latidens, 2 Stück, klein » mokattamensis, 2 Stück, mittel » Pentoui, 5 Exemplare, mittel bis riesig »? striatus, 1 Exemplar, klein » toliapicus, 1 Stück, mittel Aëtobatis spec. indet., 1 Stück. klein	Mitteleocän Bracklesham beds in England, Kerun-Stufe und untere Mokattam-Stufe in Ägypten
M.? Dixoni » goniopleurus »? striatus » toliapicus Aët. irregularis Rhinoptera Daviesii			Untereocän London clay in England

Zunächst ist zu betonen, daß leider nur auf Grund der Bezahnung geurteilt werden kann, denn der vereinzelte Fund des *Promyliobatis*-Körpers im oberen Mitteleocän (Jaekel, 1894, S. 152 ff.) nützt uns wenig, da schon im Untereocän die noch lebenden Genera *Myliobatis*, *Aëtobatis* und *Rhinoptera*, den Gebissen nach zu schließen, wohl differenziert vertreten sind und von kretazischen Vorfahren zu wenig bekannt ist (s. Davis, Scient. Trans. R. Dublin Soc., Dublin 1890 (3), Vol. 4, S. 374 und Leriche, Ann. Soc. géol. du Nord, Lille 1902, T. 31, S. 101!). *Rhinoptera* ist nun in jüngeren Eocänstufen leider noch nicht nachgewiesen, von den anderen zwei Genera ist aber zu konstatieren, daß sie schon im Mitteleocän ihre höchste Blüte erreichten, wobei ja zu bedenken ist, daß ich nur drei Fundgegenden berücksichtige und daß man die damaligen exotischen Formen noch fast gar nicht kennt. *Aëtobatis* tritt da in Ägypten gegenüber *Myliobatis* und den anderen Haien allerdings auffällig in den Hintergrund, besitzt aber in Bayern seine größte Art und in England noch zwei weitere auch recht stattliche. *Myliobatis* entfaltet aber nicht nur seinen größten Formenreichtum, sondern hat auch mehrere so stattliche Vertreter wie *M. striatus*, *Dixoni* und *elatus* und die größte aller bekannten Arten im *M. Pentoni*, es fällt also bei ihm die Blüte der Differenzierung mit der Entwicklung von Riesenformen zusammen. Daß aber danach in keiner Beziehung ein rascher Verfall eintritt, beweisen besonders die zahlreichen und großenteils sehr stattlichen Formen, die Leidy (1879) aus etwas jüngeren Ablagerungen des östlichen Nordamerika beschrieb.

Nur um die wichtiger erscheinenden Unterschiede zu betonen, habe ich eine ziemlich große Zahl von *Myliobatis*-Arten angenommen, bin aber überzeugt, daß bei noch reicherem Material auch bei den jetzt noch isoliert erscheinenden Arten ebenso große und zahlreiche Variationen sich finden werden wie bei *M. Pentoni* und *Edwardsi*, und daß dadurch die Unterschiede der Arten noch weiter verwischt werden. Jedenfalls ist bewiesen, daß das Gebiß von *Myliobatis* in der Tat so variabel ist, wie ich (1904, S. 253) es bei Tieren, die dem vagilen Benthos angehören, nach der Döderleinschen Theorie vermutete.

Zieht man nun endlich den Charakter der eocänen Gebißformen in Betracht und sucht daraufhin verwandtschaftliche Beziehungen festzustellen, so muß zuerst hervorgehoben werden, daß über *Rhinoptera*, *Aëtobatis* und *Promyliobatis* viel zu wenig bekannt ist, und daß sich kaum Übergänge dazu finden. Nur scheint mir wichtig, daß nach Fig. 34 in Jaekel (1894, S. 154) das Gebiß des letzteren sich am ersten mit dem von *Myliobatis mokattamensis* vergleichen läßt, welches in der geringen Streckung der Mittelzähne und der regelmäßigen Form und relativen Größe der Seitenzähne noch primitiver erscheint als das schon im Untereocän vorhandene, ihm ganz nahestehende von *M. toliapicus*.

Es spricht also manches dafür, diese letzteren Formen als Ausgangspunkt anzunehmen und es läßt sich dann eine Entwicklung nach drei Hauptrichtungen verfolgen, 1. durch Verlängerung der Mittelzähne, 2. durch mäßige Verlängerung der Mittelzähne zugleich mit mäßiger Verdickung der Seitenzähne und 3. durch starke Streckung der Seitenzähne in labiolingualer Richtung (Verdickung) zugleich mit Erhöhung der Krone der Mittelzähne. Eine schräge Verzerrung endlich der Seitenzähne scheint erst bei neogenen und rezenten Formen eine Rolle zu spielen als eine weitere Entwicklungsrichtung. Weitere kleinere Modifikationen in der Biegung und Wölbung der Mittelzähne, der Form der Winkel der Seitenzähne u. s. w. kommen natürlich auch in Betracht, lassen sich aber jetzt noch nicht so klar überblicken wie die genannten Entwicklungsrichtungen.

Als Extrem der ersten Richtung würde aus der *M. toliapicus*-Form *M. latidens* mit sehr langen Mittelzähnen hervorgehen, die zweite Richtung würde von *M. toliapicus* abzuleitende Formen wie *M. striatus* und *Edwardsi* mit flachen unteren Kauplatten, verlängerten Mittelzähnen und etwas bis mäßig verdickten Seitenzähnen umfassen. Als Vertreter der dritten endlich gingen *M. Dixoni* und *elatus* mit relativ kurzen und hohen Mittelzähnen und sehr kurzen und dicken Seitenzähnen aus *M. mokattamensis* über *M. Pentoni* und *goniopleurus* hervor. Bei ihnen liefe also die Entwicklung darauf hinaus, daß die sehr starken Mittelzähne fast allein für das Kaugeschäft in Betracht kämen; sie entfernen sich also am weitesten von dem Gebißtypus von *Rhinoptera* und nähern sich hierin dem von *Aëtobatis*. Eine Annäherung in der Vorwärtskrümmung der Mittelzähne und der Gestalt ihrer Basis findet sich aber nicht bei ihnen (siehe auch Stromer 1904a!). Einem Stammbaum sollen natürlich diese Reihen nicht entsprechen, sondern nur eine Übersicht über die Gebißformen der eocänen *Myliobatis*-Arten ermöglichen.

Da mir in der hiesigen Sammlung leider keine gut erhaltenen jüngeren *Myliobatis*-Kauplatten vorliegen und deren Beschreibungen zum Teil ungenügend sind, möchte ich keine Revision der mittel- und jungtertiären Formen versuchen und kann ohne sie nicht wagen, die Beziehungen der paläogenen Arten zu ihnen und zu den rezenten Vertretern der Gattung zu erörtern. Ich muß mich also mit dem obigen Beitrag zur Geschichte der Myliobatinen begnügen.

Pristidae.

Seit dem Erscheinen der zusammenfassenden Arbeit von Vigliarolo (1890) ist nur die Arbeit von Priem (1897) über *Propristis* und von Jaekel (1890) über *Pristiophorus*, in welcher er auch einige Bemerkungen über *Pristis* machte, hier als wichtig zu erwähnen. Wie nun schon Vigliarolo (l. c., S. 25) hervorhob, werden die fossil erhaltungsfähigen Teile der Pristiden nur ganz ausnahmsweise so beisammen gefunden, daß ihre Zugehörigkeit zu einer Art feststeht. Meist erhält man nur isolierte Rostralstacheln, deren Bestimmung kaum möglich ist, weil sie, wie schon aus A. Günthers (1870, S. 437) Angaben hervorgeht und Vigliarolo l. c. feststellte, bei einer Art, ja in einer Säge in der Form sehr wechseln und anderseits manchmal bei verschiedenen Arten gleichgestaltet sein können. Systematisch wichtiger als ihre Form scheint ihre Zahl und ihr gegenseitiger Abstand am Rostrum zu sein und dessen Verschmälerung nach vorn zu (Duméril, 1865, Bd. 1, S. 473 ff., Vigliarolo l. c.), und ich fand, wie im folgenden auszuführen ist, für die eocänen Formen auch die Beschaffenheit der Seitenteile der Rostren, in welchen die Stacheln befestigt sind, sehr verschieden und offenbar systematisch von Bedeutung.

Pristis.

Dem, was von den verschiedensten Autoren (Latham, 1794, Williamson, 1851, Kölliker, 1860, Duméril, 1865, Gegenbaur, 1872, Dames, 1883, Vigliarolo, 1890 und Priem, 1897) über die Sägen der rezenten Pristiden ausgeführt wurde, habe ich auf Grund meines Materials, das von mir bestimmte Sägen der meisten lebenden Arten aus der hiesigen zoologischen Sammlung umfaßt, nicht viel beizufügen.

Alle Rostren sind vorn sehr stumpf und die meisten verschmälern sich nur ganz langsam. Dorsal wie ventral sind zwei innere Längsfurchen vorhanden, die hinten den Ansätzen der fest verkalkten Innenwände der paarigen Längskanäle entsprechen, nach vorn zu aber langsamer wie diese sich nähern; ferner zwei äußere Längsfurchen, in welchen kleine Gefäßlöcher aus den seitlichen Gefäßkanälen nach außen münden und welche den zuerst verkalkenden Medianteil des Rostrums begrenzen. In ihm liegt der fast ganz mit Knorpel erfüllte Mittelraum, der einen engen Mediankanal enthält und nach vorn zu eher auskeilt als die mit eigener verkalkter Wand versehenen Seitenkanäle. Daneben befindet sich jederseits in dem dünneren, bei jungen Tieren noch weichem Seitenteile je ein kleiner Längskanal für Gefäße und Nerven für die Stacheln, der, wie die Fig. 3, Tafel III, in Dames (1883) zeigt und ich im Gegensatz zu den Angaben von Gegenbaur (1872, S. 93) fand, nicht immer eine eigene verkalkte Wand besitzt. Es können übrigens auch die Partien, welche zwischen den tiefen fast bis zu den Seitenfurchen reichenden Alveolen liegen, im Innern auch bei großen Exemplaren kaum oder nur schwach verkalken (siehe Owen, 1840—1845, Atlas, Taf. VIII, Fig. 3 d!). Die von Kölliker (1860) beschriebenen Kalkprismen des Rostrums erscheinen an der Oberfläche eines mit Kalilauge behandelten Stückes als durch radiäre Strahlen verbundene Scheibchen, median und besonders an den Seitenrändern sind aber verkalkte Längsfasern vorhanden. Die Haut der ganzen Säge enthält ein dichtes Pflaster glatter, rundlich-ovaler oder polyedrischer Placoidschuppen (Taf. VI (II), Fig. 17 b), die an den Rändern am größten sind. Diese Scheibchen sind also deutlich verschieden von den Placoidschuppen des Rumpfes, die Hasse (1882, S. 124, Taf. XVI, Fig. 59, 6c) beschrieb, weniger aber von solchen nach der Beschreibung von Steinhard (1902, S. 39, Taf. II, Fig 52).[1])

Die Alveolen sind vorn stets opponiert (siehe Latham, 1794, Fig. 1—4, und Duméril, 1865, Atlas, Taf. IX!), aber bei einer Säge von *Pristis cfr. zysron* aus Ostafrika in der Mitte nicht und bei einer von *Pristis cuspidatus* in der Mitte und hinten nicht, was für den letzteren auch Priem (1897, S. 232)

---

[1]) Anm.: Leider kann ich nur die Placoidschuppen der Rostren gut sehen, da sie am Rumpf der ausgestopften Exemplare kaum zu erkennen sind und Alkohol-Exemplare mir nicht zur Verfügung stehen.

angab. Solche starke Formschwankungen der Stacheln, wie sie A. Günther (1870, S. 437, 438) für manche Arten annahm und Vigliarolo (1890, S. 25, Fig. 8—13) von einer Säge abbildete, sah ich nicht, doch fand ich die hintersten Stacheln stets sehr kurz und die Ränder nicht ganz konstant, so den Hinterrand bei Stacheln von jungen *Pristis cfr. pectinatus* nur gerundet und bei erwachsenen *Pristis antiquorum* manchmal nur mit einer recht schwachen Furche versehen, die übrigens nach Duméril (1865, S. 474) bei jungen *Pristis antiquorum* in der Regel kaum angedeutet ist. Stets sind endlich die Enden der Stacheln mehr oder weniger spitz und abgeschliffen und zeigen beiderseits Kritzer, die von innen vorn nach außen hinten laufen.

Der letztere Befund ließe sich gut mit der in der Literatur verbreiteten Annahme vereinigen, daß die Sägen wie Harpunen zum Angriffe auf Walfische dienen. Aber der Umstand, daß sie vorn ganz stumpf und hier keineswegs besonders fest sind und daß die senkrecht zur Längsachse herausstehenden Stacheln ein Eindringen noch weiter erschweren müssen, scheint mir das auszuschließen. Ein solcher Kenner der Walfische, wie Herr Prof. Kückenthal, an den ich mich wandte, konnte mir auch nichts über einen ihm bekannten Fall einer Walfisch-Harpunierung durch Pristis mitteilen und Herr Dr. Pappenheim in Berlin war so freundlich, am dortigen Material von Pristis meinen Befund über die Abnützungsspuren zu bestätigen, nachzuweisen, daß der Darm von Pristis Fischreste enthält, und mich darauf aufmerksam zu machen, daß schon in der deutschen Übersetzung (von Müller) von Linnés *Systema naturae* (3. Teil, Nürnberg 1774, S. 274, 275) außer der erwähnten Ansicht bemerkt ist: »Man sagt indessen, daß sie (i. e. die Sägefische) von den Seepflanzen leben und daß ihnen die Säge dienlich sein soll, solche abzunehmen und loszureißen. Daß sie aber auch wohl selbst miteinander fechten, kommt uns nicht unwahrscheinlich vor, indem wir eine solche Säge besitzen, woran der Zahn von einem anderen Sägefisch steckt und abgebrochen ist.«

Nach dem Linnéschen Befund spielt also die Säge vielleicht eine Rolle bei dem Kampfe der Männchen, während die andere geäußerte Ansicht durch die Untersuchung des Darminhalts widerlegt ist. Bei den Haifischen findet ja eine Begattung statt, es sind also Eifersuchtsstreitigkeiten wie bei höheren Wirbeltieren nicht unwahrscheinlich, und vielleicht beruhen die Unterschiede, die Günther (1870, S. 437, 438) für die Bezahnung der Sägen einer Art (*Pr. perrotetti* und *Pr. zysron*) annahm, auf Geschlechtsunterschieden, wie sie z. B. für die Bezahnung von *Raja* schon längst nachgewiesen sind. Sicher ist nun infolge des Nachweises der Abnützungsspuren der Stacheln, daß die Rostren wirklich gebraucht werden und nicht nur etwa als eine Art Zierde dienen; sie scheinen mir in der Tat geeignet, wie eine Säge verwendet zu werden, also zur Erzeugung von Reißwunden zum Töten der Fische, und es entstehen wohl die Kritzer bei der Reibung an deren Hartteilen (siehe auch Jaekel, Neues Jahrb. f. Miner. etc., Stuttgart 1900, II, S. 147!). Die Ansicht von der Harpunierung der Walfische aber dürfte bald ebenso belächelt werden wie die einstige, daß die Sägehaie ganze Schiffe auseinandersägten und die Menschen verschlängen, denn was sollten sie mit ihren winzigen Kieferzähnchen den getöteten Walfischen anfangen können?

Da diese Zähnchen fast noch nirgends fossil gefunden wurden und mir auch nicht vorliegen und ich nur Stacheln, verkalkte Rostren zum Teil mit Resten von Chagrin sowie Wirbel aus dem untersten und dem oberen Mokattam bei Kairo, vom Uadi Ramlieh bei Wasta und vor allem der Birket el Kerun- und Kasr es Sagha-Stufe des Fajum zu beschreiben habe, beschränke ich mich auf diese ergänzenden Bemerkungen über die rezenten Formen und erwähne nur noch, daß über eocäne Pristiden Ägyptens schon Dames (1883 und 1888) und Priem (1897) Mitteilungen machten.

Pristis ingens nov. spec.

Taf. VI (II), Fig. 5, 6.

Von den vielen mir vorliegenden Resten kann ich nur wenige mit genügender Sicherheit zu dem einzigen noch lebenden Genus der *Pristidae* rechnen. Hicher gehört vor allem ein von mir gefundenes Sägestück nebst sicher dazu gehörigen Wirbeln (Fig. 5) und Stacheln (Fig. 6, Fr.) aus der Knochenschicht der Kasr es Sagha-Stufe am Westende der Birket el Kerun. Wie schon die Maße der Wirbel zeigen (52·5 *mm* Höhen-, 50 Breiten- und bis 18 Längendurchmesser), gehören sie einer Riesenform an, denn die Wirbel sind noch viel größer als der von Hasse (1882, Taf. XVI, Fig. 65) abgebildete fossile Wirbel. Sie sind ein wenig hochoval, werden nicht ganz zentral von der Chorda durchbohrt und zeigen im polierten Querschliff durch die Mitte, der Beschreibung des genannten Autors (l. c., S. 121—125) entsprechend, eine etwas wellige Umrandung und konzentrischen Bau; die radiäre Struktur ist aber nicht angedeutet.

Die Säge zeigt neben dem hohlen senkrechtovalen Medianraum jederseits die mit Gestein erfüllten zwei seitlichen Kanäle. An den relativ gut erhaltenen Seitenteilen stehen die Alveolen, deren dorsale und ventrale Wand fast ganz weggebrochen ist, genau opponiert und sind so tief, daß die Entfernung ihrer Böden nur 44 *mm* beträgt, während das Rostrum hier 142 *mm* breit ist. Ihr gegenseitiger Abstand auf einer Seite ist doppelt so groß (über 50 *mm*) wie ihre Breite und der Seitenrand zwischen ihnen ist mäßig scharf und in der Längsrichtung etwas konkav. Da das Stück leider nur 155 *mm* lang erhalten und seine Oberfläche ziemlich verwittert ist, läßt sich weiter nichts feststellen, als daß es bis etwa 37 *mm* dick ist, dieselbe Struktur wie rezente Pristis-Rostren besitzt und dem mittleren Teile der Säge angehört.

Die Stacheln (Fig. 6, 6*a*, 6*b*) sind geradezu unförmlich zu nennen, denn der größte ist 147 *mm* lang, bis 21·5 dick und 27—31 breit. Da sie von Gipsadern durchzogen sind, dürften sie wohl etwas deformiert sein und ihre feinere Struktur ist nur schlecht erhalten, aber anscheinend wie bei *Pristis* (Owen, 1840—1845, S. 41—43, Atlas, Taf. IX, Hannover 1867, S. 509—511, Taf. IV, Fig. 20—23. Anm.: Auf die Einzelheiten der feineren Struktur gehe ich hier, wie überhaupt in dieser Abhandlung, nicht ein, da ich sie im Zusammenhang zu behandeln gedenke.) Ihre Ober- und Unterseite ist ein wenig bis etwas konvex, der Hinterrand gerade, der vordere aber oben etwas rückgebogen, so daß zwei Drittel des Stachels fast gleich breit und dick bleiben, das Ende aber doch etwas spitz ist. Der Vorderrand ist gerundet, der hintere aber ganz stumpf und gefurcht; zum Unterschiede der fossilen Stacheln von *Pristis Lathami* Galeotti (1837), *Pr. Agassizii* Gibbes (1850) und *Pr. Bassani* de Zigno (1879) ist die Furche aber unsymmetrisch, indem ein Rand ganz stumpf ist.

Während nun die Furche am Hinterrande der Stacheln der rezenten *Pr. pectinatus* Latham und *antiquorum* Latham ganz symmetrisch ist (siehe Owen l. c., Taf. VIII, Fig. 5, und Agassiz l. c., Atlas 3, Taf. G, Fig. 4!), kann ich an Stacheln von *Pr. cfr. zysron* Bleek erkennen, daß ihr Dorsalrand ein wenig schärfer ist als der ventrale. Bei unserer Form ist das also viel stärker der Fall und so erscheint die Ventralfläche schmäler als die dorsale. Unter den bisher beschriebenen fossilen Stacheln scheinen nach den Abbildungen ein Teil derjenigen von *Pr. parisiensis* Gervais (1848—1852, Atlas 3, Taf. LXVIII, Fig. 5, 5*a*) aus dem Mitteleocän und die von *Pr. aquitanicus* Delfortrie (1872, Taf. X, Fig. 30—32) aus dem Obermiocän Frankreichs auch eine etwas unsymmetrische Furche zu besitzen, wodurch letztere sich entgegen der Ansicht von Vigliarolo (1890, S. 13) von den eocänen von *Pr. hastingsiae* Ag. (Dixon, 1850, Taf. XII, Fig. 6, 7) unterscheiden. Doch dürfte die Asymmetrie nur schwach sein, da im Text nichts darüber erwähnt ist.

Von derselben Lokalität und wohl aus der nämlichen Schicht habe ich außer etwas kürzeren, aber ebenso dicken und breiten, also noch plumperen Stacheln (St., wenige M.), die alle durch Gips und Verwitterung etwas deformiert erscheinen, noch zahlreiche isolierte, schlankere und spitzere, zum Teil kleinere Stacheln (St., Fr.), die im übrigen alle dieselben Merkmale zeigen wie die beschriebenen. Einer davon (St., Taf. VI (II), Fig. 8), am Steilhang nördlich von Kasr Kerun, also wie ein gleicher (Fr.) wohl in der Kasr es Sagha-Stufe gefunden, zeigt übrigens eine Krümmung nach oben fast so stark wie die gleichalterigen Stacheln von *Pr. contortus* Dixon (1850, Taf. XII, Fig. 9, 10, Vigliarolo, 1890, S. 10, 11). Die Skulptur der Oberfläche ist übrigens bei jenen auch dieselbe, aber der Hinterrand nicht ganz gerade und die Furche anscheinend nicht so unsymmetrisch.

Auch in der Birket el Kerun-Stufe sind solche schlankere Stacheln anscheinend nicht selten, wie Belegstücke von der östlichen Insel (B.) im Kerun-See, aus der roten Schalenschicht (M., St.) bei Kasr Kerun und aus gelbem Sandstein bei Dimeh (St.) beweisen. Letztere (Fig. 7) sind auffallend lang und übertreffen alle bisher bekannten an Größe (größter über 200 *mm* lang; bis 18 *mm* dick und bis 26·5 *mm* respekt. 28 *mm* breit). Bei all diesen ist übrigens die Furche weniger asymmetrisch als bei den erstgenannten, doch ist auch einer dabei (M.), der hierin jenen gleicht und in seiner plumperen Form vermittelt.

Auch aus dem weißen Kalk des untersten Mokattam bei Kairo liegen mir, außer einem in der Struktur trefflich erhaltenen Stück einer Pristissäge (St.) von mittlerer Größe, solche schlanke, aber nur mittelgroße (bis 115 *mm* lange) Stacheln (St.) vor. Sie zeigen aber außer der deutlich asymmetrischen Furche des Hinterrandes auch ungefähr in der Mitte der Höhe des Vorderrandes eine von gerundeten Rändern begrenzte schwache Längsfurche (Fig. 9, 9a). Ihre Struktur ist übrigens nach einem Querschliffe dieselbe wie bei Pristis.

Was nun die Bestimmung all dieser Reste anlangt, so bieten die isoliert gefundenen schlanken Stacheln insofern eine Schwierigkeit, als sie von den ungefähr gleichalterigen des *Pr. contortus* Dixon, einem Teil des *Pr. parisiensis* Gervais und den viel jüngeren des *Pr. aquitanicus* Delfortrie zum Teil kaum zu unterscheiden sind.

Die plumpen Stacheln aber aus der Sagha-Stufe des Fajum erlauben die Aufstellung einer leidlich zu definierenden neuen Art, da sie mit dem Rostralstück und Wirbeln zusammen gefunden sind. Dieser *Pristis ingens* nov. spec. erreicht eine gewaltige Größe (Taf. VI (II), Fig. 5, 6). Im mittleren Teile seines Rostrums stehen die tiefen Alveolen opponiert und von einander um das doppelte ihrer Breite entfernt (die Gesamtzahl und Stellung der Alveolen in anderen Teilen der Säge und deren Verschmälerung sind unbekannt). Die Stacheln sind sehr plump, dick und nicht spitzig, ihr gerundeter Vorderrand ist oben rückgebogen und an dem geraden breiten Hinterrand ist eine stark asymmetrische Furche, deren Oberrand scharf und deren Unterrand nieder und stumpf ist. Die Wirbelkörper sind ein wenig hochoval, werden nicht ganz zentral von der Chorda durchbohrt und zeigen nur einen konzentrischen Bau. (Die Placoidschuppen und Zähne sind unbekannt.)

Nachdem, wie erwähnt, in der Kerun-Stufe eine Übergangsform zu den plumpen Stacheln sich findet, darf ich die schlanken Stacheln dieser und der Sagha-Stufe (Taf. VI (II), Fig. 7, 8) mit Vorbehalt auch hieher rechnen (als *Pristis cfr. ingens*), um so mehr als die angeführten vergleichbaren Arten ganz ungenügend, d. h. nur auf isolierte Stacheln begründet sind. Die geologisch etwas älteren und noch durch die Furche am Vorderrande ausgezeichneten Stacheln vom untersten Mokattam (St., Taf. VI (II), Fig. 9) müssen einstweilen als *Pristis cfr. ingens var. prosulcata* angereiht werden, bis bessere Funde über sie Klarheit schaffen

Im Anschluß an diese Formen sind nun noch zwei isolierte Stacheln zu erwähnen, ein kleinerer schlanker und platter Stachel (St., Taf. VI (II), Fig. 10) über 60 *mm* lang, 10 *mm* breit und 5 *mm* dick, aus dem untersten Mokattam und ein etwas stärkerer und weniger schlanker (M.) aus der Kerun-Stufe, die beide eine fast symmetrische Furche am Hinterrand besitzen, also von den fossilen Stacheln von *Pr. Lathami* Galeotti (1837, Taf. II, Fig. 2) aus dem Mitteleocän Belgiens, *Pr. bisulcatus* Ag. (nach Smith Woodward, 1899, S. 3) aus den Bracklesham Beds, *Pr. hastingsiae* Ag. (Dixon, 1850, Taf. XII, Fig. 6, 7) aus dem Barton Clay Englands und *Pr. Agassizii* Gibbes (1850, Taf. I, Fig. 6, 7) aus dem Obereocän von Südkarolina kaum verschieden sind. Auch der von Probst (1877, S. 80, Taf. I, Fig. 21) beschriebene Zahn aus dem Mittelmiocän von Württemberg ist endlich als recht ähnlich zu erwähnen.

Falls nun die Annahme von Smith Woodward (1889, S. 73 und 1899, S. 3) und die von Galeotti (l. c.) richtig ist, daß Stacheln von kaum zu unterscheidender Form, die übrigens auch von solchen mancher lebender Arten, wie *Pr. antiquorum* und zysron Latham kaum zu trennen sind, zu so verschiedenen Rostren gehören wie das von *Pr. bisulcatus* Ag. (l. c., S. 382*, Taf. XLI) und *Pr. Lathami* Galeotti (Vigliarolo, 1890, S. 6—11), so muß man auch annehmen, daß in ungefähr gleichaltrigen eocänen Ablagerungen vorkommende Stacheln ganz verschiedener Arten oft nicht zu unterscheiden, also unbestimmbar sind. Deshalb begnüge ich mich damit, auf die große Ähnlichkeit der zwei vorliegenden Stacheln mit schon anderwärts beschriebenen hinzuweisen, indem ich sie mit *Pr. cfr. Lathami* Galeotti bezeichne.

Pristis fajumensis nov. spec.

Taf. VI (II), Fig. 1—3.

Aus der Knochenschicht der Sagha-Stufe des Fajum liegt mir eine ziemliche Anzahl von Sägestücken (M., St. und Fr.) vor, zu welchen offenbar das von Priem (1897) beschriebene gehört, das nichts mit

Propristis Dames zu tun hat, wie unten noch zu zeigen ist. Leider sind die meisten Stücke durch Gips und Verwitterung etwas angegriffen, so daß nur bei einem noch Chagrin-Reste (M.) und nur bei dreien solche von Stacheln (M., St.) erhalten sind. Isolierte Stacheln, die dazu gehören könnten, finden sich in derselben Stufe im Verhältnis sehr selten, was wohl dem Umstande zuzuschreiben ist, daß in ihr eigentümlicher Weise die Erhaltungsbedingungen für Knochen und verkalkte Knorpel bessere sind als für Dentingebilde. Denn auch von anderen Wirbeltieren finden sich nur selten gut erhaltene Zähne. Es scheint eben, daß sie durch Insolation und Gipsverwitterung der Wüste besonders stark angegriffen werden, denn ich fand sie oft ganz in kleine Stückchen zersprengt, während die Knochen nur rissig geworden waren. Auch bei den Wirbeltierresten der obereocänen Fluviomarin-Stufe und des Mittelpliocäns im Uadi Natrun werden bei oberflächlich liegenden Stücken die Zähne eher zerstört als die Knochen.

Wenn Priem (l. c.) ausführte, daß der Verlauf der Kanäle derselbe ist wie bei den Sägen der rezenten Pristis, und daß im Randteil unverkalkte Hohlräume, wie bei diesen (siehe oben S. 46) sind, so kann ich dies nur bestätigen und hinzufügen, daß ich an den seitlichen Gefäßkanälen eine eigene verkalkte Wand fand, wie sie Gegenbaur (1872, S. 93) für die rezenten Formen angab. Oft erscheint übrigens die Oberfläche körnig infolge der Verwitterung der Kalkprismen, was nicht zu verwechseln ist mit der nur an einem Stück (M.) lokal erhaltenen Chagrindecke, die sich in nichts von der von Pristis unterscheidet.

Zum Nachweis der oberflächlichen Schicht verkalkter Längsfasern eignen sich die Reste leider nur wenig; ein Verhalten scheint aber nach seiner Konstanz auch bei den größten und besterhaltenen Sägestücken keine Folge von Verwitterung, nämlich das Fehlen der dorsalen und ventralen Wände der Alveolen. Wären sie, wie Priem (l. c., S. 231) meinte, nur dünn gewesen, so müßten doch hie und da wenigstens Bruchränder zu sehen sein und die Umrandung der Alveolen könnte nicht so scharf und regelmäßig sein wie an den besser erhaltenen Stücken, z. B. bei Fig. 1 unten; nur bei einem Mittelstück einer relativ großen Säge (M. 2) haben sich Reste der dünnen Wände erhalten. Ich glaube also, daß diese Wände lange Zeit ganz unverkalkt blieben und nur im höheren Alter ein wenig verkalkten, womit auch das Fehlen von Stacheln bei fast allen Stücken im Einklang stehen würde, da sie eben leicht ausfielen und dann zerstört wurden.

Der Übersichtlichkeit gebe ich die Maße und einige wichtige Daten von den besten Stücken in Tabellenform.

Tabelle der Maße von Rostren des Pristis fajumensis Stromer.[1]

	Lang	Breit		Zahn-zahl	Abstand der Alveolen		Alveolen	
		hinten	vorn		hinten	vorn	opponiert	alternierend
M 1 hinten bis Mitte . .	310	52	43	16—17	3	1	nur hinten	vorn undeutlich
M 1 *a* nahe der Spitze .	63	40 ?	36	5—6	1	1	undeutlich	—
M 1 *b* Spitze	83	31 ?	24 ?	6—7	1	1	—	deutlich
M 2 Mitte	420	84	58	18—19	3	1·2	undeutlich	—
Fr. 1 hinten bis Mitte .	500	55 ?	über 50	17	3·5	1·5	deutlich	—
St. 1 Mitte	305	69 ?	45 ?	14	1·2	1·2	undeutl.-deutl.	—
St. 2 Basis bis Mitte . .	100—400	über 70	50 ?	16 ?	3	1		undeutlich
St. 3 hinter der Mitte .	200	74 ?	62 ?	9	2	1·5	undeutlich	
St. 4 nahe der Spitze . .	100	48 ?	39 ?	6	1·2	1	deutlich	—

Wie man sieht, variiert an den Rostren sowohl der Grad der Verschmälerung nach vorn zu, der sich allerdings wegen der Verwitterung der dünnen Seitenränder nur selten genau feststellen läßt, ebenso wie die Stellung und die Entfernung der Alveolen. Die drei ersten Stücke (M.), welche zu einem Individuum gehören (Taf. VI (II), Fig. 1), vermitteln hierin zwischen einem in Frankfurt (Fr.) und einem in Stuttgart (St. 3) befindlichen Exemplar. Der Charakter der Sägen läßt sich danach derartig feststellen:

---

[1] Anm.: Maße in Millimetern; der Abstand der Alveolen ist mit deren Breite (= 1) verglichen; die drei ersten Stücke gehören zu einem Individuum und sind auf Taf. VI (II), Fig. 1 abgebildet.

Das schlanke Rostrum verschmälert sich ganz an der Basis deutlich, dann im bezahnten Abschnitt sehr wenig und vorn wieder etwas stärker zu einem relativ schlanken Ende. Es wird bis etwa einen Meter lang und enthält jederseits etwas über 30 Stacheln in Alveolen, deren obere und untere Wände nicht oder nur ganz schwach verkalken, und welche hinten seicht und klein, nach vorn zu tiefer und größer werden und nahe der Basis des Rostrums beginnen. Ihr Abstand von einander ist hinten 3—3½mal so groß als ihre Breite, in der Mitte höchstens 1½mal und vorn nur ebenso groß wie sie. Meist sind sie deutlich oder beinahe opponiert, an der Spitze und manchmal auch in der Mitte und hinten können sie aber auch alternieren. Die Seitenränder zwischen ihnen sind nicht sehr scharf und ganz wenig bis etwas konkav. Die Struktur des Rostrums endlich und seine Chagrinbekleidung unterscheidet sich in nichts von den bei rezenten Pristis-Arten festgestellten Verhältnissen.

Dasselbe hintere Stück, an welchen noch etwas Chagrin erhalten ist (M. 3), zeigt nun auch noch die Basis einiger Stacheln in ihren Alveolen. Während es selbst etwa 65 mm breit ist, sind diese 8—8·5 mm breit und 3·5—4 mm dick. An einem mittleren Sägestück (St.) von 70 mm Breite liegen herausgefallene Stacheln, leider schlecht erhalten und durch Gips aufgebläht. Sie sind bis 60 mm lang und etwa 14 mm breit und haben wie die vorigen vorn und hinten gerundete Ränder, von welchen der hintere gerade, der vordere oben rückgebogen ist, so daß sie am Ende spitz sind. Ähnliche kleine Stacheln, leider sehr stark verwittert und wohl dadurch deformiert und dick, gehören auch zu dem größten Rostrum (M. 2). In der Sagha-Stufe, jedoch in einer etwas tieferen Schicht bei Kasr es Sagha selbst, fand ich nur noch einen isolierten Stachel (M., Taf. VI (II), Fig. 2), der nach seiner Form hieher gehört und wie die ersterwähnten dorsoventral sehr platt ist.

In der Kerun-Stufe des Fajum kommen solche isolierte Stacheln offenbar häufig vor; sie wurden an verschiedenen Punkten gefunden (St., M.). Die größten sind bis 45 mm hoch, bis 13 mm breit und bis 5 mm dick, manche zeigen auch den Hinterrand oben vorgebogen, so daß die Spitze fast symmetrisch ist, und viele lassen noch deutlich den oberen abgeschliffenen und mit schrägen Kritzern versehenen fein längsgestreiften Teil und den einst in der Alveole steckenden unterscheiden, der eine glänzende Oberfläche mit deutlichen Längsrippen und schwach gebogenen Anwachsstreifen besitzt (Taf. VI (II), Fig. 3).

Die in der gleichen Schicht auf der westlichen Insel des Kerun-Sees von Prof. Schweinfurth gesammelten Stacheln, welche Dames (1883, S. 140, Taf. III, Fig. 2) zu seinem neuen Genus Propristis stellte, zeigen nach den mir vorliegenden Originalen (B.) keinen Unterschied von den beschriebenen. Zwei Stücke ebensolcher kleiner platter Stacheln (B.) fand übrigens Prof. Schweinfurth auch im obersten Mokattam bei Schak el Tabân ober der Giuschi-Moschee bei Kairo, und eines (St.) liegt mir auch vom untersten Mokattam vor. Endlich sind noch zwei kleinere Stacheln (St.) aus der Kerun-Stufe erwähnenswert, die sich durch ihre große Schlankheit von den anderen unterscheiden und von welchen der größere (Taf. VI (II), Fig. 4) wie einige der großen hinten gefurchten Stacheln aus der Sagha-Stufe (siehe oben S. 48 und Fig. 8!) etwas nach oben gebogen ist.

Da die Mehrzahl der hier genannten Stacheln sich in nichts von den noch in dem Sägestücke befindlichen unterscheidet und die anderen durch Übergänge mit ihnen verbunden sind, müssen sie entweder zu den beschriebenen Sägen gerechnet werden und nicht zu dem Rostrum von Propristis, obwohl letzteres im gleichen, jene aber nur in einem etwas höheren Horizont gefunden worden sind, oder man muß annehmen, daß die Stacheln beider Formen sich nicht unterscheiden. Es ist unten darüber noch zu sprechen, hier ist nur noch betreffs der zwei letzterwähnten so schlanken und kleinen Stacheln zu bemerken, daß nicht zu entscheiden ist, ob sie einer besonderen Art angehören oder etwa nur einer Jugendform der hier beschriebenen.

Von den bisher beschriebenen ähnlichen Stacheln sind diejenigen von Pr. ensidens Leidy (1879, S. 252, Taf. XXXIV, Fig. 31, 32) aus den Ashley-Phosphaten von Carolina kaum verschieden von den unsrigen, wohl aber die schlanken und symmetrischen von Pr. parisiensis Gervais p. p. (l. c., Taf. LXVIII, Fig. 3) aus dem Mitteleocän Frankreichs und die stets symmetrischen breiten und scharfrandigen des rezenten Pr. cuspidatus Latham.[1])

    [1] Anm.: Siehe auch Probst, 1877, S. 80, Taf. I, Fig. 23!

7*

Mehr systematischen Wert als der Vergleich der isolierten Stacheln, die sich ja doch nicht sicher bestimmen lassen, hat derjenige der Rostren. Das oben beschriebene von *Pr. ingens mihi* scheidet nun schon wegen der sicher dazu gehörigen plumpen und hinten asymmetrisch gefurchten Stacheln und wegen der Verkalkung seiner Alveolenwände aus. Ganz unbestimmbar sind dann die mir vorliegenden Rostralstücke (St.) aus dem untersten Mokattam bei Kairo, und andere aus dem Fajum (St., Fr.) sowie die von Propristis sollen in ihren deutlichen Unterschieden unten noch genauer besprochen werden.

Das von Dixon (1850, Taf. XII, Fig. 8) abgebildete Stück ist auch unbestimmbar und die ungefähr gleichalterige Säge von *Pr. bisulcatus* Ag. (l. c., S. 382*), Taf. XLI, A. Smith Woodward, 1889, S. 73, 74, Vigliarolo l. c., S. 9, 10) ist durch den großen Abstand der Alveolen und deren dicke Wände deutlich unterschieden. Sie zeigt, wie Dames (1883, S. 138) hervorhob, im Innern keine Kanalwandungen, was vielleicht doch nur auf den Erhaltungszustand beruht, denn ein quer durchgebrochenes Exemplar der hier beschriebenen Rostren schien auch nur eine einheitliche schmale Querspalte zu besitzen, bis Polieren der Bruchfläche und genaues Untersuchen die normalen Kanäle erkennen ließ. Die Figur 3 in Agassiz sieht ja auch schematisiert aus, und es ist erwähnenswert, daß sie drei Wandschichten zeigt, während im Text nur von zweien die Rede ist.

Die Rostralstücke des obermiocänen *Pr. lyceensis* Vigliarolo (1890, S. 17—24, Fig. 1—5) unterscheiden sich ebenfalls durch die verkalkten Wände der Alveolen und deren im vorderen Teile anscheinend größeren Abstand. Das Rostrum von *Pr. Lathami* Galeotti (1837) aus dem belgischen Mitteleocän scheint jedoch dorsal und ventral unverkalkte Alveolenwände gehabt zu haben, ist aber durch seine starke Verschmälerung (Vigliarolo, 1890, S. 8, 9) sowie in der Form seiner Stacheln verschieden. Von den Rostren endlich der rezenten Arten unterscheidet nicht nur die mangelhafte Verkalkung der Alveolenwände, sondern auch die Schmalheit des Endes, wie ein Vergleich der Maße meiner Tabelle mit den von Müller und Henle (1841, S. 105 ff.) und Vigliarolo (1890) angegebenen zeigt. *Pr. cuspidatus* Latham steht übrigens in der Form in Zahl der Stacheln, sowie in deren Stellung, indem sie hinten weiter voneinander abstehen als vorn und zum Teil alternieren, der beschriebenen Form nahe, doch fehlt ihr hinten der lange stachellose Abschnitt des Rostrums, der jene Art auszeichnet.

Es liegt also eine neue Art vor, deren Häufigkeit im oberen Mitteleocän des Fajum den Namen *Pristis fajumensis* geeignet erscheinen läßt. Ihr Rostrum ist oben S. 51 schon kurz beschrieben. Von den Stacheln ist nur zu bemerken, daß sie meist dorsoventral platt, mäßig breit und spitz sind, und vorn und hinten gerundete Ränder haben, von welchen der vordere und manchmal auch der hintere oben konvex in die Spitze ausläuft. Das Chagrin des Rostrums endlich ist wie bei Pristis, über die sonstigen Verhältnisse ist leider nichts bekannt.

Pristis (Eopristis) Reinachi nov. subg. et. nov. spec.

Taf. VI (II), Fig. 15, 15 a.

Im Nordwesten des Fajum fand ich in einem sehr feinkörnigen gelben Sandstein unter der Knochenschicht der Sagha-Stufe ein ausgezeichnet erhaltenes, leider aber sehr zerbrechliches Rostrum, das von der Basis an bis nahe zum Ende 700 *mm* lang herausgemeißelt, jedoch nur in einem hinteren 200 *mm* langen, hinten 75 *mm*, vorn 70 *mm* breiten Stück (Fr.) geborgen wurde. Es zeigt genau die Struktur und die Kanäle wie Pristis, oberflächlich ließen sich auch die seitlichen zwei Furchen, bis zu 45 *mm* voneinander abstehend dorsal und ventral in der ganzen Länge des Stückes verfolgen, nicht aber die inneren Furchen und besonders bemerkenswert ist, daß sich an der ganzen Länge der nur mäßig scharfen geraden Seitenränder keine Spur von Alveolen sehen ließ.

Aus einem ebensolchen Sandstein, welcher aber unter der an Fischzähnen reichen Schicht der Kerun-Stufe westlich von Dimeh im Fajum lagert, stammt nun ein kleineres, oberflächlich etwas verwittertes Rostrum (St., Taf. VI (II), Fig. 15). Es ist 217 *mm* lang, ganz hinten 49·5 *mm* breit und über 20 *mm* dick, zeigt hier oben den weiten Präfrontalraum (Gegenbaur, 1872, S. 92), dann folgt der plattere Teil, der auf einer Strecke von etwa 25 *mm* nur 42·5 *mm* breit ist, und ganz gerundete Seitenränder hat, und dann erst ein durch dünne scharfe Ränder verbreiterter Abschnitt von fast gleich bleibender Breite von 56 bis 55 *mm*.

Aa ihm lassen sich im Medianteil oben wie unten die zwei schwachen inneren und neben ihm die zwei äußeren Furchen erkennen. Der Querschnitt am Ende (Taf. VI (II), Fig. 15 *a*) zeigt endlich die Struktur und die Kanäle ganz wie Gegenbaur (1872, S. 93, Taf. IX, Fig. 7) sie für Pristis angab. Die scharfen Seitenränder bestehen übrigens nicht aus Kalkprismen, sondern wohl aus verkalkten Längsfasern, wie ja auch die Ränder rezenter ausgewachsener Sägen wenigstens oberflächlich von ihnen bedeckt sind.

Wenn hier auch keine Alveolen vorhanden sind, könnte man annehmen, daß etwa wie bei dem rezenten *Pr. cuspidatus* die Stacheln erst ein gutes Stück vor der Basis anfingen; dies wird jedoch durch das erste Stück widerlegt, wo ja auf mindestens 70 *cm* Länge eines im ganzen etwa 1 *m* langen Rostrums keine Alveolen sich fanden. Auffällig ist aber das Vorhandensein normaler seitlicher Kanäle, von welchen aus bei Pristis die Stacheln mit Gefäßen versorgt werden; es könnte daraus geschlossen werden, daß vielleicht an dem noch unbekannten Vorderende doch Stacheln sich befanden.

Ein wichtiger Unterschied von echten Pristis ist jedenfalls der vor der Basis verschmälerte Teil des Rostrums mit seinen gerundeten Seitenrändern. In dieser Beziehung zeigt das oberkretazische Rostrum von *Sclerorhynchus* (A. Smith Woodward, 1889, S. 76, 77, Taf. III, Fig. 1 und Hay, 1903, S. 398—404, Taf. XXV, XXVI, Fig. 1, XXVII, Fig. 1) eine bemerkenswerte Ähnlichkeit, doch ist leider weder über das Verhalten seiner Seitenränder in dem mit Stacheln besetzten Teil, noch über seine innere Struktur und die der Stacheln etwas bekannt; nur betonte A. Smith Woodward (1889*a* und 1892) die äußere Ähnlichkeit der verkalkten mittleren und der jederseitigen dünneren seitlichen Partie des Rostrums mit denjenigen von Pristis und Hay l. c. hob die Ähnlichkeit der Verkalkung mit der von Pristis hervor, mit dem auch in der Stellung der Kiemenspalten und der Flossen Übereinstimmung herrscht. Allein auf den Umstand hin, daß die Stacheln an der Krone Schmelz haben sollen und daß sie auch noch seitlich am Kopf vorhanden sind, das Genus zu *Pristiophorus* zu ziehen, wie es Jaekel (1890, S. 117) tat, halte ich für etwas gewagt, denn das an seiner Basis verschmälerte Rostrum weicht stark von dem hinten ohne Grenze in den Schädel verlaufenden von *Pristiophorus* (Jaekel 1890, S. 102, Fig. 2) ab und gleicht hierin dem vorliegenden. Jaekel (l. c., S. 106) suchte es allerdings durch eine phylogenetische Theorie zu erklären und Smith Woodward gab wenigstens in einer Notiz (1889*a*, S. 451) zu, daß die Kieferzähne eher denjenigen von *Pristiophorus* glichen als denen von Pristis; auch ist recht bemerkenswert, daß Hay (l. c., S. 403) auf der Fläche eines Rostrums zwei Reihen kleiner Stacheln fand, wie sie *Pristiophorus*, den er gar nicht in Vergleich zog, auf der Unterseite, allerdings näher am Rande, ebenfalls besitzt. Einstweilen muß aber doch wenigstens auf die äußere Ähnlichkeit mit der vorliegenden im geologischen Alter nicht zu fernstehenden Form, welche bei der Kenntnis ihrer Struktur sicher zu den Pristiden zu stellen ist, hingewiesen werden.

Der Mangel von Alveolen im Seitenrand von wenigstens zwei Drittel der Länge des Rostrums und die Einschnürung des basalen Teiles bedingen aber zum mindesten die Aufstellung eines neuen Subgenus Eopristis mit einer Art, die ich nach Herrn Dr. A. v. Reinach in Frankfurt a. M. *Reinachi* nenne.

Propristis Schweinfurthi Dames, 1883.

Taf. VI (II), Fig. 17, 17*a*, 17*b*.

Das von Dames (1883, S. 136—139, Taf. III, Fig. 1, 2) auf zwei kleine Rostralstücke, die Prof. Schweinfurth auf der westlichen Insel der Birket et Kerun fand, begründete neue Pristiden-Genus glaubte Priem (1897) auf Grund des oben S. 50 erwähnten Fundes einer Säge von *Pristis fajumensis* aus der gleichen Gegend einziehen zu dürfen, indem er annahm, daß an ersteren nur die dünnen Alveolarränder weggebrochen seien. Es spricht aber schon die Regelmäßigkeit des Seitenrandes der abgebildeten und mir auch vorliegenden Originale (B.) gegen Priems Ansicht, und die zahlreichen oben S. 51 beschriebenen Sägen von *Pristis fajumensis*, welche ganz seinem Original gleichen, sind zum Teil arg zerbrochen und verwittert, ohne daß je eine Ähnlichkeit mit Propristis erschiene. Ein prächtig erhaltenes Rostrum (St.) aus gelbem Sandstein, der westlich von Dimeh wenig über dem See ansteht (Kerun-Stufe), also gleichalterig mit den Propristis-Stücken, schließt jetzt Priems Ansicht endgültig aus und erlaubt Dames Beschreibung zu ergänzen und zum Teil zu berichtigen.

Das Stück (Taf. VI (II), Fig. 17) gehört offenbar der Mitte der Länge des Rostrums an, ist 280 *mm* lang und 59—57 *mm* breit, verschmälert sich also nur ganz allmählich. Seine obere wie untere Seite läßt eine mittlere, ganz wenig konkave Partie von etwa 13 *mm* Dicke und je eine seitliche davon deutlich abgesetzte schmälere Randpartie erkennen, die 11·5 *mm* dick ist und nach außen um etwa 5 *mm* dünner wird. Die Seitenränder verhalten sich beiderseits wie Dames l. c. sie beschrieb und abbildete, doch ist das von ihm erwähnte kleine Grübchen nur selten vorhanden.

Erwähnenswert ist, daß die zwischen je zwei Querbälkchen liegenden elf konkav-konvexen Abschnitte 17·5—16·5 *mm* lang und nur in der Mitte des Stückes den jenseitigen opponiert sind, hinten aber beinahe alternieren, und daß ihre Oberfläche von dicht stehenden, mit bloßem Auge sichtbaren Poren durchsetzt ist. In geringer Zahl sind solche auch oben und unten auf den Seitenpartien vorhanden, wo außerdem zahlreiche zum Teil verzweigte Gefäßeindrücke, welche meistens von gleich zu erwähnenden Grübchen nach außen laufen, auf der dichten fein faserig erscheinenden Oberfläche zu sehen sind. Die Grübchen, in welchen je ein Gefäßloch mündet, liegen in einer Reihe in der deutlichen Längsfurche, die jederseits die oberflächlich glatte, fein längsfaserige und dichte Mittelpartie begrenzt.

An beiden Enden, besonders an einem polierten Querschnitt mitten durch das Rostrum läßt sich nun folgender Bau erkennen (Taf. VI (II), Fig. 17 *a*): Median liegt ein kleiner, hochovaler Hohlraum ohne eigene Wand, daneben je ein querovaler Kanal mit dichter Wand, wie im mittleren Teil des Rostrums von Pristis. Die seitlichen kleinen Gefäßkanäle, die unter den Furchen sich befinden, sind aber mit Gestein ausgefüllt, etwas unregelmäßig und nur lateral von dichtem Kalk umgeben. Das Ganze ist dann von einer aus Prismen bestehenden Kalkschicht, wie bei Pristis, umhüllt; oberflächlich jedoch ist hier überall eine dichte, faserige Kalkhülle vorhanden.

Dames hatte nur seitliche Partien vor sich und der von ihm abgebildete Querschnitt (l. c. Fig. 1 *c*) enthält bei e nicht nur homogene Gesteinsmasse, sondern auch Reste der Kalkprismenschicht und der Wand des großen Seitenkanals, während von dem kleinen Gefäßkanal nichts zu erkennen ist. Ein von ihm und von mir angefertigter querer Dünnschliff durch die Seitenpartie zeigt das typische Bild eines verkalkten Faserknorpels, in welchem die kleinen Zellräume, wie es schon Williamson (1851, S. 669 ff., Taf. XXX, Fig. 29—32) beschrieb und abbildete, in Reihen angeordnet sind. In dem schmalen randlichen Teil laufen diese Reihen wie die doppelbrechenden Fasern und zahlreiche, zum Teil verzweigte Gefäßkanäle ungefähr senkrecht auf die Oberfläche zu, im Innern jedoch sind die Kanäle quer getroffen und der Kalk ist vor allem konzentrisch um sie angeordnet. Die Zellräume sind übrigens zum Teil so unregelmäßig und einige so zackig, daß sie leicht mit den etwas größeren Knochenkörperchen verwechselt werden könnten, wie schon aus Köllikers (1860, S. 147) Erwähnung von »rundlich eckigen und sternförmigen Lücken« im verkalkten faserigen Teile der Pristis-Säge hervorgeht.

Der prismatische Teil ist leider zu bröckelig, um einen Schliff zu ermöglichen, aus dem Angeführten geht aber zur Genüge die große Ähnlichkeit des Baues der Propristis-Säge mit der von Pristis hervor und die Unmöglichkeit, die Ränder als Bruchflächen aufzufassen. Dazu kommt noch, daß das an mehreren Stellen erhaltene Chagrin (Taf. VI (II), Fig. 17 *b*) ganz dem der Pristis-Säge gleicht.

Die zahlreichen an den Seitenteilen vorhandenen Gefäßspuren, vor allem auch die vielen Mündungen am Rande selbst sprechen nun entschieden dafür, daß hier noch sehr ernährungsbedürftige Gewebe sich befanden, also wohl wie bei Pristis Rostralstacheln, die aber nur in unverkalktem Gewebe und wohl zwischen je zwei Querbälkchen, also dicht hintereinander dem Rande aufsaßen.

Die von Dames (l. c.) dazu gerechneten Stacheln unterscheiden sich, wie oben S. 51 gezeigt wurde, nicht von gewöhnlichen Pristis-Stacheln. Nachdem diese Pristis-Rostra in darüber und darunter liegenden Schichten gefunden sind und zum Teil gleiche Stacheln zu ihnen gehören, muß ich auch Dames' Originale mit Vorbehalt dorthin zählen, um so mehr, als ihre Basis sich dem Seitenrand der Propristis-Säge nicht gut anpassen ließe. Die im folgenden noch zu beschreibenden Amblypristis-Stacheln sind aber in der Kerun-Stufe, aus der allein die Rostra von Propristis bekannt sind, am häufigsten, ihre Basis (Taf. VI (II), Fig. 13 *a*) ist so porös wie die Oberfläche des Rostrums zwischen je zwei Querbälkchen und fügt sich deren Form gut an. Auch nahm ich (1903, S. 38) an, daß sie dicht hintereinander gestanden sein mußten, und ihre starke Skulptur würde sich auch mit der Annahme gut vereinigen lassen, daß sie, wie andere Stacheln der Haifische, nur locker in der Haut, nicht wie die hierin so ganz exzeptionellen Pristis-Stacheln in Alveolen steckten. Erstlich sind sie aber vorn und hinten ziemlich scharfrandig, also auch an der Basis dünner als die vermuteten Ansatzflächen, dann sind fast alle mir vorliegenden zu groß, um an die gefundenen Propristis-Reste zu passen und endlich sind keine direkt bei ihnen gesammelt worden. Deshalb muß ich die Frage nach ihrer Zugehörigkeit noch offen lassen.

Amblypristis cheops Dames, 1888.

Taf. VI (II), Fig. 11—14.

Einer gütigen Mitteilung von Herrn Prof. Schweinfurth zufolge liegt der Fundort der Dames-schen Originale (B.), die ich übrigens vor mir habe, 3 *km* östlich vom Westende der Birket el Kerun, also in der Kerun-Stufe. Die von mir (1903, S. 35—39, Taf. I, Fig. 1—5) beschriebenen stammen aus den wenig älteren Mergelschichten des Uadi Ramliëh und nun fand ich auch in jüngeren Schichten, in der Sagha-Stufe des Fajum ein Exemplar (Fr.) in demselben Sandstein, aus welchem das erst beschriebene Sägestück (Fr.) von *Eopristis Reinachi* stammt (siehe S. 52).

Mehrere Dutzend Exemplare liegen mir aber aus der Kerun-Stufe vor, teils aus der an Zeuglodon-Resten reichen Schicht (M.), teils aus etwas tieferen (St., M.), besonders aus den an Fischresten reichen, weißlichen Mergeln (M., St.). Manche gleichen den von mir abgebildeten Formen und ein ziemlich kleiner unter diesen zeigt sehr schön im skulpturierten und abgenutzten Teil gelbe Anwachsstreifen. Bei den meisten ist aber der zugeschärfte Oberrand so stark konvex, daß er nahe am Vorderrand eine stumpfe Spitze bildet und vorn ohne scharfe Grenze in den Vorderrand übergeht, an dem die Skulptur nicht höher reicht als hinten. Dazu gehören die größten, teils relativ hohen, teils breiten (Taf. VI (II), Fig. 13, 13 a) Exemplare, deren Maße folgende sind: 26·5 *mm* breit, bis 27·5 hoch, bis 7 dick und 20 breit, bis 29·5 hoch, bis 8 *mm* dick. Kleinere unter diesen zeigen die Spitze oben noch deutlicher, z. B. Taf. VI (II), Fig. 11, 12 und einige, wie z. B. in Taf. VI (II), Fig. 14 abgebildet, werden ganz dreieckig. Der Unterrand ist übrigens stets ein wenig konvex und mit einer Rinne versehen, die oft etwas an dem stumpfen Hinterrand hinauf verläuft.

Die zuletzt erwähnten Formen haben natürlich viel mehr Ähnlichkeit mit Stacheln von *Pristis* als die von mir zuerst beschriebenen; Stacheln wie die von *Pristis brachyodon* Cope (1869, S. 312) aus dem Miocän Nordamerikas können äußerlich nahe stehen, auch muß ich das Vorhandensein einer wirklichen Skulptur echter Pristis-Stacheln, von der Vigliarolo (1890, S. 15) sprach, zugeben, und Fig. 3, Taf. VI (II) zeigt ihre Ähnlichkeit mit derjenigen von Amblypristis-Stacheln.

Aber der starke Unterschied der inneren Struktur, den ich (1903, l. c.) nachwies, rechtfertigt jeden-falls die generische Trennung, auch ist ja die äußere Form der meisten Stacheln doch deutlich verschieden von Pristis-Stacheln und es ist auch erwähnenswert, daß die Kritzer im abgenutzten Teil hier nach hinten unten laufen, also umgekehrt wie bei jenen, wenn man nicht für Amblypristis hinten und vorn umgekehrt als bisher annehmen will. Was endlich die Zugehörigkeit der Stacheln zu anderen gleichalterigen Resten an-belangt, so ist dem oben (S. 54) Ausgeführten nichts hinzuzufügen. Die Rostren von *Propristis Schwein-furthi* Dames scheinen mir also als die Träger der Stacheln von *Amblypristis cheops* Dames am meisten in Betracht zu kommen, doch muß es einstweilen bei diesem Hinweis bleiben.

Die Entwicklung der Pristiden und die Sägen der Selachier.

In der oberen Kreide sind *Pristidae* noch nicht sicher nachgewiesen, denn die von Hasse (1882, S. 124) dazu gerechneten Wirbel könnten nach Smith Woodward (1889, S. 75) auch zu *Ptychodus* ge-hören und die Stellung von *Sclerorhynchus* ist, wie oben S. 53 ausgeführt wurde, noch nicht völlig gesichert. Ferner stammen nach Smith Woodward (1889, S. 73, 74) die von Agassiz (l. c., S. 382*) aus dem London-ton von Sheppy beschriebenen Reste höchst wahrscheinlich aus den Bracklesham Beds, es würden dem-nach sichere Reste von Pristiden erst im Mitteleocän nachgewiesen sein. Zu jener Zeit scheint aber nach meinen obigen Befunden die Familie ihre höchste Blüte erreicht zu haben, sowohl was die Größe als was die Formenmenge anlangt. Ersteres beweisen *Pristis ingens mihi* und die wahrscheinlich dazu gehörigen isolierten großen Stacheln, letzteres das Zusammenvorkommen mehrerer so stark verschiedener Formen, wie der zwei *Pristis*-Arten, des neuen Subgenus *Eopristis* und des stärker abweichenden Genus *Propristis* mit den vielleicht dazu gehörigen *Amblypristis*-Stacheln in Ägypten, wozu noch die zur gleichen Zeit in Belgien resp. England existierenden *Pristis Lathami* und *bisulcatus* kommen. Die Unterschiede zwischen den rezenten Arten der einzigen Gattung Pristis erscheinen demgegenüber recht gering und bis jetzt wenigstens sind keine derartig großen und mannigfaltigen Reste von Pristiden in jüngeren Ablagerungen als im Mitteleocän gefunden worden, wobei allerdings, wie bei der Besprechung der Myliobatinen (S. 44) zu betonen ist, daß ja fast nur die europäisch-nordafrikanischen und die nordamerikanischen Tertiärschichten genauer durchforscht worden sind.

Wenn unter den genannten Formen *Pristis fajumensis* Stromer und vielleicht auch *Pr. Lathami* Galeotti eine schwächere Befestigung der Stacheln und etwas variable Stellung derselben, *Propristis* Dames noch keine Alveolen und die *Amblypristis* Dames-Stacheln eine unregelmäßige Vasodentinstruktur besitzen, so kann dies natürlich alles als Hinweis auf primitive Zustände aufgefaßt werden. Speziell die äußere Ähnlichkeit des Rostrums von *Eopristis* mit dem von *Sclerorhynchus* könnte als Andeutung aufgefaßt werden, daß dieses Genus, wie Hay (l. c., S. 399) annahm und mir auch nicht unwahrscheinlich dünkt, ein Ahne der Pristiden ist. Es ist aber dabei nicht zu vergessen, daß gleichzeitig schon völlig differenzierte Pristis-Arten vorkommen, daß also die eigentümlichen Strukturformen ihrer Rostren, ihr Chagrin und vor allem auch die Stacheln, welche durch ihre Befestigung in Alveolen und ihr ständiges Wachstum so einzigartig unter den Selachiern dastehen, im Mitteleocän schon genau wie jetzt ausgebildet waren.

Alles nötigt also dazu, eine Reihe von älteren, uns noch unbekannten Pristiden anzunehmen, wobei die in ihrer Struktur leider nicht untersuchten Rostren der oberkretazischen Genera *Sclerorhynchus* und *Scapanorhynchus* Smith Woodward einstweilen nur insofern von Wichtigkeit sind, als sie mit Sicherheit die Ausbildung langer, verkalkter Rostren bei verschiedenen jungmesozoischen Selachiern dartun.[1] Die Fossilien zeigen demnach nichts, was direkt für oder gegen die Theorie Jaekels (1894, S. 75 u. 79) der Ableitung der *Pristidae* von Rochenformen spräche, und ich kann dazu nur erwähnen, daß eine Untersuchung der Schleimhautzähnchen eines rezenten Pristis nach Steinhard (1902, S. 45) eine Abstammung von primitiven *Mustelus*-ähnlichen Haien wahrscheinlich machte. Eine genaue, vor allem auch mikroskopische Untersuchung der Reste von *Sclerorhynchus* könnte über diese Fragen wohl am besten eine Aufklärung geben, die meiner Ansicht nach kaum im Sinne Jaekels ausfallen wird.

Infolge des Entgegenkommens von Herrn Prof. Lampert war ich aber in der Lage, die Säge von *Pristiophorus* genauer zu studieren und möchte meine Beobachtungen als Anhang hier mitteilen, weil diese Form häufig mit Pristis im Zusammenhang gebracht wird, trotzdem Jaekel (1890) klar bewies, daß nur eine äußere Ähnlichkeit vorliege, wobei er aber leider den Bau des Rostrums zu studieren versäumte.

Das nicht genauer untersuchte Chagrin[2] fühlt sich am Rumpf wie am Rostrum beim Streichen von hinten nach vorn rauh an, ist also von dem glatten Pflaster von Pristis verschieden; die völlige Verschiedenheit des Baues der Rostralzähne zeigte schon Jaekel (l. c.) und Herr Geheimrat Möbius machte mich laut Mitteilung von Herrn Dr. Pappenheim darauf aufmerksam, daß sie keine solchen Kritzer wie bei Pristis zeigen.

An einem kleinen Alkoholexemplar der Münchner zoologischen Sammlung eines ostasiatischen *Pristiophorus japonicus* Günther, das im Gegensatz zur typischen Form nur je einen kleinen Zahn zwischen je zwei großen Rostralzähnen hat, läßt sich bei durchfallendem Lichte in der Mediane ein wenig vor den Augen ein heller längsovaler Fleck, offenbar der Präfrontallücke entsprechend, erkennen, daneben beginnt jederseits ein bis zum Ende des Rostrums langsam schmäler werdender und dem Partner sich nähernder dunkelbrauner Streifen. Außerdem erscheint nur der äußerste Seitenrand, in dem die Zahnbasen stecken, und

---

[1] Anmerk.: Eine interessante homologe Bildung ist das verkalkte Rostrum der liasischen Squaloraja, eines Holocephalen (siehe Reis 1895, S. 387, Taf. XII, Fig. 1!).

[2] Sieh Günther, 1870, S. 452, 453, und Jaekel, 1890, S. 89!

die Ansatzstelle der Cirren dunkel. Die zwischen den Streifen liegende Mittelpartie ist dorsal wie ventral etwas gewölbt, bei dem hier etwas eingetrockneten Stuttgarter Exemplar aber ein wenig eingesenkt, wie es M üller und Henle (S. 98) angaben; es ist das also wohl nur eine Folge von Einschrumpfung. Dieses etwas größere Alkoholexemplar, von Victoria in Australien stammend, läßt sich mit keiner der Güntherschen Arten identifizieren, gleicht aber in der Bezahnung des Rostrums dem *Pristiophorus nudipennis*. Sein Rostrum ist vor den Nasenlöchern 190 *mm* lang und ich machte einen Querschnitt 23 *mm* vor den Cirren und 98 hinter dem Vorderende. (Siehe Taf. VI (II), Fig. 16!) Er zeigt nun, daß anscheinend nur unter der Haut in der mittleren Partie und ganz am Seitenrand, dort wo Stacheln sind, verkalktes Gewebe vorhanden ist, daß aber zwischen dem Rand und den braunen Streifen unter ihr Lücken sich befinden, die vielleicht nur durch Schrumpfen des lockeren Bindegewebes entstanden sind. Der unverkalkte Knorpel, der vielleicht bei alten Individuen verkalkt, enthält median einen wohl mit lockerem Gewebe erfüllten Längs-Kanal und ist in der mittleren Partie am dicksten, daneben ziemlich dünn und ganz seitlich wieder verdickt. Man könnte diese dickeren Parteien als die verlängerten und nur durch dünne Knorpelplatten verbundenen drei Schnauzenknorpel anderer Haie betrachten (siehe Gegenbaur, 1872, Seite 87!) während der mittlere Kanal offenbar der bei *Rhynchobatus* wie ja auch bei Pristis vorhandenen Fortsetzung der Präfrontallücke homolog ist. Im übrigen ist der Bau des Pristiden-Rostrums (siehe z. B. Taf. VI (II), Fig. 15 *a* und 17 *a*) ein ganz anderer und entspricht, wie schon Gegenbaur (1872 S. 91 ff.) ausführte, einem anderen Typus, dem der Rochen. Es ist also mein Befund in jeder Beziehung geeignet, die Jackel'schen Ausführungen zu bekräftigen, daß *Pristiophorus* gar nicht mit Pristiden verwandt ist, und sich den Haien anschließt. Die Entwicklung einer »Säge« bei ihm ist also ein schönes Beispiel für eine Konvergenzerscheinung.

Mir gelang es leider auch hier nicht, etwas Sicheres über die Lebensweise zu ergründen, denn eine Untersuchung des Mageninhaltes ergab kein Resultat, da er schon zu sehr zersetzt war; wenigstens konnte ich weder durch Jodfärbung Zellulose noch unter dem Mikroskop deutbare Gewebereste finden, Herr Dr. Pappenheim hatte aber die Güte, mir eben vor Abschluß der Korrektur mitzuteilen, daß er im Magen von *Pristiophorus* nur Fischreste fand. Es lebt also dieses Tier wie Pristis und benützt wohl auch seine Säge wie er. Ihre Rostral-Zähne sind aber nur locker befestigt, wie es auch mit denjenigen von *Sclerochynchus* und *Propristis* der Fall war, und sie sind, wie wohl auch die des ersteren, von größeren Hautzähnen z. B. der Ventralreihen des Rostrums, nicht sehr verschieden, während Pristis auch in dieser Beziehung viel stärker specialisiert ist.

Literatur-Verzeichnis zum Abschnitt I A.

Agassiz L.: Recherches sur les Poissons fossiles. Tome 3 et Atlas, Neuchatel 1833—1843.

Clark W. B.; The eocene Deposits of the middle atlantic Slope. Bull. Unit. St. geol. Surv., Nr. 141, S. 13 ff, Taf. VII, Washington 1896.

Cope E. D.: Description of some extinct Fishes previously unknown. Proc. Boston Soc. nat. Hist., Vol. 12, S. 312, Boston 1869.

Dames W.: Über eine tertiäre Wirbeltierfauna von der westlichen Insel des Birket el Qurûn im Fajum (Ägypten.) Sitz.-Ber. d. k. preuß. Akad. d. Wiss., Bd. VI, S. 129—153, Taf. III, Berlin 1883.

Dames W.: Amblypristis cheops n. g. n. sp., aus dem Eocän Ägyptens. Sitz.-Ber. Ges. naturf. Freunde, S. 106—109, Berlin 1888.

Delfortrie M. E.: Les Broyeurs du Tertiaire aquitanien. Actes Soc. linnéenne, Scr. 3, Tome 8, S. 213—236, Taf. IX—XII, Bordeaux 1872.

Dixon Fr.: The Geology and Fossils of the tertiary and cretaceous Formations of Sussex, London 1850.

Duméril Aug.: Histoire naturelle des Poissons. T. 1, Elasmobranches, et Atlas, Paris 1865.

Eastman Ch. R.: Pisces. Maryland geol. Survey, Eocene, S. 98—115, Taf. XII—XV, Baltimore 1901.

Galeotti M. H.: Mémoire sur la Constitution géologique de la Province de Brabant. Mémoires cour. par l'Acad. R. Sci., T. 12, S. 45—47, Taf. II, Bruxelles 1837.

Gegenbaur C.: Das Kopfskelett der Selachier. Untersuchungen z. vergleich. Anat. d. Wirbeltiere. Hft. 3, Leipzig 1872.

Geinitz H. B.: Über neue Funde in den Phosphoritlagern von Helmstedt. Abh. Ges. Isis, Bd. 5, S. 37 ff., Taf. II, Dresden 1883.

Gervais P.: Zoologie et Paléontologie françaises. T. 1 et Atlas T. 3, Paris 1848—1852.

Gibbes R. W.: On the fossil Genus Basilosaurus Harlan etc. Journ. Acad. nat. Sci., Ser. 2, Vol. 1, S. 11, Taf. I, Philadelphia 1847—1850.

Günther Alb.: Catalogue of the Fishes in the british Museum. Vol. 8, London 1870.

Hannover: Om Bygningen og Udviklingen af Skjael og Pigge hos Bruskfisk. K. Danske Videnskabernes Selskabs Skrifter, Ser. 5, Bd. 7, S. 485—529, 4 Taf., Kjöbenhavn 1868.

Hasse C.: Das natürliche System der Elasmobranchier. Besonderer Teil, Jena 1882.

Hay O. P.: On a Collection of upper cretaceous Fishes from Mt. Lebanon, Syria etc. Bull. Amer. Mus. nat. Hist. Vol. 19, S. 395—452, Tat. XXIV—XXXVII, New-York 1903.

Jaekel O.: Über die systematische Stellung und über fossile Reste der Gattung Pristiophorus. Zeitschr. D. geol. Ges., Bd. 42, S. 86—120, Taf. II—IV, Berlin 1890.

Jaekel O.: Die eocänen Selachier vom Monte Bolca. Berlin 1894.

Kölliker A.: Über den Bau der Säge des Sägefisches. Würzburger naturw. Zeitschr., Bd. I, S. 144—149, Würzburg 1860.

Latham John: An Essay on the various Species of Sawfisch. Trans. Linnean Soc., Vol. 2, S. 273—282, London 1794.

Leidy Jos.: Description of Vertebrate Remains, chiefly from the Phosphate Beds of South Carolina. Journ. Acad. nat. Sci., Ser. 2, Vol. 8, S. 209—261, Taf. XXX—XXXIV, Philadelphia 1874—1881.

Müller J. und Henle J.: Systematische Beschreibung der Plagiostomen. Berlin 1841.

Owen R.: Odontography. Vol. 1 u. 2, London 1840—1845.

Priem E.: Note sur Propristis Dames du Tertiaire inférieur d'Egypte. Bull. Soc. géol. de France, Ser. 3, Vol. 25, S. 228—232, Paris 1897.

Probst: Beiträge zur Kenntnis der fossilen Fische aus der Molasse von Baltringen, II. Batoidei, Würtemberg, naturw. Jahreshefte, S. 69—103, Taf. I, II, Stuttgart 1877.

Reis O.: On the Structure of the frontal Spine and the rostrolabial Cartilages of Squaloraja and Chimaera. Geol. Magaz. Dec. 4, Vol. 2, S. 385—391, Taf. XII, London 1895.

Sauvage H. E.: Notes sur les Poissons fossiles (suite). Bull. Soc. géol. France, Ser. 3, Vol. 6, S. 623—637, Paris 1877—1878.

Steinhard O.: Über Placoidschuppen in der Mund- und Rachenhöhle der Plagiostomen. Dr. Diss. Bern, Berlin 1902.

Stromer E.: Haifischzähne aus dem unteren Mokattam bei Wasta in Ägypten. N. Jahrb. f. Miner. etc., 1903, I, S. 29—41, Taf. I, Stuttgart 1903.

Stromer E.: Myliobatiden aus dem Mitteleocän der bayrischen Alpen. Zeitschr. D. geol. Ges., Bd. 56, S. 259—267, Taf. XVI, Berlin 1904.

Stromer E.: Ein Beitrag zur Kenntnis des Myliobatiden-Gebisses. Ibidem, briefl. Mitteil., S. 203—207, Berlin 1904 a.

Vigliarolo G.: Monografia dei Pristis fossili con la Descrizione di una nuova Specie nel Calcare di Lecce. Mem. Accad. Sci. fis. e mat., Ser. 2, Vol. 4, Napoli 1890.

Williamson W. C.: Investigations into the Structure and Development of the Scales and Bones of Fishes. Philos. Trans. R. Soc., Pt. 2, S. 643—702, Taf. XXVIII—XXXI, London 1851.

Woodward, A. Smith: Notes on the Determination of the fossil Teeth of Myliobatis, with a Revision of the english eocene Species. Ann. a. Magaz. nat. Hist., Ser. 6, Vol. 1, S. 36—47, Taf. I, London 1888.

Woodward, A. Smith: Catalogue of the fossil Fishes in the british Museum, Pt. 1, Elasmobranchii. London 1889.

Woodward, A. Smith: Remarks upon an extinct Saw fish (Sclerorhynchus atavus) and exhibition of a fragment of its rostrum. Proc. zool. Soc., 1889, S. 449—451, London 1889.

Woodward, A. Smith: Description of the cretaceous Saw-fish Sclerorhynchus atavus. Geol. Magaz. Dec. 3, Vol. 9, S. 529—534, London 1892.

Woodward, A. Smith: On the Dentition of a gigantic extinct Species of Myliobatis from the lower Tertiary of Egypt. Proc. zool. Soc., 1893, S. 558—559, Taf. XLVIII, London 1893.

Woodward, A. Smith: Notes on the Teeth of Sharks and Skates from english eocene Formations. Proc. Geol. Assoc., Vol. 16, 1899.

Zigno, Ach. le: Nuove Aggiunte alla Fauna eocena del Veneto. Memorie R. Istit. del Veneto, Vol. 21, S. 783—784, Taf. XV, Venezia 1879—1882.

NACHTRÄGE ZUR FAUNA VON STRAMBERG.

VI. CRINOIDEN-, ASTERIDEN- UND ECHINOIDEN-RESTE AUS DEM WEISSEN KALKSTEIN VON STRAMBERG.

Von

Dr. M. Remeš.

Mit einer Tafel (VII).

Crinoidenreste kommen im weißen Kalkstein von Stramberg nicht häufig vor. Hohenegger ist, so weit mir bekannt, der älteste Autor, welcher solche erwähnt. In seiner bekannten Arbeit: »Die geognostischen Verhältnisse der Nordkarpathen etc. 1861« führt er von Crinoiden an (p. 21):

> *Apiocrinites Muelleri*, Schloth.
> »   *flexuosus*, Goldf.
> »   *mespiliformis*, Schloth.
> «   *rosaceus*   »

v. Zittel nennt *Phyllocrinus Hoheneggeri* n. sp. aus dem Neocom von Stramberg.[1] Ebendaselbst (l. c. p. 162) sagt er: »eine vierte noch unbeschriebene Art findet sich im obertithonischen Stramberger Kalk.« Jaekel beschreibt in der Abhandlung über Holopocriniden aus den neocomen Mergeln von Stramberg: *Cyrtocrinus Thersites* n. sp., *Sclerocrinus strambergensis* n. sp., *Eugeniacrinus Zitteli* n. sp., *Phyllocrinus intermedius* n. sp. Diese Neocommergel sind aber — wie an anderen Orten erwiesen wurde — eigentlich auch Tithon. In den Brüchen des roten Kalksteins sind sie zum großen Teile rot gefärbt, sonst aber auch weißlich und grau. Die hier zu beschreibenden Crinoiden stammen nicht aus diesen weißlichen Kalkmergeln, sondern aus dem echten dichten Stramberger weißen Kalkstein. In den mergeligen Partien kommen zum Teil diejenigen Arten vor, welche ich aus der »Echinodermenfacies« des Stramberger Tithon in der »Fauna des roten Kalksteins« (Nesselsdorfer Schichten) (Nachträge zur Fauna von Stramberg I) auf Grundlage reichlicher Funde beschrieben und abgebildet habe. Die vorliegenden Crinoiden meiner Sammlung sind teils im Bruche des Kotouč, teils im Gemeindesteinbruch gefunden worden; ich war nicht mehr in der Lage für jedes Stück zu eruiren, welchem von den beiden genannten Steinbrüchen es entstamme. Es ist gewiß eine auffallende Tatsache, daß diese Arten aus dem weißen Kalkstein mit jenen der Echinodermenfacies nicht übereinstimmen. Es wurde bis jetzt keine Art konstatiert, welche beiden Partien des Stramberger Tithon gemeinsam wäre. Ferner fällt die verhältnismäßig geringe Zahl, sowohl der Arten als auch der Individuen auf. Obwohl meine Sammlung reichlich Fossilien aus dem weißen Kalkstein enthält, so verfüge ich nur über wenige Crinoidenstücke aus diesem Gesteine. In der Wiener

---

[1] v. Zittel: Die Fauna der älteren Cephalopoden-führenden Tithonbildungen, Cassel 1870, p. 277 mit Textfigur 1—6.

8*

k. k. geologischen Reichsanstalt ist ebenfalls nur eine geringe Anzahl derselben vorhanden, im Münchener Paläontologischen Museum nach brieflicher Mitteilung des Herrn Prof. Dr. Pompeckj — keine. Es ist mir nicht bekannt, wo die obgenannten Hoheneggerschen Exemplare aufbewahrt sind.

Von Asteriden kommen im weißen Kalkstein nur unbedeutende Reste vor.

Die Revision der Echinoiden meiner Sammlung ergab als bescheidenes Resultat: Konstatierung einer neuen Lokalität für eine schon bekannte Art, ferner eine neue Cidarisart, welche jedoch nur in einem, aber charakteristischen Stachel erhalten ist.

Die Seltenheit der erwähnten Funde sowie das Bestreben, unsere gegenwärtigen Kenntnisse der Stramberger Fauna zu vervollständigen, haben mich veranlaßt, auch das wenige neue, was ich an Echinodermen besitze, zu publicieren. Aus diesem Grunde sind auch die vorgefundenen Stücke zum größten Teile abgebildet.

Für die Unterstützung bei dieser Arbeit bin ich zum Dank verpflichtet den Herren: F. Bather in London, P. de Loriol le Fort in Frontenex und Dr. Tietze, Direktor der k. k. geologischen Reichsanstalt in Wien. Ich bekenne es hier gern öffentlich.

Crinoidea.

Eucrinoidea.

(Articulata. Joh. Müller.)

Fam. **Holopocrinidae**, Jaekel.

Gen. **Cyrtocrinus**, Jaekel.

(Torynocrinus, Seeley.)

Cyrtocrinus digitatus n. sp.

(Fig. 1, *a*, *b*.)

Ein einziges Exemplar, an dem nur die Patina gut erhalten ist, vom Stiel der größte Teil abgebrochen. Es mißt etwa 15 *mm* Höhe, 14 *mm* Breite, 10 *mm* Dicke. Die Patina ist dick, halbkugelig gewölbt. Verwachsung der Costalia prima und der Patina mit dem Stiel sehr fest. Von der ersteren sind nur mit Mühe undeutlich die Nähte zu unterscheiden, von letzterer keine Spur sichtbar, daher auch nicht zu entscheiden wie die Patina mit Stiel verbunden war. Jedenfalls ist sie kaum schief gestellt. Die Die Ventralhöhle ist geräumig; die Armfurchen tief. Die Gelenkflächen der Patina erscheinen wie gestielt und sind durch tiefe Einschnitte voneinander getrennt. Gerade dieses Merkmal, welches ich bei anderen Cyrtocrinusarten nicht vorgefunden habe, verleiht der Art ihr charakteristisches Aussehen und ist für sie bezeichnend. Die Zeichnung der Gelenkflächen ist durch Abrollung etwas verwischt, doch kann man Andeutungen von Muskelgruben und Reste von Axialkanal und Ligamentgrube, wenigstens an einzelnen unterscheiden. Außenfläche des Stückes erscheint glatt. Der Stumpf des Stieles ist ziemlich dick. Armglieder unbekannt.

Fam. **Apiocrinidae**. d'Orb.

Gen. **Thiolliericrinus**, Étallon.

Thiolliericrinus Heberti, P. de Loriol.

(Fig. 2*a*—*c*, 3*a*—*c*.)

1868. *Eugeniacrinus Heberti*, P. de Loriol in Pictet, Étude provisoire d'Aizy, Mél. pal. IV. p. 281, pl. XLII, Fig. 7—8.
1871. » » » Pillet. L'étage tithonique à Lémenc, tirage à part, p. 6. (Archives de la Bibl. univers. de Ge-nève, 3. Série, t. 42.
1878. » » » Pillet. Descr. géol. et pal. de Lémenc, p. 98, pl. X, Fig. 31.
1889. *Thiolliericrinus Heberti*, P. de Loriol. Paléontologie française, ter. jurassique. Tome XI, 2. partie. Crinoïdes p. 545, pl. 228, Fig. 1.—11, Pl. 229, Fig. 1.

Die Art kommt im weißen Kalkstein ziemlich häufig vor. Die Kelche sind abgerollt. Sie variieren in der Dicke des Centrodorsale und in der Ausdehnung der Gelenkflächen, so daß man mitunter an zwei verschiedene Arten denken könnte. Zwei derartige Kelche sind an Fig. 2 *a—c* und 3 *a—c* abgebildet. Diese Variation scheint Hohenegger veranlaßt zu haben, mehrere Arten zu bestimmen. Die Gelenkflächen für die Cirrhen waren sehr oberflächlich und sind daher schwer zu sehen. Ihre Lage ist an den Bildern angedeutet. Diese Art wird von Loriol aus dem Sequanien angeführt, und zwar nennt er die Lokalitäten: Vigne Droguet bei Lémenc (Haute-Savoie), Échaillon (Isère); Cazilhac bei Ganges (Hérault). Espléche bei Sauve (Gard.)

Thiolliericrinus flexuosus, Étallon (Goldfuss.)

(Fig. 4 *a*, *b*, 5, 6 *a—d*.)

1829. *Apiocrinites flexuosus*, Goldfuss. Petrefacta Germaniae, t. I, p. 186. Taf. LVII, Fig. 4.
1840. *Bourgueticrinus flexuosus*, d'Orbigny. Histoire des crinoïdes, p. 98, Taf. XVII, Fig. 13, 15.
1848. » » Bronn. Index pal., p. 173.
1851. *Apiocrinites flexuosus*, Quenstedt. Flötzgebirge Württembergs. 2. Auflage, p. 468.
1852. » » » Petrefactenkunde, p. 612, Taf. LIII, Fig. 17.
1858. » » » Der Jura, p. 721, Taf. LXXXVII, Fig. 11.
1859. *Thiolliericrinus flexuosus*, Étallon. Études pal. sur le Haut-Jura, Corallien, II, p. 46.
1860. » » » Paléontostatique du Corallien du Jura, p. 19.
1861. *Apiocrinites flexuosus*, Hohenegger. Die geognostischen Verhältnisse der Nordkarpathen etc. p. 21.
1867. *Thiolliericrinus flexuosus*, Frère Ogérien. Hist. nat. du Jura, t. I, Géologic, fasc. I, p. 621.
1876. *Apiocrinus flexuosus*, Quenstedt. Echinodermen, p. 337, Taf. CLV, Fig. 57 et 58.
1879. *Thiolliericrinus flexuosus*, P. de Loriol. Monographie des crinoïdes fossiles de la Suisse, p. 194. Taf. XVIII, Fig. 8—10.
1889. » » » Paléontologie française. Terrain jurassique. Tome XI, Deuxième partie, p. 553, Taf. 229, Fig. 2—8.

Einige Kelche gehören zweifellos zu dieser Art. An dem Stücke Fig. 6 *a—d* aus der Sammlung der geolog. Reichsanstalt sind Reste von Cirrhen deutlich sichtbar; an Fig. 5 ist der isolierte erste Radialring von unten zu sehen. Die hier vorhandene Cavität ist für die Aufnahme des Kopfes vom Centrodorsale bestimmt.

Thiolliericrinus flexuosus wird aus dem Jurakalk Württembergs angeführt. Goldfuss nennt den weißen Jura ε von Nattheim; Loriol: Valvin, Montagnole (Jura) — Séquanien.

Von Arm- und Stielgliedern des Genus *Thiolliericrinus* bilde ich mehrere ab. Von Armgliedern zwei *Axillaria*. (Fig. 7 *a—c*, 8 *a—c*.) Es läßt sich sehr schwer oder gar nicht entscheiden, zu welcher von den beiden genannten Arten diese Stückchen gehören. Das Exemplar 13 *a—c* stimmt zweifellos mit dem Stielglied überein, welches schon Goldfuss als *Apiocrinites flexuosus* abgebildet hat, doch werden genau solche Stücke von Loriol als zu *Thiolliericrinus Heberti* gehörig abgebildet (cf. l. c. Taf. CCXXVIII, Fig. 9 *a b* und ein viel dickeres Fig. 12 *a b* derselben Tafel). Nach den Abbildungen bei Loriol zu schließen, sind die Stielglieder des *Thiolliericrinus Heberti* mehr elliptisch, die des *Th. flexuosus* mehr rundlich (im Querschnitt). Armglieder führt Loriol nicht an.

Das Axillare eines *Thiolliericrinus* habe ich in einem Exemplar auch von Liebisch (Libhošt) bei Freiberg gesehen. Dieser Fundort tithonischer Petrefacten ist noch wenig bekannt.

Gen. Apiocrinus, Miller.

Apiocrinus sp.

(Fig. 15, 16 *a*, *b*.)

Einige Stielglieder reihe ich hier ein. Dieselben sind rund, ziemlich dick, Außenfläche glatt, an den Gelenkflächen sieht man dichte, vom centralen Nahrungskanal bis zur Peripherie ausstrahlende Furchen. Es sind mir vier Exemplare solcher Stielglieder vorgelegen; an zweien — aus der Sammlung der geologischen Reichsanstalt — habe ich eine Höhe von 30 bis 35 *mm*, bei einer Breite von 18 und 12 *mm* gemessen. An meinen Exemplaren kann man konstatieren: 1. größeres Stück: 15 *mm* Höhe, 17 *mm* Breite; 2. kleineres Stück: 9 *mm* Höhe, 8 *mm* Breite. Es sind hier auch die einzelnen Glieder deutlich zu unterscheiden; sie sind bei 1. etwa 2·5—3 *mm*, bei 2. 1 *mm* und etwas mehr dick. Alle diese Stielglieder gehören wohl zu derselben Art, welche nicht näher angegeben werden kann, doch zweifellos ein *Apiocrinus* ist.

Ein nicht näher bestimmbares Stielglied eines Crinoiden sei wegen seiner von den im Stramberger Kalkstein vorkommenden Crinoidenstielen abweichenden Gestalt, erwähnt. Es ist annähernd cylindrisch, von 5 *mm* Höhe. Die Gelenkflächen sind elliptisch, mit einem Durchmesser von 5 bis 6 *mm*. Die eine Gelenkfläche ist etwas gewölbt, mit einer Andeutung eines Axialkanales in der Mitte, die andere zeigt eine breite, ziemlich tiefe Grube. An der Außenfläche ist keine Skulptur wahrzunehmen.

Pseudosaccocoma strambergense n. gen. n. sp.

(Fig. 17 *a b*, 18, 22 *a b*, 23 *a b*.)

Relativ häufig findet man in Stramberg einen Crinoiden, der beim ersten Anblick an Saccocoma erinnert. Es ist leider immer nur die dorsale Partie des Kelches bloßgelegt gefunden worden, die ventralen Teile habe ich an keinem Exemplare bloßlegen können, so sehr ich mir auch Mühe nahm. Vielleicht gehört ein (Fig. 18) abgebildetes Crinoidenstück aus dem Kalkstein von Skalička hieher und es möchte dann den ventralen Kelchteil darstellen. Der ganze Habitus des Stückes spricht für die Zusammengehörigkeit und außerdem ist gerade *Pseudosaccocoma strambergense* (in der Erhaltung wie in Stramberg) der einzige Crinoid, den ich bis jetzt von Skalička kenne. Die Beschreibung des Fossils kann nach dem Gesagten keine vollständige sein und daher auch die Stellung desselben im System nicht ganz sicher. Wenn ich mich trotzdem zur Publikation veranlaßt sah, so geschah es deshalb, weil die Art im weißen Stramberger Kalke nicht eben selten vorkommt und durch seine auffallende Gestalt die Aufmerksamkeit der Sammler auf sich ziehen muss.

Die Kelche sind recht groß, von pentagonalem gerundeten Umriß, halbkugelig gewölbt, mitunter etwas konisch. Vier Exemplare meiner Sammlung haben nachfolgende Dimensionen:

Größte Höhe:	Größte Breite:
1. 17 *mm*	27 *mm*
2. 13 »	23 ».
3. 10 »	20 »
4. 7 »	16 »

Von einem mittleren Grübchen, welches von einem fünfeckigen, nicht immer deutlich sichtbaren Feld umgeben ist (Basale), strahlen fünf deutliche Furchen gegen den Rand hin aus. Der Rand ist an keinem Exemplar vom Gestein loszutrennen, so viel scheint jedoch sicher, daß er an den Stellen, wo die Furchen in ihn einmünden, deutlich vorspringt. Interessant ist die Skulptur dieser dorsalen Partie, welche besonders gut an dem Exemplar (Fig. 22 *a, b*) zu sehen ist. Von dem centralen Grübchen entspringen zwischen je zwei Furchen fächerförmige, scharfe Rippchen, welche sich gegen die Peripherie hin dichotomisch teilen. Die Mehrzahl der so entstandenen Ästchen strebt nach beiden Seiten den erwähnten Furchen zu und trifft hier mit den Ästchen des benachbarten Feldes unter einem spitzen Winkel zusammen. Nur die obersten Ästchen reichen bis zum Rande des Kelches und bilden hier zahlreiche größere und kleinere Feldchen. An den zwei anderen ebenfalls abgebildeten Stücken ist die Zeichnung etwas abweichend. Bei der Präparation eines solchen Crinoiden aus dem Gestein ist mir das Exemplar zerbrochen. Ich konnte nun konstatieren, daß diese Rippchen von der Oberfläche in die Bruchfläche hinein deutlich verfolgt werden können. Dabei war ich erstaunt zu sehen, daß die Platten (Radialia) am Bruch eine Dicke von 5 bis 6 *mm* haben. (Ex. 1.) An einem anderen Stücke ist der obere Teil des Kelches abgebrochen. Auch hier fällt die bedeutende Dicke der Platten auf — sie beträgt 3—4 *mm*. (Ex. 4.) Gehört das von Skalička abgebildete Stück hieher, so möchte es die obere ventrale Partie des Kelches darstellen, nämlich die Oralplatten mit der Mundöffnung. Wie aus der Abbildung ersichtlich, ist es eine ziemlich ebene Platte, die Mitte wenig vertieft, fünf deutliche

Furchen ziehen von ihr gegen die Peripherie und bilden so fünf Felder. Man sieht nun wie jedes von diesen fünf Feldern gegen den Rand gewölbt und dann hier durch eine Furche und eine der Seite des Fünfeckes entsprechende Leiste abgegrenzt ist; die näheren Details des Randes sind durch Gesteinsmasse, die sich nicht wegpräparieren läßt, verdeckt.

Wenn wir die Beziehungen dieses sonderbaren Crinoiden zu verwandten Formen prüfen, so finden wir, daß er einerseits in die Nähe von *Saccocoma*, anderseits an *Plicatocrinus* anzureihen ist. An *Saccocoma* erinnert erstens die Zusammensetzung und die Form des Kelches, dann die Ornamentik der Radialia, dagegen bringt ihn das Fehlen von Furchen sowie die Festigkeit der Platten näher an *Plicatocrinus*. Über die Lage der Arme läßt sich an den Stramberger Exemplaren nicht viel sagen. Aus den angeführten Merkmalen erhellt deutlich die Sonderstellung des beschriebenen Crinoiden.

Asteroidea.

Stelleridae.

Reste von Seesternen waren aus dem weißen Kalkstein von Stramberg noch nicht bekannt, aus dem roten Kalkstein habe ich sie zuerst beschrieben. Die abgebildeten Stückchen sind Randplatten, welche keine nähere Bestimmung zulassen, doch zu einem Vergleich mit solchen von Asteropecten auffordern. (Fig. 19 *a—c*, 20 *u—c*.)

Echinoidea.

Diplocidaris Etalloni, de Loriol.

Wird von Cotteau aus dem Kalk von Inwald und Kotzobenz angeführt. Ein Exemplar meiner Sammlung stammt von Stramberg und ist für diese Lokalität neu.

Cidaris moravica n. sp.

(Fig. 21 *a—c.*)

Es ist nur ein Stachel vorgefunden worden. Derselbe zeigt jedoch eine derart auffallende Form und Verzierung, daß eine Sonderstellung berechtigt erscheint.

Dimensionen: Höhe 13 *mm*

Größte Breite: 12 *

Gestalt birnförmig. Die größte Breite wird annähernd an der Grenze zwischen oberem und mittlerem Drittel erreicht. Die unteren zwei Drittel sind von deutlichen, mit Körnern besetzten Leisten durchzogen. Jede Leiste endet oben in einem recht großen Höcker. Das oberste Drittel des Stachels ist nur zum Teile erhalten. Man sieht, daß hier am Gipfel ebenfalls eine Gruppe von Höckern war. Zwischen dem Gipfel und den erwähnten, die Rippen nach oben abschließenden Höckern sind die Reste eines zweiten Kranzes von Höckern zu sehen. Gegen die Ansatzstelle, welche eine ziemlich tiefe Grube darstellt, ist der Stiel eingeschnürt.

DIE BRACHIOPODEN- UND MOLLUSKENFAUNA DES GLANDARIENKALKES.

Von

Lothar Krumbeck.

Mit 7 Tafeln (VIII—XIV).

Vorwort.

Das Material für diese Arbeit verdanke ich den wohlwollenden Bemühungen meines verstorbenen hochverehrten Lehrers, des Herrn Geheimrat Prof. Dr. v. Zittel. Auf seine Anregung hin stellte es mir Herr Dr. Blanckenhorn im Sommer 1903 in liebenswürdigster Weise zur Verfügung.[1] Der größte Teil der Fossilien wurde von Herrn Prof. Zumoffen aus Beirut im Jurakalk des westlichen Libanon eigenhändig gesammelt. Der Rest entstammt der Privatsammlung des Herrn Dr. Blanckenhorn.

Es ist mir nun eine sehr angenehme Pflicht, dem letztgenannten Herrn verbindlichsten Dank abzustatten für sein freundliches Entgegenkommen wie für die bereitwillige Auskunft, die er mir des öfteren gewährt hat.

Herr Prof. Dr. E. Fraas unterstützte mich in zuvorkommender Weise durch die Übersendung der Brachiopoden, die sein Vater im Salimatal gesammelt hatte. Ihm wie Herrn Hofrat Prof. Dr. Steinmann, welcher mir als hervorragender Kenner fossiler Hydrozoen seinen wertvollen Rat zu teil werden ließ, sage ich gleichfalls besten Dank.

Besondere Freude aber bereitet es mir, mit Wärme der vielseitigen Belehrung und Förderung zu gedenken, welche mir die Herren Prof. Dr. Pompeckj und Prof. Dr. Kothpletz angedeihen ließen.

Es liegt mir ferner am Herzen, den Herren des münchner paläontologischen Museums meinen lebhaften Dank auszusprechen für die selbstlose Bereitstellung der Hilfsmittel, deren ich für meine Zwecke bedurfte.

Einen beträchtlichen Aufwand an Zeit und Mühe erforderte die Präparation eines großen Teiles der Muscheln und Schnecken, deren Wirbel- bzw. Mündungsregionen dem harten Kalk erst abgewonnen werden mußten.

Ursprünglich ist es nur meine Absicht gewesen, eine Beschreibung der Arten zu geben. Die Beschäftigung mit den Bestimmungsresultaten ergab dann aber die Notwendigkeit einer gedrängten Übersicht über die verschiedenen Etappen in der Forschungsgeschichte des Glandarienkalkes. Ihre Kenntnis

---

[1] Die vorliegende Arbeit bildet die Fortsetzung der im XV. Bande dieser Beiträge erschienenen Veröffentlichung über »Die fossile Fauna des libanesischen Jurakalkes« von Rauff, Felix und Blanckenhorn (I. Teil, Die Anthozoenfauna des Glandarienkalkes von J. Felix). Der gemeinsame Titel wurde hier fallen gelassen, da Herr Lothar Krumbeck an Stelle Herrn Blanckenhorns getreten ist. — Die Herausgeber

erscheint mir als unentbehrlich für eine richtige Würdigung dieses noch so wenig bekannten und so vielversprechenden Formationsgliedes. Mit fortschreitender Vertiefung in den Stoff sah ich mich weiterhin veranlaßt zu einer kurzen Besprechung der Malmvorkommen der o r i e n t a l i s c h e n und der ä q u a t o r i a l e n Region im Hinblick auf ihre stratigraphische Stellung und ihre faunistischen Beziehungen zum l i b a n e s i s c h e n J u r a. Dabei ergaben sich dann neue Gesichtspunkte, welche eine abermalige Erweiterung der Materie zur Folge hatten. Dem Ganzen wird eine Liste der zitierten Autoren vorangestellt, die zukünftigen Bearbeitern der jurassischen Tierwelt des Libanon von Nutzen sein möge.

Die systematische Gliederung der Fauna wurde auf die Neuauflage der Z i t t e l schen Grundzüge [1]) basiert.

Was endlich die Schreibweise syrischer Lokalnamen anbetrifft, so akzeptiere ich die von F e l i x [2]) angewandte Bezeichnungsart.

Die nachfolgende Arbeit gliedert sich folgendermaßen:

A. A u t o r e n v e r z e i c h n i s.

B. E i n l e i t u n g. Übersicht über die Forschungsgeschichte des G l a n d a r i e n k a l k e s nebst einer Schlußnotiz über die Gesteinsbeschaffenheit und über den Erhaltungszustand der Petrefakten.

C. P a l ä o n t o l o g i s c h e r T e i l. Beschreibung der Arten nebst einem Anhang.

D. A l l g e m e i n e r T e i l.

1. Allgemeines.
2. Beziehungen der Fauna des Glandarienkalkes zum mitteleuropäischen Malm.
3. Tabellarische Übersicht.
4. Stratigraphische Endergebnisse.
5. Allgemeiner paläontologischer Karakter der Fauna.
6. Bionomische Bemerkungen.

E. P a l ä o g e o g r a p h i s c h e U n t e r s u c h u n g e n.

Autorenverzeichnis.

1840. A g a s s i z. Etudes critiques sur les mollusques fossiles. Mémoire sur les Trigonies. Neuchâtel.

1842. A g a s s i z. Etudes critiques sur les mollusques fossiles. Monographie des Myes. Neuchâtel.

1882. A l t h. Die Versteinerungen des Nizniower Kalksteines. Beitr. z. Paläont. Öster.-Ung. u. d. Orients, Bd. 1, Heft 3, 4.

1875. v. A m m o n. Die Juraablagerungen zwischen Regensburg und Passau. München.

1896. A n a s t a s i u. Note préliminaire sur la constitution géologique de la Dobrogea. Bull. Soc. géol. de France. 3. Serie, Bd. 24, pag. 595—601.

1901. A n g e l i s d'O s s a t e M i l l o s e v i c h. Studio geologico sul materiale raccolto da Maurizio Sacchi (Seconda spedizione Bottega). N. Jahrb. für Min., Geol, u, Pal., Bd. 1, pag. 452.

1874. B a y a n. Sur la succession des assises et des faunes dans les terrains jurassiques supérieurs. Bull. Soc. géol. de France, 3. Serie, Bd. 2, pag. 316—343, Taf. 10—11.

1866. B e l t r é m i e u x. Faune fossile du département de la Charente inférieure.

1877. B l a k e a n d H u d d l e s t o n. On the corallian rocks of England. Quart. Journ. Geol. Soc. of London.

1847. B l a n c h e. Coupe transversale de la vallée du Damour dans le Liban. Bull. Soc. géol. de France, 2. Serie, Bd. 5, pag. 12—17, Taf. 1.

1890. B l a n c k e n h o r n. Die Entwicklung des Kreidesystems in Mittel- und Nord-Syrien nebst einem Anhang über den jurassischen Glandarienkalk. Kassel.

1870. B l a n f o r d. Observations on the geology and zoology of Abyssinia. Appendix. Descriptions of the new species of fossils from the Antalo Limestone, pag. 199 ff., Taf. VIII.

1882. B o e h m, G. Die Bivalven des Kelheimer Diceraskalkes. Palaeontographica, Bd. 28.

1882. B o e h m, G. Über die Beziehungen von Pachycrisma u. s. w. Zeitschr. D. geol. Ges. Bd. 34, pag. 602 ff.

1883. B o e h m, G. Die Bivalven der Stramberger Schichten. Paläontologische Studien u. s. f.

---

[1]) 1903. Z i t t e l: Grundzüge der Paläontologie I.

[2]) 1904. F e l i x: Anthozoenfauna des Glandarienkalkes.

1889. Bogdanowitsch. Notes sur la géologie de l'Asie centrale. I. Description de quelques dépôts sédimentaires de la contrée transcaspienne et d'une partie de la Perse septentrionale. Petersbourg.

1833. Botta, Observations sur le Liban et l'Antiliban, Mém. Soc. géol. de France, Bd. 1, Sect. 1, Nr. 8, pag. 135, Taf. 12.

1901. Boule. La géologie et la paléontologie de Madagaskar dans l'état actuel de nos connaissances. Extr. du Compte-Rendu VIII e. Congrès géol. internat. 1900.

1902. Boule, Madagaskar au début du XX e. siècle. Paris.

1874. Branns. Der obere Jura in Nordwestdeutschland.

1837. Bronn. Lethaea geognostica. 2. Auflage, m. Atlas.

1881. Bruder. Zur Kenntnis der Juraablagerung von Sternberg bei Zeidler in Böhmen. Sitzber. k. Akad. Wiss., Wien, Bd. 83, Abt. 1.

1882. Bruder. Neue Beiträge zur Kenntnis der Juraablagerungen im nördlichen Böhmen. Sitzber. k. Akad. Wiss., Wien, Bd. 85, Abt. 1.

1885. Bruder. Die Fauna der Jurabildungen des Hohnstein in Sachsen. Denkschr. k. Akad. d. Wiss. Wien.

1887. Bukowski, Über die Jurabildungen von Caenstochau in Polen. Beitr. z. Pal. Österr.-Ung. u. d. Orients, Bd. 5, pag. 75 ff., Taf. XXV—XXX.

1852. Buvignier, Statistique géologique de la Meuse. Atlas.

1903. Cayeux. Existence du Jurassique supérieur et de l'Infracrétacé dans l'île de Crète. Comptes Rendus, Bd. 136, Nr. 5, pag. 330—332.

1852. Conrad. Official report of the U. S. Expedition tho the Dead Sea Baltimore. Zitiert nach O. Fraas, »Aus dem Orient«, Teil I, pag. 42.

1860. Contejean. Etude de l'étage kimméridgien dans les environs de Montbéliard et dans le Jura. Mém. soc. d'émul. Doubs.

1858—1860. Coquand. Description géologique, paléontologique et minéralogique du département de la Charente. 2 Bde.

1862. Coquand. Géologie et Paléontologie de la région sud de la province de Constantine. Bd. II. Mém. soc. d'émul. de la Provence. Atlas.

1880. Coquand. Etudes supplémentaires sur la description géol., pal. et min. de Constantine, Bull. de l'Académie d'Hippone.

1898. Cossmann. Contribution à la paléontologie française des terrains jurassiques. Gastropodes: Nérinées. Mém. Soc. géol. de France.

1885. Cotteau. Echinides nouveaux ou peu connus. Bull. Soc. géol. de France, pag. 53 ff.

1864. Credner, H. Die Pteroceras-Schichten von Hannover, Zeitschr. D. geol. Ges., Bd. 16.

1852. Davidson. A monograph of the british fossil brachiopoda. Teil 3. The oolitic and liasic brachiopoda. London.

1903. Deprat. Note préliminaire sur la géologie de l'île de l'Eubée. Bull. Soc. géol. de France. 3. Serie, pag. 229—243.

1886. Diener, Libanon. Grundlinien der physischen Geographie und Geologie von Mittel-Syrien. Wien.

1887. Diener. Ein Beitrag zur Kenntnis der syrischen Kreidebildungen. Zeitschr. D. geol. Ges., pag. 314 ff.

1895. Diener. Ergebnisse einer geologischen Expedition in den Zentral-Himalaya von Johar, Hundes und Painkhanda. Denkschr. k. Akad. d. Wiss. Wien.

1886. Douvillé. Sur quelques brachiopodes du terrain jurassique. Auxerre.

1886. Douvillé. Examen des fossiles rapportés du Choa par M. Aubry. Bull. Soc. géol. de France, Bd. 14, pag. 223 ff.

1896. Douvillé. Sur une Ammonite triasique recueillie en Grèce. Bull. Soc. géol. de France, Bd. 24, pag. 799—800.

1863. Dollfuss. La faune kimméridienne du cap de la Hève.

1876. Dumortier et Fontannes. Description des ammonites de la zone à Ammonites tenuilobatus de Crussol (Ardèche).

1859. Etallon. Etudes paléontologiques sur les terrains jurassiques du Haut-Jura. Monographie de l'étage Corallien.

1863. Etallon, Etudes paléontologiques sur le Jura graylois. Mém. Soc. d'émul. du Doubs, 3. Serie, Bd. 8.

1877. Favre. Etude stratigraphique de la partie sud-ouest de la Crimée.

1904. Felix. Die fossile Fauna des libanesischen Jurakalkes. I. Teil. Die Anthozoenfauna des Glandarienkalkes. Beitr. z. Geol. u. Pal. Österr.-Ung. u. d. Orients, Bd. 15, Heft 4.

1893. Fiebelkorn. Die norddeutschen Geschiebe der oberen Juraformation. Zeitschr. D. geol. Ges., Bd. 45, pag. 378 ff.

1892. Fox-Strangways. The jurassic rocks of Britain. Bd. 1, Yorkshire. Bd. 2, Yorkshire, Tables of fossils.

1877. Fraas, O. Juraschichten am Hermon. N. Jahrb. für Min., Geol. u. Pal., pag. 26.

1878. Fraas, O. Aus dem Orient. Bd. II. Geologische Beobachtungen am Libanon. Stuttgart.

1893. v. Fritsch. Zumoffens Höhlenfunde im Libanon. Abhandl. d. naturf. Ges. zu Halle.

1894. Futterer, Beiträge zur Kenntnis des Jura in Ost-Afrika. I—III. Zeitschr. D. geol. Ges., Bd. 44.

1897. Futterer. IV. Der Jura von Schoa (Süd-Abessinien). Zeitschr. D. geol. Ges., pag. 568—627, Tab. 19—22.

1869. Gemellaro, G. G. Studi paleontologici sulla fauna del calcare a Terebratula janitor del nord di Sicilia. Palermo.

1836. Goldfuß. Petrefacta Germaniae.

1900. Gregory. On the geology and fossil corals and echinids of Somaliland. Quart. Journal. Bd. 56, pag. 26 ff.

1867. Greppin, J. Bte. Essai géologique sur le Jura suisse. Delémont.

9*

1893. Greppin, E. Etude sur les mollusques des couches coralligènes des environs d'Oberbuchsitten. Mém. Soc. pal. suisse. Genève.

1891. Griesbach, Geology of the Central Himalayas. Mem. geol. Surv. of India. Bd. 23. (Zitiert nach Diener, loc. cit.).

1891. Guembel. Geognostische Beschreibung der fränkischen Alb. (Frankenjura).

1889. Haas. Die jurassische Brachiopodenfauna des schweizerischen Juragebirges und seiner angrenzenden Landesteile. Teil 1, Abh. d. schweiz. pal. Ges.

1890. Haas. Das gleiche, Teil 2.

1893. Haas. Dasselbe, Teil 3.

1884. Hamlin. Results of an examination of syrian molluscan fossils chiefly from the range of the Mount Lebanon. Cambridge.

1854. Hauer. Beiträge zur Kenntnis der Heterophyllen der österreichischen Monarchie. Sitzb. Akad. d. Wiss., Wien, Bd. 12.

1893. Jaekel. Über oberjurassische Fossilien aus Usambara. Zeitschr. D. geol. Ges., pag. 507.

1900. Japan. Outlines of the geology of Japan. Imp. geol. Surv. of Japan. Tokyo.

1897. Karakasch und Rougewitsch. Excursion géologique aux environs de Kislowodsk. VII. Congrès géologique international, Heft 19. Petersburg.

1900 Kitchin. Jurassic fauna of Cutch. The brachiopods. Mem. geol. Surv. of India. 8. Serie, Bd. 3, Teil 1, Taf. 1—15.

1903. Kitchin. Genus Trigonia (in obigem) Teil II. Taf. 1—10.

1874. (?) Lartet. In: Duc de Luynes, Voyage d'exploration à la Mer morte. Bd. 3, Teil 1, Kap. 4.

1903. Leonhard. Geologische Skizze des galatischen Andesitgebietes nördlich von Angora mit Übersichtsskizze. N. Jahrb. f. Min., Geol, u. Pal. Beil. Bd. 16, pag. 99—109.

1846. Leymerie, Statistique géologique et minéralogique du département de l'Aube. Atlas.

1866. de Loriol et Pellat. Monographie paléontologique et géologique de l'étage portlandien des environs de Boulogne-sur-mer. Mém. Soc. phys. et d'hist. nat. de Genève.

1868. de Loriol et Cotteau. Monographie paléontologique et géologique de l'étage portlandien du département de l'Yonne. Bull. Soc. scienc. hist. et nat. de l'Yonne.

1872. de Loriol, Royer et Tombeck. Déscription géologique et paléontologique des étages jurassiques supérieurs de la Haute-Marne. Paris.

1874. de Loriol et Pellat. Monographie paléontologique et géologique des étages supérieurs de la formation jurassique des environs de Boulogne-sur-mer. Paris.

1878. de Loriol. Monographie paléontologique des couches de la zone à Ammonites tenuilobatus de Baden (Argovie).

1880—1881. de Loriol. Monographie paléontologique des couches de la zone à Ammonites tenuilobatus d'Oberbuchsitten et de Wangen (Soleure).

1888. de Loriol. Etudes sur les mollusques des couches coralligènes de Valfin (Jura). Genève.

1889. de Loriol. Etudes sur les mollusques des couches coralligènes inférieurs du Jura bernois. Genève.

1893. de Loriol. Description des mollusques et brachiopodes des couches séquaniennes de Tonnerre (Yonne). Genève.

1894. de Loriol. Etude sur les mollusques du Rauracien inférieur du Jura bernois. Genève.

1895. de Loriol. Etude sur les mollusques du Rauracien supérieur du Jura bernois. Genève.

1896. de Loriol. Etude sur les mollusques et brachiopodes de l'Oxfordien supérieur et moyen du Jura bernois. Genève.

1897. de Loriol. Etude sur les mollusques et brachiopodes de l'Oxfordien supérieur et moyen du Jura bernois. Genève.

1897. de Loriol. Notes pour servir à l'étude des Echinodermes, VI, Rev. suisse de zool. et ann. d. mus. d'hist. nat. de Genève.

1899. de Loriol. Etude sur les mollusques et brachiopodes de l'Oxfordien inférieur ou Zone à Ammonites Renggeri du Jura bernois. Genève.

1901. de Loriol. Etude sur les mollusques et brachiopodes de l'Oxfordien supérieur et moyen du Jura bernois. Genève.

1901. de Loriol. Notes pour servir à l'étude des Echinodermes. Heft 9. Bale et Genève.

1902. de Loriol. Das gleiche, Heft 10.

1902. de Loriol. Dasselbe, 2. Serie, Heft 1.

1708. Lang. Historia lapidum figuratorum Helvetiae. Luzern.

1863. Lycett. Supplement zu Morris and Lycett: Mollusca from the great Oolite.

1867. Moesch. Der Aargauer Jura.

1874. Moesch. Monographie der Pholadomyen.

1850—1853. Morris and Lycett. A monograph of the mollusca from the great oolite chiefly from Minchinhampton and the coast of Yorkshire.

1900. Müller. Deutsch-Ostafrika, Bd. 7, Versteinerungen des Jura und der Kreide. Berlin.

1890. Neumann und Neumayr. Zur Geologie und Paläontologie von Japan Denkschr. d. k. Akad. d Wiss., Wien.

1871. Neumayr. Jurastudien, Jahrb. d. k. k. Reichsanstalt, Bd. 21, Heft 3.

1881. Neumayr. Über einige Fossilien aus der Uitenhage-Formation in Südafrika. Denkschr. d. k. Akad. d. Wiss., Wien.

1883. Neumayr: Über klimatische Zonen während der Jura- und Kreidezeit.
1885. Neumayr. Die geographische Verbreitung der Juraformation. Denkschr. der k. Akad. d. Wiss., Wien.
1892. Neumayr und Uhlig. Über die von A. Abich im Kaukasus gesammelten Jurafossilien. Denkschr. der k. Akad. d. Wiss., Wien.
1895. Newton. On a collection of fossils from Madagaskar. Quarterly Journal, Bd. 51, pag. 72 ff.
1887. Noetling. Der Jura am Hermon. Stuttgart.
1895. » The fauna of the Kellaways of Mazár Drik. Baluchistan and N.-W. frontier of India. Vol. 1. The jurassic fauna.
1856. Oppel, Die Juraformation Englands, Frankreichs und des südwestlichen Deutschlands. Stuttgart.
1850. d'Orbigny. Paléontologie française. Terrains jurassiques. Bd. 2, Les Gastéropodes.
1888. Pantanelli. Note geologiche sullo Scioa. Proc. verb. Soc. Toscana, scienze nat.
1883. Peron. Essai d'une description géologique de l'Algérie. Paris.
1867. Peters. Grundlinien zur Geographie und Geologie der Dobrudscha. Teil 2. Sitzber. d. k. Akad. d. Wiss., Wien.
1903. Philippson. Zur Geologie Griechenlands. Zeitschr. D. geol. Ges., Bd. 55, briefl. Mitt., pag. 3—7.
1903. Philippson. Vorläufiger Bericht über die im Sommer 1902 ausgeführte Forschungsreise im westlichen Kleinasien. Sitzber. der k. Akad. d. Wiss., Wien, Heft 6
1845. Pictet. Traité élémentaire de Paléontologie.
1863. Pictet. Mélanges paléontologiques. Mém. Soc. phys. et d'hist. nat. de Genève, Bd. 17, Teil 1.
1891. Piette. Paléontologie française ou description des fossiles de la France, 1. Série, Animaux invertébrés. Terrain jurassique, Bd. 3, Gastéropodes.
1878. Pirona. Sulla fauna fossile giurese del Monte Cavallo in Friuli.
1897. Pompeckj. Paläontologische und stratigraphische Notizen aus Anatolien. Zeitschr. D. geol. Ges. pag. 713—828, Taf. XXIX—XXXI.
1901. Pompeckj. Aucellen im fränkischen Jura. N. Jahrb. f. Min., Geol. u. Pal. pag. 18—36, Taf. IV.
1856—1858. Quenstedt. Der Jura. Tübingen.
1871. Quenstedt. Die Brachiopoden mit Atlas.
1852. » Handbuch der Petrefaktenkunde, 1. Ausgabe.
1867. » Das gleiche, 2. Ausgabe.
1885. » Dasselbe, 3. Ausgabe.
1895—1896. Ralli. Le bassin houiller d'Héraclée. Ann. Soc., géol. de Belgique, Bd. 23.
1882. Roeder. Beiträge zur Kenntnis des Terrain à chailles und seiner Zweischaler in der Umgebung von Pfirt im Oberelsaß.
1836. Roemer, F. A. Die Versteinerungen des norddeutschen Oolithengebirges. Hannover.
1870. Roemer, F. Geologie von Oberschlesien. Breslau.
1887. Rothpletz. Geologisch-paläontologische Monographie der Vilser Alpen mit besonderer Berücksichtigung der Brachiopoden-Systematik. Palaeontographica, Bd. 33.
1841. Russegger. Reisen in Europa, Asien und Afrika, 1835—1841. Stuttgart.
1866. Sadebeck. Die oberen Jurabildungen in Pommern. Zeitschr. D. geol. Ges., Bd. 17.
1842. Sauvage et Buvignier. Statistique minéralogique et géologique du département des Ardennes. Mézières.
1852. Schlehan. Versuch einer geognostischen Beschreibung der Gegend zwischen Amasry und Tyrla-asy an der Nordküste von Kleinasien. Zeitschr. D. geol. Ges., Bd. 4, pag. 96—142.
1882. Schlosser. Die Fauna des Kelheimer Diceraskalkes. Palaeontographica, Bd. 28.
1820. Schlotheim. Petrefaktenkunde.
1896. Semenow. Faune des dépôts jurassiques de Mangyschlak et de Touar-Kyr.
1845. Sharpe. Description of fossils from the secondary rocks of Sunday-River and Zwartkop-River, S.-Africa. Transact. geol. Soc., London, VII, pag. 193, Taf. 22, Fig. 2—3.
1893. Siemiradzki. Der obere Jura in Polen und seine Fauna. Zeitschr. D. geol. Ges., pag. 103—144.
1897. Simonowitsch. Les environs de Koutaïs, VII, Congrès géologique international. Heft 21.
1842. Sowerby, J. de. Mineral-Conchologie. Deutsche Bearbeitung. Solothurn.
1897. Stahl. Zur Geologie von Persien. Geognostische Beschreibung von Nord- und Zentralpersien. Ergänzungsheft Nr. 122 zu Petermanns Mitteilungen. Gotha.
1890. Steinmann. Einige Fossilreste aus Griechenland. Zeitschr. D. geol. Ges., Bd. 42, pag. 764—771.
1865. Stoliczka. Geological sections across the Himalayan mountains. Mem. geol. Surv. of India, pag. 85 ff.
1878. Struckmann. Der obere Jura der Umgegend von Hannover.
1858. Sueß. Die Brachiopoden der Stramberger Schichten.
1867. Tate. On some Secondary Fossils from south Africa. Quarterly Journal. Bd. 23, pag. 139, Tab. V—IX.
1861. Thurmann und Etallon. Lethea bruntrutana ou Etudes paléontologiques et stratigraphiques sur le Jura bernois.
1892. Tornquist. Fragmente einer Oxfordfauna von Mtarn in Deutsch-Ostafrika. Jahrb. d. hamb. wiss. Anstalten, Bd. 10.

1878. Trautschold. Über den Jura von Isjum. Bull. Soc. nat. de Moscou, Bd. 2.

1882. Uhlig. Die Jurabildungen in der Umgebung von Brünn. Beitr. z. Pal. Österr.-Ung. u. d. Or., Bd. 1, pag. 111—182, Taf. XIII—XXI.

1904. Uhlig. The fauna of the Spiti Shales. Himalayan Fossils. Mem. geol. Surv. of India, Bd. 4.

1897. Vogdt. Le jurassique à Soudak. Guide des excursions du VII. congrès géologique international. Heft 32, Pétersbourg.

1875. Waagen. The Cephalopoda. Jurassic fauna of Kutch. Mem. geol. Surv. of India.

1893—1894. Walther. Einleitung in die Geologie als historische Wissenschaft. Teil II. Die Lebensweise der Meerestiere. Jena.

1895. Woodward, H. B. The jurassic rocks of Britain. Bd. 5. The middle and upper oolitic rocks of England (Yorkshire excepted).

1857. Zeuschner. Paläontologische Beiträge zur Kenntnis des weißen Jurakalkes von Inwald bei Wadowice. Abh. d. böhm. Ges. d. Wiss., Prag.

1830. v. Zieten. Württembergs Versteinerungen.

1881—1885. Zittel. Handbuch der Paläontologie. Paläozoologie. 2 Bde.

1903. Zittel. Grundzüge der Paläontologie (Paläozoologie), Abt. 1, Invertebrata.

Einleitung.

Übersicht über die Forschungsgeschichte des Glandarienkalkes.

Die nachfolgenden Zeilen sind dazu bestimmt, dem Leser die Hauptphasen in der stratigraphischen Erforschung des Glandarienkalkes vor Augen zu führen.

Die ersten und, wie es sich später zeigen wird, anerkennenswert zuverlässigen Angaben über die herrschenden Verhältnisse gingen von Botta[1] aus. Er legte seinen geologischen Beobachtungen ein Profil zu Grunde, das vom Strande des Meeres bis zum Kamme des gewaltigen Dschebel Sannîn läuft. Es kreuzt das Tal des Kelb-Flusses, wo die Entwicklung der einzelnen Schichtkomplexe in übersichtlicher Weise studiert werden konnte. Danach gliedert sich die gesamte Schichtenfolge in diesem Teile des Libanon folgendermaßen:

Unterer Teil: Calcaire caverneux (Calcaire jurassique supérieur).

Mittlerer Teil: Terrain sablonneux (Grès vert).

Oberer Teil: Calcaires caverneux et marnes calcaires (Terrain crétacé inférieur).

In den obersten Lagen der unteren Gruppe wurden Verkieselungen beobachtet. Botta hielt den Calcaire caverneux deshalb für jurassisch, weil er von einem Sandstein überlagert wird, den er mit dem nubischen Sandstein in Parallele stellte.

Russegger[2] schloß sich der obigen Einteilung an. Auch er unterschied drei Horizonte. Zuunterst jurassische Bildungen. Darüber den nubischen Sandstein als wahrscheinliches Äquivalent des Grès vert. Zu oberst die der weißen senonen Kreide entsprechenden Ablagerungen.

Blanche[3] veröffentlichte 1847 ein ziemlich ausführliches Profil durch das Tal des Nahr ed-Dâmûr, welches in der Nähe von Abeih aufgenommen wurde. Er glaubte daraus den Schluß ziehen zu dürfen, daß dieser ganze südliche Teil des Libanonzuges kretazischen Alters sei. Dem Profil kann ein höherer Wert indessen nicht beigelegt werden. Der Verfasser hebt selbst seinen absoluten Mangel an paläontologischen Kenntnissen hervor. Von seinen drei Hauptetagen entspricht wohl die tiefste dem Calcaire caverneux von Botta.

Conrad[4] bestimmte die von der amerikanischen Expedition am Libanon gesammelten Fossilien zum größten Teil als jurassisch.

---

[1] 1833. Botta. Observations sur le Liban et l'Antiliban, pag. 135, Taf. 12.

[2] 1841. Russegger. Reisen in Europa, Asien, Afrika. Bd. 1, Teil 2, zitiert nach Diener »Libanon«, pag. 27.

[3] 1847. Blanche. Coupe transversale de la vallée du Damour. Bull. Soc. géol. de France, pag. 12—17, Taf. 1.

[4] 1852. Conrad. U. S. expedition to the Dead Sea. Zitiert nach O. Fraas »Aus dem Orient«.

Lartet[1]) gab eine kritische Übersicht über die Ansichten seiner Vorgänger, insbesondere von Botta und Russegger. Er bestätigte das Vorhandensein von Jura im Libanon und Antilibanon. Als Stütze für seine Meinung diente ihm das Vorkommen von *Cidaris glandifera* im Libanon, von *Collyrites bicordata* bei Bâniâs, am Westfuße des großen Hermon.

Lartet war somit der erste, welcher seine Anschauung wissenschaftlich begründet hat. Die Identität von *Collyrites bicordata* kann wegen des schlechten Erhaltungszustandes in Zweifel gezogen werden. Die Auffindung von *Cidaris glandifera*, einer typischen Juraform, hingegen stellte seine Behauptung auf eine feste Basis.

O. Fraas[2]) überraschte im Jahre 1877 die Gelehrtenwelt mit der Kunde, daß er im Antilibanon, an der Südseite des großen Hermon, Ablagerungen des oberen Dogger und des unteren Malm aufgefunden habe. Um so bemerkenswerter war es daher, daß er kurz darauf, im Jahre 1878,[3]) in einer wertvollen Studie über den Libanon, das Auftreten von Jura in diesem Gebirgszuge kategorisch in Abrede stellte. Das Nichtvorhandensein dieser Formation erschien ihm als etwas derart Selbstverständliches, daß er die gegenteilige Anschauung unter dem Hinweise, daß *Cidaris glandifera* kein jurassisches Fossil sei, mit der Wendung »die alte Russeggersche Anschauung von der Verbreitung des Jura in Syrien« kurz bei Seite schob. Als die Frucht seiner sorgfältigen mehrmonatlichen Bemühungen ergab sich eine Einteilung der syrischen Kreide in 9 Zonen, deren tiefstes Glied die Bezeichnung »Glandarienzone« erhielt. Die letztere ist teilweise ident mit dem unteren Teil des Botta'schen Profils, dem Calcaire caverneux (Calcaire jurassique supérieur).

O. Fraas traf dieses Formationsglied im Wadi Salîma an in der Gestalt von »lichten« über 200 *m* mächtigen »Marmorn«, die nach oben mit einigen Meter mächtigen Oolithbänken abschließen. In dem Marmor wurden Stacheln von *Cidaris glandaria* Lang gefunden. Die oolithischen Schichten mit ihren tonigen Zwischenbänken zeigten sich reich an Spongien, Korallen, Echiniden u. s. w. Fraas schrieb dem ganzen Komplex cenomanes Alter zu.

Im Jahre 1884 ließ Hamlin[4]) die Beschreibung einer Anzahl von Libanonpetrefakten erscheinen. Der Autor ging bei der Bestimmung der Sachen von der Voraussetzung aus, daß es die Kreide ist, welche den Sockel des Libanon anfbaut.

Auch Diener[5]) erklärte sich in seinem 1886 erschienenen Werke einverstanden mit der von Blanche und O. Fraas vorgeschlagenen Einbeziehung der Glandarienzone in das System der syrischen Kreide. Unter der neuen Benennung als »Arâja-Kalksteine« wies er ihr im Gegensatz zu O. Fraas unterkretazisches Alter zu. Das tiefste Glied seiner Arâja-Kalksteine soll an der Mündung des Nahr-el-Kelb zu Tage treten in Gestalt weißer dünngeschichteter Dolomite, darüber massiger undeutlich gebankter Dolomite und, als Hauptglied der Gruppe, wohl geschichteter grauer Kalke. Wie schon Lartet, so glaubte auch Diener am Westfuße des Hermon bei Bâniâs und Hasbeia deutliche Profile durch die Glandarienzone beobachtet zu haben. Wir werden später sehen, daß der letzteren Annahme mit Aussicht auf Erfolg widersprochen wurde.

Ein Jahr darauf erschien eine von Noetling[6]) verfaßte Monographie als Ergebnis längerer Studien über das durch Fraas erschlossene Juragebiet am Südabfall des Hermon. Der Autor ging darin von der Anschauung aus, daß die Entwicklung des Jura am Hermon die gesamte Ausbildung dieser Formation in Syrien darstelle. Demzufolge gliederte er den von ihm untersuchten Schichtenkomplex auf Grund faunistischer Verschiedenheiten in einen unteren und in einen oberen syrischen Jura. Seinen »oberen syrischen Jura« teilte Noetling in vier Zonen ein. Von diesen wurden die drei unteren mit dem Argovien parallelisiert. Die vierte Unteretage, die Zone der *Cidaris glandifera* Goldf. = *C. glandaria* Lang (Fraas) entspricht dem Rauracien. Die weißen oder gelblichgrauen, zuweilen oolithischen Kalke der Glandarienzone können petrographisch von der sie unterlagernden Stufe der *Rhynchonella moravica* Uhlig nicht getrennt

[1]) 1874. Lartet. Exploration géologique de la Mer morte in: Duc de Luynes. Voyage u. s. w.
[2]) 1877. O. Fraas. Juraschichten am Hermon. N. Jahrb. f. Min. u. Geol., pag. 17–30.
[3]) 1878. O. Fraas. Aus dem Orient. Teil 2, pag. 21.
[4]) 1884. Hamlin. Syrian molluscan fossils.
[5]) 1886. Diener. Libanon, pag. 28 ff.
[6]) 1887. Noetling. Der Jura am Hermon. Stuttgart.

werden. An Fossilien enthält erstere zahlreiche Reste von Spongien und Echinodermen, außerdem aber *Terebratula bisuffarcinata* Zieten und *Cidaris glandaria* Lang (Fraas). Das jurassische Alter dieser letzteren Spezies war somit festgestellt. Mit vollem Recht zog Noetling nun den Schluß, daß diejenigen Ablagerungen des Libanon, welche durch *Cidaris glandaria* Lang karakterisiert werden, ebenfalls der obersten Zone seines oberen syrischen Jura angehören. Es sind darunter zu verstehen: Calcaire caverneux (Botta) = Glandarienzone (Fraas) = Arâja-Kalksteine (Diener).

Damit war ein richtiges Verständnis angebahnt für die stratigraphische Stellung der Glandarienzone im Libanon. Die »alte« Auffassung von Botta, Russegger und insbesondere von Lartet erwies sich im großen Ganzen als zutreffend.

Ein weiteres Fortschreiten auf diesem Wege bedeuten die im Jahre 1890 erschienenen Ausführungen von Blanckenhorn.[1])

Letzterer verwarf zunächst die Bezeichnung der in Rede stehenden Schichtenfolge als »Arâja-Kalksteine«, welche Diener in die stratigraphische Namengebung eingeführt hatte. An die Stelle trat die eindeutigere Bezeichnung Glandarienkalk. Sodann wendete er sich gegen die von Diener geäußerte Ansicht vom Auftreten der Arâja-Kalksteine am Westfuße des Hermon bei Bâniâs und Hasbeia. Die Untersuchung der von letzterem bei Hasbeia gesammelten Fossilien in Verbindung mit einer kritischen Betrachtung des lithologischen Karakters der dortigen Gesteine führte ihn zu der Erkenntnis, daß es nicht der Glandarienkalk ist, welcher die Westflanke des Hermon umgürtet, sondern höchstwahrscheinlich Schichten von cenomanem Alter mit *Buchiceras syriacum*, die unter komplizierten Lagerungsverhältnissen den älteren »Trigoniensandstein« untertäufen.

Blanckenhorn untersuchte ferner die von Fraas im Nahr es-Salima gesammelten Fossilien, die sämtlich der Glandarienzone dieses Forschers entstammen sollten. Es ergab sich nun nach Abscheidung der dem Glandarienkalk nicht zugehörigen Typen eine Fauna von größtenteils neuen Formen, darunter eine Korallenart, welche mit einer mitteleuropäischen Malmspezies, *Stephanocoenia? pentagonalis* Goldfuss sp., identifiziert werden konnte. In der Sammlung des Day College zu Beirut sah Blanckenhorn ferner Versteinerungen mit der Fundortsangabe »Schweir«, welche er als *Terebratula bisuffarcinata* Schloth, *Kingena gutta* Qu., *Terebratulina substriata* Schloth. und *Rhynchonella lacunosa* Schloth.[3]) erkannte. Diese Arten weisen auf unteren weißen Jura hin. Da aber Schweir im Tal des Nahr el-Kelb auf dem Glandarienkalk selbst gelegen ist, so konnte an dem jurassischen Alter dieses Formationsgliedes füglich nicht mehr gezweifelt werden! Dennoch erleben wir im folgenden nochmals einen Rückfall in die früheren, sattsam widerlegten Anschauungen.

In den Neunzigerjahren haben unsere Ansichten über den Formenreichtum des Glandarienkalkes durch die wertvollen durch geologische Beobachtungen vervollständigten Aufsammlungen von Zumoffen einen weiteren Ausbau erfahren.

Loriol[3]) beschrieb in vier Abhandlungen, die in den Jahren 1897, 1901 und 1902 publiziert wurden, eine größere Anzahl von Seeigeln aus den Tälern des Kelb- und Salima-Flusses. Er geht dabei, ebenso wie Zumoffen,[4]) von der Fraas'schen Anschauung aus, die dem Glandarienkalk cenomanes Alter zuschrieb. Wir sahen indessen oben, daß an seiner Zugehörigkeit zum Malm auf Grund der Untersuchungen von Lartet, Noetling und Blanckenhorn nicht mehr gezweifelt werden durfte! In Konsequenz seiner Überzeugung stellt nun Loriol bei der Besprechung verschiedener Fundplätze, wie Bekfèja und Duar, Jurafossilien wie *Cidaris glandaria* Lang und *Kingena gutta* Qu. in eine Reihe mit kretazischen Typen vom

---

[1]) 1890. Blanckenhorn, Entwicklung des Kreidesystems in Mittel- und Nord-Syrien, pag. 2 u. folg.

[2]) Bei dieser Form lag wahrscheinlich eine Verwechslung der Etiketten vor, sonst fände sie sich doch wohl unter dem Zumoffen'schen Material! Diese Annahme ist deshalb nicht unwahrscheinlich, weil sich in der Sammlung des Day College auch eine Reihe von Jurafossilien des Jura am Hermon befinden, wo die genannte Form auftritt.

[3]) 1897. Loriol: Notes pour servir à l'étude des Echinodermes, Nr. VI.

1901.   »   Notes pour servir u. s. f., Nr. IX.

1902.   «   Das gleiche, Nr. X.

1902.   »   Das gleiche, 2. Serie, Nr. I.

[4]) 1897. in Loriol. Note VI, pag. 142—144.

Schlage der *Vola quadricostata* und *Exogyra flabellata!* Es sind demnach entweder beim Aufsammeln die verschiedenen, lithologisch scharf differenzierten Horizonte nicht genügend auseinander gehalten worden. Oder aber, und diese Erklärung halte ich für richtiger, die Petrefakten des höheren Niveaus haben sich infolge starken Geländewinkels mit denen der tieferen Ablagerungen vermischt.

Die Zusammenstellung der Echiniden des Glandarienkalkes aus den Arbeiten von C o t t e a u [1]), F r a a s [2]) und L o r i o l führt zu dem Resultat, daß sich unter einer Gesamtzahl von 14 Formen eine neue Gattung und 13 neue oder auf Syrien beschränkte Spezies befinden. L o r i o l wies ferner nach, daß *Cidaris glandaria* Lang und *Cidaris glandifera* Goldf. spezifisch zu trennen sind.

Im Jahre 1904 veröffentlichte F e l i x [3]) eine Studie über die A n t h o z o e n f a u n a des Glandarienkalkes. Letztere setzt sich aus 25 Arten zusammen, von denen fünf mit bekannten Arten identifiziert und weitere fünf mit cf. versehen werden konnten. 15 Spezies sind neu. F e l i x kommt zu dem Ergebnis, »daß der allgemeine Karakter der beschriebenen syrischen Korallenfauna der gleiche ist, wie derjenige des schweizerischen und französischen C o r a l l i e n«. Er bemerkte ferner Anklänge an Formen aus dem P t é r o c é r i e n von Nattheim und aus dem V i r g u l i e n von Porrentruy.

Die nachfolgende Bestimmung der Brachiopoden und Mollusken des Glandarienkalkes führte mich zu einem Resultat, welches die stratigraphischen Ergebnisse der F e l i xschen Arbeit vervollständigt und schärfer umgrenzt, daß nämlich der l i b a n e s i s c h e Glandarienkalk das gesamte S é q u a n i e n und K i m m é r i d g i e n in echt mitteleuropäischer Entwicklungsweise enthält. Dieses Ergebnis kann uns indessen noch nicht befriedigen. Es muß vielmehr als unvollständig und lückenhaft gelten, solange nicht die praktische Arbeit im Felde die schwebenden Fragen ihrer Lösung näher gebracht hat. Das Fehlen von detaillierten Profilen und nicht zum mindesten der Umstand, daß die vorliegenden Fossilien ohne Berücksichtigung von Horizonten gesammelt wurden, macht eine Parallelisierung der Schichtenfolge des Glandarienkalkes mit anderen faunistisch verwandten Ablagerungen zur Unmöglichkeit. Es handelt sich demnach hier nur darum, die gegebenen Formen rein paläontologisch zu bestimmen und aus ihren verwandtschaftlichen Beziehungen zu wohlbekannten Formen auf die stratigraphische Stellung ihrer Muttergesteine zu schließen.

Ich gebe jetzt zum Schluß eine kurze Übersicht über das Vorkommen und über die lithologische Gliederung des G l a n d a r i e n k a l k e s im Libanon. Nach den Berichten von fast sämtlichen der genannten Autoren bildet er das basale Glied der mächtigen sedimentären Schichtenserie am Westhang des Libanonzuges. Vom Nahr ed-Dâmûr im Süden bis zum Nahr Kadischah im Norden trifft man ihn in den tiefeingeschnittenen Tälern der größeren Ströme und ihrer Zuflüsse, wie er, vielfach in ungestörter Lagerung,[1]) den kretazischen Trigoniensandstein konkordant unterteuft. Infolge seiner »homogenen Gesteinsbeschaffenheit« eignet sich der Glandarienkalk nach D i e n e r zur Cañonbildung, wie sie letzterer in typischer Ausbildung am Oberlauf des Dschôzeh-, Kadischah- und Baridflusses antraf.

Aus dem Tal des Nahr ed-Dâmûr beschreibt ihn B l a n c h e als einen relativ wenig mächtigen, oolithischen Kalkstein, der in den tieferen Lagen durch das häufige Auftreten von Verkieselungen ausgezeichnet sei. Hier ist offenbar nur die o b e r e P a r t i e der gesamten weiter im Norden vorhandenen Schichtenfolge aufgeschlossen.

Im Tal des Salîma- und Hammânaflusses baut sich die »Glandarienzone« nach O. F r a a s aus mächtigen, hellen Kalksteinen und Dolomiten auf, welche auf 200—300 *m* Mächtigkeit geschätzt werden, und die nach oben in oolithische Mergel mit tonigen Zwischenlagen übergehen.

---

[1]) 1885. C o t t e a u, Echinides nouveaux, pag. 56, 57, 59, 60.

[2]) 1878. F r a a s, O. Aus dem Orient, II, pag. 27—30.

[3]) 1904. F e l i x. Die Anthozoenfauna des Glandarienkalkes.

[4]) Eine von Z u m o f f e n (siehe: 1893. F r i t s c h. Z u m o f f e n s Höhlenfunde im Libanon, Taf. V) ausgeführte photographische Aufnahme des rechten Ufergehänges des Kelb-Flusses bei der im Bereich des Glandarienkalkes gelegenen Höhle von Antelias zeigt die prachtvolle, dort nahezu horizontale Bankung des letzteren. Noch deutlicher führen uns das die schönen Photogravüren vor Augen, die das Reisewerk des Herzogs von L u y n e s schmücken. (Siehe im Litteraturverzeichnis unter L a r t e t.)

Die Verhältnisse des oberen Kelb-Tales beleuchtete B o t t a. Bezüglich der Ausbildung seines Calcaire jurassique supérieur bemerkt er im allgemeinen: »Un terrain calcaire, composé de grands blocs de calcaire caverneux, dont les couches supérieurs contiennent de gros blocs de silex et des lits de la même matière. Les assisses inférieurs n'en contiennent pas et ne sont remarquables que par les trous et les canaux irréguliers qui les traversent«. Ein oberer oolitischer Mergelhorizont wurde weder von ihm noch von D i e n e r bemerkt.

Zumoffen[1]) gibt von zwei wichtigen Fundorten, Bekfëja und Duar, in 850 m und 1100 m über dem Meeresspiegel gelegen, folgende geologische Notizen: Im Tale des Kelb- und Salimaflusses liegen zu unterst graue kompakte Kalke. Darüber folgt eine Bank aus gelblichem, oolithischem Kalk, welcher lokal, so bei Duar und Käkür, von zahllosen T e r e b r a t e l n, S c h w ä m m e n, Resten von K r i n o i d e n, S e c i g e l n und vor allem mit Stacheln von *Cidaris glandaria* Lang erfüllt ist. Zuweilen enthält dieser letztere Kalk dünne Lagen eines fossilreichen Tones. Er wird überlagert von dem petrefaktenlosen Trigoniensandstein der Kreide.

Die tiefsten Glieder des Glandarienkalkes sollen nach den Berichten mehrerer Autoren am Unterlauf des Kelb-Flusses zu Tage streichen. Es ist die von D i e n e r (siehe Seite 7) beobachtete Schichtenreihe, von welcher zum mindesten die beiden unteren Glieder eine ungewöhnliche lithologische Ausbildung zeigen. Zumoffen[3]) stellt das Auftreten von Glandarienkalk an der Kelb-Mündung entschieden in Abrede. Da obendrein noch Verwerfungen die Lagerungsverhältnisse komplizieren, so muß eine Beantwortung dieser wichtigen Frage der Zukunft vorbehalten bleiben.

Eine kurze Zusammenfassung der aufgezählten Einzelbeobachtungen ergibt zum Schluß das folgende Bild: Der Glandarienkalk besitzt anscheinend eine Mächtigkeit von 200 bis 300 m. Er setzt sich im wesentlichen aus lichten wohlgeschichteten Kalken und Dolomiten von marmorartigem Gefüge zusammen, die im Kelb-Tal kavernöse Struktur besitzen und im Salima-Tal reich sind an Stacheln von *Cidaris glandaria.* In ihren oberen Partien zeigen sich häufig Verkieselungen und oolithische Bildungen. Über diesen kompakten Schichten lagern in relativ geringer Mächtigkeit oolithische Mergel, welche lokale Einschaltungen von tonigen Bänken aufweisen. Mergel sowohl wie Tone bergen eine überaus reiche Fauna.

Gesteinsbeschaffenheit und Erhaltungszustand der Fauna.[3])

Eine Prüfung der Gesteine, welche den vorliegenden Fossilien anhaften, führt zur Unterscheidung der folgenden lithologischen Glieder:

1. Harte, splitterige, an der Oberfläche meist bräunliche, im Innern meist graubraune oder hellgraue Kalke von feinem Korn und homogener Struktur. Sie sind im ganzen selten vertreten und enthalten nur wenige Muscheln und vereinzelte Schnecken.

2. Harte, unregelmäßig brechende, braune oder graubraune Kalke von gröberem Korn als die vorigen, unrein, reich an verkieselten Petrefakten, seltener mit Kalkoolithen. In ihnen finden sich viele Schnecken, seltener Muscheln und Brachiopoden.

3. Anscheinend selten vorkommendes Gestein, das aus kleinen, gleichartigen, kugeligen, stark eisenschüssigen Oolithkörnern besteht, die in eine homogene, kalkige Grundsubstanz eingebettet erscheinen.

4. Muschelsand, ausgezeichnet durch das Überwiegen von braunen oder gelblichen Kalkoolithen von verschiedener Gestalt und häufig von beträchtlicher Größe. Er ist erfüllt mit Bruchstücken von Krinoiden, Brachiopoden, Korallen, Muscheln u. s. w. und enthält viele Muscheln, seltener Schnecken und Brachiopoden.

5. Weiße Kalkmergel und Tone angefüllt mit feinen, gleichmäßigen, weißen Oolithkörnern. Reich an Brachiopoden, besonders an Kingenen.

---

[1]) 1897. Zumoffen in L o r i o l, Notes pour servir a l'étude .... Nr. VI, pag. 142, 143.

[2]) 1902. In einer mir vorliegenden brieflichen Mitteilung an B l a n c k e n h o r n.

[3]) Für die Sorgfalt, mit welcher der größere Teil der letzteren zusammengebracht wurde, muß man Herrn Z u m o f f e n aufrichtigen Dank wissen. Viele Stücke sind aus anstehendem Gestein herausgeschlagen worden und geben uns daher eine Reihe von petrographischen Anhaltspunkten. Herr Z u m o f f e n unterzog sich ferner der Mühe, einen Ammoniten zu photographieren, der wegen seiner Größe als nicht transportabel erschien.

Die Fossilien konnten bei Nr. 1 mühsam, aber in relativ gutem Erhaltungszustand herauspräpariert werden. Bei Nr. 2 bereitete das gröbere Korn des Kalkes erhebliche Hindernisse. In Nr. 4 zeigen die Versteinerungen leidliche, in Nr. 5 sehr befriedigende Erhaltung. Die Mehrzahl der schlecht konservierten Stücke hat durch Verwitterung gelitten. Abgerollte Individuen sind selten.

Aus der Verteilung der Fundorte und des dort anstehenden Gesteines geht hervor, daß die große Scholle von Bekfêja, welche Diener[1] auf seiner geologischen Karte als Trigoniensandstein verzeichnet, in ihrer östlichen Region zum mindesten der Sphäre des Glandarienkalkes in der Ausbildung als Kalke und oolithische Tone und Mergel angehört. Bekfêja selbst wird von Zumoffen[2] ausdrücklich als auf dem *Calcaire à cidaris* (Glandarienkalk) gelegen bezeichnet.

Paläontologischer Teil.

Brachiopoden.[3]

Familie: **Rhynchonellidae** Gray.

Gattung: **Rhynchonella** Fischer.

Rhynchonella Drusorum n. sp.

Taf. I, Fig. 1 *a—d*, Fig. 2 *a—c*, Fig. 3 *a—c*.

Maße: Höhe: 12, 11, 10, $9^{1}/_{2}$, 9 *mm*.

Breite: 14, 12, 11, 10, 9 *mm*.

Dicke: $8^{1}/_{2}$, 7, 6, 6, $5^{1}/_{2}$ *mm*.

Beschreibung: Diese kleine Form, welche stets breiter ist als hoch, besitzt gedrungen ovalen bis länglich ovalen Umriß. Höhe und Breite zeigen obigen Maßen zufolge ein ziemlich konstantes Verhältnis. Immer befindet sich die größte Dicke um ein geringes über der bedeutendsten Breite. Die längere Hinterregion verjüngt sich in schneller Weise. Die kürzere Vordergegend erscheint breit und unregelmäßig abgestutzt. Die stark aufgeblasene Dorsalschale ist kräftiger gewölbt als die große Klappe.

Das Gehäuse ist durchweg asymmetrisch. Niemals liegt der Wirbel in der Mitte. Erzeugt wird diese Unregelmäßigkeit in der Schalenform durch das Variieren von Wulst und Sinus. Kein Individuum stimmt in der Ausbildungsweise der letzteren mit einem anderen überein. Denn bald ist der Wulst der kleinen Schale, entsprechend der verschiedenen Wölbung der letzteren, schwächer oder stärker, bald erscheint er mehr oder minder nach rechts oder links verschoben, kurz, nirgends bemerkt man völlige Symmetrie. Im allgemeinen und so vor allem bei relativ hohen und wenig gewölbten Formen wird dadurch keine besonders auffällige Änderung in der Gestalt der Schale bewirkt. Bei dicken, breiten und relativ niedrigen Stücken aber kann sich die Vorderregion an der einen Seite zu einer fast flügelartigen Verlängerung aus- wachsen. Ein Sagittalschnitt durch den Wirbel derartiger Individuen ergibt dann zwei ziemlich verschieden- artig gestaltete Hälften. Solche Extreme finden sich indessen selten und sind auf ausgewachsene Exemplare beschränkt.

Der Schloßrand ist gerundet und geht meistens mit konkaver Biegung in die geraden Seiten- kommissuren über. Die Stirnnaht ist unregelmäßig gezackt. Der dorsalwärts emporgeschlagene Wulst weist nur bei vereinzelten Vertretern annähernd symmetrische Ausbildung auf. Der Außenrand wird durch die Rippen kräftig gekerbt.

---

[1] 1886. Diener. Libanon.

[2] 1902. In einer mir vorliegenden brieflichen Notiz an Blanckenhorn.

[3] Bei der Beschreibung wurden die Bezeichnungen vorn und hinten, unten und oben im gleichen Sinne an- gewendet, soweit sie auf eine und dieselbe Schale Bezug nehmen.

10*

Der Schnabel, von kleiner und spitzer Form, ragt senkrecht oder manchmal schwach ventralwärts zurückgebogen empor. In der Jugend schärfere, später jedoch ganz gerundete Kanten umgrenzen die wenig vertieften seitlichen Areolen. Das schlanke dreieckige Deltidium umfaßt die kleine, ovale Stielöffnung.

Von dem inneren Schalenbau erkennt man äußerlich an der kleinen Schale ein ziemlich langes, fadenartig feines Septum nebst den kräftig gebogenen Flügeln der Schloßplatte. Durch die Schale des Schnabels hindurch gewahrt man die geraden Zahnstützen und den von ihnen gebildeten Ring zum Durchtritt des Stielmuskels.

Die Skulptur besteht aus 10—14 teils gerundeten, teils gekielten Radialrippen, von denen 4—5 dem dorsalen Wulst, 3 —4 dem ventralen Sinus angehören. Die Rippen der gleichen Schale können verschiedene Ausbildung erlangen. Es ist eine besondere Eigentümlichkeit dieser Art, daß die Wirbelregion auch bei den kleinsten Individuen ganz glatt erscheint. Niemals erreicht eine der Rippen den Wirbel.

Bemerkungen: Obgleich die Angehörigen dieser Spezies von verschiedenen Fundorten des Kelbund Salimatals herstammen, zeigen sie keine sehr bedeutenden Abänderungen. Der Umstand, daß es eine größere Anzahl von in der Größe verhältnismäßig wenig variierenden Stücken ist, welche mir vorliegen, berechtigt wohl zu dem Schlusse, daß wir es hier zum Teil mit ausgewachsenen Exemplaren zu tun haben.

Aus der Beschaffenheit des Stirnrandes ergeben sich verwandtschaftliche Beziehungen zu dem Formenkreise der *Rhynchonella inconstans*. Bezüglich der Größe und der Art der Berippung zwar weicht unsere Form von sämtlichen dahin zu zählenden Typen ab. Dennoch lassen sich einige leitende Gesichtspunkte gewinnen. Nach Abscheidung von *Rhynchonella inconstans* Sow., welche nach Haas[1] in ihrer Verbreitung auf England und das nördliche Frankreich beschränkt sein soll, bleiben drei Haupttypen übrig: *Rh. pinguis* Röm., *Rh. corallina* Leym. und *Rh. Astieriana* d'Orb. Ein Vergleich mit dem reichen Material des münchner Museums zeigt zunächst, daß *Rh. pinguis* Röm. wegen ihres starken, kräftig gebogenen Schnabels nicht in Betracht kommt. Auf *Rh. corallina* Leym. weist der gedrungene, allseitig abgerundete Umriß unserer Stücke hin. *Rh. Astieriana* d'Orb. scheint mit Bezug auf die Steilheit ihrer Schnabelregion den Vorzug zu verdienen. Eine nähere Entscheidung läßt sich nicht treffen.

Untersuchte Stärke: 24.

Vorkommen: 5 von Schweir. Die übrigen aus dem Kelb- und Salimatal aus hellen, mergeligtonigen Lagen.

Sammlung: Zumoffen.

Rhynchonella n. sp.

Taf. I, Fig. 4a—c, Fig. 5a—b

Maße: Höhe: 8, 7, 6½ mm.

Breite: 7, 7, 6 mm.

Dicke: 6, 5½, 4 mm.

Beschreibung: Das kleine, dreieckig abgerundete Gehäuse ist bei jüngeren Exemplaren flacher, bei ausgewachsenen Individuen hingegen fast kugelig gestaltet. Näher dem Vorderrande findet man die bedeutendste Breite, ungefähr auf halber Höhe liegt die größte Dicke.

Die Dorsalklappe ist stärker und gleichmäßiger gewölbt als die große Schale. Stark aufgebaucht fällt sie ringsum steil gegen den Außenrand ab. Ein Wulst ist gewöhnlich nicht vorhanden.

Die Ventralschale ist nur mäßig dick. Sie besitzt vielfach einen nur schwach angedeuteten Sinus, der sich bald nach rechts, bald nach links verschoben zeigt und daher ungleichmäßig vertieft ist.

Der gerundete Schloßrand schließt sich in kurzer, kräftiger Biegung an die geraden Seitennähte an. Die Stirnkommissur ist entweder gerade oder aber in dorsaler Richtung leicht aufgebogen und asymmetrisch gezackt.

Der Schnabel ragt trotz seiner kräftigen Krümmung steil empor. Das zierliche, dreieckig gleichseitige Deltidium umschließt eine relativ große, spitzovale Stielöffnung. Die durchsichtigen Schalen lassen

---

[1] 1889. Haas. Brachiopoden d. schw. Jura. Teil 1, pag. 16 ff.

einen Teil des inneren Baues zum Vorschein kommen: Dorsal ein sehr schmales, ziemlich langes Medianseptum und die tief ausgeschnittene Schloßplatte. Ventral die starken, leicht gebogenen Zahnstützen und den Ring für den Durchtritt des Stielmuskels.

Die Skulptur besteht aus 25—30 feinen, geraden, nicht dichotomierenden, breit gerundeten Radialrippen, die den Wirbel nicht erreichen und den Außenrand zickzackartig kerben. In ihren Zwischenfurchen werden nicht selten feine Zuwachsstreifen sichtbar.

Bemerkungen: Sämtliche Stücke dieser Art sind leicht verdrückt. Verwandtschaftliche Beziehungen bestehen vielleicht zu *Rhynchonella Drusorum* n. sp. Etwas Sicheres konnte in dieser Hinsicht nicht ermittelt werden.

Untersuchte Stücke: 6.

Vorkommen: Von Schweir 2, von Bekfêja 2, von Duar 2 aus bräunlichen und hellen Tonmergeln.

Sammlung: Zumoffen.

Familie: **Terebratulidae** King.

Gattung: **Terebratula** Klein.

Terebratula asiatica n. sp.

Taf. I, Fig. 6a—d.

Maße: Höhe: 35, 25 *mm.*

Breite: 32, 22 *mm.*

Dicke: 21, 13 *mm.*

Beschreibung: Mittelgroßer Brachiopode, fast so breit wie hoch, ziemlich stark aufgeblasen. Die größte Dicke liegt oberhalb der halben Höhe, die stärkste Breite nähert sich dem unteren Schalendrittel. Karakteristisch wirkt in der Vorderansicht der spitze Wirbel in Verbindung mit der nach unten breit ausladenden Mittelregion, unter welcher der sehr niedrige unterste Schalenteil kaum zur Geltung gelangt. Kurz, die ausgesprochen keilförmige Gestalt.

Die kleine Klappe ist breiter als hoch und zeigt bedeutendere Breiten- als Längenkrümmung. Ihre in der Mitte flachere Wölbung verstärkt sich energisch auf den Flanken. Nach vorn hin zeigen sich drei seichte Furchen. Auf den Seiten zwei breite, etwas tiefer eingeschnittene, in der Mitte eine ganz flache. Die Furchen sowie die beiden schwachen Falten beginnen erst unterhalb der Mitte.

Die große Klappe ist schmaler als hoch. Auf ihrer vorderen Hälfte bemerkt man eine breite, flache Falte begrenzt von zwei schmaleren, wenig tiefen Längsfurchen, die den korrespondierenden Gebilden der Oberschale entsprechen.

Der Schloßrand ist mäßig gerundet und setzt sich unter schwacher Einbiegung in die Seitennähte fort.

Der starke, spitze, hocherhobene Schnabel ist kräftig gebogen und trägt zwei seitliche nicht scharf markierte Kanten. Die Stielöffnung ist klein und oval gestaltet. Das Deltidium kommt deutlich zum Vorschein.

Schalenstruktur: Eine der tieferen Schalenlamellen zeigt im oberen Teil gerade, gegen unten hin gewellte, feine Radialstreifen. Die Punktierung besitzt sehr regelmäßige Anordnung.

Bemerkungen: Exemplare von *Terebratula Bauhini* Etallon und *T. ovoides* Sow., wie sie von Haas[1] und Quenstedt[2] abgebildet werden, bieten beim ersten Anblick mancherlei Ähnlichkeit dar. Die nähere Prüfung erweist sie jedoch als unverwendbar zu näherer Vergleichung. Auf Tafel XIX, Fig. 5 und 6, seiner zitierten Brachiopodenarbeit bringt Haas die Abbildung zweier Jugendexemplare von *T. Zieteni* Loriol aus den Badener Schichten von Baden. Vielleicht gibt uns die Ähnlichkeit dieser Formen

---

[1] 1893. Haas. Brachiopoden d. schw. Jura. Bd. III, Taf. XXII, Fig. 2 *a, b.*

[2] 1891. Quenstedt. Die Brachiopoden. Atlas, Taf. XLIX, Fig. 103.

mit einer jungen *T. asiatica* einen Anhalt für verwandtschaftliche Beziehungen. Die Vergleichung unserer Form mit ausgewachsenen Exemplaren von *T. Zieteni* Lor. führte indessen zu negativem Ergebnis.

Untersuchte Stücke: 2.

Vorkommen: Im Kelb- oder Salimatal in hellen, anscheinend tonigen, oolithischen Gesteinen. Sammlung: Zumoffen.

Terebratula Bauhini Etallon.

Taf. I, Fig. 7*a—d*, 8*a—d*.

Synonyme:

1862. *Terebratula Bauhini*, Etallon. Lethea bruntrutana, pag. 285, Taf. XLI, Fig. 6.
1862. *Terebratula moravica*, Etallon. Lethea bruntrutana, pag. 286, Taf. XLI, Fig. 8.
1867. *Terebratula Bauhini*, Moesch. Aargauer Jura, pag. 158, 171.
1886.   »   »   Douvillé. Sur quelques Brachiopodes du terr. jur., pag. 76, Taf. I, Fig. 7.
1888.   »   »   de Loriol. Couches coralligènes de Valfin, pag. 336, Taf. XXXVII, Fig. 10—12.
1891.   »   »   de Loriol. Couches corall. inf. du Jura bernois, pag. 350, Taf. XXXVI, Fig. 16—20.
1893.   »   cf.   »   Haas. Brachiopodenfauna d. schw. Jura, pag. 117, Taf. XXII, Fig. 1—4.
1893.   »   »   Siemiradzki. Oberer Jura in Polen, pag. 138.
1896.   »   »   Semenow. Faune des dép. jur. de Mangyschlak, pag. 47.

Maße: Höhe: 23, 29, 32, 38 *mm*.
Breite. 20, 22, 25, 24 *mm*.
Dicke: 11, 13, 16, 19 *mm*.

Beschreibung: Das Gehäuse der vorliegenden Art ist länglichoval bis fünfeckig, meistens bedeutend höher als breit, in der Jugend flach und gewinnt mit zunehmender Größe anscheinend bedeutend an Höhe. Stets liegt die Region der größten Breite etwas unter der halben Höhe, die Stelle der bedeutendsten Dicke aber darüber.

Die kleine Klappe ist in der Jugend schwach gewölbt, bei großen Stücken dagegen besonders in der Wirbelregion kräftig aufgeblasen. Ihre im großen Ganzen gleichmäßige Krümmung wird durch zwei breite, flache Furchen unterbrochen, die unterhalb der Mitte beginnen und beiderseits den Stirnrand begrenzen. Sie modellieren aus der Ventralschale den Stirnsinus heraus.

Die große Klappe zeigt gleichmäßig kräftige Wölbung. Zwei schwach markierte Falten ziehen aus der Gegend unterhalb der Schalenmitte als Begrenzung der Stirnbucht gegen den Vorderrand.

Die Schloßkanten laufen unter einem Winkel von etwa 120° zusammen und vereinigen sich unter schwacher Einbiegung mit den Seitennähten; Letztere gehen wieder unter ziemlich kräftiger Ausbiegung in den Stirnrand über, welcher einfach aufgebogen ist.

Der Wirbel ist in der Regel ziemlich hoch, gerade emporstrebend mit ziemlich kleiner, kreisrunder Öffnung. Der Wirbelhals zeigt mäßige Verdickung. Unter dem Schnabelloch kommt ein ziemlich großes, dreieckiges Deltidium zum Vorschein.

Die Schale erscheint glatt bis auf eine Anzahl gröberer Anwachslinien. Zuweilen macht sich eine feine radiäre Streifung bemerklich, die einer tiefer gelegenen Schalenschicht angehört.

Bemerkungen: Kleine Individuen zeigen vielfach noch gar keine Sinusbildung. Die Wölbung der großen Schale unterliegt erheblichen Verschiedenheiten. Mittelgroße Stücke sind mehrfach schwächer gebogen als kleine Exemplare. Die vorliegende Form muß ohne Zweifel mit *Terebratula Bauhini* Loriol identifiziert werden. Ein Vergleich mit den Beschreibungen von Loriol und Etallon, insbesondere mit den von ersterem Autor gegebenen Abbildungen, zeigt das aufs deutlichste. Auch das reiche Material der münchner Staatssammlung verschafft uns weitere Gewißheit. Manche Stücke von Yonne und Valfin sind von den vorliegenden kaum zu trennen. Eine Vergleichung von zahlreichen mir vorliegenden Jugendformen aus dem Formenkreise der *Terebratula moravica* Glockner, *T. repeliniana* d'Orb., *T. cyclogonia* Zeusch., mit *T. Bauhini* Lor. führt zu der Erkenntnis, daß die prägnanten Artunterschiede sich häufig erst bei ausgewachsenen Individuen mit aller Deutlichkeit herausbilden, und daß die auf Jugendformen gegründeten Bestimmungen mit großer Vorsicht aufzunehmen sind. So ähneln z. B. kleine Exemplare unserer Art zum

Verwechseln solchen von *T. cyclogonia* Zeusch. aus dem Kelheimer Diceraskalk. Anderseits lassen sich mittelgroße Individuen der letzteren Spezies absolut nicht trennen von gleichgroßen Stücken von *T. Bauhini* Lor. aus dem weißen Kalk von Valfin.

Am Schluß seiner Betrachtungen über die Beziehungen von *T. Bauhini* zu anderen Formen zieht Loriol[1]) die Richtigkeit der Bestimmung einer von Schlosser[2]) als *T. repeliniana* d'Orb. beschriebenen und abgebildeten Form in Zweifel. Das Original scheint mir bei näherer Besichtigung jedoch alle Merkmale der *Repeliniana* zu besitzen. Ebenso erweist sich die von Schlosser[3]) gebrachte *T. moravica* Glock. als typischer Vertreter der Glocknerschen Spezies. Loriol hatte sie gleichfalls seiner *T. Bauhini* zugerechnet.

T. Bauhini Loriol, eine Form von starker horizontaler Verbreitung, findet sich im: Rauracien des Berner Jura, Astartien von Solothurn,[4]) Aargau,[5]) Süd-Baden, Ptérocérien von Valfin, Rauracien von Haute-Saône, Polen, Astartien von Mangyschlak.

Untersuchte Stücke: 16.

Vorkommen: 2 von Schweir. Die übrigen von verschiedenen Fundstellen des Kelb- und Salimatales aus heilem, mergeligem oder braunem, kalkig-tonigem Gestein.

Sammlung: Zumoffen.

Terebratula beirutiana n. sp.

Taf. I, Fig. 9a—d.

Maße: Höhe: 40, 31 *mm*.
Breite: 33, 25 *mm*.
Dicke: 25, 19 *mm*.

Beschreibung: Das mittelgroße, fünfseitig abgerundete Gehäuse ist länger als breit. Etwas über der halben Höhe liegt die größte Dicke, ein wenig unter der ersteren die bedeutendste Breite. Beide Schalen sind gleichmäßig und stark gewölbt.

Die kleine Klappe, der Breite nach stärker gekrümmt als die Ventralschale, schwillt in der Mitte am kräftigsten an. Gegen den Stirnrand hin ziehen sich zwei kurze, seichte Lateralfurchen und eine schmalere Medianfurche hinab, zwischen denen sich zwei kurze, gerundete Falten erheben.

Die große Klappe ist in der Längsrichtung stärker gekrümmt als die Dorsalschale, in der Breitenerstreckung aber schwächer. Unterhalb der Mitte verschmälert sie sich zu dem mittelmäßig breiten Stirnrand. Man bemerkt hier zwei flache Depressionen und eine kurze, schwach angedeutete mittlere Falte.

Der Schloßrand bildet einen mäßig stumpfen Winkel. Die Seitenkommissuren biegen ventralwärts ziemlich tief aus. Die Stirnlinie zeigt eine leichte Doppelfalte.

Der breite, gerundete, hochragende Schnabel legt sich ziemlich kräftig nach vorn über, so daß er über den Wirbel der Dorsalklappe um ein relativ bedeutendes Stück hinausragt. Die rundlich-ovale Stielöffnung läßt trotz ihrer beträchtlichen Größe das Deltidium deutlich hervortreten. Letzteres wird durch eine geringe Kallosität verunstaltet, die dem unteren Rande des Loches gleichsam als Stütze dient. Die schwachen Schnabelkanten bilden eine Areola.

Die Schalenoberfläche ist glatt bis auf einige nur schwach hervortretende Zuwachsstreifen. Tiefere Schalenlamellen zeigen irregulär verlaufende, leicht gewellte Radiärrippchen.

Bemerkungen: Bei dem Versuche, diese biplikate Form in das große Heer europäischer zweigefalteter Formen einzureihen, nahm ich die von Rothpletz[6]) vorgeschlagene Einteilung zum Ausgangspunkt. Dabei ergab sich ihre Zugehörigkeit zu der »Grandis-Sippe«, welche als Unterart für den Malm die

¹) 1888. Loriol. Couches corall. de Valfin, p. 337.
²) 1881. Schlosser. Kelheimer Diceraskalk, p. 200.
³) 1881. Schlosser. Das Obige.
⁴) 1867. Moesch. Aargauer Jura, p. 158, 171.
⁵) 1893. E. Greppin. Couches d'Oberbuchsitten, p. 94, Taf. VII, Fig. 5, 6.
⁶) 1887. Rothpletz. Monographie d. Vilser. Alpen, p. 75.

varietätenreiche *Terebratula bisuffarcinata* Schlotheim aufweist. Die Fülle von Unklarheit, welche bezüglich des Formenkreises dieser Art herrscht, findet ihren Ausdruck in der verschiedenartigen Auffassung ihrer Unterarten und Varietäten bei deutschen, französischen und italienischen Autoren. Für den Nichtspezialisten ist es daher zweckmäßiger, auf die älteren, grundlegenden Autoren zurückzugreifen. Als unserer Form verwandt treffen wir die *T. bicanaliculata* Qu. aus dem weißen Jura von Zwiefalten. Quenstedt[1] läßt dieses Stück indessen nur als eine nach unten verbreiterte Abänderung der *T. bisuffarcinata* Zieten gelten. Diese starke Verbreiterung der Unterregion und die relativ schwache Faltenbildung haben nun unsere Stücke mit *T. bicanaliculata* Qu. gemeinsam. Anderseits weichen sie vermöge der starken Wölbung der Oberschale und durch die für Bisuffarcinaten ungewöhnliche Art der Schnabelbildung von dem Quenstedtschen Typ nicht unerheblich ab. Auch mit den Bisuffarcinaten des Glandarienkalkes hat *T. beirutiana* nur wenige Berührungspunkte.

Untersuchte Stücke: 3.

Vorkommen: Kelbtal, Salimatal, in hellen, mergeligen, oolithischen Ablagerungen.

Sammlung: Zumoffen.

Terebratula bisuffarcinata Schloth.

Taf. I, Fig. 10*a—d.*

Synonyme:

1820. *Terebratulites bisuffarcinatus* Schlotheim. Petrefaktenkunde, pag. 279.
1871. *Terebratula bisuffarcinata* Quenstedt. Die Brachiopoden, pag. 394, Taf. 49, Fig. 22—23.
1876.   „   „   de Loriol. Conches de Baden, pag. 167, Taf. 23, Fig. 6—7.
1886.   „   „   Douvillé. Brachiopodes du terr. jur., pag. 84, Taf. 3, Fig. 3.
1890.   „   „   Neumayr. Zur Geol. u. Pal. Japans. Naumann u. Neumayr, pag. 33, Taf, 5, Fig. 4.
1893.   „   „   Haas. Brachiopodenfauna d. schw. Jura, pag. 127. Taf. 18, Fig. 1—6.

Maße: Höhe: 28 *mm.*
Breite: 20 »
Dicke: 16 »

Bemerkungen: Von dieser Art liegt ein Stück von Schweir vor, das in der Form des Schnabels Merkmale vorgeschrittenen Alters erkennen läßt. Es reiht sich den beiden größeren Jugendexemplaren an, die von Blanckenhorn[2] als *Terebratula bisuffarcinata* Schloth.? beschrieben wurden. Von dem von letzterem Autor durch Fig. 8 veranschaulichten Typ unterscheidet sich das vorliegende Stück durch die schmalere, zusammengedrückte Form, durch die stärkere Wölbung seiner Dorsalschale sowie durch die flacheren, eng aneinander gerückten Stirnfalten.

Blanckenhorn stellte diese Art mit Recht dem Formenkreise der *T. bisuffarcinata* zu. Nach meinem Erachten dürfen jedoch nur die durch Fig. 8 und Fig. 9 dargestellten Stücke als sicher hierher gehörig betrachtet werden. Letztere und das Exemplar von Schweir reihen sich zwanglos dem Schlotheimschen Originaltypus an. Eine Prüfung des sehr reichhaltigen, aus der Gegend von Amberg stammenden Materials des münchner Museums legt dafür beredtes Zeugnis ab. Eine eingehende Beschreibung dieser libanesischen Art findet sich bei Blanckenhorn. (loc. cit.)

T. bisuffarcinata Schloth. ist eine Form von weiter horizontaler und vertikaler Verbreitung. Sie findet sich im: Séquanien der Schweiz, Oxfordien, Séquanien und Kimméridgien von Franken,[3] Séquanien von Sachsen,[4] Oxfordien von Böhmen[5] und Oberschlesien,[6] vielleicht auch in Polen[7] und im Kaukasus.[8]

---

[1] 1871. Quenstedt. Brachiopoden, pag. 394.
[2] 1891. Blanckenhorn. Kreidesystem in Syrien, pag. 15, Taf. 2, Fig. 8—11.
[3] 1870. Guembel. Frankenjura, pag. 99 ff.
[4] 1885. Bruder. Jura von Hohnstein in Sachsen.
[5] 1881. Bruder. Jura von Sternberg, pag. 38.
[6] 1870. Roemer. Geologie von Oberschlesien, pag. 259.
[7] 1893. Siemiradzki. Oberer Jura in Polen, pag. 136.
[8] 1892. Neumayr und Uhlig. Jurafossilien im Kaukasus, pag. 12.

Die von Sueß[1]) beschriebene Form scheint mir unserer Art nicht anzugehören. Dagegen muß die von Neumayr aus Japan beschriebene Species wahrscheinlich hier angeschlossen werden.

Untersuchte Stücke: 1.

Vorkommen: Schweir im Kelbtal.

Sammlung: Zumoffen.

Terebratula curtirostris n. sp.

Taf. I, Fig. 11 a—d, Taf. II, Fig. 1 a—c.

Maße: Höhe: 24, 21, 18, 15 *mm*
Breite: 22, 17, 16, 13 »
Dicke: 16, 13, 12, 10 »

Beschreibung: Diese Spezies ist rundoval, längsoval oder subpentagonal. Größere Stücke erscheinen im Verhältnis zur Höhe breiter als Jugendformen. Die größte Dicke hält sich im allgemeinen etwas über der halben Höhe. Die bedeutendste Breite befindet sich in der Jugend näher dem Vorderrande. Mit vorschreitendem Wachstum verlagert sie sich indessen mehr gegen die Mitte hin. Zwischen der Höhe und Dicke ergeben die obigen Messungen ein konstantes Verhältnis von 3 : 2. Das Gehäuse erhält durch die starke Ausbildung der dritten Dimension ein gedrungenes Aussehen.

Die Dorsalschale ist durchschnittlich ebenso breit wie hoch. Etwas unterhalb des Wirbels erleidet sie eine bauchähnliche Anschwellung, welche für die Gestalt unserer Art typisch ist. Die Schalen-ränder ziehen sich allseits konvex zu den Nähten herab. Nur an den Ecken der kurz und breit abgestutzten Unterregion zeigen sich zwei ganz kurze, schwache Depressionen. Ihnen entspricht ein kurzer, faltenloser Sinus der großen Klappe.

Die kräftig gewölbte Ventralschale zeigt eine in der Längsrichtung stärker akzentuierte Aufschwellung der mittleren Schalenpartien. Der Stirnrand verläuft entweder gerade oder in leichter dorsaler Aufbiegung.

Der Schloßrand bildet einen sehr stumpfen Winkel. Die Seitennähte zeigen sich in ventraler Richtung flach ausgebogen und steigen ziemlich steil zu der einfach geschwungenen Stirnkommissur empor. Den Schnabel findet man bei kleinen Individuen kräftig ausgebildet, bei größeren relativ schwach entwickelt. Er erscheint kaum mittelgroß, mäßig gekrümmt und allseits gerundet. Die kreisrunde Stiel-öffnung von mittlerer Größe verdrängt fast vollständig das Deltidium.

Die glatte Schalenoberfläche wird gegen den Außenrand hin von groben Zuwachsstreifen unterbrochen. Die Perforationen sind sehr zahlreich, sehr fein und von länglich-ovalem Umriß.

Bemerkungen: Trotz ihrer Kleinheit machen die größten der vorliegenden Stücke einen ziemlich ausgewachsenen Eindruck. Von ähnlichen Formen kommen hier nur in Betracht T. Gallienei d'Orb. und T. Bourgueti Et., wie sie von Douvillé[2]) aus der Cordatenzone Ostfrankreichs und aus dem Rauracien von Châtel-Censoir abgebildet werden. Von beiden Arten unterscheidet sich unsere Spezies nun von vorn-herein durch relativ geringere Höhe. T. Gallienei d'Orb. ist eine biplikate Form, unsere Stücke sind typisch uniplikat. Noch weitere Unterschiede lehrt das aus dem französischen und schweizerischen Jura herbeigezogene Vergleichsmaterial des münchner Museums. Es finden sich bei T. Gallienei bedeutenderer Dickendurch-messer bei relativ geringerer Breite, andere Beschaffenheit des Schnabels, welcher, wie auch Haas[3]) hervor-hebt, durch zwei Arealkanten begrenzt wird, und dessen kleines Loch das Deltidium deutlich hervortreten läßt. Schließlich ist noch die abweichende Gestalt der Perforationen zu erwähnen, welche die Form eines kurzen sich an den Enden verjüngenden Striches besitzen. Weit näher steht unserer Art T. Bourgueti Et., aber auch hier machen sich wieder einige Unterschiede geltend. Letztere ist nach Douvillé uniplikat, nach Haas[4]) aber biplikat. Douvillés Abbildungen zeigen ferner längere, schmalere Formen mit spitzer zulaufendem Schloßrand und mit stärker gekrümmtem Wirbel.

---

[1]) 1858. Sueß. Brachiopoden d. Stramberger Schichten, pag. 25, Taf. 1, Fig. 1—3.
[2]) 1886. Douvillé. Quelques brachiopodes du terr. jur., pag. 74. Taf. 1, Fig. 1, 4, 5, pag. 63, Taf. 1, Fig. 1.
[3]) 1893. Haas. Brachiopoden d. schw. Jura, pag. 113.
[4]) 1893. Haas. In obigem, pag. 115, Taf. 15, Fig. 5—10.

T. Bourgueti Et. findet sich im; Rauracien des Berner Jura,[1]) von Yonne,[2]) Boulogne,[3]) Polen,[4]) des Aargaus.[5])

Untersuchte Stücke: 7.

Vorkommen: Duar im Kelbtal, Mär Eljäs im Salimata!.

Sammlung: Zumoffen.

Terebratula longisinuata n. sp.

Taf. I, Fig. 12*a—d*, Fig. 13*a—d*.

Maße: Höhe: 36, 32, 30, 28, 26, 17 *mm*.

Breite: 30, 26, 27, 24, 22, 16 »

Dicke: 19, 18, 16, 10, 14, 8 »

Beschreibung: Dieser Typ von karakteristischem fünfseitigem Umriß ist nur wenig höher als breit. Die Region der größten Breite wechselt. Bald liegt sie über, bald auf, manchmal auch unterhalb der Schalenmitte. Die bedeutendste Dicke fällt stets in die obere Schalenhälfte. Gegen unten hin zeigen sich sämtliche Stücke stark verschmälert.

Die Dorsalschale ist meistens konvex, in selteneren Fällen aber auch konkav gewölbt. Ihre obere Partie entsendet schräg nach unten zwei sehr breite Furchen. Letztere sind bei jungen Exemplaren flach. Mit zunehmender Größe und Dicke des Gehäuses vertiefen sie sich jedoch derart, daß die Ventralschale in ihrer Unterregion auf einen verhältnismäßig schmalen, langgestreckten Sinus beschränkt wird. Die Dorsalschale erfährt so auf Kosten der Ventralschale eine erhebliche Vergrößerung. Bei der Hälfte der vorliegenden Stücke tritt zwischen den beiden Seitenfurchen der kleinen Klappe eine schmale Mittelfurche auf. Sie findet ihr Analogon in einer leichten Mittelfalte der großen Klappe.

Die Ventralschale zeigt verschiedene Grade von Wölbung. Meistens umfaßt sie in gleichmäßiger Krümmung, die sich einem Halbkreise nähern kann, die bedeutend niedrigere kleine Klappe. Der Umstand, daß ihre breite Oberregion sich oft schon oberhalb der Mitte in die langgestreckte Stirnbucht verjüngt, verleiht ihr vor allem in der Rückansicht ein höchst bezeichnendes Aussehen.

Der kräftig gerundete Schloßrand vereinigt sich unter leichter Einbiegung mit den Seitenkommissuren. Letztere wieder sind in ventraler Richtung sehr stark ausgebuchtet. Die Stirnnaht erscheint einfach emporgeschlagen oder doppelt gefaltet.

Der relativ kleine, allseits gerundete Schnabel ist derart gebogen, daß die kreisrunde. mittelgroße Stielöffnung genau nach vorn blickt. Das Deltidium kommt nur wenig zum Vorschein.

Skulptur: Abgesehen von einer Anzahl von kräftig entwickelten Anwachsstreifen, zeigen tiefere Schalenlamellen eine große Anzahl zierlicher, gerader oder gewellter Radialstreifen.

Bemerkungen: Die beschriebene Art gehört ohne Zweifel zum Formenkreise der *Terebratula subsella* Leym. Man findet bei beiden Arten den gleichen Kontrast in der Wölbung der großen und der kleinen Schale, ferner dieselbe Bauart der Wirbelregion und des Schloßrandes. Der Hauptunterschied liegt für unsere Form in der tiefen ventralen Ausbuchtung der Seitenkommissuren, insofern sie zur Bildung des typischen langgezogenen Sinus der Unterschale führt. Für *T. longisinuata* kommt dann noch die zierlichere Gestalt des Schnabels mit dem kleineren Schnabelloch in Betracht.

Besonders nahe steht unserer Spezies die von Dacqué[6]) aus dem Kimméridgien des Somalilandes beschriebene Art, die mir in großer Anzahl zur Verfügung steht. Der Autor identifiziert diese Form mit *T. subsella* Leym. Ich bin geneigt, in ihr einen neuen Typ zu erblicken, der in seinen zahlreichen lokalen Variationen starke Anklänge zeigt an *T. subsella* Leym., aber auch z. B. an *T. farcinata* Douvillé.

[1]) 1861. Thurmann und Etallon. Lethea bruntrutana, pag. 286, Taf. 41, Fig. 7.

[2]) 1893. Haas. Jurass. Brachiopodenfauna, pag. 116.

[3]) 1886. Douvillé. Quelques Brachiopodes, pag. 75.

[4]) 1886. Douvillé. Wie obiges.

[5]) 1893. Siemiradzki. Oberer Jura in Polen, pag. 137.

[6]) Die betreffende Arbeit liegt noch nicht gedruckt vor.

Erwähnt sei ferner die bedeutende Ähnlichkeit unserer Art mit *T. sella* Sow., wie sie Davidson[1]) aus dem Grünsand der Insel Wight abbildet. Hier sind es hauptsächlich Verschiedenheiten in der Bildung von Schnabel und Schloßrand, welche die beiden Spezies trennen.

Untersuchte Stücke: 10.

Vorkommen: Kelbtal und Salimatal in hellen, oolithischen Mergeln und Tonen.

Sammlung: Zumoffen.

Terebratula phoeniciana n. sp.

Taf. I, Fig. 14*a—d*, Taf. II, Fig. 2*a—c.*

Maße: Höhe: 31, 30, 26 *mm.*

Breite: 29, 26, 24   »

Dicke: 19, 18, 14   »

Beschreibung: Die vorliegende Spezies ist von rundlich-ovaler oder subpentagonaler Gestalt. Ihre Höhe übertrifft die Breite nur wenig. Die größte Breite befindet sich stets ein wenig unter der stärksten Dicke. Beide Schalen sind kräftig gewölbt.

Die kleine Klappe, etwas breiter als lang und von beinahe kreisrunder Form, wird in ihrer unteren Partie durch drei Furchen schwach modelliert. Gewöhnlich übertrifft die mediane Furche die seitlichen an Breite, während die letzteren etwas tiefer eingebuchtet erscheinen. Zwischen diesen Depressionen erheben sich zwei kurze Falten.

Die große Klappe ist von länglicher Gestalt. Ihre Schale fällt von dem median kräftig aufgeschwollenen Wirbelbug in gleichmäßiger Konvexität nach dem Außenrande ab. In der Unterregion bewirken die ventralwärts einspringenden Lateralfurchen der Dorsalschale die Bildung eines kurzen, schwach gefalteten Sinus.

Der Schloßrand bildet einen ziemlich stumpfen Winkel. Die Seitenkommissuren sind ventralwärts schwach eingebogen. Die Stirnnaht ist doppelt gewellt.

Der kräftige, aber nicht sehr stark gebogene Schnabel trägt eine ziemlich weite Schnabelöffnung. Das Deltidium kommt deutlich zum Vorschein. Das Armgerüst kennzeichnet sich äußerlich durch drei fast gleichlange Streifen auf der Dorsalschale. Am Wirbel der letzteren schimmern die starken, wenig gebogenen Schloßplatten durch.

Bemerkungen: Das kleinste der gemessenen und abgebildeten Exemplare besitzt einen relativ stark gefalteten Stirnrand wie man ihn in ähnlicher Ausbildung bei *T. subsella* Leym. antrifft. Von *T. orbiculata* Roem., welche mir aus dem münchner Museum aus dem Argovien von Dives bei Calvados vorliegt, unterscheidet sich *T. phoeniciana* durch stärkere Wölbung, stumpferen Schloßrand und geringere Krümmung des Wirbels. Eng sind dagegen ihre Beziehungen zu *T. Baltzeri* Haas.[2]) Dieser Autor bildet neben Stücken mit ganz glattem Stirnrande auch gefaltete Exemplare ab. Dieser Umstand nun in Verbindung mit einer allgemeinen Ähnlichkeit der Umrisse scheint mir die Annahme verwandtschaftlicher Beziehungen zwischen letzterer Form und *T. phoeniciana* zu rechtfertigen. Größere Dicke und steilere Schnabelstellung weisen unserer Art eine eigene Stellung zu.

T. Baltzeri Haas findet sich im Astartien des Aargaus.

Untersuchte Stücke: 10.

Vorkommen: Kelbtal und Salimatal in hellem oolithischem Kalkmergel.

Sammlung: Zumoffen.

Terebratula sannina n. sp.

Taf. II, Fig. 3*a—d*, Fig. 4*a—c*, Fig. 5*a—c.*

Maße: Höhe: 21, 19, 19, 14 *mm.*

Breite: 16, 16, 15, 11   »

Dicke: 11, 10, 9, 7   »

¹) 1852. Davidson. British fossil Brachiopoda, Bd. I, pag. 59, Taf. 7, Fig. 4—10.

²) 1893. Haas. Brachiopodenfauna d. schw. Jura, pag. 136, Taf. 19, Fig. 1—2, 11—14.

11*

Beschreibung: Das kleine fünfseitig bis dreieckig gerundete Gehäuse von bald schlankerer, bald plumperer Gestalt ist stets um ein Beträchtliches höher als breit. Seine größte Dicke liegt in der oberen Schalenhälfte, die bedeutendste Breite hingegen in der unteren. Gegen den Wirbel hin spitzt sich das Gehäuse ganz allmählich zu. Die Vorderregion erscheint kurz abgestutzt.

Die Dorsalschale zeigt je nach der Art der Wölbung zwei Haupttypen. Ist sie stärker aufgeblasen, so tritt die Wirbelregion an Bedeutung zurück, der Schnabel erscheint dann klein und wenig gekrümmt. Bei geringerer Aufbiegung der Schale gewinnt die Wirbelpartie an Bedeutung. Unterhalb der Schalenmitte entspringen zwei flache laterale und eine tiefere mediane Furche und erteilen dem Unterrande seine karakteristische Doppelfaltung. Je nach der Beschaffenheit der Furchen sind nun die Falten hoch und schmal oder niedrig und breit. Ist die Medianfurche breit und tief, so erhalten die Falten leicht etwas Zugeschärftes.

Die Ventralschale von gleichmäßiger Wölbung und nicht sehr bedeutender Dicke fällt ziemlich schroff gegen den Außenrand hin ab. Eine Medianfalte, die sich selten bis über die Schalenmitte hinauf verfolgen läßt, und zwei kürzere seitliche Furchen entsprechen den Furchen und Falten der anderen Schale. Der Schloßrand ist im allgemeinen kräftig gebogen und geht unter leichter Einbiegung in die Seitennähte über. Letztere verlaufen bis zum vorderen Schalendrittel etwa gerade, um dann nach kurzer aber kräftiger ventraler Ausbiegung zu den Falten des Vorderrandes emporzuziehen. Die Stirnkommissur besitzt von vorn gesehen die Gestalt eines verkehrt gestellten lateinischen W.

Der Schnabel von mäßiger Größe ist nicht sehr kräftig gebogen. Der Wirbelhals zeigt starke Entwicklung. Eine leichte Andeutung von Schnabelkanten wurde nur in einem Falle beobachtet. Die mittelgroße Stielöffnung verhindert bei kurzem Schnabel die Ausbildung eines Deltidiums.

Bis auf eine Anzahl grober Anwachsstreifen ist die Schalenoberfläche glatt. An durchsichtigen Schalen gewahrt man die langen, nicht sehr starken Schloßplatten.

Bemerkungen: Die vorliegende Art zeigt in der Größe und in der Ausbildung der Falten im allgemeinen konstante Merkmale. Sie ist deshalb sehr leicht von anderen Spezies zu unterscheiden. Dagegen gelang es mir nicht, sie mit Formen aus dem weißen Jura in Verbindung zu bringen. Es zeigten sich vielmehr nur Anklänge an Terebratula longiplicata Oppel aus dem Kallovien von Salins, département Jura. Sieht man ab von dem nicht unbedeutenden Größenunterschied, so läßt sich ziemlich Übereinstimmung der beiden Arten feststellen bezüglich der allgemeinen Form, der Beschaffenheit der Falten und der Gestalt des Wirbels. Exemplare der münchner Staatssammlung geben dafür sicheren Anhalt.

Untersuchte Stücke: 13.

Vorkommen: Kelbtal und Salimatal, aus bräunlichen oder hellen Kalken und Mergeln.

Sammlung: Zumoffen.

Terebratula subsella Leymerie.

Taf. II, Fig. 6a—d, Fig. 7a—d.

Synonyme:

1846. *Terebratula subsella* Leymerie. Statistique géol. de l'Aube, pag. 249, Atlas, Taf. X, Fig. 5.
1846.   »   *sella* Leymerie. Im vorigen, pag. 240, Atlas, Taf. IX, Fig. 12.
1860.   »   *subsella* Contejean. Kimméridgien de Montbéliard, pag. 219.
1862.   »   *suprajurensis* Thurmann und Etallon. Lethea Bruntrutana, pag. 283, Taf. XLI, Fig. 1.
1862.   »   »   Etallon. Jura Graylois, pag. 444, 499.
1863.   »   *subsella* Dollfuß. Faune du Cap de la Hève, Prodrome, Nr. 124.
1865.   »   »   Sadebeck. Ob. Jura in Pommern, pag. 663.
1866.   »   »   Beltrémieux. Charente-inférieure, pag. 13, 22.
1867.   »   *suprajurensis* Moesch. Aargauer Jura, pag. 189, 200.
1868.   »   *subsella* de Loriol, in de Loriol und Cotteau. Portlandien de l'Yonne, pag. 216, Taf. XIV, Fig. 11—12.
1872. *Terebratula subsella* de Loriol. Haute-Marne, pag. 412, Taf. XXV, Fig. 2—20.
1874.   »   »   de Loriol et Pellat. Boulogne-s.-m., pag. 236, Taf. XXV, Fig. 17, 18.
1874.   »   »   Brauns. Oberer Jura, pag. 371.

1878. *Terebratula subsella* Davidson. Fossil brachiopoda. Supplement, pag. 148, Taf. XIX, Fig. 10—12.
1878.   »   »   de Loriol. Couches de Baden, pag. 170, Taf. XXIII, Fig. 13—15.
1881.   »   »   de Loriol. Couches de Wangen, pag. 105, Taf. XIV, Fig. 21, 22.
1882.   »   »   Alth. Niżniower Kalkstein, pag. 301, Taf. XXVIII, Fig. 7.
1885.   »   »   Bruder. Hohnstein in Sachsen, pag. 71.
1886.   »   »   Douvillé. Quelques brachiopodes du terr. jur., pag. 86.
1886.   »   »   »   Fossiles du Choa, pag. 232, Taf. XII, Fig. 2.
1892.   »   »   Neumayr und Uhlig. Kaukasusfossilien, pag. 13.
1893.   »   »   Siemiradzki. Ob. Jura in Polen, pag. 138.
1893.   »   »   Haas. Brachiopodenfauna d. schw. Jura, pag. 137, Taf. XXI, Fig. 1—5, 9—17.
1895.   »   »   Woodward. Jurassic rocks, pag. 385.
1896.   »   »   Semenow. Mangyschlak, pag. 45, Taf. I, Fig. 8—9.

Maße: Höhe: 30, 28, 24 *mm*.
Breite: 28, 23, 25   »
Dicke: 19, 10, 9   »

Beschreibung: Das karakteristische, ovale, pentagonale oder subpentagonale Gehäuse ist vielfach von annähernd der gleichen Breite wie Höhe. Bei extremen Formen kann erstere die letztere um ein Geringes übertreffen oder aber, wie es häufiger vorkommt, beträchtlich hinter ihr zurückstehen. Die größte Breite liegt stets unterhalb der Schalenmitte, die bedeutendste Dicke dagegen näher am Wirbel.

Die Ventralschale umfaßt in fast halbkreisförmiger Wölbung die flach gebogene Oberschale. Das Gehäuse erhält so das Aussehen, als sei es von oben nach unten zusammengepreßt worden. Dieser Typ findet sich bei der Mehrzahl der Exemplare. Andere Stücke wieder sind von schmalerer Gestalt, ihre Dorsalschale ist kräftiger gewölbt und tritt deshalb der Unterschale als gleichwertiger gegenüber.

Die kleine Schale entsendet gegen den Außenrand eine mediane und zwei seitliche Furchen. Letztere sind mehr oder minder flach und breit.

Die Mittelfurche ist kurz, tief und wohlgerundet. Zwischen diesen Depressionen erheben sich zwei kurze, mitunter kräftige, gerundete Falten. Die Ventralschale zeigt zwei mäßig breite, wenig vertiefte Rinnen und zwischen ihnen eine schmale, nicht sehr starke, bis zur Schalenmitte verlaufende, gerundete Falte.

Der Schnabelhals ist bald schlanker, bald massiver. Trotzdem ist der Schnabel bei beiden Typen in gleicher Weise ausgebildet. Er erscheint kurz, kräftig gebogen, von mittlerer Größe. Die Stielöffnung, gleichfalls von mittlerem Umfang, läßt das Deltidium kaum zum Vorschein kommen.

Die Schalenskulptur besteht aus einer Anzahl von groben Zuwachsstreifen.

Bemerkungen: Der breite Typus findet seine nächsten Verwandten im Séquanien von Boulogne in der von Loriol (loc. cit., Fig. 18) gegebenen Abbildung. Von letzterer unterscheiden sich unsere Stücke lediglich durch die etwas kräftiger ausgeprägten Seitenfurchen und durch die schwächere Aufwölbung der Dorsalschale. Übereinstimmung herrscht ferner mit zahlreichen Exemplaren des münchner Museums aus dem Séquanien und Kimméridgien von Charente inférieure, Le Hâvre und Wendhausen bei Hannover. Der zweite Typ, schmaler als der erste, mit spitzer zulaufendem Schloßrand und schlankem Schnabelhals, steht den von Loriol in Fig. 13 und 15 gegebenen Formen aus dem Astartien von Baden (loc. cit.) sehr nahe.

T. subsella Leym. kann wegen ihrer Häufigkeit als Leitfossil gelten für das Astartien und Ptérocérien, zeigt sich aber noch im Virgulien und Portlandien. Sie findet sich infolge ihrer außerordentlich großen horizontalen Verbreitung nicht nur in den mitteleuropäischen Juraterritorien mit Ausnahme von Schwaben und Franken, sondern auch in Polen, Ostgalizien, Transkaspien, Kaukasus, Kreta, Abessinien, Somaliland, Algier.

Untersuchte Stücke: 8.

Vorkommen: Kelbtal und Salîmatal.

Sammlung: Zumoffen.

Terebratula cf. Zieteni Loriol.

Taf. II, Fig. 8 *a—d*.

Synonyme:

1830. *Terebratula bisuffarcinata* v. Zieten. Württembergs Versteinerungen, pag. 54, Taf. XI., Fig. 3.
1869. » » Quenstedt. Der Jura, pag. 638, Taf. LXXIX, Fig. 17.
1871. » » » Die Brachiopoden, pag. 394 ff.
1875. » » v. Ammon. Juraabl., pag. 159.
1878. » *Zieteni* de Loriol. Couches de Baden, pag. 168, Taf. XXIII, Fig. 8—12.
1881. » » Bruder. Jura von Sternberg, pag. 37, Taf. II, Fig. 1.
1885. » *bisuffarcinata* Bruder. Jura von Hohnstein, pag. 71.
1887. » *Zieteni* Douvillé. Quelques brachiopodes du terr jur., pag. 70.
1893. » » Haas. Brachiopodenfauna d. schw. Jura, pag. 129, Taf. XVIII, Fig. 7—13, 15, Taf. XIX, Fig. 3—9.

Maße: Höhe: 30 *mm.*

Breite: 23 »

Dicke: 15 »

Beschreibung: Länglich-ovale, biplikate Form, die über der halben Höhe am dicksten, unterhalb der letzteren am breitesten erscheint.

Die Dorsalschale ist flach gewölbt und mit zwei breiten, seichten Lateralfurchen und einer tieferen, kurzen Medianrinne versehen. Zwischen ihnen erheben sich zwei kräftige Falten.

Die Ventralschale von kräftiger, in der Mitte der Unterregion etwas abgeflachter Wölbung, zeigt, entsprechend den Furchen und Falten der kleinen Klappe, eine gut ausgebildete Mittelfalte und seitlich davon die bis zur Längsmitte reichenden, mäßig stark vertieften, gerundeten Furchen.

Der gleichfalls gerundete Schloßrand geht mit leichter Einbiegung in die Seitenkommissuren über. Letztere biegen ventralwärts ziemlich kräftig aus und erheben sich dann steil zu dem doppelt gewellten Stirnrand.

Der Schnabel von graziler Gestalt besitzt zwei schwache, sich bald verlierende Kanten. Trotz seiner energischen Vorwärtskrümmung tritt das Deltidium deutlich zu Tage. Die Stielöffnung ist kreisrund und mittelgroß.

Auf der sonst glatten Schale machen sich gegen den Unterrand hin einige grobe Zuwachsstreifen und feine Radialrippchen bemerkbar. Die letzteren gehören einer tieferen Schalenschicht an.

Bemerkungen: Zum Ausgangspunkt dieser Bestimmung wurde die Form genommen, welche v. Zieten (loc. cit.) als *T. bisuffarcinata* abbildet. Letztere stellt ein kräftig gefaltetes Exemplar dar, das sich von unserer Form durch seine stärker gewölbte Oberschale, durch die schwächer ausgebildete Falte seiner Unterschale sowie durch seine längere Stirnregion unterscheidet.

Nahe Beziehungen zeigt unser Stück des weiteren zu den von de Loriol (loc. cit., Fig. 8) und von Haas (loc. cit., Taf. XVIII, Fig. 15) abgebildeten Formen. Die gründlichen Ausführungen dieser beiden Autoren sind von großem Werte für das Studium des Formenkreises der *T. bisuffarcinata.*

Es ist mir zweifelhaft, ob die von Noetling aus dem unteren Malm vom Hermon beschriebene *T. bisuffarcinata* Zieten der Sippe der Bisuffarcinaten angehört. Die mächtige Entwicklung des Wirbels im Verein mit der merkwürdigen Krümmung der kleinen Klappe erscheinen doch absonderlich.

Untersuchte Stücke: 1.

Vorkommen: Schweir.

Sammlung: Zumoffen.

Terebratula n. sp.

Taf. II, Fig. 9 *a—d.*

Maße: Höhe: 37 *mm.*

Breite: 33 »

Dicke: 24 »

Beschreibung: Vereinzeltes, mittelgroßes Exemplar von rundlicher Gestalt, beinahe so breit wie hoch. Die größte Dicke und Breite liegen etwa auf halber Höhe. Beide Schalen sind kräftig gewölbt, unten kurz abgestutzt und breit gerundet.

Die kleine Klappe besitzt bauchartige Aufwölbung. Sie ist breiter als lang und sehr gleichmäßig gebogen. Erst ganz nahe am Vorderrande machen sich zwei etwas breitere laterale und eine schmalere, kaum angedeutete mittlere Depression bemerkbar.

Die große Klappe ist oben stark, unten ziemlich wenig gekrümmt. Zu beiden Seiten der flachen Mittelfalte ziehen die etwas breiteren, schwach konkaven Furchen bis über die Längsmitte empor.

Der Schloßrand ist kräftig gerundet. Die Seitennähte beschreiben einen sehr flachen, ventralwärts gerichteten Bogen. Die Stirnkommissur ist doppelt gewellt.

Der dicke, stark vornüber gebogene Wirbel erscheint von vorn gesehen relativ schmal. Unter dem großen, kreisrunden Schnabelloch wird das Deltidium sichtbar.

Die Oberfläche der Schale ist glatt. Tiefere Schalenschichten zeigen feine, gerade Radialstreifung. Die Perforationen sind sehr klein, rundlich und dicht geschart.

Bemerkungen: Es gelang mir leider nicht, diese karakteristische Form an andere Arten anzuschließen.

Untersuchte Stücke: 1.

Vorkommen: Kelbtal oder Salimatal.

Sammlung: Zumoffen.

Terebratula sp.

Maße: Höhe: 30, 28 mm.

Breite: 28, 26 »

Dicke: 19, 17 »

Beschreibung: Stücke von mittlerer Größe und von fast kreisrunder Gestalt. Die bedeutendste Breite und Dicke liegen ungefähr auf halber Höhe.

Die sehr regelmäßig und ziemlich kräftig gewölbte Dorsalklappe trägt zwei breite, kurze und flache Falten.

Die Ventralklappe ist in ihrer Längsmitte stark gekrümmt. Unten entsprechen zwei kurze, seichte Depressionen und eine breitgerundete, flache Falte den Furchen und Falten der anderen Schale.

Der Schloßrand ist fast gerade. Die Seitenkommissuren buchten sich erst weit vorn leicht ventralwärts aus und steigen in kräftiger Kurve zu der doppelt gefalteten Stirnnaht empor.

Der Wirbel ist kurz, dick und kräftig gebogen. Die runde, ziemlich kleine Stielöffnung blickt genau nach vorn. Das Deltidium ist auf ein Minimum reduziert.

Die sonst glatte Schale weist einige grobe Anwachsstreifen auf.

Bemerkungen: Die vorliegende Form ist ohne Zweifel nahe verwandt mit *Terebratula phoeniciana* n. sp. In bezug auf die allgemeinen Umrisse, besonders aber hinsichtlich der Ausbildung der Stirnfalten, ist sie mit letzterer Art ident. Als trennendes Merkmal fiel jedoch die andersartige Gestalt des Schnabels ins Gewicht. Übergangsformen fehlen vorläufig noch.

Untersuchte Stücke: 2.

Vorkommen: Kelbtal, Salimatal.

Sammlung: Zumoffen.

Terebratula sp.

Maße: Höhe: 10, 9 mm.

Breite: 8, 7½ »

Dicke: 6, 5½ »

Beschreibung: Sehr kleine Form von mehr vierseitig-gerundetem als pentagonalem Umriß. Größte Breite und Dicke liegen auf halber Höhe. Das Gehäuse verjüngt sich nach oben und unten in fast gleichem Maße.

Die stark konvexe Oberschale baucht sich unterhalb des Wirbels kräftig aus und zeigt ihre stärkste Krümmung in horizontaler Richtung.

Die Ventralschale schwillt in der Wirbelregion am meisten an.

Die Schloßränder bilden einen sehr stumpfen Winkel. Die Seitenkommissuren biegen ein wenig abwärts aus und laufen dann in der schwach emporgebogenen Stirnnaht zusammen.

Der sehr große, dicke und sehr breite Schnabel ragt steil in die Höhe. Das kleine Loch liegt unmittelbar über dem Schloßrand und verdeckt gänzlich das Deltidium.

Die Schale ist glatt bis auf wenige grobe Zuwachsstreifen.

Bemerkungen: Bei der Kleinheit der Exemplare wäre man geneigt, sie für ganz jugendliche Individuen zu halten. Eine solche Annahme stände aber nicht in Einklang mit der vorgeschrittenen Ausbildung der Schnabelregion. Die Beschreibung faßt das größere Stück ins Auge.

Untersuchte Stücke: 2.

Vorkommen: Zwischen Aïn Alak und Bekfёja.

Sammlung: Zumoffen.

Terebratula sp.

Beschreibung: Kleine, anscheinend jugendliche, mehr oder weniger stark verdrückte Formen. Dorsalschale unterhalb des Wirbels sehr stark aufgetrieben und biplikat. Ventralschale in der Oberregion kräftig gewölbt, unten flach. Stirnsinus leicht gefaltet. Schloßrand spitz zulaufend. Schnabel kurz, dick, wenig gekrümmt. Stielöffnung mittelgroß, kreisrund, schräg nach oben blickend. Deltidium schwach sichtbar. Schale glatt oder mit groben Zuwachsstreifen.

Bemerkungen: Beziehungen zu anderen Formen ließen sich nicht feststellen.

Untersuchte Stücke: 2.

Vorkommen: Schweir.

Sammlung: Zumoffen.

Terebratulina substriata Schloth.

Taf. II, Fig. 12 a—d, Fig. 13 a—b, Fig. 14.

Synonyme:

1820. *Terebratulites substriatus* Schlotheim. Petrefaktenkunde, pag. 283.
1830. *Terebratula striatula* Zieten. Württemb. Verst, pag. 59, Taf. XLIV, Fig 2.
1852. *Terebratulina substriata* Davidson. Ann. and mag. of nat. History., pag. 255.
1852. *Terebratula substriata* Quenstedt. Handbuch d. Petr., 1. Ausg., pag. 462, Taf. XXXVII, Fig. 7.
1858. » » » Jura, pag. 635, Taf. LXXVIII, Fig. 30.
1858. *Terebratulina substriata* Sueß. Die Brachiopoden d. str. Schicht., pag. 37, Taf. IV, Fig. 3—6.
1863—1868. *Terebratulina substriata* Pictet. Mélanges pal., pag. 270, Taf. XLI, Fig. 9.
1867. *Terebratulina substriata* Moesch. Aargauer Jura, pag. 189.
1867. » » Quenstedt. Handbuch, 2. Ausg., pag. 551, Taf. XLVII, Fig. 7.
1870. » » F. Roemer. Geol. von Oberschlesien, pag. 265, Taf. XXV, Fig. 6.
1871. *Terebratula substriata* Quenstedt. Brachiopoden, pag. 245, Taf. XLIV, Fig. 12—26.
1878. *Terebratulina substriata* de Loriol. Couches de Baden, pag. 181, Taf. XXIII, Fig. 33—34.
1878. » » Struckmann. Oberer Jura, pag. 32.
1882. » » Schlosser. Kelh. Diceraskalk, pag. 205.
1885. » » Quenstedt. Handbuch, 3. Ausg., pag. 703, Taf. LIV, Fig. 30—31.
1885. » » Bruder. Jura von Hohnstein, pag. 71.
1893. » » Siemiradzki. Ob. Jura in Polen, pag. 141.

Maße: Höhe: 16, 14, 13, 12 *mm.*

Breite: 13, 12½, 11½, 11 *mm.*

Dicke: 5, 4, 5, 4 *mm.*

Beschreibung: Das kleine, längsovale bis gerundet-vierseitige Gehäuse ist stets höher als breit und von großer Flachheit. Wie aus den obigen Abmessungen hervorgeht, unterliegt das Verhältnis von

Höhe zu Breite bei verschiedenen Individuen keinen beträchtlichen Schwankungen. Sämtliche Stücke sind hinten und vorn stark verschmälert. Die größte Dicke liegt stets über der halben Höhe, die bedeutendste Breite immer darunter. Die Wölbungsart der beiden Schalen variiert stark. Nicht selten erscheint die Dorsalschale durch stärkere Krümmung ausgezeichnet.

Die kleine Klappe ist vielfach breiter als lang. Je nach dem ihre mittlere Längsregion konvex, gerade oder konkav ist, ändert sich mit ihrer Form zugleich die des gesamten Gehäuses. Ihre Gestalt wird aber ferner noch bedingt durch zwei sehr breite, mehr oder minder seichte Furchen, deren Depression es bewirkt, daß der Mittelteil der Schale zungenartig nach vorn vorspringt und daß sich ferner die untere Randlinie dorsalwärts emporbiegt. Die mittlere Region der Schale zeigt starke Breitenentwicklung. Sie gewinnt häufig ein gleichsam geflügeltes Aussehen dadurch, daß ihr Außenrand sich beiderseits kräftig herausbuchtet. Die kleinen, zierlichen Ohren bewirken einen geraden oder nur sanft gebogenen Verlauf des Schloßrandes.

Die Ventralschale ist viel regelmäßiger gewölbt als die kleine Klappe. Der Medianfalte der ersteren entspricht hier eine schwach angedeutete, selten bis zur halben Länge reichende Furche.

Von den Ohren nehmen die scharfen Kanten des steilen, kräftigen, oben gerundeten Schnabels ihren Ausgang. Sie umschließen ein ziemlich großes, horizontal gestreiftes Deltidialfeld von parabolischer Form, dessen Fläche von der Fläche der Schnabelkanten nur leicht abgesetzt ist. Ersteres umgibt eine mittelgroße, kreisrunde Stielöffnung.

Die Skulptur besteht aus zahlreichen, feineren oder gröberen, gerundeten Radialrippen, die in geringer Zahl von den Wirbeln ausstrahlen und sich durch Teilung und durch Einschaltung von neuen Elementen stark vermehren. Außerdem bemerkt man wenige, kräftige Zuwachsstreifen und sehr kleine, ziemlich weit voneinander entfernte, unregelmäßig angeordnete Perforationen.

Bemerkungen: Wie die Berippung, so zeigt auch der Schnabel mancherlei Verschiedenheiten. Bald ist sein Deltidialfeld breit und niedrig, bald relativ schmal und hoch. Das Loch kann sich ausnahmsweise bis zum Schloßrand herunter erstrecken. Die Zahl der Rippen schwankt je nach dem Fundort zwischen 30 und 80. Diese Extreme sind jedoch durch Übergänge miteinander verbunden. Im allgemeinen sind die einzelnen Rippen von gleicher Stärke. Bei feingerippten Individuen kommt es indessen vor, daß sich einzelne durch besonders kräftige Entwicklung vor den übrigen auszeichnen.

Die vorliegenden Exemplare nehmen eine Art von Mittelstellung ein zwischen *T. substriata alba* Qu. und *T. substriata silicea* Qu. mit größerer Hinneigung zu der letzteren Form. Wir sind daher zu einer Prüfung der etwas unklaren Verhältnisse veranlaßt, wie sie innerhalb des Formenkreises der *T. substriata* herrschen. Quenstedt (loc. cit.) unterschied zwei Typen. Den ersten, flachschalig, mit feinen dichotomierenden Streifen, ohne merklichen Wulst und Sinus, aus dem Malm α—γ. Er entspricht augenscheinlich der *Terebratula substriata* Schloth. und der *T. striatula* Zieten. Quenstedt schied ihn als *Terebratula substriata alba* von dem zweiten Typ *T. substriata silicea* aus dem Malm ε von Nattheim, weil der letztere größer und mit gröberen Rippen versehen sei. Sueß (loc. cit.) hielt im Gegenteil den ersten Typ für spezifisch verschieden von *T. substriata* Schloth. und schlug für ihn die neue Bezeichnung *Terebratulina Quenstedti* vor. Nur für die Stücke von Nattheim und Stramberg wollte er die ursprüngliche Bezeichnung Schlotheims beibehalten wissen. Loriol (loc. cit.) erklärte sich nicht einverstanden mit dieser Auffassung. Nach seiner Ansicht kommt der nattheimer Variation eine neue Artbenennung zu.

Eine Prüfung des einschlägigen Materials des münchner Museums führte mich nun zu folgenden Ergebnissen: Die Darlegungen von Sueß erweisen sich zunächst als nicht ganz zutreffend. Freilich begegnet man unter den von verschiedenen Fundstellen Schwabens und Frankens herstammenden Exemplaren weitaus der Mehrzahl nach solchen Formen, welche die von Sueß klar präzisierten Merkmale des ersten Typs aufweisen. Es finden sich aber überall und vor allem in Streitberg und Engelhardsberg Individuen, die in der Art der Schalenwölbung, im Vorhandensein von Ohren, durch die Art der Schnabelbildung und durch kräftige Berippung mit *T. substriata silicea* Qu. übereinstimmen. Trotzdem müssen sie ihrer Größe und dem heimischen Horizont nach zu dem ersten Typ Quenstedts gerechnet werden. Als unterscheidendes Artmerkmal bleibt sonach nur der Größenunterschied übrig, wie es schon von Quenstedt hervorgehoben wurde. Dieser Größenunterschied herrscht aber in gleichem Maße zwischen Exemplaren von Nattheim und von Stramberg vor. Er bietet also etweder keine Handhabe zur spezifischen Trennung, oder es muß auch der stramberger Typ seine eigene spezifische Stellung erhalten.

Eine Mischung von Eigenheiten der eben genannten lokalen Varietäten zeigt sich nun bei den Exemplaren aus dem Korallenkalk von Kelheim. Junge Individuen ähneln der *T. substriata alba*, größere der *T. substriata silicea* und ausgewachsene Stücke erreichen fast den Umfang der Vorkommen von Stramberg. Diese Tatsache scheint auch in der historischen Aufeinanderfolge der verschiedenen Typen ihr Analogon zu finden. Es ist daher wohl zweckmäßig, die gesamte oberjurassische Entwicklungsreihe der besprochenen Typen unter der Bezeichnung *Terebratulina substriata* Schloth. einheitlich zusammenzufassen.

T. substriata Schloth. ist eine Form von großer vertikaler und horizontaler Verbreitung. Sie findet sich häufig in der Schweiz und Süddeutschland. Man trifft sie ferner in Hannover, Sachsen, Oberschlesien, Polen und in Algier.

Untersuchte Stücke: 31.

Vorkommen: Salimatal, Kelbtai.

Sammlung: Zumoffen, Blanckenhorn, Münchner Museum.

Eudesia Zitteli n. sp.

Taf. II, Fig. 11 a–d.

Maße: Höhe: 12 mm.

Breite: 9 »

Dicke: 8 »

Beschreibung: Das kleine, schlanke, zierliche Gehäuse ist von längsovaler Gestalt. Breite und Dicke kommen einander fast gleich und liegen auf halber Schalenhöhe. Beide Klappen sind kräftig gewölbt.

Die Dorsalschale erfährt gleich unterhalb des Wirbels eine Aufbauchung, deren Kulminationspunkt im oberen Teil des mittleren Schalendrittels liegt. Nahe dem Außenrande fällt die Schale ringsum steil gegen die Randlinie hin ab. Auf ihrem unteren Teil bewirkt eine leichte Aufbiegung des breit und etwas eckig abgestutzten Vorderrandes eine schwache Falte, die bis zum oberen Schalendrittel verfolgt werden kann. Sie überragt das Schalenniveau nur wenig.

Die Ventralschale ist von sehr kräftiger Wölbung. In der Mitte etwas abgeflacht, fällt sie seitlich noch steiler als die Oberschale gegen die gemeinsame Naht hin ab. Ihr Vorderrand springt in seiner Mitte dorsalwärts etwas vor. Im Zusammenhang damit steht eine schwache, nicht sehr breite Depression, welche sich bis zum Schnabelhals fortsetzt.

Der Schloßrand ist kräftig gerundet und geht mit leichter Einbiegung in die Seitenkommissuren über. Diese wieder verlaufen unter geringer ventraler Ausbiegung zu der in dorsaler Richtung etwas aufgebogenen Stirnnaht.

Der große, kräftige Schnabel ist stark nach vorn gekrümmt. Sein Hals wird durch eine leichte Einziehung gegen den Schalenbauch abgesetzt. Zwei gerundete Kanten begrenzen eine Areola. Das große, rundovale Stielloch verdeckt völlig das Deltidium. Von der inneren Schale sieht man nur die schmalen Schloßplatten durchschimmern.

Die Skulptur besteht aus starken, hochgerundeten Radialrippen, die ihre schmalen, feinen Zwischenräume um das Dreifache an Breite übertreffen. Ihre Zahl beträgt am Außenrande etwa 24. Hiervon entfallen 5—6 auf den Wulst der Dorsalschale, beziehungsweise auf den Sinus der Ventralklappe. Sämtliche Rippen dichotomieren mehr oder minder weit unterhalb der Wirbel. Der Schalenrand ist deutlich gekerbt.

Bemerkungen: Nach der von Zittel[1]) gegebenen Einteilung ist unsere Form der Gattung *Eudesia* zuzustellen. Verwandte Formen aus dem weißen Jura sind mir nicht bekannt geworden. Vergleiche mit gerippten Dogger- und Kreidearten wie *Eudesia cardium* Lam. und *Terebratella oblonga* Sow. ver-

---

[1]) 1903. Zittel, Grundzüge, pag. 270.

sprechen wenig Erfolg wegen grundsätzlicher Verschiedenheiten in der Gestalt der Gehäuse und in der Ausbildung der Wirbel.

Untersuchte Stücke: 1.

Vorkommen: Unterhalb der großen Straße zwischen Bekfûja und Aïn Alak.

Sammlung: Zumoffen.

Kingena cubica Quenstedt.

Taf. 11, Fig. 15 a--c, Fig. 16 a—c.

Synonyme:

1871. *Terebratula cubica*, Quenstedt. Brachiopoden, pag. 403, Atlas, Taf. XLIX, Fig. 90, 91.

Maße: Höhe: 9, 8, 8 *mm.*
Breite: 9, 7, 8 *mm.*
Dicke: 7, 7, 6½ *mm.*

Beschreibung: Die vorliegende Form wird durch den ihr verliehenen Speziesnamen sehr gut gekennzeichnet. Wie die Abmessungen zeigen, bestehen zwischen den drei Dimensionen keine nennenswerten Unterschiede. Das Gehäuse ist von rundlich-fünfseitiger bis dreieckig abgerundeter Gestalt.

Die kräftig gebauchte Dorsalschale ist in der Mitte meistens flach gewölbt, fällt an den Seiten aber steil gegen den Externrand ab. Der Vorderrand ist gerade abgestutzt.

Die Ventralschale zeigt sich in der Längsachse halbkreisförmig gekrümmt. Der Punkt der stärksten Wölbung liegt auf halber Höhe oder etwas über der letzteren. Die Flanken sind sehr steil.

Der Schloßrandwinkel ist ziemlich stumpf. Die meist geraden Seitenkommissuren gehen zuweilen unter sehr geringer ventraler Schweifung in die Stirnnaht über. Diese biegt sich manchmal etwas dorsalwärts auf.

Der kurze Schnabel legt sich mit derartig starker Krümmung nach vorn über, daß die kleine, runde Stielöffnung den Wirbel der kleinen Klappe zu berühren scheint.

Das Medianseptum der Oberschale ist lang und kräftig entwickelt. An seinem oberen Ende bemerkt man die schmalen Schloßplatten. Unter dem Wirbel der Unterschale schimmern starke Zahnstützen und ein schwächeres Medianseptum hervor.

Skulptur: Gegen den Außenrand hin erscheinen einige grobe Zuwachsstreifen. Die Perforationen sind außerordentlich fein und zahlreich.

Bemerkungen: Unsere Stücke zeigen enge Anlehnung an die von Quenstedt gegebene Abbildung und Beschreibung (loc. cit.). Das geringe hier vorliegende Material kann allerdings nur auf Fig. 90 und 91 bezogen werden. Eine unbedeutende Verschiedenheit tritt im Umriß des Gehäuses hervor. Unsere Exemplare verjüngen sich nämlich nach oben, während die Stücke aus Schwaben, wenigstens der Abbildung nach zu schließen, gerade in der oberen Schalenhälfte ihre größte Breite erreichen. Das einzige Vergleichsstück aus dem münchner Museum nähert sich übrigens auch in dieser Beziehung den libanesischen Typen.

Quenstedt wirft die Frage auf nach den Beziehungen von *Kingena cubica* zu *Hynniphoria globularis* Sueß. Hierzu läßt sich folgendes bemerken, und zwar wird hier nur die innere Beschaffenheit der Schalen ins Auge gefaßt, da die sonderbare Abplattung der Wirbel bei *Hynniphoria* mit Sueß durch Abreibung an dem Gegenstand der Festheftung erklärt werden könnte. Die eingehenden Untersuchungen des letzteren Autors [1] ergaben bei letzterer Gattung: Das Septum der unteren Klappe ist länger als das oberen. Beide Septen werden durch einen länglichen, hellen Mittelraum in zwei Teile geschieden. Erstere sind von relativ mittlerer Länge. Bei *Kingena cubica* Qu. ist nun das dorsale Septum sehr lang und kräftig, das ventrale dagegen kurz und schmal. Zum Unterschied von *Hynniphoria globularis* Sueß besitzt

---

[1] 1858. Sueß. Die Brachiopoden d. stramb. Schichten, pag. 44, Taf. V, Fig. 4—8.

12*

unsere Spezies außerdem kräftige, ventrale Zahnstützen. Eine spezifische Verschiedenheit der beiden Formen ist demnach zum mindesten sicher.

Quenstedt beschreibt *K. cubica* aus dem Astartien von Schwaben.

Untersuchte Stücke: 4.

Vorkommen: Salimatal, Kelbtal.

Sammlung: Zumoffen.

Kingena gutta Quenstedt.

Taf. II, Fig. 17a—c, Fig. 18a—b, Fig. 19.

Synonyme:

1858. *Terebratula gutta*, Quenstedt. Jura, pag. 639, Taf. LXXIX, Fig. 21—22.
1867. » » Moesch. Aargauer Jura, pag. 138.
1871. » » Quenstedt. Brachiopoden, pag. 402, Atlas, Taf. XLIX, Fig. 75—81.
1891. » » Guembel. Frankenjura, pag. 113, 114.

Maße: Höhe: 11, $9\frac{1}{2}$, $9\frac{1}{2}$, 9, $8\frac{1}{2}$ mm.

Breite: 8, $6\frac{1}{2}$, $7\frac{1}{2}$, $7\frac{1}{2}$, $7\frac{1}{2}$ mm.

Dicke: 6, 5, $5\frac{1}{2}$, $5\frac{1}{2}$, 6 mm.

Beschreibung: Das kleine Gehäuse, welches Quenstedt treffend mit der Gestalt eines Regentropfens verglich, besitzt länglich-ovale, gedrungen ovale bis subpentagonale Beschaffenheit. Die größte Dicke liegt über der halben Höhe. Die bedeutendste Breite befindet sich auf der Mitte oder etwas über derselben, so daß unsere Stücke nach unten hin stets verschmälert sind. Die verschiedenartige Gestalt der stark variierenden, aber durch Übergänge verbundenen lokalen Typen erschwert eine einheitliche Diagnose. Folgendes ist jedoch von allgemeiner Gültigkeit:

Die Dorsalschale von kräftiger Wölbung schwillt vor dem Wirbel bauchartig an. Von hier aus verlaufen ihre Flanken gleichartig konvex gegen den Außenrand.

Die Ventralschale ist in der Wirbelregion stark aufgeblasen. Unten kommt ihre Krümmung der der kleinen Schale gleich.

Der Schloßrand bildet einen relativ spitzen Winkel. Die Seitenkommissuren verlaufen in der Mehrzahl der Fälle gerade, manchmal aber unter sehr geringer, ventralwärts gerichteter Ausbiegung. Tritt letzteres ein, so ist die Stirnnaht in dorsaler Richtung leicht aufgebogen.

Der Schnabel ist breit gerundet und kräftig gekrümmt. Schlanke Exemplare zeigen ihn höher entwickelt mit mittelgroßer Stielöffnung und mit Deltidium. Bei breiten Stücken sehen wir ihn niedriger und stärker nach vorn gebogen, so daß das kleine Loch an den Schloßrand angrenzt.

Das Medianseptum der kleinen Klappe erstreckt sich fast bis zur Schalenmitte. Die große Schale besitzt zwei kräftige, gebogene Zahnstützen und zwischen ihnen ein feines, kurzes Ventralseptum.

Die Skulptur besteht dann und wann aus einigen groben Zuwachslinien. Die Perforierung zeigt den Waldheimientyp.

Bemerkungen: Die Bestimmung stieß bei der Vielzahl der von Quenstedt (loc. cit.) gegebenen Abbildungen auf keine Schwierigkeiten. Unsere Exemplare lassen alle von ihm hervorgehobenen Merkmale in der Hauptsache erkennen. Die von Quenstedt erwähnte »breite Zunge, welche sich zum Rücken schlägt«, zeigt sich bei ihnen nur als schwache Andeutung. Dagegen zerstreute seine Bemerkung über die Zusammengehörigkeit der flachen, breiten und schmalen, fast zylindrischen Individuen die Bedenken, welche ich anfangs gegen eine unbedingte Identifizierung gehegt habe. Es liegt mir aus dem münchner Museum eine größere Anzahl von Formen von der Lochen und von Streitberg vor. Ihr Bau weicht von der Beschaffenheit unserer Stücke dadurch etwas ab, daß bei den letzteren die Dorsalschale im allgemeinen gleichmäßiger und kräftiger gewölbt ist. Auf diesen Unterschied allein ist der etwas fremdartige Eindruck zurückzuführen, den die libanesischen Exemplare anfangs hervorrufen. Es bleibt nun eine offene Frage, ob ein umfangreicheres Material nicht vielleicht die Abscheidung von Varietäten erfordern wird.

K. gutta Qu. findet sich im Oxfordien des Aargaus, in der Tenuilobaten-Zone Schwabens und in der Bimammaten- und Tenuilobaten-Zone Frankreichs.

Untersuchte Stücke: 9.

Vorkommen: Kelbtal, Salimata!.

Sammlung: Zumoffen, Blanckenhorn.

Kingena latifrons n. sp.

Taf. II, Fig. 20a—c, Fig. 21a—b.

Maße: Höhe: $13^1/_2$, 13, 12, 11 *mm.*

Breite: 11, 10, 10, 8 *mm.*

Dicke: 8, 7, $7^1/_2$, 7 *mm.*

Beschreibung: Die vorliegende, wohlkarakterisierte Art ist im allgemeinen von fünfseitiger, seltener von längsovaler, zuweilen von keilförmiger Gestalt. Ihre Form unterliegt ziemlich bedeutenden Variationsgraden. Breite Exemplare mit kurzer Ober- und Unterregion wechseln mit schlankeren Individuen ab, deren Stirn- und Wirbelteile langgestreckter erscheinen. Man bemerkt ferner dicke und dünne Stücke in mannichfacher Abstufung. Trotzdem findet sich eine Reihe von konstanten Merkmalen.

Die bedeutendste Breite liegt ausnahmslos in der Nähe des Vorderrandes, die größte Dicke aber stets über der Schalenmitte. Der Vorderrand ist breit abgestutzt, massiv und rechteckig.

Das Aussehen der kleinen Klappe wird wesentlich beeinflußt durch eine starke Aufbauchung, die unmittelbar unter dem Wirbel einsetzt. Von diesem Kulminationspunkt ab dacht sich die Schale allseits in konvexer Biegung gegen den Außenrand hin ab.

Die große Klappe zeigt gleichmäßigere Wölbung als die Dorsalschale. Sie entsendet gegen die Vereinigungsstellen von Seiten- und Unterrand aus der Gegend der stärksten Wölbung zwei schwache Kanten. Zwischen diesen ist sie ganz flach, während die nach außen liegenden Schalenpartien sich oft sehr steil abdachen. Manchmal bildet sich zwischen den Kanten eine Vertiefung. Dann erscheint der Stirnrand leicht dorsalwärts aufgebogen. Meistens ist der letztere indessen ganz gerade. Das Gleiche gilt von den Seitenkommissuren.

Der Schloßrand bildet einen relativ spitzen Winkel und geht mit konkaver Krümmung in die Seitennähte über.

Der Schnabel ist klein, rundlich, manchmal etwas spitz und nicht sehr stark gebogen. Die kleine, kreisrunde Öffnung verdrängt meistens das Deltidium.

Vom inneren Schalenbau bemerkt man zunächst das Dorsalseptum als feine, dunkle Linie, die sich bis zur Schalenmitte verfolgen läßt. Die Ventralschale besitzt ein weniger langes Medianseptum und kurze, ziemlich breite, schwach gebogene Zahnstützen.

Die Schale ist glatt bis auf einige grobe Anwachsstreifen. Die sehr feinen und zahlreichen Durchbohrungen lassen in ihrer Anordnung eine gewisse Regelmäßigkeit erkennen.

Bemerkungen: Der äußeren Form nach gehört unsere Art in die Verwandtschaft von *Kingena caeliformis* Sueß,[1] von der mir Stücke des münchner Museums aus dem weißen Kalk von Stramberg und aus dem roten Kalk von Nesselsdorf vorliegen. Übereinstimmung zeigen beide Formen bezüglich des dreieckig bis fünfeckigen Umrisses, der Wölbungsart des oberen Teiles der kleinen sowie der großen Klappe. *K. caeliformis* Sueß unterscheidet sich von *K. latifrons* n. sp. durch ihre bedeutendere Größe, durch die stärkere Entwicklung ihres Schnabels, durch die schwache Konkavität des unteren Teiles ihrer Dorsalschale, welche eine ventrale Ausbiegung der Stirnkommissur zur Folge hat, während die letztere bei *K. latifrons* gerade oder dorsal aufgebogen ist. Endlich besitzt die Tithonform ein ventrales Septum und Zahnstützen von der gleichen Länge und Feinheit. Sueß fügt der Beschreibung von *K. caeliformis* die Bemerkung an, daß diese Art im weißen Kalk von Stramberg noch nicht gefunden worden sei. In der langen Zwischenzeit

---

[1] 1858. Sueß. Brachiopoden d. stramb. Schichten, pag. 42, Taf. V, Fig. 1.

ist das geschehen. Die münchner Sammlung enthält mehrere Exemplare, die zum Unterschied von der ähnlich gestalteten *Terebratula mitis* ein Dorsalseptum erkennen lassen.

Untersuchte Stücke: 11.

Vorkommen: Kelbtal, Salîmatal.

Sammlung: Zumoffen.

Kingena orbis Quenstedt.

Taf. II, Fig. 22*a—d*, Fig. 23*a—b*.

Synonyme:

1858. *Terebratula orbis*, Quenstedt. Jura, pag. 639, Atlas, Taf. LXXIX, Fig. 23—29.
1867. » » Moesch. Aargauer Jura, pag. 138.
1871. » Quenstedt. Brachiopoden, pag. 400, Atlas, Taf. XLIX, Fig. 59—61, 63—74.
1891. » » Guembel, Frankenjura, pag. 113—114.
1895. *Waldheimia* cf. *orbis*, Siemiradzki, Ob. Jura in Polen, pag. 140.

Maße: Höhe: $10\frac{1}{2}$, 9, 9, 8 *mm*.
Breite: $9\frac{1}{2}$, 9, 8, $7\frac{1}{2}$ *mm*.
Dicke: 5, 4, $4\frac{1}{2}$, 4 *mm*.

Beschreibung: Kleine, runde bis viereckige Form von flacher Beschaffenheit. Die größte Dicke und Breite liegen in der oberen Schalenhälfte. Der Außenrand ist zugeschärft.

Die kleine Klappe ist breiter als lang und besitzt unterhalb des Wirbels eine sehr karakteristische Aufschwellung. Dieselbe dacht sich gegen den Schloßrand hin steiler, nach den Seiten zu flacher ab. Nach vorn geht sie in die manchmal etwas konkave Vorderregion über. Der Stirnrand ist zuweilen leicht aufgebogen.

Die große Klappe ist in der Längsmitte kräftig aufgetrieben und fällt nach allen Richtungen konvex ab. Wie bei der anderen Schale erleidet ihr Vorderrand manchmal eine schwache, dorsale Aufbiegung.

Der Schloßrand bildet einen ziemlich stumpfen Winkel. Die Seitennähte verlaufen gerade. Die Stirnkommissur ist zuweilen leicht anfgebogen.

Der kleine, breite, ziemlich kräftig gebogene Schnabel besitzt wohlausgebildete Kanten. Die Stielöffnung ist klein und kreisrund.

An der Basis des langen dorsalen Medianseptums werden die S-förmig geschwungenen Hälften der Schloßplatte bemerkbar. Ventral befinden sich ein schwaches Medianseptum und seitlich davon die starken Zahnstützen.

Die Schalenoberfläche ist glatt. Manchmal findet sich in der Nähe des Externrandes parallel zu letzterem eine Furche, die den Grad seiner Zuschärfung steigert. Die Perforationen erscheinen fein und regelmäßig angeordnet.

Bemerkungen: Es handelt sich hier lediglich um den kreisrunden, flachen Typ, den Quenstedt (loc. cit.) in den »Brachiopoden« mit Bezug auf die Abbildung Fig. 59 bespricht. Die von ihm erwähnten schlankeren Exemplare fehlen uns bis jetzt. Sie sind aber auch selten in dem von mir untersuchten Material des münchner Museums. Unter dem letzteren begegnet man durchweg breiten Formen, die zum Unterschied von den unseren stärker gewölbte Ventralschalen und in Verbindung damit stärker vorgekrümmte Schnäbel besitzen. Diese Merkmale gestatten indessen um so weniger die Aufstellung einer neuen Art, als einzelne flache Stücke solchen von Schweir zum verwechseln gleichen.

Im »Jura« spricht Quenstedt von Zwischenformen zwischen *K. orbis* und *K. gutta*. Er hatte dabei wohl die schlankeren und dickeren Exemplare von *K. orbis* im Auge, die sich auch in meinem Vergleichsmaterial vorfinden. Letztere lassen sich nun meines Erachtens vermöge zweier Hauptmerkmale auf sichere Weise von *K. gutta* trennen. Die letztere Art besitzt nämlich stets einen wohlgerundeten Schnabel, ihre Stirnlinie ist entweder gerade oder in ventraler Richtung gefaltet. *K. orbis* dagegen hat kräftige Schnabelkanten. Ihr Vorderrand zeigt geraden oder dorsal aufgebogenen Verlauf.

Kingena orbis Qu. erscheint im Oxfordien der Schweiz und findet ihre Hauptverbreitung in der Bimammaten- und Tenuilobatenzone Schwabens und Frankens.

Untersuchte Stücke: 5.

Vorkommen: Schweir.

Sammlung: Blanckenhorn.

Kingena triangularis n. sp.

Taf. II, Fig. 24 a–d, Fig. 25 a–b.

Maße: Höhe: 10, 9½, 9½ mm.

Breite: 7, 7½, 7½ mm.

Dicke: 6½, 5, 6 mm.

Beschreibung: Die vorliegenden Exemplare von dreiseitig gerundeter Gestalt sind am dicksten über der halben Höhe. Die größte Breite liegt dagegen in der unteren Schalenregion. Die kurze, gerundete Stirngegend, die darauffolgende starke Verbreiterung in Verbindung mit der langverschmälerten oberen Partie verleihen dem Gehäuse seine karakteristische Form.

Die schwach gebauchte Dorsalklappe ist ungefähr ebenso breit wie lang und von gleichmäßiger Krümmung. Ihre bedeutendste Wölbung liegt auf halber Höhe.

Die Ventralschale zeigt sich stark gebogen. Ihre Hauptkrümmung befindet sich im oberen Schalendrittel. Die Wirbelregion ist abgeplattet.

Der Schloßrand bildet einen ziemlich spitzen Winkel. Er geht geradenwegs in die Seitenkommissuren über, welche in der faltenlosen Stirnnaht zusammenlaufen.

Der breite, stark zusammengedrückte, kräftig gebogene Schnabel besitzt scharf ausgeprägte Kanten. Das Stielloch erscheint klein und rundlich. Das Deltidium tritt deutlich hervor.

Die Dorsalschale besitzt ein nicht sehr langes, kräftiges Mittelseptum. Der Schloßfortsatz kommt nicht zum Vorschein. Ventral werden zwei schmale, gerade Zahnstützen sichtbar. Ein Medianseptum scheint hier aber zu fehlen.

Die Schalen sind regelmäßig perforiert und mit feinen, geraden Radiallinien verziert, die aus einer tieferen Schicht durchschimmern.

Bemerkungen: Diese Art muß als nah verwandt gelten mit *Kingena gutta* Qu. Letztere unterscheidet sich von *K. triangularis* durch ihre ovaloide Gestalt, sowie durch die abweichende Beschaffenheit des Schnabels und des Armgerüstes. Die Aufstellung dieser neuen Art kann demnach als gerechtfertigt gelten. Mit *Kingena orbis* Qu. hat unsere Spezies die Anwesenheit von Schnabelkanten, den breiteren Umriß und die schwächere Wölbung der Dorsalschale gemeinsam. Von trennenden Merkmalen sei hervorgehoben die gänzlich andere Form des Gehäuses und das Fehlen eines ventralen Mediansteptums bei unserer Spezies.

Untersuchte Stücke: 3.

Vorkommen: Kelbtal, Salimatal.

Sammlung: Zumoffen.

Kingena sp.

Maße: Höhe: 8, 8, 7 mm.

Breite: 7, 6½, 7 mm.

Dicke: 4, 4½, 3 mm.

Beschreibung: Das sehr kleine Gehäuse von fünfseitigem Umriß ist von flacher Beschaffenheit. Die bedeutendste Breite und Dicke gehören der oberen Schalenhälfte an. Die Oberregion ist relativ kurz und spitz zulaufend. Die Unterregion besitzt ein breites, gerundetes Aussehen.

An der Dorsalschale bemerkt man verschiedene Grade von Wölbung. Manchmal ist sie bei verhältnismäßig geringer Breite bauchartig aufgetrieben. Solche Individuen haben dann ein recht verschiedenes Aussehen von den breiten Exemplaren, deren kleine Klappe nur geringe Krümmung aufweist. Die Stelle der stärksten Wölbung ist stets dem Wirbel nahegerückt.

Die Ventralschale erscheint gleichmäßig und kräftig gebogen. Etwas Karakteristisches bietet ihre Erscheinung nicht.

Der Schloßrand bildet einen ziemlich spitzen Winkel. Seitennähte und Stirnkommissur liegen in der gleichen Ebene.

Der Schnabel ist klein, wenig voluminös, steil aufgerichtet und besitzt zwei leichtgebogene, gerundete Kanten. Das kleine kreisrunde Stielloch läßt ein niedriges Deltidium frei.

Vom inneren Bau gewahrt man ein ziemlich kräftiges, langes Dorsalseptum und im Anschluß an letzteres schmale Schloßplatten. Am ventralen Wirbel werden zwei gebogene Zahnstützen und ein kürzeres, schwaches Medianseptum bemerkbar.

Die Schalenoberfläche ist ganz glatt.

Bemerkungen: Nicht im klaren bin ich mir darüber, ob wir es hier mit ganz jugendlichen oder im Wachstum bereits vorgeschrittenen Individuen zu tun haben. Die Ausbildung von Schnabel und Schloßrand scheint das erstere wahrscheinlich zu machen. Auf alle Fälle kann die vorliegende Form in Beziehung gebracht werden zu *Kingena orbis* Qu., von der sie sich durch ihre fünfeckige, schlankere Gestalt, durch den spitzeren Schloßrand und durch den steilen, spitzen Wirbel unterscheidet. Einzelne Merkmale verweisen auch auf *K. gutta* Qu. und *K. Friesenensis* Qu. Bezüglich dieser Arten ist jedoch der Verwandtschaftsgrad ein sehr minimaler. Erst eine größere Anzahl von Stücken kann uns über die Stellung dieser Form aufklären.

Untersuchte Stücke: 4.

Vorkommen: Duar. El-Käkür im Salimatal.

Sammlung: Zumoffen.

Lamellibranchiaten.

Familie: **Pinnidae** Gray.

Gattung: **Trichites** Plott.

Trichites suprajurensis n. sp.

Taf. III, Fig. 1a—b.

Maße: Höhe: ca. 145 *mm*.

Länge: 63 *mm*.

Dicke: ca. 65 *mm*.

Beschreibung: Die nicht sehr stark klaffende, ungleichklappige Form ist lang gestreckt, unten verbreitert, gegen den Wirbel hin verschmälert. Beide Klappen zeigen ziemlich kräftige Wölbung.

Die größere rechte Schale verjüngt sich von unten nach oben ganz gleichmäßig. Sie ist zum größten Teil unregelmäßig konvex gebogen, in ihrem unteren Teil jedoch etwas konkav. Hinter dem spitzen, nach vorn gewendeten, terminalen Wirbel schwillt sie zu einem gegen den letzteren scharf abgesetzten Buckel an. Der enorm verdickte Vorderrand beschreibt eine flache, S-förmige Kurve. Der Hinterrand von sehr viel geringerer Dicke erscheint oben etwas eingebogen, unten ziemlich gerade. Beide Seitenränder gehen in anscheinend nahezu rechteckiger Rundung in den kurzen Unterrand über.

Die linke Schale erleidet im Gegensatz zur rechten Klappe in ihrer Längsrichtung eine konkave Biegung. Ihre Gestalt ist etwas symmetrischer als die der letzteren, da die Schalendicke bei ihr nicht so ungleichmäßig verteilt ist. Ihre Wölbung übertrifft die der anderen Schale. Die Rückenlinie liegt wie bei dieser näher am Vorderrand.

Die Skulptur besteht im Maximum aus acht, im Minimum aus fünf ungleich langen, gerundeten, durch grobe konzentrische Streifen gekerbten, vielfach dichotomierenden Radialrippen, welche sich nicht weit über das obere Schalendrittel hinab erstrecken und dann entweder ziemlich plötzlich aufhören oder aber in einige monströse Aufschwellungen auslaufen. Die übrigen Schalenpartien zeigen nur grobblätterige Anwachsstreifen. Die Schale ist von ausgezeichnet prismatischer Struktur, die an dem abgebrochenen Wirbel der rechten Klappe besonders deutlich zum Ausdruck kommt. Erstere schwillt an den Wirbeln zu außerordentlicher Dicke an, zeigt aber in der Unterregion relativ dünne Beschaffenheit.

Bemerkungen: Bei beiden Klappen findet man die Eigentümlichkeit, daß die Rippen vorn am längsten sind und nach hinten allmählich kürzer werden. Zuweilen beschreiben sie einen nach hinten leicht konkaven Bogen. Die Breite, Dicke und Wölbung der Schale unterliegen anscheinend manchen Abänderungen. Ihrer typischen Form darf man dagegen wohl ziemliche Konstanz zusprechen.

Schon in den allgemeinen Umrissen unterscheidet sich die vorliegende Spezies von den in der Literatur aufgeführten *Trichites*-Typen, noch mehr aber in der Art der Berippung, in der eigenartigen Beschaffenheit der Wirbelregion, welche oben geschildert wurde, sowie in dem Größen- und Wölbungsverhältnis der beiden Klappen. Hinsichtlich der äußeren Gestalt zeigt sich nun einige Ähnlichkeit bei *T. Saussurei* Desh. mit Bezug auf die von Thurmann und Etallon[1]) gegebene Abbildung. Keine Beziehungen sind dagegen zu ermitteln zu den Abbildungen derselben Form, wie sie von Deshayes[2]) und Loriol gegeben werden, von letzterem aus dem Séquanien von Tonnerre[3]) und aus dem Ptérocérien von Valfin[4]). Das gleiche gilt erst recht von den verschiedenen Arten, welche G. Boehm[5]) aus dem kelheimer Diceraskalk beschrieb, Quenstedt[6]) aus dem Malm z und Dogger ô von Schwaben sowie Lycett[7]) aus dem Großoolith von Minchinhampton.

Untersuchte Stücke: 2.

Vorkommen: Bekfêja im Kelbtal.

Sammlung: Zumoffen.

Familie: **Limidae** d'Orb.

Gattung: **Lima** Brug.

Lima acutirostris n. sp.

Taf. III, Fig. 2 a—c.

Beschreibung: Die rechte Klappe besitzt viereckig-gerundete, im Verhältnis zur Länge ziemlich hohe, seitlich zusammengedrückte Gestalt. Der Vorderrand ist leicht S-förmig geschwungen, der Unterrand zeigt in Gemeinschaft mit dem Hinterrand kraftvolle Rundung. Am Wirbel ist der letztere wie der Vorderrand leicht konkav gebogen, wodurch die stark zugespitzte, schlanke Form der Wirbelregion ein noch karakteristischeres Aussehen erhält. Dieser schnabelartigen Beschaffenheit ihrer oberen Partie, welche durch die lange, schmale, stark vertiefte Lunula noch gesteigert wird, verdankt die vorliegende Spezies ihre Benennung. Die kleinen Ohren sind nahezu gleich groß. Die Längswölbung der Schale ist relativ gering.

Die Skulptur ist ähnlich derjenigen bei *Lima sublaeviuscula* n. sp. und *Lima informis* n. sp. Zahlreiche, gerundete, flache Radialrippen und ihre linienartigen Zwischenräume werden von haarfeinen, konzentrischen Streifen gekreuzt. Letztere veranlassen in den Zwischenräumen die karakteristische Punktierung. Auf der Lunula ändert sich diese Struktur. Der größere, der Schale zugewandte Teil, zeigt zwar die Radialberippung der letzteren. Nach dem Mantelrande hin beobachtet man indessen einige stärkere, durch sehr breite Zwischenräume getrennte Streifen, die mit den schwächeren Radialrippen konvergieren. In dem äußersten Zwischenraum tauchen zwei feine Zwischenrippchen auf.

Bemerkungen: Noch mehr als *Lima informis* n. sp. entfernt sich diese Art von den Vertretern des Formenkreises der *Lima laeviuscula* Sow., mit denen sie ihre im großen Ganzen gleichartige Skulptur verbindet, durch ihre abweichende äußere Gestalt. Letzterer Umstand nötigt uns immerhin, einen gewissen

[1]) 1861. Thurmann et Etallon, pag. 218, Taf. 27, Fig. 5.
[2]) 1838. Deshayes. Conchyliologie, pag. 24, Taf. 38, Fig. 4.
[3]) 1893. de Loriol. Tonnerre, pag. 136, Taf. 11, Fig. 7.
[4]) 1888. de Loriol. Valfin, pag. 300, Taf. 34, Fig. 1.
[5]) 1882. G. Boehm. Bivalven…, pag. 170, Taf. 32 ff.
[6]) 1853. Morris and Lycett. Bivalvia, pag. 35, Taf. 3, Fig. 11.

Zusammenhang nicht aus dem Auge zu verlieren. Ein eingehender Vergleich erscheint bei dem vorliegenden geringen Material als unzweckmäßig.

Untersuchte Stücke: 1.

Vorkommen: Bekfēja im Kelbtal.

Sammlung: Zumoffen.

Lima densistriata n. sp.

Taf. III, Fig. 6*a*—*c*.

Maße: Höhe: 28 *mm*.

Länge: 27 *mm*.

Dicke: 8 *mm*.

Beschreibung: Das vorliegende Stück ist eine kleine, schief ovale, ungleichseitige, rechte Klappe. Der obere Teil des Vorderrandes ist konkav eingebogen, der übrige Außenrand verläuft unter kräftiger und ziemlich gleichmäßiger Rundung. Die Schale ist allseits kräftig gewölbt und fällt nach vorn etwas steiler ab. Der vorwärts gekrümmte Schnabel erscheint leicht zugespitzt. Die Lunula ist lanzettlich, mittelbreit und schwach vertieft. Von den Ohren hat sich nur der Ansatz des vorderen erhalten.

Der Schalenschmuck besteht aus über 100 feinen, durch sehr schmale Zwischenräume getrennten, gerundeten Radialrippen, die entweder ungeteilt vom Wirbel zum Mantelrand verlaufen oder im untersten Schalendrittel sich in zwei oder drei Äste spalten. Feine, mit unbewaffnetem Auge eben noch erkennbare konzentrische Streifen kerben die Kanten der Radialrippen und erzeugen mit letzteren eine äußerst zierliche Gitterung der Schalenoberfläche. Die Lunula ist mit etwa 20, durch linienartig schmale Zwischenräume getrennten, flachen Radialrippen bedeckt, welche in schiefer Richtung von feinen Zuwachsstreifen gekreuzt werden. Senkrecht zu den letzteren gewahrt das scharf bewaffnete Auge minutiös feine Rippchen, die in Verbindung mit den Anwachsstreifen die Lunula mit einem sehr zarten Gitterwerk überziehen.

Bemerkungen: Man trifft demnach bei dieser Form drei nebeneinander bestehende Verzierungsweisen: Einmal die Gitterung der Schale, dann die Grundstruktur der Lunula, die aus Radialrippen und schief zu diesen verlaufenden Zuwachsstreifen besteht; endlich die Rippchen, welche mit den letzteren das lunulare Gegitter hervorbringen. Es bleibt nun dahingestellt, ob diese Rippchen, die offenbar mit dem Wachstumsvorgang der Schale nichts zu tun haben, einer Druckwirkung oder einem mineralogischen Ausscheidungsprozeß oder einer dritten Ursache ihre Entstehung verdanken.

Form und Skulptur unseres Exemplars zeigen manche Anklänge an *Lima densipunctata* Roem.[1] Seine schief-ovale Gestalt und die karakteristische Einbuchtung des Vorderrandes sind auch der letzteren Form eigen. Anderseits verleihen unserem Stück seine stärkere Wölbung und sein weiter ausladender Hinterrand von vornherein ein verschiedenartiges Aussehen. Bezüglich der Skulptur zeigt sich Übereinstimmung in der großen Anzahl der Radialrippen. Die Zuwachsstreifen treten bei *L. densipunctata* Roem. nur in den Furchen auf. Bei unserem Stück überziehen sie dagegen Rippen und Zwischenräume und bringen bei den ersteren die typische Kerbung der Kanten hervor. Weitere Unterscheidungsmerkmale besitzt *Lima densistriata* in dem Dichotomieren ihrer Rippen sowie in der etwas anderen Skulptur der Lunula. Weit geringere Beziehungen ergeben sich zu *Lima subdensipunctata* Futt.[2] aus dem Malm von Schoa.

Lima densipunctata Röm. findet sich im Rauracien und Astartien von England [3], im Virgulien von Porrentruy[4], im Portland von Hannover[5], im Kimmeridge von Pommern.[6]

Untersuchte Stücke: 1.

Vorkommen: Metēïn im Salīmatal.

Sammlung: Zumoffen.

[1] 1836. Römer: Oolithengebirge, pag. 79, Taf. XIV, Fig. 3.
[2] 1897. Futterer. Schoa, pag. 586, Taf. XIX, Fig. 4, 4*a*, 5.
[3] 1877. Blacke and Huddleston. Corallian rocks.
[4] 1863. Thurmann und Etallon. Lethea bruntrutana, pag. 245, Taf. XLII, Fig. 17.
[5] 1878. Struckmann. Ob. Jura, pag. 36.
[6] 1865. Sadebeck. Ob. Jura in Pommern. pag. 667.

Lima sublaeviuscula n. sp.

Taf. III, Fig. 3a—b.

Maße: Höhe: 49, 47 *mm*.
Länge: 45, 45 *mm*.
Dicke: 10, 10 *mm*.

Beschreibung: Mittelgroße, ungleichseitige Art mit ziemlich langem, leicht einwärts gebogenem Vorderrande und allseitig gerundetem Unter- und Hinterrande. Die untere Schalenregion ist nach unten und vorn stark verbreitert, derart, daß etwa drei Fünftel der Schale auf ihre vordere Hälfte entfallen. Der Schloßrand ist kurz, gerade und geht gerundet in die Seitenränder über. Die Schale ist bei gleichartiger Wölbung mäßig stark gekrümmt. Ihr Längsprofil zeigt eine nach unten sanft abfallende, ziemlich gerade Kurve, nach oben ist die letztere etwas mehr gebogen. Der lange, zugespitzte, durch zwei Kanten begrenzte, schmale Wirbel überragt den Oberrand. Die Lunula ist lang, schmal und derart tief eingeschnitten, daß sich der angrenzende Teil der Schale zu einer sehr scharfen Kante gestaltet. Das vordere, langgestreckte, gerundete Ohr übertrifft das wenig karakteristische hintere ganz bedeutend an Größe.

Die Skulptur der Schale besteht aus 60—70 flachgerundeten, durchlaufenden Radialrippen, die durch schmale Zwischenfurchen getrennt werden. Rippen und Furchen werden von sehr zahlreichen, sehr feinen, konzentrischen Streifen gekreuzt, welche in den letzteren die karakteristische Punktierung erzeugen. Die Lunula scheint glatt gewesen zu sein.

Bemerkungen: Die mir vorliegenden Stücke, zumeist linke Klappen, stellen verschiedene Alterszustände dar. Das Größenwachstum äußert sich hier anscheinend in der stärkeren Zunahme der Höhe im Verhältnis zur Breite und in der relativen Abnahme des Grades der Schalenwölbung. Bei dem größten, nicht gemessenen Exemplar verschwindet die Berippung in der Wirbelregion. Die Radialrippen zeigen gegen den Unterrand hin eine Tendenz zur gruppenweisen Verschmelzung. Es bilden sich dann wenig erhabene Streifen von wechselnder Breite aus.

Ohne Zweifel gehört unsere Art vermöge ihrer Gestalt und Skulptur zum Formenkreise der *Lima laeviuscula* Sow. Loriol[1]) bringt ein Individuum aus dem Séquanien von Sancourt zur Abbildung, das in der Form von Schale und Wirbel sowie in der Skulptur unserer Spezies sehr nahe steht. Auch die Wölbung zeigt die gleichen wesentlichen Merkmale. Bedeutende Unterschiede ergeben sich jedoch in der stärkeren Entwicklung der Lunula und des hinteren Ohres bei *L. laeviuscula* Sow.

Untersuchte Stücke: 5.

Vorkommen: Kelbtal, Salimatal, in hellem, dichtem, oolithischem Kalkstein.

Sammlung: Zumoffen.

Lima libanensis n. sp.

Taf. III, Fig. 5.

Maße: Höhe: 31 *mm*.
Länge: 31 *mm*.
Dicke: 9 *mm*.

Beschreibung: Schief-dreieckige, ungleichseitige, linke Klappe, ebenso hoch wie lang. Der nicht sehr stark gebogene Unterrand geht mit kräftiger Rundung in die Seitenränder über. Die Vorderseite ist kurz und etwas zugespitzt, die lange Hinterregion dagegen breit und gerundet. Dementsprechend fällt der vordere, etwas konkav gebogene Rand weitaus steiler vom Wirbel ab als der mehr horizontale, längere und gerade Hinterrand. Die Gestalt des Schloßrandes kann nicht bestimmt werden. Die Schale ist stark gewölbt, hinten ein wenig mehr als vorn. Der kurze, ziemlich stumpfe Wirbel ist stark nach vorn gewendet und überragt den Schloßrand beträchtlich. Die Lunula setzt sich mit wohlgerundetem Rand gegen die Schale ab. Sie ist nicht sehr tief, aber ziemlich lang und von bedeutender Breite.

---

[1] 1875. Loriol. Haute-Marne, pag. 375, Taf. XXI, Fig. 9.

13*

Die Skulptur der Schale besteht aus ungefähr 70 ganz flachgerundeten, breiten, durch schmale Rillen getrennter, gebogenen Radialrippen, die am Wirbel und am Vorderrand etwas stärker hervortreten. Im letzteren Falle nimmt ihre Breite ab, die Furchen sind dann am Wirbel vielfach breiter als die Rippen. Die sehr feine konzentrische Streifung, welche die letzteren überzieht, bringt in den Zwischenräumen die zahlreichen, regelmäßig verteilten Punkte hervor, die aber an Zahl von den Anwachsstreifen weit übertroffen werden. Die Lunula ist mit einer größeren Anzahl von breiten, gebogenen, scharfkantigen Radialrippen verziert, die nach oben kurz und steil, nach unten aber ganz allmählich abfallen. Die konzentrischen Streifen erzeugen hier nur eine Art von unregelmäßiger Kerbung der Rippengrate.

Bemerkungen: Hinsichtlich der Umrisse unserer Form ergeben sich schwache Beziehungen zu *Lima Pratzi* G. Boehm, die mir in verschiedenen Exemplaren der münchner Staatssammlung aus dem kelheimer Diceraskalk und aus dem stramberger Tithon vorliegt. Ich habe dabei besonders ein kelheimer Stück im Auge mit gerade abgestutztem Vorder- und Hinterrand, das nach der Boehm schen Beschreibung [1] auch bezüglich der Skulptur mit *Lima libanotica* ziemliche Übereinstimmung zeigt. Während aber unsere Form sehr kräftige Wölbung aufweist, während ihr Umriß schief-dreieckig, ihr Hinterrand von gerader oder leicht konkaver Beschaffenheit ist, ergibt sich für *Lima Pratzi* G. Boehm im allgemeinen eine geringere und etwas andersartige Wölbung der Schale und eine schief ovale Gestalt mit kräftig gebogenem Hinterrand.

Untersuchte Stücke: 2.

Vorkommen: Metein im Salimatal.

Sammlung: Zumoffen.

Lima informis n. sp.

Taf. III, Fig. 7*a—c*.

Maße: Höhe: 56 *mm*.

Länge: 48 *mm*.

Dicke: 15 *mm*.

Beschreibung: Die vorliegende rechte Klappe ist ziemlich gleichseitig, bedeutend höher als breit, vorn gerade abgeschnitten, unten stärker, hinten schwächer gerundet. Die Schale ist kräftig gewölbt und unterhalb des Wirbels stark aufgeblasen. Der letztere gewinnt dadurch eine weit plumpere Beschaffenheit, als wir es bei *Lima acutirostris* n. sp. und bei *Lima sublaeviuscula* n. sp. vorfanden. Er ist im übrigen hinten steil gerundet, vorn durch die Lunularkante begrenzt und überragt den kurzen, rückwärts geneigten Schloßrand nicht unbeträchtlich. Die Lunula ist nicht sehr lang, breit und kräftig ausgehöhlt. Das Vorderohr ist größer als das schwach entwickelte hintere.

Die Skulptur besteht aus sehr zahlreichen, flachen, mit vielen, sehr feinen, konzentrischen Streifen bedeckten Radialrippen, die durch punktierte Zwischenräume getrennt sind. Nach unten hin werden die Rippen erhabener und schmaler, die Furchen gewinnen dafür an Breite. Auf der Lunula findet sich lediglich radiäre Berippung. Die Ohren bieten gegenüber der Schale keine Besonderheiten dar.

Bemerkungen: Von *Lima sublaeviuscula* n. sp. unterscheidet sich diese Art durch ihre gleichseitigere Gestalt, durch die im Verhältnis zur Breite bedeutendere Höhe, durch stärkere Schalenwölbung, stumpfere Wirbelregion, kürzere, breitere Lunula. Wie die genannte Spezies, so gehört auch *Lima informis* zum Formenkreise der *Lima laeviuscula* Sow. Vielleicht lassen sich an der Hand von umfangreicherem Material nähere Beziehungen zu *Lima tumida* Roem. feststellen.

Untersuchte Stücke: 1.

Vorkommen: Bekfeja im Kelbtal in oolithischem Kalkstein.

Sammlung: Zumoffen.

Lima Zenobiae n. sp.

Taf. III, Fig. 4.

Maße: Höhe: 30 *mm*.

Länge: 29 *mm*.

Dicke: 5 *mm*.

---

[1] 1883. G. Boehm. Bivalven d. stramb. Schicht, pag. 636, Taf. LXIX, Fig. 17—19.

Beschreibung: Die vorliegende linke Klappe ist schief oval, stark ungleichseitig und sehr flach. Der Vorderrand ist ausgeschnitten und geht eckig in den allseits kräftig gerundeten Mantelrand über. Der Hinterrand beschreibt eine flache, S-förmige Kurve und zieht in konkaver Schwingung zum Schloßrand empor. Die Wölbung der Schale ist relativ unbedeutend. Letztere ist unterhalb des Wirbels zwar ziemlich kräftig aufgeblasen, ihre Flanken steigen jedoch nur gegen den Hinterrand etwas steiler ab. Der Wirbel ist ziemlich breit und stumpf. Eine Lunula existiert nicht. Die karakteristischen Ohren sind sehr hoch angesetzt, von kräftiger Entwicklung und laufen in scharfe Ecken aus. Das kleinere vordere ist etwas stumpfwinklig, das größere ragt im spitzen Winkel nach hinten. Der Schloßrand biegt sich am Wirbel leicht ein.

Die Oberfläche ist mit etwa 70 gleichartigen, gerundeten Radialrippen bedeckt, die durch schmalere Zwischenräume getrennt werden. Letztere zeigen unter der Lupe Reste von Punktierung.

Bemerkungen: Bezüglich der schiefen Form dieser Art findet sich etwas Vergleichbares in Lima densipunctata Roem., wie sie in der Lethea brunfrutana abgebildet und beschrieben wird. Letztere Spezies zeigt eine ähnliche schiefovale Gestalt der Schale und die gleiche dichte Punktierung der Furchen wie Lima Zenobiae. Sie unterscheidet sich aber von dieser letzteren durch andersartige Schalenwölbung, durch das Vorhandensein einer Lunula und durch die niedriger angesetzten und vergleichsweise schwächer entwickelten Ohren.

Untersuchte Stücke: 1.
Vorkommen: Bekfēja im Kelbtal.
Sammlung: Zumoffen.

Lima n. sp.

Beschreibung Die nur teilweise beschalte linke Klappe ist von flacher, dreieckiger, anscheinend ziemlich gleichseitiger Gestalt. Der Unterrand ist kräftig gerundet. Vorder- und Hinterrand sind mäßig gebogen. Die Wirbelregion erscheint lang und zugespitzt. Die Muschel erhält derart ein hohes, schlankes Aussehen. Eine Lunula fehlt. Der Wirbel wird von dem einzig erhaltenen Ohr überragt. Letzteres ist ziemlich groß und vorn konkav ausgeschnitten. Sein Oberrand verläuft gerade und horizontal. Eine schwache Depression trennt es von dem Wirbel.

Die Schalenskulptur besteht aus sehr zahlreichen, durchlaufenden, flachgerundeten, durch schmale Zwischenräume getrennten Radialrippen. Über Rippen und Furchen hinweg setzen feine, regelmäßige, konzentrische Streifen und erzeugen eine regelmäßige, mit bloßem Auge erkennbare Punktierung der letzteren. Das Ohr ist mit etwa 6 kräftigen, zum Vorderrand parallelen Rippen bedeckt, die sich als Einkerbungen auf den Schloßrand fortsetzen.

Bemerkungen: Die flache Gestalt des vorliegenden Stückes im Verein mit seinem höchstwahrscheinlich ziemlich gleichseitigen Umriß erinnert an Jugendformen von Lima aequilatera Buv. aus dem Astartien von Angolat, wie sie mir aus dem münchner Museum vorliegen. Auch bezüglich der Skulptur herrscht Übereinstimmung. Dagegen bildet das Fehlen einer Lunula in Verbindung mit der für Lima etwas ungewöhnlichen Gestalt des Ohres, welche an Pecten gemahnt, ein spezifisches Karakteristikum unserer Art.

Untersuchte Stücke: 1.
Vorkommen: El-Kākūr im Salimatal.
Sammlung: Zumoffen.

Lima sp.

Beschreibung: Die vorliegende, stark beschädigte linke Schale ist etwa 30 mm hoch, etwa 24 mm breit, von dreieckiger Gestalt, mit halbkreisförmig gerundetem Unterrande und kräftig verjüngter Wirbelregion. Die Wölbung der Klappe ist bedeutend, besonders gegen die Mitte hin. Der gerade Wirbel läuft spitz zu. Der Schloßrand ist nicht erhalten. Die Lunula erscheint ziemlich lang, nicht sehr breit und mäßig vertieft. Das hintere Ohr war anscheinend von bedeutender Größe.

Die Skulptur besteht aus etwa 20 gerundeten Rippen, die durch breite Zwischenräume getrennt sind. Von der Schalenmitte, ab nach unten verändern die ersteren ihr Aussehen. Sie werden kantig, fallen steil gegen die Intervalle ab und tragen auf der Mitte ihrer Oberfläche eine seichte Längsfurche. Unabhängig von letzterer findet besonders gegen den Hinterrand zu eine partielle Teilung der Rippen statt in einen Hauptast und in einen Nebenast. Ersterer behält die Rückenfurche bei. Am Ansatzstück des hinteren Ohres finden sich einige quergestellte Zähnchen als Überbleibsel einer Querberippung.

Bemerkungen: Beziehungen, wenn auch nur entfernterer Natur, eröffnen sich zu *Lima Kobyi* Lor.[1] aus dem Ptérocérien von Valfin. Übereinstimmung der beiden Formen läßt sich feststellen mit Bezug auf die Zahl, Beschaffenheit und Teilungsweise der Rippen.

Untersuchte Stücke: 1.

Vorkommen: Zwischen Merudsch und Antûra im Salimatal.

Sammlung: Zumoffen.

Lima sp.

Beschreibung: Schlechterhaltenes rechtes Schalenexemplar mit nur teilweise erhaltenem Außenrand und mit kräftig gewölbter Schale. Der Unterrand war augenscheinlich bedeutend gerundet, der Hinterrand erscheint schwach konvex gebogen. Der Vorderrand besaß entweder geraden oder etwas konkaven Verlauf. Die Lunula ist flach, länglich und ziemlich schmal. Ohren und Schloßrand sind nicht erhalten. Die Wirbelregion spitzt sich ziemlich kräftig zu. Der Wirbel ist ein wenig nach vorn gewendet und überragte anscheinend den Schloßrand.

Die Skulptur der Schale besteht aus etwa 50 schwach gerundeten Radialrippen. Diese ziehen vom Wirbel zum Außenrand ohne sich zu teilen und nehmen dabei kräftig an Breite zu, während ihre punktierten Zwischenräume eine nur geringere Erweiterung erfahren.

Bemerkungen: Das vorliegende Stück zeigt, soweit es sein mangelhafter Erhaltungszustand erkennen läßt, Ähnlichkeit mit *Lima cypris* Lor.[2] aus dem Ptérocérien von Valfin. Die beiderseitige Skulptur zeigt nicht unbedeutende Übereinstimmung.

Untersuchte Stücke: 1.

Vorkommen: Bekfêja im Kelbtal.

Sammlung: Zumoffen.

Familie: Pectinidae Lam.

Gattung: Pecten Klein.

Sämtlichen der Gattung angehörigen, vorliegenden Formen ist eine Anzahl von karakteristischen Merkmalen gemeinsam. In erster Linie die starke Schalenwölbung, ferner die weit vorragende, kräftig zugespitzte Wirbelregion und die Gleichwertigkeit der einzelnen Rippen.

Pecten palmyrensis n. sp.

Taf. III, Fig. 8a—b.

Maße: Höhe: 24 *mm.*
Länge: 24 *mm.*
Dicke: 7 *mm.*

Beschreibung: Das vorliegende, ziemlich gleichseitige Exemplar ist eine rechte Klappe mit teilweise erhaltener Schale. Die letztere ist ebenso lang wie hoch, ihre vordere Partie erscheint etwas mehr zugestutzt und verlängert als die hintere. Der Unterrand verläuft nahezu halbkreisförmig. Vorder- und Hinterrand sind in scharfem Winkel gegen ihn abgesetzt und beide konkav gebogen. Der Hinterrand ist der kürzere, seine stärkste Einbiegung liegt im unteren Teil seines Verlaufs. Der längere Vorderrand zeigt

---

[1] 1887. Loriol. Couches de Valfin, pag. 328, Taf. XXXIV, Fig. 7.
[2] 1887. Loriol. Couches de Valfin, pag. 325, Taf. XXXVI, Fig. 7 9.

geringere und gleichmäßigere Schwingung. Die kräftig gewölbte Schale ist in der Breite stärker gebogen als in der Längsrichtung und fällt mit gleichmäßiger Konvexität gegen den Mantelrand ab. Die W i r b e l - r e g i o n erscheint hingegen mehr zusammengedrückt, ihre Flanken krümmen sich überhängend zu den Ohren hinab. Der spitze, schlanke, stark gebogene W i r b e l ist leicht nach innen und vorn gewendet. Der horizontale S c h l o ß r a n d verläuft lang und gerade. Die O h r e n sind von bedeutender Größe. Das vordere, längere, läuft schmal und spitzwinklig zu und hat unter sich einen tiefen Byssusausschnitt. Das hintere von kurzer und gedrungener Form endet in einen rechten Winkel.

Die S k u l p t u r der Schale besteht aus etwa 28 gleichartigen, an der Oberfläche ebenen, an den Kanten gerundeten Rippen, deren Vorderseite mit kaum wahrnehmbaren, flachen Einkerbungen versehen ist. Ihre Zwischenräume sind schmal und kantig. Das rechte Ohr ist mit etwa 7 nicht sehr deutlich hervortretenden Radialrippen verziert, welche Überreste von konzentrischer Streifung aufweisen. An der Ansatzstelle des linken Ohres haben sich ebenfalls Spuren einer feinen, regelmäßigen, konzentrischen Skulptur erhalten.

B e m e r k u n g e n : Nähere Beziehungen der vorliegenden Spezies zu anderen Arten wurden nicht ermittelt. Ein Vergleich mit *Pecten erinaceus* Buv., der mit Bezug auf die von L o r i o l [1]) gegebene Abbildung im Äußeren etwas Ähnlichkeit mit unserem Typ besitzt, führte wegen durchgreifender Unterschiede zu einem negativen Resultat.

U n t e r s u c h t e S t ü c k e : 1.

V o r k o m m e n : Bekfēja im Kelbtal.

S a m m l u n g : Z u m o f f e n.

Pecten lykosensis n. sp.

Taf. IV, Fig. 1 a—c.

M a ß e : Höhe: 7 *mm.*

Länge: 7 *mm.*

Dicke: 4 *mm.*

B e s c h r e i b u n g : Sehr kleine, ziemlich gleichseitige, mäßig gewölbte Form, ebenso hoch wie breit. Vorder- und Hinterrand laufen geradlienig an dem zentralen, spitzen, leicht nach unten gekrümmten W i r b e l zusammen, welcher den langen, horizontalen S c h l o ß r a n d etwas überragt. Der letztere erscheint zu den beiden O h r e n ausgezogen, von welchem das rechte, größere als spitz zulaufender Flügel seitwärts hinausragt, während das andere nur wenig im stumpfen Winkel vorspringt. Unter dem Hauptohr befindet sich ein Byssusausschnitt. Beide Klappen sind von der gleichen Wölbung.

Auf ihnen zeigen sich als H a u p t s k u l p t u r e l e m e n t durchgängig 11 kräftige, ungeteilte Rippen von der gleichen Breite wie ihre Zwischenräume. Rippen wie Furchen sind in ihren Konturen ebenmäßig gerundet und von sehr feinen Querstreifen überzogen. Die Rippen, insbesondere die der linken Schale, sind anscheinend alternierend mit wenigen, relativ großen, regelrecht angeordneten, hohlen Dornen besetzt. Der Außenrand wird durch die Berippung im Zickzack gekerbt.

B e m e r k u n g e n : Unsere Exemplare stehen bezüglich ihrer Gesamterscheinung dem *Pecten subspinosus* Schloth. nahe, wie ihn S c h l o t h e i m [2]) und G o l d f u ß [3]) abbilden. Als die Anzahl der Rippen geben beide Autoren übereinstimmend die Zahl 12 an, Q u e n s t e d t [4]) jedoch nur 11. Nach ihnen sind auch nur die Furchen und die Seiten der Rippen mit Querstreifen bedeckt, ferner sollen die Rippen spitz zulaufen. Aus der münchner Staatssammlung liegen mir nun typische Exemplare von *P. subspinosus* Schloth. vor aus dem Malm von Amberg und von Rammingen bei Ulm. Sie zeigen die gleiche Form der Rippen und dieselbe Art der konzentrischen Streifung, wie *Pecten lykosensis*. Diese Merkmale bieten sonach keine konstanten Unterschiede zwischen den mitteleuropäischen und den Libanonexemplaren. Solche ergaben sich

[1]) 1887. L o r i o l. Couches de Valfin, pag. 312, Taf. XXXV, Fig. 6.

[2]) 1830. S c h l o t h e i m. Petrefaktenkunde, pag. 223.

[3]) 1834. G o l d f u ß. Petref. Germaniae, pag. 46, Taf. XC, Fig. 4.

[4]) 1885. Q u e n s t e d t. Petrefaktenkunde, pag. 772.

vielmehr in der viel kräftigeren Ausbildung des Vorderohres und in dem anscheinend alternierenden Auftreten der Rippendornen bei der hier beschriebenen Art. Beide Eigentümlichkeiten, in Verbindung mit der weitaus geringeren Größe unserer Exemplare, veranlassen mich, in ihnen eine neue, mit *P. subspinosus* Schloth. nah verwandte Spezies zu erblicken.

Pecten subspinosus Schloth. findet sich [1]) im Séquanien und Kimméridgien des Aargaus, Schwabens und Frankens, im Rauracien von Gray, im Kimmeridge von Oberschlesien und Polen.

Untersuchte Stücke: 4.

Vorkommen: Duar im Salîmatal. Mär Eljās im Kelbtal.

Sammlung: Zumoffen.

Pecten n. sp.

Tab. III, Fig. 9.

Maße: Höhe: 37 *mm.*

Länge: 37 »

Dicke: 7 »

Beschreibung: Die vorliegende, gleichseitige, etwas zusammengedrückte Form ist weit größer als die beiden oben besprochenen. Der Unterrand erscheint kräftiger gerundet, die Wirbelregion stärker zugespitzt und bei der linken Schale ein wenig intensiver aufgewölbt als bei der rechten. Vorder- und Hinterrand sind etwas konkav gebogen und von gleicher Länge. Der Schloßrand nimmt geraden Verlauf. Die Ohren zeigen verschiedenen Bau. Das größere mit tiefem Byssuseinschnitt springt breit und rundlich abgestutzt nach vorn vor. Seine untere Partie ist gegen den Byssuseinschnitt hin ziemlich konkav gebogen. Das hintere ragt von langer Basis aus nur wenig nach außen.

Die Skulptur der Schale besteht aus etwa 30 starken, oben gerundeten, gegen die Zwischenräume steil abgesetzten Radialrippen. Die ersteren sind anfangs viel schmaler als die letzteren, übertreffen sie jedoch am Mantelrand an Breite. Die Rippen sind gegen die Schalenmitte hin mit zwei Reihen seitlicher, regelmäßig angeordneter, kleiner, rundlicher Knötchen versehen. Nach dem Vorderrande hin schwillt die äußere Knötchenreihe stärker an und bildet in der Nähe des letzteren kräftige Anschwellungen, welche über die ganze Rippe quer hinweg laufen.

Das hintere Ohr erscheint glatt bis auf drei nicht sehr stark markierte Radialreihen von etwas länglich gestalteten Knötchen. Das Vorderohr ist gegittert durch eine größere Anzahl von Radialstreifen und durch feine Querstreifen, die auf den ersteren entsprechende Knötchen erzeugen.

Bemerkungen: Die beschriebene Art zeigt nahe Beziehungen zu *Pecten lykosensis* in der Form und Wölbungsart der Schalen. Unterschiede ergeben sich aus der Größe, Form und Skulptur der Ohren.

Untersuchte Stücke: 2. Erhalten ist eine rechte Schale und die Wirbelregion einer linken, welche mangelnde Teile der ersteren ersetzt.

Vorkommen: Duar im Kelbtal. Zwischen Merudsch und Antûra im Salîmatal.

Sammlung: Zumoffen.

Pecten sp.

Taf. IV, Fig. 2*a—d.*

Beschreibung: Schalenbruchstück eines Exemplars mit außergewöhnlich stark gewölbter, mittlerer Schalenpartie und mit anscheinend nach vorn gelegenem Wirbel. Der Vorderrand scheint konkaven, der Hinterrand konvexen Verlauf besessen zu haben. Die 22, an ihrer Oberfläche ebenen, gegen die Zwischenräume hin kantigen Rippen sind breiter als die letzteren und werden wie diese von sehr feinen Anwachsstreifen überzogen, die auf den Rippen nach oben, in den Furchen nach unten hin gebogen sind. Auf ihren Rückenkanten tragen die Rippen je zwei Reihen von verschieden großen, eng und regelmäßig zusammenstehenden, rundlichen Knötchen. Nach hinten schwellen die Knötchen der hinteren Reihe, nach vorn aber die der vorderen Reihe stärker an. Unter diesen letzteren zeigt sich auf den Flanken der Rippen

---

[1]) Nach Moesch, Guembel, Etallon und Roemer.

noch eine dritte Reihe sehr kleiner Knötchen. Ein spärlicher Überrest vom Ansatz des vorderen, wahrscheinlich mächtig entwickelten Ohres, zeigt äußerst feine Streifung, welche schief zu der Richtung der Radialrippen der Schale verläuft.

Bemerkungen: Die vorliegende Form besitzt anscheinend enge Beziehungen zu *Pecten erinaceus*, wie ihn Buvignier[1]) aus dem Argovien und Rauracien des Departements Meuse abgebildet hat. Übereinstimmung herrscht bezüglich der Wölbungsart der Schale, der gleichen Anzahl von Radialrippen und mit Bezug auf die Ausschmückung der letzteren mit drei Reihen von Knötchen. Anderseits ergibt sich eine Reihe von feineren Trennungsmerkmalen: Bei Buvignier erscheint die dritte Reihe der Knoten mitten auf den Rippen, Loriol[2]) fand sie bei keinem seiner Exemplare, bei uns zeigen sie sich aber auf der Außenseite der stärker ausgebildeten Knotenreihe. Dieser Unterschied in Verbindung mit der anscheinend abweichenden Skulptur des Vorderohres scheint unser Exemplar als eine vielleicht selbständige mit *Pecten erinaceus* Buv. allerdings nah verwandte Art zu kennzeichnen. Der mangelhafte Erhaltungszustand dieses einzigen Stückes läßt uns hier natürlich zu keinem festen Ergebnis gelangen.

Untersuchte Stücke: 1.

Vorkommen: Kelbtal. Nahe der »Grotte«.

Sammlung: Zumoffen.

Pecten sp.

Beschreibung: Mittelgroßes, etwas zusammengedrücktes Exemplar, dessen Schale in der Länge und Breite regelmäßig und kräftig gewölbt ist. Der Unterrand ist breit und nicht sehr stark gebogen. Der Vorderrand erscheint etwas länger als der Hinterrand. Beide sind mäßig konkav geschweift. Die kräftig gebauchte Schale fällt ziemlich steil zu den Außenrändern ab. Der kurze, spitze, zentrale Wirbel überragt ein wenig den Schloßrand. Letzterer ist ziemlich lang, horizontal und von geradem Verlauf. Das vordere Ohr ist in die Länge gestreckt, abstehend und besitzt einen tiefen Byssusausschnitt. Das hintere Ohr schiebt sich von seiner breiten Ansatzstelle aus stumpfwinklig nach außen vor.

Die Schalenskulptur besteht aus etwa 36 Radialrippen, die von minutiös feinen Anwachsstreifen überzogen werden. Erstere sind oben flach, an den Ecken kantig und von der gleichen Breite wie ihre Zwischenfurchen. Das vordere Ohr ist mit einer geringen Anzahl von Radialrippen bedeckt, die von häufigeren, konzentrischen Streifen gekreuzt werden. Auf dem hinteren Ohr läßt sich Skulptur mit Sicherheit nicht feststellen.

Bemerkungen: Die konzentrischen Streifen des Vorderohres sind bedeutend stärker als die der Schale. Die vorliegende Art besitzt manche Ähnlichkeit mit *Pecten palmyrensis* n. sp. Der Umstand, daß ihre Form durch Verdrückung stark gelitten hat, hält mich von näheren Vergleichen ab.

Untersuchte Stücke: 1.

Vorkommen: Bekfëja im Kelbtal.

Sammlung: Zumoffen.

Familie: **Ostreidae** Lam.

Gattung: **Ostrea** Lin.

Ostrea akkabensis n. sp.

Taf. V, Fig. 2a—b.

Maße: Höhe: 47 *mm*.

Länge: 47 »

Dicke: 38 »

Beschreibung: Dickschalige, unregelmäßig gewölbte Muschel von etwa gleichseitig dreieckiger Gestalt. Die größere, stärker gekrümmte Unterschale weist in ihrer oberen und vorderen Partie eine

---

[1]) 1852. Buvignier, Meuse. pag. 23, Taf. XIX, Fig. 7—12.

[2]) 1887. Loriol, Valfin. pag. 312, Taf. XXXV, Fig. 4—6.

ausgedehnte, leicht konkave Anwachsfläche auf, die mehr als ein Drittel der Schalenoberfläche einnimmt und den Wirbel gänzlich verwischt. Ihr Innenraum ist relativ wenig vertieft und zeigt parallel zum Außenrand eine wohlabgegrenzte, breitgerundete Erhabenheit, welche das eigentliche Lumen der Schale umschließt. Der kleine, aber sehr tiefe Muskeleindruck hat die karakteristische Gestalt eines Pferdehufes. Die Ligamentgrube ist breit und flach. Die kleinere, flachere Oberschale gewinnt infolge einer breiten, konzentrischen, auf der Oberfläche verlaufenden Furche in ihrer unteren Hälfte konkave Beschaffenheit.

Die Skulptur der Schale besteht aus groben, unregelmäßigen, konzentrischen Lamellen.

Bemerkungen: Ein Vergleich mit *Ostrea kakurensis* n. sp. muß sich auf Eigentümlichkeiten des Schalenäußeren beschränken, da das Innere der ersteren nicht bekannt ist. Übereinstimmende Merkmale ergaben sich eigentlich gar nicht, wenn man nicht die ähnliche Lage und Form der Festwachsfläche und die Tendenz der Oberschale zu konkavem Einsinken bei *Ostrea akkabensis* als solche gelten lassen will. Dafür existiert eine Reihe von bedeutenden Unterschieden in der andersartigen Gestalt von *Ostrea kakurensis* n. sp., welche durch bedeutendere Schalenhöhe, durch die breite und flache Rundung des Vorderrandes, durch die Ausbuchtung des Hinterrandes sowie durch die tiefe Aushöhlung der Oberschale karakterisiert wird. Wir haben es hier offenbar, trotz der großen Formenmannigfaltigkeit der oberjurassischen Austern, mit zwei gut umschriebenen Arten zu tun. In dieser Auffassung bestärkt uns eine Bemerkung von Loriol[1]), des Inhalts, daß der von ihm beschriebenen *Ostrea moreana* Buv. »scharfumgrenzte und ziemlich konstante Merkmale« zukommen. Da nun *Ostrea kakuria* mit letzterer Spezies nächstverwandt ist, so trifft jene Erfahrung vielleicht auch bei ihr zu. Das würde unserer Ansicht weiteres Gewicht verleihen. daß nämlich *Ostrea akkabensis* eine Art ist von selbständiger spezifischer Stellung.

Untersuchte Stücke: 1.

Vorkommen: Kefr Akkâb im Kelbtal.

Sammlung: Zumoffen.

Ostrea kakurensis n. sp.

Taf. V, Fig. 1.

Maße: Höhe: 55 *mm.*

Länge: 58 «

Dicke: 36 «

Beschreibung: Die vorliegende Muschel ist sehr ungleichklappig, ungefähr ebenso hoch wie lang, und besitzt in der Jugend dreieckigen, später mehr gerundeten Umriß. Die linke Schale zeigt eine ziemlich große, rundliche Anheftungsfläche, die eine Abplattung der Wirbelregion bewirkt. Ein eigentlicher Wirbel ist daher gar nicht ausgebildet. Die schräge, nach hinten gerichtete Neigung der Festwachsfläche verstärkt noch das an und für sich schon etwas gryphäenartige Aussehen des vorliegenden Stückes. Ein junges Exemplar zeigt diese Rückwärtsneigung der oberen Schalenregion in ganz unauffälliger Weise. Die Wölbung der beiden Klappen ist bedeutend. Die linke ist stark konvex, die rechte kräftig konkav gekrümmt. Vorderseite und Unterseite erscheinen mäßig·gebogen. Die Hinterseite wird durch eine kräftige, ziemlich schmale Ausbuchtung des Hinterrandes gekennzeichnet, sowie durch eine seichte Furche, welche die letztere nach unten hin begrenzt.

Die Skulptur der Schale besteht aus zahlreichen, unregelmäßigen, blättrigen Zuwachslamellen. Das kleinere Exemplar besitzt auf der Mitte seiner großen Klappe eine Reihe nicht sehr starker, runder Radialrippen, welche abwärts von der Anwachsplatte entspringen und in verschiedener Stärke bis zum Mantelrand hinabsetzen.

Bemerkungen: Unsere Form vereinigt in sich Merkmale von *Ostrea moreana* Buv. und von *Ostrea gryphaeata* Schloth. Von der ersteren lassen die trefflichen Abbildungen und Beschreibungen bei Buvignier[1]) und Loriol[2]) die ähnliche Form und Wölbung der Schale und die relativ große Anwachsfläche erkennen. Mit *Ostrea gryphaeata* Schloth., wie sie Loriol[3]) gibt, hat unser Stück lediglich die

---

[1]) 1852. Buvignier. Statist. géol. de la Meuse, pag. 26, Taf. XVI, Fig. 41—43.

[2]) 1874. Loriol et Pellat. Boulogne s. m., pag. 224, Taf. XXV, Fig. 1.

[3]) 1834. Das gleiche, pag. 226, Taf. XXIV, Fig. 17.

leichte gryphäenartige Hinneigung des Wirbels nach hinten gemeinsam. Wir legen deshalb auf die Beziehungen zu *O. moreana* das größere Gewicht. Von der letzteren Spezies unterscheidet sich *Ostrea kakurensis* n. sp. durch ihre stärkere Schalenwölbung sowie durch die karakteristische Ausziehung der hinteren Region, welche von einer oberen und unteren Einbuchtung des Außenrandes begleitet ist.

Untersuchte Stücke: 2.
Vorkommen: Ain Hamâda und Duar im Salimatal.
Sammlung: Zumoffen.

Ostrea sp.

Kleine, dünne, meist oval gestaltete Muschel, deren Unterschale mit der ganzen Oberfläche festwächst und bald flach, bald gewölbt erscheint. Der Muskeleindruck hat die Form eines Pferdehufes.

Untersuchte Stücke: 4.
Vorkommen: Antûra im Salimatal.
Sammlung: Zumoffen.

Gattung: **Alectryonia** Fischer.

Alectryonia hastellata Schloth.

Tab. IV, Fig. 3a—b.

Synonyme:

1820. *Ostracites cristagalli hastellatus*, Schlotheim. Petrefaktenkunde, pag. 243.
1834—1840. *Ostrea colubrina*, Goldfuß. Petr. Germaniae, II, pag. 8, Taf. LXXIV, Fig. 5a—e.
1858. *Ostrea hastellata*, Quenstedt. Jura, pag. 750, Taf. XCI, Fig. 27.
1862.   »   »   Thurmann et Etallon. Lethea bruntrutana, pag. 279, Taf. XXXIX, Fig. 12.
1874. *Ostrea gregaria*, Brauns. Ob. Jura, pag. 347.
1881. *Ostrea hastellata*, Loriol. Couches de Wangen, pag. 97, Taf. XIII, Fig. 8—9.
1882.   »   »   Roeder. Terr. à chailles von Pfirt, pag. 29, Taf. 1, Fig. 1.
1882. *Alectryonia hastellata*, G. Boehm. Bivalven d. kelh. Dicerask., pag. 186.
1883.   »   »   G. Boehm. Bivalven d. str. Schichten, pag. 658, Taf. LXX, Fig. 30—31.
1885. *Ostrea hastellata*, Bruder. Jura des Hohnstein, pag 38, Taf. IV, Fig. 5.
1892.   »   »   Loriol. Jura bernois, pag. 346, Taf. XXXVI, Fig. 8.
1893.   »   »   Siemiradzki. Ob. Jura in Polen, pag. 115.
1894. *Alectryonia hastellata*, Loriol, Jura bernois, pag. 72, Taf. IX, Fig. 1—3.
1896.   »   »   Semenow. Mangyschlak, pag. 67, Taf. I, Fig. 19.

Maße: Höhe: 47 *mm*.

Länge: 16 »

Dicke: 15 »

Beschreibung: Die vorliegende linke Schale ist bedeutend höher als breit und im Ganzen mäßig, gegen das untere Ende hin etwas stärker nach hinten gebogen. Sie verjüngt sich von der Stelle des größten Breitendurchmessers gleichmäßig nach unten. Ihre Form ist dachartig, ihr Querschnitt ähnelt einem Antiparallelogramm. Der First dieses Daches ist eben und verbreitert sich nach unten unter gleichzeitigem Flacherwerden der Muschel. Auf dem Kamme dieser letzteren zieht näher dem Hinterrande eine nicht sehr kräftige Längsrippe entlang, von der aus zu beiden Seiten in der Richtung nach unten und außen ebenso starke und gerundete Rippen ausstrahlen. Die vorderen zweigen unmittelbar von der Mittelrippe ab und verästeln sich mehrfach. Die hinteren sind bei ihrem Beginn durch eine Längsfurche von der Hauptrippe getrennt und dichotomieren niemals. An den kräftigen Kanten des Schalenrückens bilden die Rippen beiderseits längliche Knoten und setzten unter nahezu rechtwinklicher Umbiegung in großer Anzahl als kräftige, gerade, regelmäßige, parallele Streifen an den senkrecht abfallenden Flanken herab. Ihre Zwischenräume sind ziemlich tief und spitzgerundet.

Am Schaleninneren fällt der Kontrast auf zwischen dem kleinen Wohnraum des Tieres und der sehr bedeutenden Dicke der Schale. Ligamentgrube und Muskeleindruck sind nicht erhalten.

14*

Schalenbruchstücke dieser Spezies von einer anderen Lokalität (Mär Eljās) zeigen manche abweichenden Merkmale. Insbesondere erblickt man dort auf der konvexen Seite des Daches nie das vorhin erwähnte Dichotomieren der Seitenrippen. Letztere schwellen hingegen bei ihrem senkrechten Abbruch zu spitzen Dornen oder zu schmaler aber hocherhobenen Lamellen an, die in ihrem weiteren Verlauf eine breite Basis und einen scharfen, gratartigen Rücken aufweisen. Umgekehrt sind ihre Zwischenfurchen oben sehr breit und laufen an der Sohle spitz zu. Rippen wie Furchen sind von sehr zahlreichen gut markierten Zuwachsstreifen überzogen, deren zickzackartiger Verlauf bei den Stücken von Mär Eljās besonders deutlich hervortritt.

Bemerkungen: Die beiden beschriebenen und abgebildeten Typen erscheinen einander ziemlich unähnlich. An der Hand der zahlreichen Exemplare von *Alectryonia hastellata* Schloth., welche mir aus dem münchner Museum vorliegen, lassen sich jedoch Übergänge von der einen zur anderen Form mit Sicherheit feststellen.

Bei einer Durchsicht der mezosoischen Ostreen des genannten Museums fiel es mir auf, daß Exemplare von *Ostrea carinata* Lam. aus dem unteren Cenoman von Plauen bei Dresden bezüglich ihrer äußeren Gestalt von unserem an erster Statt beschriebenen Typ kaum zu unterscheiden sind.

Untersuchte Stücke: 6.

Vorkommen: Duar im Salîmatal. Schweir und Mär Eljās im Kelbtal.

Sammlung: Zumoffen.

Alectryonia sp.

Der Wirbel des anscheinend ganz jungen, noch nicht festgewachsenen Exemplars liegt fast am Ende der kleinen, länglichen, mäßig stark gewölbten Schale. Der Mantelrand ist bis auf den konkaven Hinterrand konvex gebogen. Gegen den Unterrand stellt sich eine Reihe von sehr kräftigen, gerundeten Radialrippen ein, die den Außenrand in dem die Gattung kennzeichnenden Zickzack kerben.

Untersuchte Stücke: 1.

Vorkommen: Zwischen Aïn Alak und Bekfêja im Kelbtal.

Sammlung: Zumoffen.

Familie: Mytilidae Lam.

Gattung: Mytilus Lin.

Mytilus alatus n. sp.

Taf. IV, Fig. 4a—b, Fig. 5.

Typ:	I:	II:	III:
Maße: Höhe:	112,	etwa 100,	84 *mm*.
Länge:	53,	52,	47 »
Dicke:	37,	36,	31 »

Beschreibung: Längliche Muschel von karakteristischer, dreieckiger Gestalt, die vom Wirbel aus nach der Mitte hin an Breite und Dicke erheblich zunimmt, um nach unten zu wieder schmaler und dünner zu werden. Die Wirbel sind terminal und nicht sehr stark nach vorn gebogen. Die Wirbelregion erscheint lang und kräftig zugespitzt. Der Schloßrand nimmt vom Wirbel aus schnurgeraden Verlauf und biegt in ziemlich scharfer Knickung in den Hinterrand um. Dieser schlägt seinerseits auch wieder gerade Richtung ein und geht weiterhin in den kräftig gerundeten Unterrand über. Der Vorderrand streicht von hier aus in einer zuerst auswärts, dann nach innen, schließlich wieder konvex geschweiften Linie zum Wirbel zurück.

Der Rücken der Schale ist stark und breit gewölbt. Es begrenzt ihn vorn eine kräftige, breitgerundete Kante, die sich vom Wirbel aus in einem Bogen dem Hinterrand zuwendet, dann aber dem Vorderrand zustrebt und dicht an diesem hinziehend in stetigem, konvexem Abfall in den Unterrand übergeht. Von dieser Kante aus fällt die Schale mit Ausnahme der oberen Partie sehr steil gegen vorn ab. Eine zweite, schwächer ausgeprägte, hintere Kante nimmt gleichfalls vom Wirbel ihren Ausgang. Sie verläuft in Divergenz mit der vorderen, aber auch in gewissem Sinne parallel zu ihr, gegen die Übergangsstelle von Hinter- und Unterrand derart, daß sie alle Ein- und Ausbiegungen der Parallelkante mitmacht. Beide Kanten zusammen geben dem Schalenrücken seine karakteristisch-gebogene Gestalt. Auswärts von der Hinterkante verflacht und verschmälert sich die Schale zu der weit ausgebuchteten Hinterregion. Das Schloß ist nicht sichtbar.

Die Skulptur der Oberfläche besteht aus feinen, regelmäßigen Anwachsstreifen, die zuweilen etwas gröbere Beschaffenheit erlangen.

Bemerkungen: Der Schloßrand dieser Art ist von außergewöhnlicher Länge. Er übertrifft darin den Hinterrand. Von zwei Stücken, welche von dem gleichen Fundort stammen (I und III), zeichnet sich das größere vor dem anderen durch relativ bedeutendere Höhe und durch seine schlankere Form aus.

Futterer[1] weist hin auf die engen Beziehungen zwischen *Mytilus intermedius* Thurm.,[2] *Mytilus jurensis* Mér.,[3] und *Mytilus tigrensis* Blanf.,[4] welche durch viele Übergänge miteinander verbunden sind. *Mytilus alatus* bildet in dieser Kette das vierte Glied. Er unterscheidet sich von *M. tigrensis* Blanf., wie er von Futterer (loc. cit.) in übersichtlicher Weise beschrieben und abgebildet wurde, durch die folgenden Merkmale: Sein Schloßrand ist noch stärker verlängert. Die Hinterregion ladet schon bei Exemplar II weiter aus und gewinnt bei I und III ein fast geflügeltes Aussehen. Der Schalenrücken ist unten bedeutend schmaler und hebt sich bis zum Unterrand deutlich vor der übrigen Schale heraus. Seine stärkste Wölbung liegt der Längsmitte näher. Auch der Querschnitt verhält sich abweichend. Diese Unterschiede lassen mir eine Abtrennung der vorliegenden Stücke von *M. jurensis* und in zweiter Linie von *M. tigrensis* als geboten erscheinen.

Untersuchte Stücke: 3.

Vorkommen: Kefr Akkâb und Bekfêja im Kelbtal.

Sammlung: Zumoffen.

Mytilus cfr. furcatus Münst.

Taf. IV, Fig. 6.

Synonyme:

1834. *Mytilus furcatus* Münster in Goldfuß. Petrafacta Germaniae, pag. 170, Taf. CXXIX, Fig. 6.
1839.   »   »   Roemer. Oolithengebirge, Nachtrag, pag. 33, Taf. XVIII, Fig. 38.
1858.   »   »   Quenstedt. Jura, pag. 757, Taf. XCII, Fig. 22.
1859.   »   »   Etallon. Haut-Jura, II, pag. 110.
1864.   »   »   Seebach. Hannov. Jura, pag. 112.
1874.   »   »   Brauns. Ob. Jura, pag. 298.
1874.   »   »   Loriol et Pellat. Boulogne s. m., pag. 158, Taf. XVIII, Fig. 15—16.
1886.   »   »   Loriol. Valfin, pag. 302, Taf. XXXIV, Fig. 5.

Maße: Höhe: 17 *mm.*

Länge: 10 *mm.*

Dicke: 4,5 *mm.*

Beschreibung: Rechte Klappe von typischer Schinkenform und von zierlicher, kleiner Gestalt. Der Schloßrand ist lang und gerade und bildet mit dem leicht gebogenen Hinterrand einen vorspringenden Winkel. Der kräftig gekrümmte Unterrand geht gerundet in den S-förmig geschwungenen Vorderrand über. Die Schale erscheint unten wenig gewölbt, schwillt jedoch nach oben hin in der Nähe des Vorderrandes sehr kräftig an, während sie zum Hinterrand bedeutend weniger steil abfällt. Die schlanke, zusammengepreßte, hochgehobene, nach vorn gekrümmte Wirbelregion endigt in den spitzen, terminalen Wirbel.

---

[1] 1897. Futterer. Jura in Schoa. Zeitschr. D. geol. Ges., pag. 592, Taf. XX, Fig. 1.

[2] 1861. Thurmann et Etallon. Pag. 221, Taf. XXIX, Fig. 5.

[3] 1861. Dieselben, pag. 220, Taf. XXIX, Fig. 4.

[4] 1870. Blanford, Abyssinia, pag. 201, Taf. VIII, Fig. 3.

Die Schalenskulptur besteht aus zahlreichen, ziemlich kräftigen Radialrippen, die in ihrem Verlauf von einzelnen, gröberen Zuwachsstreifen nicht unterbrochen werden und häufig dichotomieren. Sie sind mit regelmäßigen, dichtstehenden Körnchen besetzt.

Bemerkungen: Das vorliegende Stück zeigt gute Übereinstimmung mit einem der im münchner Museum befindlichen Originalexemplare zu der von Goldfuß (l. c.) gegebenen Abbildung, welche aus dem Kimméridgien von Nattheim stammen. Von letzteren Stücken unterscheidet sich unsere Form durch geringere Größe und Wölbung. Vielleicht sind diese Abweichungen indessen auf ihr jugendliches Alter zurückzuführen. Der von Loriol (loc. cit.) gegebene Typ aus dem Ptérocérien von Valfin unterscheidet sich von unserem Individuum durch schlankeres und etwas mehr gewölbtes Aussehen. Die Größe ist dagegen bei beiden Vertretern gleich. Das von Quenstedt (l. c.) abgebildete Stück ist im Gegensatz zum unsrigen durch bedeutendere Länge und Schmalheit ausgezeichnet. Die Loriolschen Exemplare von Boulogne (loc. cit.) stehen unserem Typ nicht sehr nahe.

Das gleiche gilt mit bezug auf das von Morris and Lycett[1]) abgebildete Individuum aus dem Großoolith von Minchinhampton.

Mytilus furcatus Münst. findet sich im: Astartien und Kimméridgien von Hannover, Séquanien von Boulogne, Ptérocérien von Valfin, Kimméridgien von Nattheim, Ulm, Séquanien von Amberg.

Untersuchte Stücke: 1.

Vorkommen: Zwischen Merudsch und Antûra im Salimatal.

Sammlung: Zumoffen.

Gattung: **Modiola** Lam.

Modiola Amphitrite n. sp.

Taf. IV, Fig. 7 a—b.

Maße: Höhe: 113 mm.

Länge: 45 »

Dicke: 45 »

Beschreibung: Etwas abgerollter, langer, stark zusammengedrückter, karakteristischer Steinkern von der gleichen Breite wie Dicke. Wirbel terminal, fast zusammenstehend. Der langgestreckte Schloßrand geht mit scharfer Knickung in den Hinterrand über. Beide sind etwas konkav gebogen. Der Unterrand ist kurz und kräftig gerundet. Der Vorderrand erscheint S-förmig gekrümmt und geht mit ziemlich starker Konvexität in den Schloßrand über. Ihre typische Gestalt aber erhält die vorliegende Muschel durch die Wölbungsart der Schalen.

Vom Wirbel aus zieht eine gerundete, sehr deutlich abgesetzte Kante unter leichter S-förmiger, Schweifung schräg über die Schale hinweg zu der Vereinigungsstelle von Vorderrand und Unterrand. Sie erscheint oben nach hinten, unten nach vorn leicht ausgebogen und bildet in ihrem Verlauf überall den Kulminationspunkt des Schalenrückens. Der letztere fällt nach hinten steil und etwas konkav, nach vorn in sanfterer, konvexer Neigung gegen den Außenrand ab. Nach unten tritt eine Verbreiterung und Verflachung des Schalenrückens ein. In der Gegend der Abgrenzung zwischen Schloß- und Hinterrand, also etwa im oberen Teil des zweiten Schalendrittels, erscheint die Muschel im stumpfen Winkel nach hinten ausgebuchtet. Das Schloß hat sich nicht erhalten.

Von der Schalenskulptur lassen die wenigen, abgeschliffenen Reste der Schale nichts erkennen.

Bemerkungen: In Beziehungen tritt unsere Form zu *Modiola subaequiplicata*, wie sie Goldfuß[2]) aus dem Portlandien des Kahleberges abbildet sowie zu *Modiola Pantanellii* Futterer[3]). Mit beiden Arten hat sie die starke Wölbung des Schalenrückens und den geraden Verlauf des Schloßrandes gemeinsam. Sie weicht von ihnen ab durch bedeutendere Höhe, schlankeren Umriß, durch andersartigen Verlauf

---

[1]) 1853. Morris and Lycett. Bivalves. pag. 39, Taf. IV, Fig. 9.

[2]) 1841—1844. Goldfuß. Petrefacta Germaniae, pag. 177, Taf. CXXXI, Fig. 7.

[3]) 1894. Futterer. Jura von Schoa, pag. 594, Taf. XX, Fig. 4, 4a.

und schärfere Markierung der Rückenkante. Im einzelnen betrachtet, steht unser Exemplar *Modiola Pantanellii* Futt. näher in der weiteren Ausziehung des Hinterrandes und in der stärkeren Biegung des Vorderrandes. Mit *Modiola subaequiplicata* Goldf. hat es Ähnlichkeit mit Bezug auf die relativ geringe Länge des Schloßrandes und die kräftigere Herauswölbung der oberen Partie des Vorderrandes.

Die hervorgehobenen Unterschiede machen trotz des nicht einwandfreien Erhaltungszustandes die Abtrennung der vorliegenden Form als selbständige Art zur Notwendigkeit.

Wie *Modiola Pantanellii* Futt. gehört auch *M. Amphitrite* zu dem Formenkreise der *Modiola aequiplicata* Strombeck. Letztere findet sich im: Rauracien des Berner Jura, Haute-Marne, Meuse, Astartien von Oberbuchsitten, Tonnerre, England[1]), Polen[2]), Hohnstein[3]), Séquanien und Kimméridgien von Hannover und Porrentruy, Kimméridgien von La Rochelle, Haute-Saône, Le Hâvre, Yorkshire[4]).

Untersuchte Stücke: 1.

Vorkommen: Kefr Akkâb im Kelbtal.

Sammlung: Zumoffen.

Modiola sp.

Taf. V, Fig. 3.

Maße: Höhe: 33 *mm.*
Länge: 16 *mm.*
Dicke: 14 *mm.*

Beschreibung: Schalenexemplar von nicht sehr langer, etwas gedrungener Gestalt und von ziemlich kräftiger Wölbung. Am Unterrand ist ein leichtes Klaffen zu bemerken. Letzterer wie der Vorderrand sind nur teilweise erhalten. Der Schloßrand ist lang und gerade. Er geht am Wirbel in den Vorderrand über, der in seinem oberen Teil kräftig konvex gebogen ist. Nach unten, beim Übergang in den kürzeren, geraden Hinterrand erfährt er eine nicht sehr scharfe Abknickung, durch welche eine geringe Ausbuchtung der hinteren Schalenregion bewirkt wird.

Die Oberregion unserer Muschel ist breit entwickelt. Die Wirbel sind beinahe terminal, eng aneinander geschoben und niedrig. Ihre Buckel schwellen kräftig an und begleiten eine Strecke weit den Schloßrand, den sie überragen. Dann setzen sie sich in den Schalenrücken fort, der in schräger Richtung dem vorderen Teil des Unterrandes zustrebt. Ersterer fällt nach hinten steil und etwas konkav, nach vorn sanfter und konvex ab und erreicht etwas über der halben Schalenhöhe seine stärkste Aufwölbung.

Die Schale ist dünn und mit deutlichen Zuwachsstreifen sowie mit ganz feinen, vielfach dichotomierenden, radialen Rippen verziert.

Bemerkungen: Beziehungen scheinen sich zu ergeben zwischen der vorliegenden Form und *Modiola aequiplicata* Strombeck, wie sie Loriol[5]) aus dem oberen Jura von Boulogne abbildet und anderenorts[6]) beschreibt. Wir sehen die Ähnlichkeit der Umrisse, die annähernd gleiche Länge und dieselbe Art der Schalenverzierung. Unterscheidend wirken bei unserem Exemplar die größere Breite und die stärkere Entwicklung der Oberregion, der kürzere Schloßrand und der etwas andere Verlauf des Schalenrückens.

Von den von anderen Autoren, wie Thurmann, Dollfuß, Buvignier, Goldfuß, Roemer u. a. beschriebenen Formen von *Modiola aequiplicata* Strombeck weicht unser Stück in weit erheblicherem Maße ab.

Untersuchte Stücke: 1.

Vorkommen: Mâr Eljâs im Kelbtal.

Sammlung: Zumoffen.

---

[1]) 1895. Woodward. Jurass. rocks of Britain, pag. 220.
[2]) 1893. Siemiradzki. Oberer Jura in Polen, pag. 120.
[3]) 1885. Bruder. Jura des Hohnsteins, pag. 71.
[4]) 1892. Fox-Strangways. Jur. rocks of Britain, pag. 220.
[5]) 1874. Loriol. Boulogne-s.-m., Taf. XVIII, Fig. 21a, b.
[6]) 1872. Loriol. Haute-Marne, pag. 344.

Gattung: **Lithodomus** Cuv.

Lithodomus Lorioli n. sp.

Taf. IV, Fig. 8*a*—*c*.

Maße: Höhe: 10, 12 *mm*.

Länge: 18, 20 *mm*.

Dicke: 11, 13 *mm*.

Beschreibung: Kleine, gestreckt-ovale, niedrige, sehr ungleichseitige Muschel, die etwas dicker ist als hoch und von vorn nach hinten allmählich an Breite zunimmt. Infolge der terminalen Lage der Wirbel ist die Vorderseite auf ein Minimum beschränkt. Der Vorderrand ist kurz gerundet. Der Schloßrand verläuft lang und gerade. Er geht mit stumpfwinkliger Abknickung in den kurzen, kräftig gebogenen Hinterrand über. An dieser Umbiegungsstelle erreicht unsere Form ihren größten Höhendurchmesser auf etwa zwei Drittel ihrer Längserstreckung. Der Unterrand ist von flacher, gleichmäßiger Rundung.

Die Wirbel sind klein, einander sehr genähert und wenig hervorragend. Ihre Buckel aber schwellen kräftig an und entsenden ihre Flanken in konvexer Wölbung zum Vorderrand, Unterrand und Hinterrand. Nur gegen den Schloßrand hin zeigt ihr Abfall geringe Konkavität.

Die Schale weist drei verschiedenartig verzierte Schichten auf. Die oberflächliche ist glatt, erst nach dem Rande hin stellt sich unregelmäßige Zuwachsstreifung ein. Die zweite Lage trägt feine, makroskopisch nicht wahrnehmbare, konzentrische Rippchen von gleicher Stärke, die durch schmale Zwischenräume voneinander getrennt sind. Die dritte Schicht wird gekennzeichnet durch feine, etwas unregelmäßige Radialstreifen, welche vielfach dichotomieren und wieder miteinander verschmelzen.

Bemerkungen: Die vorliegende Art steht in nahen Beziehungen zu *Lithodomus Pidanceti* Guirand[1]) mit Bezug auf die von Loriol[2]) gegebene Abbildung und Beschreibung. Übereinstimmung herrscht hinsichtlich der Ansicht von oben und von vorn. Als unterscheidend ergibt sich bei unserer Form ihre geringere Größe, die stärkere Anschwellung ihrer Wirbelbuckel in Verbindung mit der geringeren Verbreiterung der Hinterregion. Was die Schale betrifft, so spricht Loriol nur von einer einzigen Schicht mit unregelmäßiger, konzentrischer Streifung, während wir drei Schichtlamellen mit verschiedener Skulptur feststellten.

Lithodomus Pidanceti Guirand wurde aus dem Pterocérien von Valfin beschrieben.

Untersuchte Stücke: 5.

Vorkommen: Duar im Salimatal.

Sammlung: Zumoffen.

Lithodomus Zumoffeni n. sp.

Taf. IV, Fig. 9*a*—*b*.

Maße: Höhe: 17, 11 *mm*.

Länge: 38, 26 »

Dicke: 15, 8 »

Beschreibung: Kleine Muschel von längsovalem, fast zylindrischem Umriß, vorn und hinten gleichartig und kräftig abgerundet, vorn jedoch etwas schmaler. Die Vorderseite erscheint verschwindend klein gegenüber der hinteren Region, die beständig an Höhe zunimmt, bis sie auf etwa zwei Drittel der Breitenerstreckung ihren größten Höhendurchmesser erreicht. Der Unterrand verläuft in gleichmäßiger, schwach konvexer Kurve. Der Schloßrand ist lang und gerade. Der Oberrand bildet in der Gegend der bedeutendsten Schalenhöhe nach oben ausladend einen kleinen, stumpfgerundeten Flügel und leitet konvex in den Hinterrand über.

Die fast terminalen Wirbel sind klein, schwach eingerollt und einander sehr genähert. Ihre Buckel schwellen kräftig an, derart, daß sie sich über dem Schloßrande fast zusammenwölben. Auf etwa ein

---

[1]) Die ersten Beschreibungen von Guirand und Ogérien sind mir leider nicht zugänglich.

[2]) 1888. Loriol. Couches de Valfin, pag. ,7 Taf. XXXIV, Fig. 9.

Drittel der Schalenbreite erreichen sie ihre größte Anschwellung, die sich ganz allmählich zum Hinterrand abdacht. Von dem hierdurch gebildeten Schalenrücken aus steigen die Seitenteile der Schale nach oben in stärkerer, nach unten in schwächerer Aufkrümmung zum Außenrand hinab. Nur in die Ausziehung des Oberrandes gehen sie mit leichter Konkavität über.

Die Schale ist dünn. Sehr bezeichnend sind ihre Zuwachsstreifen, von denen einzelne in karakteristischer Weise hervortreten. Sie haben die Form langgestreckten Ellipsen, deren vorderes Ende stets am Wirbel liegt und deren hintere Pole sich auf der oberen Abdachung des Schalenrückens befinden. Die Verbindungslinie dieser Fixpunkte beschreibt eine gegen oben leicht konvex gebogene Linie, die also stets dem Oberrande genähert ist.

Bemerkungen: Unter den mir vorliegenden Stücken befindet sich ein großes, anscheinend ausgewachsenes Exemplar nebst jüngeren Formen in verschiedenen Größen. Im Laufe des Wachstums scheint sich bei dieser Spezies eine starke Zunahme der Schalenwölbung einzustellen in Verbindung mit schärferer Markierung einzelner Anwachsstreifen.

Bedeutende Annäherung zeigt sich zwischen unseren Stücken und *Modiola gradata* Buv.[1]) Das gilt bezüglich der Seitenansicht, des Vorsprungs des Oberrandes und des scharfen Hervortretens einzelner konzentrischer Streifen. Als trennende Merkmale seien bei unseren Formen hervorgehoben: Die bedeutendere Schmalheit der Vorderseite im Hinblick auf die Verbreiterung der hinteren Region, der andersartige Verlauf der Zuwachsstreifen und schließlich die bedeutendere Größe.

Modiola gradata Buv. findet sich im Séquanien der Meuse und Yonne.

Untersuchte Stücke: 6.

Vorkommen: Mâr Eljâs, Duar, »Grotte« im Kelbtal.

Sammlung: Zumoffen.

Familie: **Nuculidae** Gray.
Gattung: **Nucula** Lam.
Nucula sp.
Taf. IV, Fig. 10a—b.

Beschreibung: Es liegen zwei mittelgroße, ziemlich gut erhaltene Steinkernexemplare vor. Das besser konservierte hat eine Höhe von 14 *mm*, eine Länge von 20 *mm* bei einer Dicke von 10 *mm*. Die Schalen sind gleichklappig, aber ungleichseitig. Der Vorderrand ist kurz abgestutzt und gerundet. Die breitere Hinterseite erscheint lang ausgezogen. Die Wölbung ist auf der Mitte der Klappen gering, erst gegen den Außenrand hin macht sich eine stärkere Abkrümmung bemerkbar. Zu letzterem parallel verläuft die Mantellinie zwischen den kräftig abgesetzten, oval gestalteten Muskelerhöhungen. Die starken, nach vorn gekrümmten Wirbel liegen im vordersten Schalendrittel. Eine Lunula war augenscheinlich vorhanden. Der vordere Schloßrand ist konkav, der hintere konvex gebogen. Die Struktur des Schlosses wird durch eine feine Zickzacklinie angezeigt, welche die vordere und hintere Schloßgrube des einen Steinkerns durchzieht.

Untersuchte Stücke: 2.

Vorkommen: Zwischen Bekfēja und Aïn Alak im Kelbtal.

Sammlung: Zumoffen.

Nucula sp.

Beschreibung: Kleine, gleichklappige, flache Steinkerne mit kurzer, scharf zulaufender Vorderseite und verlängerter, mehr gerundeter Hinterregion. Die Wirbel sind schwach nach vorn gedreht, klein und stehen ziemlich weit voneinander ab. Eine Lunula war vorhanden. Die Schloßgruben lassen nicht sehr deutliche Überreste von kleinen, regelmäßigen, quergestellten Zähnchen erkennen.

Bemerkungen: Es ist möglich, daß die vorliegende Form sich an *Nucula Palestina* Hamlin[2])

---

[1]) 1852. Buvignier. Meuse, p. 22, Taf. XVII, Fig. 24—25.
[2]) 1887. Noetling. Jura am Hermon, pag. 34, Taf. V, Fig. 14.

anschließt, von der mir Exemplare der Blanckenhorn'schen Sammlung aus Medschdel-es-Schems vorliegen. Bei der mangelhaften Erhaltung unserer Stücke kann hier lediglich eine Ähnlichkeit in der äußeren Form konstatiert werden.

Untersuchte Stücke: 2.

Vorkommen: Zwischen Aïn Alak und Bekfēja im Kelbtal.

Sammlung: Zumoffen.

Cucullaea? sp.

Beschreibung: Zwei mit wenigen Schalenresten bedeckte Steinkerne einer rechten und einer linken Klappe. Die linke größere ist 47 *mm* hoch, 60 *mm* breit, 19 *mm* dick. Ihre Form ist abgerundet-dreieckig, die der rechten Klappe trapezförmig. Die Vorderregion ist kürzer abgestutzt und breit gerundet, die Hinterseite erscheint langausgezogen. Der Unterrand verläuft unter geringer konvexer Biegung und ist bei dem kleineren Stück nach hinten leicht konkav geschweift. Die Oberfläche der Steinkerne ist von kräftiger Wölbung. Sie fällt gegen Mantelrand und Schloßrand steiler ab als in den mittleren Partien, wo eine mäßige Aufbauchung Platz greift. Der starke, kräftig vorspringende Wirbel erscheint ziemlich weit nach vorn verlängert und etwas vorwärts gebogen. Es begrenzt ihn eine deutlich abgesetzte Kante, welche schräg zu der hinteren Schalenecke hinzieht. Die Muskeleindrücke kennzeichnen sich als ovale, scharf abgegrenzte Erhebungen.

Die dicke Schale wird von lamellösen, durch breite Zwischenräume getrennten, konzentrischen Rippen bedeckt, zwischen denen wieder zahlreiche, sehr feine, gerundete Zuwachsstreifen auftauchen.

Bemerkungen: Das Schloß war trotz aller aufgewendeten Mühe nicht hierauszupräparieren. Da es ferner nicht gelang, die vorliegenden Stücke mit bekannten Formen in Beziehung zu bringen, so konnte das Genus nicht mit Sicherheit ermittelt werden.

Untersuchte Stücke: 2.

Vorkommen: Bekfēja im Kelbtal.

Sammlung: Zumoffen.

Familie: **Trigoniidae** Lam.

Gattung: **Myophoria** Bronn.

Myophoria sp.

Taf. V, Fig. 4.

Beschreibung: Kleiner Steinkern von dreieckigem Umriß und ziemlich kräftiger Wölbung mit sehr beschädigtem Außenrand. Von dem starken, weit nach vorn gerückten Wirbel strahlen drei Kanten aus. Die stärkste, hintere, grenzt die Area ab. Die beiden vorderen zerlegen den übrigen Teil der Oberfläche in drei ungleich große Felder. Innerhalb der langen, anscheinend spitzovalen Area tritt eine kleine, ovale Lunula hervor.

Die Skulptur des Hauptteils der Schale besteht aus zahlreichen, kräftigen, gerundeten, konzentrischen Rippen, die an den beiden vorderen Kanten eine geringe Abknickung erfahren. Der Schmuck der Area und Lunula hat sich nicht erhalten.

Bemerkungen: Der Wirbel erscheint leicht nach hinten gedreht und durch die vordere und hintere Kante scharf begrenzt.

Untersuchte Stücke: 1.

Vorkommen: Zwischen Aïn Alak und Bekfēja im Kelbtal.

Sammlung: Zumoffen.

Gattung: **Trigonia** Brug.

Trigonia libanensis n. sp.

Taf. V, Fig. 5a—b.

Maße: Höhe: 24 *mm*.

Länge: 28 *mm*.

Dicke: 18 *mm*.

Beschreibung: Kleine, gleichklappige, ungleichseitige Form von dreieckiger Gestalt, fast so hoch wie breit. Die Vorderregion besitzt parabolischen Umriß und erscheint breit abgestutzt. Die Hinterseite zeigt verlängerte und zugespitzte Beschaffenheit. Der vordere Schloßrand wird von dem kürzeren Hinterrand durch eine deutlich markierte Hervorragung des Außenrandes getrennt. Die beiden ersteren sind leicht konkav gebogen. Der Hinterrand geht weiterhin unter scharfer, spitzwinkliger Umknickung in den Unterrand über, welcher anfangs gerade verläuft, um dann im schwachen Bogen in den stark gekrümmten Vorderrand überzugehen. Der Wirbel liegt weit nach vorn geschoben und zeigt kräftige Neigung nach hinten. Es verbindet ihn mit der Spitze der Hinterseite eine starke, schön geschwungene, etwas gekörnelte Rippe, welche die Area von der übrigen Schale sondert.

Letztere wird von etwa 30 konzentrischen, leicht geschwungenen Rippen bedeckt, die vorn und hinten eine schwache Aufbiegung erkennen lassen.

Die Area zerfällt in zwei scharf getrennte Abschnitte, die eigentliche äußere Area und eine lunula-artige Innenarea von spitzovalem Umriß.

Die Außenarea wird durch eine gutmarkierte Radialfurche in zwei ungleich große Hälften geschieden. Ihre Verzierung bilden 15 feine, schwach geriefte Radialrippen.

Die Innenarea weist zweierlei Arten von Verzierung auf. In ihrem der Außenaurea anliegenden Teil bemerkt man 5 Radialrippen, die sich bis zur Mitte der Lunula erstrecken und stärker sind als die Radialrippen der ersteren. Sie werden von kurzen konzentrischen Rippen gekreuzt und erscheinen daher wie gekörnelt. Die letzteren sind sehr zahlreich und werden nach dem Wirbel zu feiner und dichtergedrängt.

Bemerkungen: Die parabolische Gestalt des Vorderrandes unserer Muschel erinnert an *Trigonia suprajurensis* Ag.[1]) aus dem Portlandien von Laufen (Kanton Solothurn).

Engere Beziehungen hinsichtlich der Größe und Form des vorliegenden Stückes sowie der Schwingungsart seiner Schalenrippen ergeben sich zu *Trigonia papillata*, wie sie Agassiz[2]) aus dem Oxfordien von Dives (Calvados) beschrieb. Zum Unterschied von letzterer Art finden wir bei *Trigonia libanensis* andere Gestalt und Skulptur der Area nebst einer bedeutend größeren Anzahl von Schalenrippen, die bei *T. papillata* Ag. überdies niemals an die Arealkante heranreichen.

Untersuchte Stücke: 1.

Vorkommen: Duar im Salimatal.

Sammlung: Zumoffen.

Familie: **Astartidae** Gray.

Gattung: **Astarte** Sow.

Astarte sp.

Taf. V, Fig. 6a—c.

Maße: Höhe: 8 *mm.*

Länge: 8 *mm.*

Dicke: 5 *mm.*

Beschreibung: Kleine, gleichklappige, sehr ungleichseitige, viereckige Muschel, deren Wirbelregion so weit nach vorn liegt, daß die Vorderseite auf eine kurze, scharfe Vorbuchtung beschränkt wird. Die Hinterregion ist lang und sehr breit abgestutzt. Der vordere Schloßrand erscheint in seiner steilen Stellung gegen den hinteren Schloßrand fast im Betrage eines rechten Winkels abgebogen. Der letztere wieder ist gegen den Hinterrand winklig abgesetzt. Unterrand und Hinterrand zusammen nähern sich der Halbkreisform. Die Schalen sind in der Mitte kräftig aufgetrieben. Die Wirbel ragen spitz empor, berühren sich nahezu und umschließen mit ihren vorderen Kanten eine leicht vertiefte Lunula von der Form eines Apfelkerns. Ihre hinteren Kanten umgrenzen ein schmales, langes Feldchen.

Die Skulptur der Schale besteht aus schmalen, regelmäßig angeordneten, konzentrischen Rippen, die durch bedeutend breitere Furchen getrennt werden.

---

[1]) 1840. Agassiz. Mémoire sur les Trigonies, pag. 42, Taf. V, Fig. 1—6.

[2]) Das gleiche, pag. 39, Taf. V, Fig. 10—14.

15*

Bemerkungen: Es lassen sich nähere Beziehungen vermuten zu *Astarte curvirostris* Roem., wie sie Loriol[1]) aus dem Séquanien von Haute-Marne zur Darstellung bringt. Gemeinsame Merkmale ergeben sich bezüglich der Größe der Stücke und der Beschaffenheit von Lunula und Schildchen. Der Winkel zwischen Schloßrand und Hinterrand, welcher der Loriol'schen Figur ihr karakteristisches Aussehen verleiht, tritt an dem einen unserer Steinkerne in noch ausgesprochenerer Weise auf.

Unterschiede bestehen einmal hinsichtlich der Wölbungsart der Schalen: Unsere Exemplare sind in der Mitte zwar sehr kräftig aufgetrieben, erscheinen jedoch gegen den Außenrand hin manchmal sogar etwas konkav. Bei *Astarte curvirostris* setzt sich die konvexe Biegung aber stets bis zum Mantelrand fort. Es ist ferner die von Loriol erwähnte, tiefe, konzentrische Furche bei den vorliegenden Stücken nicht vorhanden. Die Möglichkeit darf daher als nicht ausgeschlossen gelten, daß unser Typ spezifisch neu ist.

Untersuchte Stücke: 2.

Vorkommen: Zwischen Aïn Alak und Bekfeja im Kelbtal.

Sammlung: Zumoffen.

Familie: **Megalodontidae** Zitt.

Gattung: **Pachyerisma Morris and Lycett.**

Pachyerisma Blanckenhorni n. sp.

Taf. V, Fig. 7 a—b.

Maße: Höhe: 55 *mm.*

Länge: 63 *mm.*

Dicke: 22 *mm.*

Beschreibung: Die vorliegende rechte Klappe von kräftiger Wölbung und ziemlich ungleichseitiger Form ist breiter als hoch. Die Hinterregion erscheint kürzer als die vordere und sehr breit abgestutzt, so daß der Hinterrand oben und unten zwar gerundet aber nahezu im rechten Winkel in den angrenzenden Außenrand übergeht. Im Gegensatz hierzu ist die Vorderseite länger und schmaler. Ihr kräftig konkaver Vorderrand geht mit mäßiger Rundung in den schwach gebogenen Unterrand und in den etwas mehr gekrümmten Schloßrand über. An Länge übertreffen die beiden letzteren selbst den Hinterrand nicht unbeträchtlich.

Der äußeren Gestalt nach zerfällt diese Schale in zwei scharf gesonderte Abschnitte: in den durchweg konvex gewölbten Hauptteil der Schale und in die flügelartig vorspringende, leicht konkave Hinterregion, deren Niveau bedeutend tiefer liegt als das des ersteren. Zwischen sie schiebt sich als vermittelndes Element eine sehr breite, gerundete Kante ein, die den Wirbel nach hinten scharf begrenzt und in schräger Lage unter stetiger Verbreiterung zu der hinteren unteren Ecke der Muschel zieht.

Der Wirbel ist ziemlich klein, etwas abgeplattet und ein wenig vorwärts gedreht. Er findet seine vordere Begrenzung durch eine kurze, schwach markierte Kante.

Die massive Schloßplatte erscheint breit und dick. Ihre obere Grenze, der Schloßrand, dacht sich nach vorn und hinten ziemlich gleichmäßig ab, nach vorn eher etwas stärker. Ihr Unterrand zeigt je nach der Beschaffenheit des Schlosses einen mannigfach gekrümmten Verlauf, welcher seine Signatur erhält durch eine starke hintere und eine mediane Ausbuchtung der Schloßplatte.

Der starke, plumpe, allseits gerundete, etwas schräg nach hinten gerichtete Kardinalzahn von ovaler Gestalt fällt an seiner Vorderseite steil ab gegen die dreieckige Grube des Hauptzahns der linken Klappe, welch' erstere ziemlich tief unter den Schloßrand einschneidet. Die kräftige Entwicklung dieser beiden Schloßelemente ist die Ursache der medianen Verbreiterung der Schloßplatte.

Unmittelbar dahinter tritt dann eine bedeutende Verschmälerung der letzteren ein. Darauf folgt die hintere Verbreiterung, welche durch den großen, langen, runden, gebogenen, hinteren Schloßzahn bewirkt wird. Dadurch, daß dieser anfangs schräg nach unten zieht und sich dann wieder mehr nach hinten wendet, grenzt er eine große, tiefe, ovale Grube für den Seitenzahn der linken Klappe ab.

---

[1]) 1872. Loriol. Haute-Marne, pag. 283, Taf. XVI, Fig. 15.

Der vordere Teil des Schlosses ist erheblich beschädigt. Man nimmt hier lediglich den Ansatz einer dünnen Leiste war, die parallel zum Schloßrand verläuft und bei der Präparation nicht erhalten werden konnte. Am vorderen Ende dieser Leiste erfährt die Schloßplatte ihren Abschluß durch eine letzte Verbreiterung, welche von dem vorderen Muskeleindruck anscheinend unterhöhlt wurde.

Die Schale erscheint im allgemeinen sehr dick, in der Hinterregion aber beträchtlich dünner. Ihre Oberfläche ist mit feinen, regelmäßig angeordneten, lamellösen, konzentrischen Streifen verziert, zwischen denen minutiös feine Anwachsrippchen hervortreten.

Bemerkungen: Die von mir ergänzten Teile des Schlosses waren ursprünglich vorhanden und gingen erst bei der Präparation verloren infolge der Härte des Kalkes und der Sprödigkeit der in Kalkspat metamorphosierten Schale.

Beziehungen zu anderen Formen eröffnen sich nur in beschränkter Weise. Bezüglich der äußeren Gestalt zeigt unser Stück einige Annäherung an eine nicht näher bestimmte rechte Klappe einer *Pachyerisma* des münchner Museums, welche mir aus dem mittleren Malm von Minchinghampton vorliegt. Aber die Kante ist dort weniger stark ausgeprägt, der Hinterflügel zeigt geringere Verbreiterung und der stärkere Wirbel liegt mehr nach vorn geschoben. Hinsichtlich des Schaleninnern ergibt sich eine gewisse Übereinstimmung in der Gestalt des Schloßzahnes und der Schloßgrube. Die übrigen Partien des Schlosses zeigen bemerkenswerte Abweichungen von unserem Typ.

Nicht viel günstiger fällt ein Vergleich aus mit *Pachyerisma septiferum* Buv.[1]), wie sie Loriol[2]) aus dem Rauracien des Berner Jura zur Darstellung bringt. Dieses Fossil ist höher und bedeutend schmaler als unsere Form. Die Hinterregion zeigt viel geringere Ausdehnung, der Wirbel erscheint stärker ausgebildet. Das Schloß nähert sich dem unsrigen etwas mehr als das des Exemplars von Minchinghampton, denn außer Kardinalzahn und Grube ist ein vorderer und hinterer Seitenzahn vorhanden. Die Einzelheiten erweisen sich jedoch als stark abweichend.

Ein karakteristisches Merkmal der Gattung Pachyerisma bildet bekanntlich die dem hinteren Schließmuskel zur Anheftung dienende Leiste. Durch Abbrechen des hinteren Schalenflügels wurde festgestellt, daß eine solche dem vorliegenden Stück fehlt. Es erscheint daher als nicht ausgeschlossen, daß das letztere der Vertreter einer neuen Gattung ist.

Untersuchte Stücke: 1.

Vorkommen: Bekfeja im Kelbtal.

Sammlung: Zumoffen.

Familie: Isocardiidae Gray

Gattung: Isocardia Lam.

Isocardia eljasensis n. sp.

Taf. V, Fig. 10a--b.

Beschreibung: Sehr ungleichseitige, längsovale, linke Klappe mit kräftig und gleichmäßig gewölbter Schale. Die Vorderseite ist sehr kurz und mäßig konvex gebogen. Der Verlauf von Unterrand und Hinterrand bleibt des mangelhaften Erhaltungszustandes wegen unbekannt. Der breite, gerundete, etwas plumpe Wirbel ist stark nach vorn und außen gewendet.

Das Schloß ist wohlerhalten. Auf der schmalen, aber kräftigen Schloßplatte stehen zwei, zum Schloßrand parallele, schmale, leistenartige Zähne, von denen der vordere den hinteren an Länge und Breite übertrifft. Die Schloßplatte wird vorn durch eine schräg von innen und hinten heraufziehende Leiste verstärkt, die dem entsprechenden Zahn der rechten Klappe als Widerlager dient.

Die ziemlich dicke Schale ist von feinen Zuwachsstreifen überzogen.

Bemerkungen: Ähnlichkeit in der äußeren Form besteht zwischen unserer Muschel und einer *Isocardia* sp. aus dem Dogger von Balin, die mir aus dem münchner Museum vorliegt. Sie ist indessen größer als unser Stück, die Schale besitzt stärkere Wölbung, der Wirbel erscheint noch mehr nach vorn

---

[1]) 1891. Loriol. Couches corall. inf. du Jura bernois, pag. 228, Taf. XXV, Fig. 3—4.

[2]) 1895. Loriol. Rauracien sup. du Jura bernois, pag. 37, Taf. XIII, Fig. 2—3.

gerückt und die Vorderseite infolgedessen kürzer, die Schloßplatte stärker geneigt. Das mangelhaft erhaltene Schloß zeigt Anklänge an das unsrige.

Untersuchte Stücke: 1.

Vorkommen: Mär Eljäs im Kelbtal.

Sammlung: Zumoffen.

Isocardia sp.

Taf. V, Fig. 11.

Maße: Höhe: 19 *mm.*

Länge: 21 »

Dicke: 7 »

Beschreibung: Kleine, ovale, stark aufgeblähte, ungleichseitige Form mit kurzer, relativ schmaler Vorderregion und mit stark verlängertem, breit abgestutztem Hinterteil. Der Mantelrand ist nahezu halbkreisförmig gebogen und geht unter stumpfwinkliger Abknickung in den mäßig konvexen Oberrand über. Der weit nach vorn gelegene Wirbel erscheint klein, stumpf und kräftig vorwärts gedreht. Unmittelbar unterhalb des letzteren erreicht die Schale ihre stärkste Aufbauchung und fällt dann nach allen Seiten konvex zum Außenrand ab. Nur gegen den vorderen Schloßrand hin macht sich eine schwache Konkavität geltend.

Unter dem Schloßrand kommt ein schmaler, leistenartiger, nur leicht angedeuteter Schloßzahn zum Vorschein.

Die Schale ist mit sehr zahlreichen, feinen, regelmäßigen, konzentrischen Streifen verziert, die bedeutend breiter sind als ihre Zwischenfurchen.

Bemerkungen: Die Beziehungen der vorliegenden Form zu *Isocardia eljasensis* n. sp. beschränken sich auf Ähnlichkeiten in der Gestalt und Drehung des Wirbels sowie in der Skulptur. Zu mitteleuropäischen Arten konnte keinerlei Verwandtschaft ermittelt werden.

Untersuchte Stücke: 1.

Vorkommen: Bekfeja im Kelbtal.

Sammlung: Zumoffen.

Familie: **Lucinidae** Desh.

Gattung: **Unicardium** d'Orb.

Unicardium subglobosum n. sp.

Taf. V, Fig. 12.

Maße: Höhe: 18 *mm.*

Länge: 25 *mm.*

Dicke: 16 *mm.*

Beschreibung: Kleine, längsovale, gleichklappige und ziemlich gleichseitige Muschel. Beide Klappen sind fest geschlossen. Vorderseite und Hinterseite erscheinen gleichlang. Erstere ist breiter abgestutzt, letztere schmaler gerundet. Der Unterrand verläuft in mäßiger Biegung. Der Schloßrand ist horizontal. Die Schalen sind sehr kräftig gewölbt. Ihre Mitte schwillt hoch an und fällt nach allen Seiten, besonders nach oben und unten hin, ziemlich steil ab. Die kleinen, stark gekrümmten, leicht nach vorn gedrehten Wirbel stoßen über dem Schloßrand zusammen.

Die Schalenskulptur wird aus zahlreichen, kräftigen, rundlichen, konzentrischen Rippen gebildet, die keinerlei regelmäßige Anordnung erkennen lassen.

Bemerkungen: Verwandtschaftliche Beziehungen ergeben sich zu *Unicardium globosum* d'Orb. (*Mactromya globosa* Ag.), wie sie von Agassiz[1] und Loriol[2] beschrieben und abgebildet wird. Es

---

[1] 1843. Agassiz. Monographie des Myes, pag. 200, Taf. 9a, Fig. 9—14.

[2] 1896. Loriol. Oxfordien sup. du Jura bernois, pag. 87, Taf. XII, Fig. 11—12.

herrscht Übereinstimmung in bezug auf die allgemeine Form, die starke Aufblähung der Schalen, die Beschaffenheit der Wirbel und die unregelmäßige, konzentrische Skulptur.

Auf der anderen Seite müssen einige Verschiedenheiten konstatiert werden. *Unicardium globosum* d'Orb. besitzt auf der Schalenmitte eine leichte Abplattung, während sich unser Exemplar durch bedeutende Aufwölbung auszeichnet. Bei der ersteren Form erscheint ferner die Vorderseite relativ kurz und abgestutzt, während wir sie von unserem Stück als schmaler gerundet und von der gleichen Länge wie die Hinterseite beschrieben haben. Zum Schluß darf die geringere Größe unseres Individuums nicht unerwähnt bleiben.

Diese Unterschiede veranlassen mich, den vorliegenden Typ als neu, aber nahe verwandt mit *Unicardium globosum* d'Orb. aufzufassen.

Die letztere Spezies findet sich im: Rauracien des Berner Jura [1]) und von Haute-Saône [2]), Séquanien des Aargauer Jura.[3])

Untersuchte Stücke: 1.

Vorkommen: Zwischen Aïn Alak und Bekfeja im Kelbtal.

Sammlung: Zumoffen.

Familie: Cardiidae Lam.

Gattung: Cardium Lin.

Cardium corallinum Leym.

Taf. V, Fig. 8 *a—b*.

Synonyme:

1843. *Cardium striatum* Buvignier. Mém. Soc. philom. de Verdun, pag. 229. Taf. III, Fig. 20—21.
1845.   »   *corallinum* Leymerie. Statist. géol. de l'Aube, pag. 252, Atlas, Taf. X, Fig. 11.
1852.   »   *cochleatum* Quenstedt. Petrefaktenkunde, 1. Ausg , pag. 540, Taf. XLV, Fig. 17.
1852.   »   *corallinum* Buvignier. Statist. géol. de la Meuse, Atlas, pag. 15, Taf. X, Fig. 36—38.
1860.   »   »   Contejean Kimméridgien de Montbéliard, pag. 279.
1867.   »   *cochleatum* Quenstedt. Petrefaktenkunde, 2. Ausgabe, pag. 644, Taf. LVI, Fig. 17.
1867.   »   *corallinum* Moesch. Aargauer Jura, pag. 172.
1872.   »   »   Loriol, Royer et Tombeck. Haute Marne, pag. 251, Taf. XV, Fig. 5—6.
1874. *Pterocardia cochleata*, (*Buvignieri*), Bayan. Succession des assises, pag. 339.
1876. *Pterocardia cochleata* Gemellaro. Calcare a Ter. janitor., pag. 39.
1878. *Cardium corallinum* Pirona. Fauna giurese del Monte Cavallo, pag. 46, Taf. VII, Fig. 16.
1882.   »   »   G. Boehm. Beziehungen von Pachycrisma u. s. f., Taf. XXIII, Fig. 1—2.
1882.   »   »   G. Boehm. Kelheimer Diceraskalk, pag. 151.
1883.   »   »   G. Boehm. Stramb. Schicht., pag. 503.
1885.   »   *cochleatum* Quenstedt Petrefaktenkunde, 3. Ausgabe, pag. 825, Taf. LXV, Fig. 10.
1888.   »   *corallinum* Loriol. Valfin, pag. 234, Taf. XXV, Fig. 1—4.
1892.   »   »   Loriol. Jura bernois, pag. 185, Taf. XX, Fig. 1—3.
1893.   »   »   Loriol. Tonnerre, pag. 102.

Maße: Höhe: 70 *mm.*

Länge: 58 »

Dicke: 30   »

Beschreibung: Die mäßig gut erhaltene rechte Schale ist bedeutend höher als breit, sehr kräftig gewölbt, in der Vorderregion breit gerundet. Die Hinterseite erscheint bedeutend verschmälert. Sie wird karakterisiert durch eine breite und tiefe Furche, die unmittelbar hinter dem Wirbel beginnt und diesen scharf begrenzt. In ihrem weiteren Verlauf gegen das untere Ende des Hinterrandes hebt sie sich scharf von dem Niveau der angrenzenden Schalenteile ab und bewirkt unten eine kräftige Einbuchtung des Mantelrandes. Die Hinterregion wird auf diese Weise gleichsam abgeschnürt und bildet einen selbständigen

---

[1]) 1896. Loriol. Jura bernois, pag. 87.
      1901. Loriol. Jura bernois, pag. 64.
[2]) 1864. Etallon. Jura graylois, pag. 313.
[3]) 1867. Moesch. Aargauer Jura, pag. 149, 159.

flügelförmigen Abschnitt der Muschel. Der Hinterrand erscheint demgemäß oben sehr konvex, unten konkav. Der Unterrand nimmt ziemlich geraden Verlauf und geht mit gleichmäßiger Rundung in den ziemlich wenig gekrümmten Vorderrand über. Letzterer wieder zieht steil empor zu dem kräftig gebogenen Schloßrand. Der starke, hocherhobene, zusammengedrückte, hakenartig gekrümmte W i r b e l erscheint etwas nach vorn gedreht und fällt gegen die besprochene Furche steil ab. Die große Lunula ist längsoval und deutlich abgesetzt.

Am Schloß treten von hinten nach vorn hervor: Der kleine, runde Hinterzahn, weiter eine undeutliche Grube für den Seitenzahn der anderen Klappe. Es folgt die breite Basis des abgesprengten Kardinalzahnes und davor die ovale Vertiefung des Hauptzahnes der linken Schale. Vor jener erscheinen dann die etwas undeutlichen Überreste des Vorderzahnes und die große Höhlung für den vorderen Schließmuskel.

Die außerordentlich dicke S c h a l e wird von zahlreichen, gerundeten, regelmäßig über die ganze Oberfläche verlaufenden Radialrippen bedeckt, die durch schmalere Zwischenräume getrennt sind und die Kerbung des Mantelrandes bewirken.

B e m e r k u n g e n : Zu erwähnen ist hier noch eine leichte, schmale, nur schwach angedeutete Vertiefung der äußeren Schalenfläche, die vor der Hauptfurche liegt und vom Wirbel zum Unterrand zieht.

Eine willkommene Ergänzung unseres Schalenstückes bietet ein gut erhaltener S t e i n k e r n , dessen Gehäuse etwas größer war als das erstere. In bezug auf das Innere unserer Schale ergibt sich hier folgendes: Der Mantelrand ist in der Vorderregion scharf abgegrenzt und schwach gezähnelt. Der hintere Muskeleindruck zeigt sich als sehr kräftige, lange, hakenförmig gebogene Platte, die sich hoch in den Wirbel hinein fortsetzt. Der vordere Muskeleindruck erscheint als halberhaben und von ovaler Gestalt. Was nun das Schloß anbetrifft, so sind besonders gut erhalten die breitgerundeten, plumpen Gruben des Kardinalzahnes und des Hinterzahnes der rechten Klappe. Die letztere erscheint beträchtlich größer als es der mangelhaft erhaltene Zahn unseres Schalenindividuums voraussetzen ließ. Von der linken Schale markiert sich deutlich die kleine, unregelmäßig gestaltete Vertiefung des hinteren Seitenzahnes. Die Gruben für die vorwärts der Wirbel gelegene Region sind infolge des schlechten Erhaltungszustandes nicht mit Sicherheit zu erkennen. Kardinalzahn und Seitenzahn der linken Klappe greifen hier nebeneinander zwischen den Hauptzahn und Vorderzahn der rechten Klappe ein.

Am nächsten stehen unsere Exemplare den Formen, welche L o r i o l [1]) aus dem Ptérocérien von Valfin abbildet. Man sieht dort indessen nur zwei linke Schalen.

Aus dem münchner Museum liegt mir eine Anzahl von vortrefflich erhaltenen Stücken von Valfin vor, darunter eine rechte Schale, welche von G. B o e h m [2]) abgebildet wurde. An diese letztere schließen sich nun unsere Libanonstücke auf das allerengste an. Wäre unser Steinkern nicht etwas zu groß, so könnte man seine rechte Hälfte genau in jene Schale hineinverpassen. Unsere Schale unterscheidet sich von der letzteren durch ihren kürzeren hinteren und etwas längeren vorderen Schloßrand, sowie durch die längere und etwas schmalere Lunula. Endlich durch ihre bedeutendere Dicke, welche die plumpere Beschaffenheit des Schlosses zur Folge hat.

Cardium corallinum Leym. erscheint in großer horizontaler und vertikaler Verbreitung im: Rauracien des Berner Jura, der Meuse, Séquanien der Haute-Marne, des Aargaus und der Yonne, Astartien und Kimméridgien von Montbéliard, Ptérocérien von Valfin, Portlandien von Kelheim, Stramberg, Friaul, Sizilien. (Siehe unter Synonyme.)

U n t e r s u c h t e Stücke: 2.

V o r k o m m e n : Bekfēja im Kelbtal.

S a m m l u n g : Zumoffen.

Cardium sp.

Taf. V, Fig. 9*a*—*b*.

M a ß e : Höhe: 18 *mm.*

Länge: 16 »

Dicke: 13 »

---

[1]) 1888. L o r i o l. Valfin, Taf XXV, Fig. 1—4.

[2]) 1882. S. B o e h m Beziehungen von Pachyerisma u. s. f, Taf. XXIII, Fig. 1—2.

Beschreibung: Das gut erhaltene, kleine, schlanke, gleichklappige und ziemlich gleichseitige Steinkernexemplar ist höher als breit. Die Vorderregion ragt etwas mehr nach außen als die nur wenig abgestutzte Hinterseite. Der Unterrand besitzt halbkreisförmige Gestalt. Vorderrand und Hinterrand sind mäßig stark gebogen und ziehen steil zu dem geraden Schloßrand hinauf. Die kräftige, mediane Aufwölbung der Klappen verliert sich nach oben in die sich rasch verjüngenden, kleinen, spitzen, leicht nach vorn gedrehten, stark gekrümmten Wirbel, die über dem Schloßrand zusammenstoßen.

Schloß und Schale sind nicht erhalten.

Untersuchte Stücke: 1.

Vorkommen: Zwischen Bekfēja und Aïn Alak im Kelbtal.

Sammlung: Zumoffen.

Cardium (?) sp.

Kleiner, abgerollter, viereckiger, gleichklappiger, aber sehr ungleichseitiger Steinkern. Die Vorderregion springt weit nach außen vor. Die Hinterseite ist breit und steil abfallend. Der Unterrand zeigt bedeutende Konvexität und geht mit ziemlich gleichartiger Rundung in den stark gekrümmten Vorderrand sowie in den sehr wenig gebogenen Hinterrand über. Der Schloßrand verläuft unter leichter Aufbiegung. Beide Klappen zeigen in der Mitte kräftige Wölbung und fallen nach vorn mit geringerer, nach hinten in größerer Konvexität ab. Die starken, hochaufragenden, mäßig gekrümmten Wirbel sind etwas nach vorn gedreht. Vor ihnen markiert sich eine breite und tiefe Lunula.

Untersuchte Stücke: 1.

Vorkommen: Zwischen Aïn Alak und Bekfēja im Kelbtal.

Sammlung: Zumoffen.

Familie: **Pleuromyidae** Zitt.

Gattung: **Ceromya** Ag.

Ceromya augusticostata n. sp.

Taf. VI, Fig. 1.

Maße: Höhe: 21 mm.

Länge: 18 »

Dicke: 13 »

Beschreibung: Das kleine, rundovale, fast gleichseitige Schalenexemplar besteht aus zwei etwas ungleichen Klappen von denen die rechte die linke an Höhe ein wenig übertrifft. Der Schalenrand ist vorn und hinten stärker gebogen als an dem schwach und gleichmäßig konvexen Unterrand. Bei mäßiger Gesamtwölbung sind die Schalen in der Mitte etwas flacher und fallen dann etwas steiler nach vorn und hinten ab. Die Wirbel ragen ziemlich kräftig in die Höhe und erscheinen leicht nach vorn gedreht.

Die Skulptur der Schale besteht aus sehr zahlreichen, feinen, gerundeten, konzentrischen Rippen, deren Dichtigkeit sich von oben nach unten in auffallendem Maße verringert. Die breiteren Zwischenfurchen enthalten vier oder fünf sehr feine Anwachsstreifen, die gegen den Schalenrand hin auch dem unbewaffneten Auge sichtbar werden.

Bemerkungen: Der vorliegende Typ zeigt nahe Verwandtschaft zu Ceromya globosa Buv. aus dem unteren Astartien des Maas-Aspartements [1]) und aus dem Rauracien von Haute-Marne [2]). Mit der letzteren sind ihm gemeinsam die allgemeine Form und die Art der Berippung. Unterschiede ergeben sich aus der geringeren Größe, aus der schwächeren Schalenwölbung und aus der Kleinheit der Wirbel bei unserem Exemplar. Als trennende Merkmale kamen für das letztere vor allem in Betracht die bedeutendere Anzahl der konzentrischen Rippen sowie die feine Zuwachsstreifung, welche bei Ceromya globosa Buv. nicht vorhanden ist.

---

[1]) 1852. Buvignier. Stat. géol. de la Meuse, pag. 9, Taf. IX, Fig. 1—3.

[2]) 1872. Loriol. Haute-Marne, pag. 202, Taf. XII, Fig. 9, 9a, Taf. XIII, Fig. 15, 15a.

Letztere findet sich im: Rauracien von Haute-Marne, im Astartien der Meuse, im Ptérocérien von Porrentruy [1]), im Virgulien von Gray [2]).

Untersuchte Stücke: 1.

Vorkommen: Bekfäja im Kelbtal.

Sammlung: Zumoffen.

Ceromya excentrica Ag.

Taf. V, Fig. 13a—b.

Synonyme:

bei Loriol, Haute Marne, pag. 199 und Dacqué, Beitr. z. Geol. d. Somalilandes, II, 1905, Beitr. z. Pal. u. Geol. Österr.-Ung. u. d. Orients, Bd. 17, pag. 139.

Maße: Höhe: 87 mm.

Länge: 70 »

Dicke: 63 »

Beschreibung: Großes, stark gewölbtes, sehr ungleichseitiges, mit Schalenresten bedecktes Steinkernexemplar, hinten etwas klaffend. Die linke Klappe erscheint dicker und im ganzen etwas aufgeblasener als die rechte. Die Vorderregion ist kurz gerundet, die Hinterseite zeigt sich breit abgestutzt. Die Gestalt des vorliegenden Stückes ist ausgesprochen vierseitig gerundet. Ins Auge fällt vor allem die Parallelität von Oberrand und Unterrand. Senkrecht zu ihnen stehen Vorderrand und Hinterrand. Der erstere ist kurz und geht unter schwächerer Konvexität, der letztere von größerer Länge und von fast gerader Beschaffenheit, unter kurzer, kräftiger Rundung in die Mittelrandpartien über.

Die kräftig entwickelten und nach außen gedrehten Wirbel sind sehr weit nach vorn verlagert, der rechte mehr als der linke, was zu Verschiedenheiten führt in bezug auf ihre Höhe und auf die Wölbungsweise der beiden Klappen. Die stärkste Anschwellung der letzteren zieht von den Wirbeln zur hinteren unteren Schalenecke und fällt nach unten und vorn konvex ab, nach oben und hinten teilweise konkav. Der rechte Wirbel wird von einer Furche unterhöhlt, welche der Schloßleiste seiner Schale entspricht.

Die Skulptur der Schale besteht aus kräftigen, unregelmäßig verteilten Radialstreifen von ungleicher Stärke und aus sehr zahlreichen, konzentrischen Rippen von schmaler und regelmäßiger Beschaffenheit. Die letzteren erleiden eine scharfe Abbiegung an einer Kante, die vom Wirbel zum unteren Teil des Hinterrandes verläuft.

Bemerkungen: Die vorstehende Beschreibung faßt dasjenige der beiden vorhandenen Exemplare ins Auge, welches sich von dem Urtyp der Art am weitesten entfernt, soweit, daß ich es lange Zeit für den Vertreter einer neuen Art gehalten habe. Erst vor Kurzem wurde mir Gelegenheit, das zweite Stück bei Blanckenhorn in Berlin zu besichtigen. Es stellt in der Tat die Verbindung mit dem Excentrica-Typ her. Das von uns abgebildete Stück ist noch am besten zu beziehen auf die Abbildung in der Lethea Bruntrutana [3]), die zwar nicht für schön aber immerhin als brauchbar gelten kann. Das betreffende Individuum entstammt dem Kimmeridgien des Berner Jura und unterscheidet sich von unserer Form durch die abweichende Gestalt seines Grund- und Aufrisses, ferner durch die andere Lage, Form und Krümmungsweise seiner Wirbel. Die Skulptur verhält sich übereinstimmend.

Das Blanckenhorn'sche Exemplar nähert sich in Form und Berippung dagegen mehr dem von L. Agassiz [4]) abgebildete Stück. Enge Beziehungen bestehen ferner zu den größten Vertretern von C. excentrica Ag. aus dem braungelben Kalk von Atschabo, deren Stellung von Dacqué [5]) eingehend gewürdigt wurde. Zu der gleichen Art, wie sie von Futterer [6]) aus dem Malm von Schoa abgebildet wurde, besitzen die Libanonexemplare wenig Anknüpfungspunkte.

[1]) 1862. Lethea bruntrutana, pag. 167, Taf. XIX, Fig. 8.

[2]) 1864. Etalon. Jura graylois, pag. 432.

[3]) Taf. 19, Fig. 9.

[4]) Monogr. des Myes, Taf. 8a, Fig. 11.

[5]) 1905. Dacqué, Geologie des Somalilandes. pag. 139.

[6]) 1897. Futterer. Jura von Schoa. Taf. 22, Fig. 2, 2a.

Ceromya excentrica Ag. findet sich in weiter horizontaler und vertikaler Verbreitung im: Oxford und Kimmeridge von Hannover (Struckmann), Séquanien von England, Boulogne (Loriol), Haute-Marne (Loriol), berner Jura (Thurmann), Oberbuchsitten (Moesch), Kimméridgien von Le Hâvre (Dollfuß), La Rochelle (Coquand), Solothurn (Moesch), berner Jura (Thurmann), Gray (Etallon), Pommern (Sadebeck), Algier (Coquand, Peron), in Abessinien [3]), im Kaukasus [4]), in Polen [5]),

Untersuchte Stücke: 2.

Vorkommen: Feralke im Kelbtal.

Sammlung: Zumoffen.

Familie: **Pholadomyidae** Fischer.

Gattung: **Pholadomya** Sow.

Pholadomya sp.

Taf. VI, Fig. 2.

Beschreibung: Dickes, aufgeblasenes, gleichklappiges, aber ungleichseitiges, klaffendes Steinkernexemplar, dessen unterer Teil weggebrochen ist. Die Vorderseite war anscheinend länglich herzförmig. Die Hinterregion erscheint verschmälert und lang ausgezogen. Die plumpen, kräftigen, stark eingekrümmten Wirbel sind leicht nach vorn gedreht und stoßen über dem Schloßrand zusammen. Letzterer zeigt lange und gerade Beschaffenheit und teilt das schmale, hintere Feldchen, das von zwei von den Wirbeln zu seinem hinteren Ende verlaufenden Kanten gebildet wird, in zwei gleiche Hälften.

Die Skulptur besteht aus zahlreichen, ungleich starken, aber ziemlich regelmäßig angeordneten konzentrischen Rippen, welche breiter sind als ihre Zwischenräume. Der rechte Wirbel zeigt außerdem zwei sehr schwach angedeutete Radialrippen.

Bemerkungen: Bezüglich der äußeren Gestalt steht das vorliegende Stück in Beziehungen zu *Pholadomya Woottonensis* Moesch [6]) aus dem Kimmeridge von Wiltshire. Es verhält sich abweichend in der kräftigeren Entwicklung seiner Wirbel, in dem schwächeren Hervortreten des Schloßschildchens und durch das fast gänzliche Fehlen von Radialrippen.

Untersuchte Stücke: 1.

Vorkommen: Bekfeja im Kelbtal.

Sammlung: Zumoffen.

Familie: **Anatinidae** Gray.

Gattung: **Anatina** Lam.

Anatina sp.

Taf. VI, Fig. 3.

Beschreibung. Mittelgroßer, ziemlich flacher, querovaler Steinkern, 23 *mm* hoch und etwa 40 *mm* lang. Der kürzere Vorderteil ist breitabgestutzt. Die klaffende Hinterseite erscheint langausgezogen und verschmälert. Vorderrand und Unterrand zeigen geringere, der Hinterrand stärkere Konvexität.

Die Schale ist ziemlich dünn. Es zeigt sich folgende Skulptur: Vom Wirbel zieht senkrecht zum Unterrande eine kräftige Rippe herab und teilt den Schalenabdruck in zwei Regionen. Die vordere wird durch etwa zwölf ansehnliche, konzentrische Rippen verziert, welche durch breitere Furchen getrennt sind. Die hintere ist ganz glatt. Gegen unten hin stellt sich beiderseits feine Zuwachsstreifung ein.

Bemerkungen: Die vorliegende Form zeigt engere Beziehungen zu *Cercomya expansa* Ag. [1]) aus dem Ptérocérien und Virgulien des Berner Jura. Letztere unterscheidet sich von unserem Typ durch

[1]) 1877. Blake and Huddleston. Corallian rocks, pag. 267.
[2]) 1891. Neumayr und Uhlig. Kaukasusfossilien, pag. 19.
[3]) 1893. Siemiradzki. Ob. Jura in Polen, pag. 127.
[4]) 1874. Moesch. Pholadomyen, pag. 75, Taf. XXVI, Fig. 5a, b.
[5]) 1842. Agassiz, Monographie des Myes, pag. 151, Taf. XI, Fig. 1—4.

16*

ihre kürzere und breitere Hinterregion. Eine Kante, welche die Rippen nach hinten begrenzt, ist dort nicht vorhanden.

Aus den gleichen Horizonten bildet Etallon[1] ein Exemplar von *Cercomya expansa* Ag. ab, dessen Gestalt mit unserem Individuum bedeutende Ähnlichkeit aufweist. Da es indessen vollständig berippt ist, so ergeben sich hinsichtlich der Skulptur erhebliche Unterschiede.

Die merkwürdige, in der Schalenmitte scharf abgegrenzte Berippung findet sich dagegen bei *Anatina Jettei* Coq.[2] aus dem Carentonien von Algier. Bezüglich der Schalenform verhält sich diese Spezies jedoch ganz verschieden von unserer Form.

Untersuchte Stücke: 1.

Vorkommen: Duar im Salimatal.

Sammlung: Zumoffen.

Gastropoden.

Familie: **Turbinidae** Adams.

Gattung: **Turbo** Lin.

Turbo Antonini n. sp.

Taf. VI, Fig. 4*a—b.*

Maße: Ganze Höhe: 13 *mm.*

Höhe des letzten Umganges: 8 *mm.*

Durchmesser des letzten Umganges: 10 *mm.*

Gewindewinkel: 70°.

Beschreibung: Kleine, hohe Form von zierlicher Gestalt mit turmartigem Gewinde und mit ansehnlichem letzten Umgang. Die Gesamtzahl der Umläufe beträgt fünf bis sechs.

Die ziemlich rasch zunehmenden Umgänge der Spira sind von geringer Wölbung und werden durch tiefe Nähte voneinander getrennt. Die einzelnen Windungen erscheinen dadurch terrassenartig gegeneinander abgesetzt.

Der letzte Umgang erreicht fast zwei Drittel der Gesamthöhe. Im Gegensatz zu den oberen ist er bauchartig aufgetrieben und besitzt eine wohlzuunterscheidende obere und untere Fläche, welche unter Bildung eines stumpfen Kieles zusammenstoßen.

Die innen glatte Mundöffnung ist von vierseitig gerundeter Gestalt. Ihre im Verhältnis zur Höhe beträchtliche Breite wird hauptsächlich durch die starke Einbiegung der Innenlippe hervorgebracht. Der obere Teil dieser letzteren legt sich mit gezacktem Saum an den letzten Umgang an. Ihre untere Partie schiebt sich als konvexe Scheidewand zwischen Nabel und Mundöffnung ein.

Die Skulptur der oberen Windungen besteht aus sechs lamellösen Spiralstreifen, die bedeutend schmaler sind als ihre Zwischenfurchen. Sie werden von dickeren, in etwas weiteren Zwischenräumen angeordneten Querrippen gekreuzt, über welche sie hinwegsetzen. Nur die oberste Reihe weist an diesen Kreuzungspunkten knötchenartige Verdickungen auf. Spiral- und Radialrippchen erzeugen eine aus kleinen Parallelogrammen zusammengesetzte Gitterung.

Auch die obere Partie des letzten Umganges zeigt den eben geschilderten Schmuck. Unterhalb seines peripheren Kieles werden noch 8 weitere Längsrippen sichtbar, welche etwas kräftiger sind als die oberen. Zwischen ihnen tauchen zahlreiche Querblättchen auf, die zu den Spiralrippen senkrecht oder ein wenig schräg gestellt sind und auf ihnen eine leichte Körnelung erzeugen. Eine typische Gitterung kommt hier nicht zu Stande.

Bemerkungen: Der Skulptur nach wäre unserer Form anzuschließen *Chilodonta clathrata* Etallon, wie sie von Loriol[3] aus dem Ptérocérien von Valfin abgebildet wurde. Man gewahrt bei dieser Art ein ähnliches Verhalten in Bezug auf die Gitterung des Gewindes und auf den Schmuck der Schlußwindung.

---

[1] 1861. *Lethea bruntrutana.* pag. 162, Taf. XVIII, Fig. 6.

[2] 1862. Coquand. Constantine, pag. 190, Atlas, Taf. VI, Fig. 3.

[3] 1887. Loriol. Couches de Valfin, pag. 184, Taf. XXI, Fig. 1—2.

Übereinstimmung herrscht ferner bezüglich der Abflachung der Umgänge der Spira. Andrerseits bieten die verschieden gestaltete und mit 5 Zähnen versehene Mundöffnung sowie der Mangel eines Nabels tiefgreifende Unterschiede dar, welche *Ch. clathrata* Et. als von unserer Form spezifisch verschieden erscheinen lassen.

Untersuchte Stücke: 1.

Vorkommen: Mār Eljās im Kelbtal.

Sammlung: Zumoffen.

Turbo sp.

Taf. VI, Fig. 5.

Beschreibung: Das vorliegende Exemplar ist ein mit sehr wenigen Schalenresten bedeckter, etwas abgerollter Steinkern. Erhalten sind zwei Umgänge, beide wohlgerundet und langsam an Höhe zunehmend. Der Gewindewinkel beträgt etwa 120°. Die Nahtsutur ist mäßig vertieft.

Der letzte Umgang nimmt ziemlich gleichmäßig an Breite und Höhe zu. Er trägt an seiner peripheren Außenseite 5 große, flache, regelmäßig angeordnete Anschwellungen. Über die Gestalt der Mundöffnung läßt sich nichts Bestimmtes aussagen. Der Nabel ist klein und tief.

Auf der Schale erscheinen die Überbleibsel einer feinen Querberippung.

Bemerkungen: Anklänge an unser Stück zeigt ein Steinkern von *Pleurotomaria mosensis* Buv., den Loriol[1] aus dem unteren Portlandien der Haute-Marne abbildet. Verwandtschaftliche Beziehungen lassen sich indessen nicht mit Sicherheit vermuten.

Untersuchte Stücke: 1.

Vorkommen: Kefr Akkāb im Kelbtal.

Sammlung: Zumoffen.

Familie: **Delphinulidae** Fischer.

Gattung: **Delphinula** Lam.

Delphinula Tethys n. sp.

Taf. VI, Fig. 6a—c.

Maße: Ganze Höhe: 6 *mm*.

Höhe des letzten Umganges: 5 *mm*.

Durchmesser des letzten Umganges: 7 *mm*.

Gewindewinkel: etwa 100°.

Beschreibung: Das vorliegende, gut erhaltene, sehr kleine Schalenstück ist von dreieckiger Gestalt und breiter als hoch. Das Gehäuse setzt sich insgesamt aus etwa fünf Umgängen zusammen. Die Spira ist sehr kurz und spitz. Ihre Windungen nehmen nach vorn schnell an Breite zu und stoßen an vertieften Suturen zusammen.

Der letzte Umgang gewinnt in seinem Verlauf außerordentlich an Breite. Seine Oberseite zeigt geringe Konvexität, die Unterseite ist abgeflacht. Es entsteht auf diese Weise ein scharfer Kiel und der Mundsaum formt sich zu einer flachen Ellipse. Der runde, tiefe und ziemlich breite Nabel wird durch die Mundöffnung etwas eingeengt.

Der Schalenschmuck hat sich nur auf dem letzten Umgang erhalten. Man gewahrt auf seinem oberen Teil sechs kräftige, auf dem unteren neun feinere Längsrippen. Die ersteren tragen regelmäßig angeordnete Knötchen. Die letzteren lösen sich vollständig in kleine, runde Knötchen auf und erscheinen derart wie gekörnelt. Die Dicke der Schale ist ziemlich beträchtlich.

Bemerkungen: Die ovale Apertur dieses Stückes ließ seine Zugehörigkeit zur Gattung *Delphinula* anfangs als zweifelhaft erscheinen. In der münchner Staatssammlung befinden sich jedoch Kreideindividuen dieser Gattung nicht selten im Besitz jener Eigentümlichkeit.

---

[1] 1872. Loriol. Haute-Marne, pag. 131, Taf. IX, Fig. 1.

Von sämtlichen formverwandten Arten unterscheidet sich unsere Spezies durch den Mangel der Dornfortsätze an der Kielkante der Schlußwindung, welche für jene karakteristisch sind. Sie übertrifft sie ferner durch die Neunzahl ihrer Basalrippchen. Die Berippung der Suturalfläche des letzten Umganges ist ihr gemeinsam mit *Delphinula bicarina* Buv.[1]) aus dem unteren Rauracien des Maas-Departements. Im übrigen ergibt diese Art wenige Vergleichspunkte.

Allgemeine Größenverhältnisse sowie die Gestalt des letzten Umlaufes und des Nabels verweisen mehr auf *Delphinula Chantrei* Loriol.[2]) Ähnliche Beziehungen lassen sich ferner beobachten bei *Delphinula Ogerieni* Loriol[3]) und *D. stellata* Buv.[4]) Diesen Arten gegenüber behauptet unser Exemplar die angeführten Sonderkaraktere eines neuen Typs.

Delphinula Chantrei Lor. und *D. Ogerieni* Lor. finden sich im Ptérocérien von Valfin. *D. stellata* beschrieb Buvignier aus dem Rauracien des Maas-Gebietes.

Untersuchte Stücke: 1.
Vorkommen: Duar im Salimatal.
Sammlung: Zumoffen.

Familie: **Neritidae** Lam.

Gattung: **Nerita** Lin.

Nerita litoralis n. sp.

Taf. VI, Fig. 7a—b.

Maße: Ganze Höhe: 7 *mm.*
Höhe des letzten Umganges: 6 *mm.*
Durchmesser des letzten Umganges: 8 *mm.*

Beschreibung: Sehr kleine, querovale Schnecke, deren Durchmesser die Gesamthöhe übertrifft. Das Gewinde besteht aus drei rasch anwachsenden, konvexen Umgängen, die durch einfache Nähte verbunden sind.

Die Hauptwindung erfährt eine derart starke Entwicklung, daß die Spira gänzlich zurücktritt und nur als kurzes, stumpfes Kegelchen erscheint. Unter der Sutur wird eine leichte Abflachung des sonst kräftig gewölbten Umganges bemerkbar.

Die Mündung ist halbkreisförmig und groß. Ihr etwas beschädigter Saum erstreckt sich oben ein Stück weit vor die hintere Grenze des Kallus, der in kräftiger Entwicklung die Spindel bedeckt. Der freie Rand der Schwiele beschreibt gegen die Mundöffnung hin eine S-förmig gebogene Linie.

Die dicke, glatte Schale besitzt sehr feine Zuwachsstreifung.

Bemerkungen: Die eigentümliche Abgrenzung der Schwiele gegen die Spindel unterscheidet die vorliegende Form von den mir bekannten *Nerita*-Arten. In den äußeren Umrissen zeigt sich einige Übereinstimmung mit *Nerita crassa* Etallon, wie sie von Loriol[5]) aus dem Ptérocérien von Valfin abgebildet wurde. Das kleinere Exemplar zeigt ähnliche Größe und ziemlich gleichartige Gestaltung des letzten Umganges mit der bezeichnenden Nahtdepression. Nähere verwandtschaftliche Beziehungen können hieraus wohl nicht abgeleitet werden.

Untersuchte Stücke: 2.
Vorkommen: Bekféja im Kelbtal.
Sammlung: Zumoffen.

---

[1]) 1852. Buvignier. Meuse, pag. 36, Taf. XXIV, Fig. 30—31.
[2]) 1887. Loriol. Valfin, pag. 183, Taf. XX, Fig. 6.
[3]) 1887. In Obigem, pag. 182, Taf. XX, Fig. 4—5.
[4]) 1852. Buvignier. Meuse, pag. 35, Taf. XXIV, Fig. 37—39.
[5]) 1887. Loriol. Valfin, pag. 164, Taf. XVII, Fig. 18.

Familie: **Purpurinidae** Zittel.

Gattung: **Purpuroidea** Lycett.

Purpuroidea sp.

Taf. VI, Fig. 8.

Maße: Ganze Höhe: 67 *mm.*

Höhe des letzten Umganges: 56 *mm.*

Durchmesser des letzten Umganges: 85 *mm.*

Gewindewinkel: etwa 120°.

Beschreibung: Der große, wohlerhaltene Steinkern von karakteristischem Aussehen ist bedeutend breiter als hoch. Es existieren im ganzen drei oben gerundete, nach außen steil abfallende Windungen, die langsam an Höhe gewinnen. Das Vorhandensein von breiten suturalen Vertiefungen verstärkt noch den terrassenförmigen Aufbau dieses Stückes.

Der letzte Umgang ist oben flacher, an den Flanken gegen sein Ende hin etwas stärker gewölbt. Im Gegensatz zu den Umläufen der Spira nimmt er rasch an Höhe zu.

Die Mündung steht fast senkrecht und besitzt längsovale Gestalt. Der weite runde Nabel wird durch die mächtig verdickte Schale bis auf eine schmale Ritze ausgefüllt.

Als Skulpturreste erscheinen an der Nahtkante des letzten Umganges einige knotige Verdickungen.

Bemerkungen: Unser Stück steht in mancher Beziehung *Purpuroidea moreana* Buv. nicht fern, wie sie Buvignier[1]) und Loriol[2]) aus dem Rauracien des Maas-Gebietes und des Berner Jura zur Abbildung brachten. Soweit ein Vergleich zwischen Steinkern und Schalenexemplar zulässig ist, stimmt jene Form mit der unsrigen überein bezüglich der Kürze der Spira, der außerordentlichen Entfaltung des Hauptumganges sowie der Form und Stellung der Mundöffnung. Auch die Nabelschwiele dürfte bei unserem Exemplar eine ähnlich starke Entwicklung aufweisen. Unterschiede scheinen sich zu ergeben aus dem größeren Durchmesser und bedeutenderen Gewindewinkel unseres Stückes sowie aus der andersartigen Höhenzunahme seiner Schlußwindung.

Untersuchte Stücke: 1.

Vorkommen: Bekföja im Kelbtal.

Sammlung: Zumoffen.

Familie: **Naticidae** Forbes.

Gattung: **Natica** Lam.

Natica cfr. amata d'Orbigny.

Taf. VI, Fig. 9 a—b.

Synonyme:

1851. *Natica amata* d'Orbigny. Terrains jurassiques, Bd. 2, pag. 205, Taf. CCXCIV, Fig. 3—4.
1882.   »   »   Schlosser. Kelheimer Diceraskalk, pag. 91, Taf. XII, Fig. 19—20, Taf. XIII, Fig. 1.
1882.   »   »   Alth. Nizniower Kalkstein, pag. 210, Taf. XIX, Fig. 15.
1887.   »   »   Loriol. Valfin, pag. 150, Taf. XV, Fig. 9—11.
1890.   »   »   Loriol. Jura bernois, pag. 92, Taf. XI, Fig. 12 15.
1893.   »   »   Loriol. Tonnerre, pag. 51, Taf. III, Fig. 15—16.

Maße: Ganze Höhe: 67 *mm.*

Höhe des letzten Umganges: 64 *mm.*

Durchmesser des letzten Umganges: 53 *mm.*

Beschreibung: Der ziemlich gut erhaltene Steinkern besitzt von vorn gesehen viereckig ovale Gestalt. Es sind im ganzen zwei bis drei Umgänge vorhanden. Die Spira kommt nur als kurzer, flacher Kegel zum Vorschein. Ihre Windungen sind schmal und wenig gewölbt und steigen sehr langsam an.

---

[1]) 1852. Buvignier. Meuse, pag. 45, Taf. XXX, Fig. 16—18.
[2]) 1890. Loriol. Jura bernois, pag. 14, Taf. II, Fig. 1—2.

Der letzte Umgang nimmt fast die ganze Höhe des Gehäuses ein. Er ist anfangs kräftiger, dann ziemlich flach gewölbt und erfährt in seiner unteren Hälfte eine außerordentlich starke Verbreiterung. Sein Vorderende verjüngt sich rasch zu dem ziemlich spitz gerundeten Unterrand. Die sehr große, ovale Mündung erscheint nach innen und außen gleich stark verbreitert. Ihre Oberregion läuft im spitzen Winkel zu. Die leicht S-förmig gekrümmte Spindel ist nicht sehr schräg gestellt. Man erblickt auf ihr einen kräftigen Eindruck, ein Zeichen, daß sich die Innenlippe zu einer den Nabel verhüllenden Schwiele verdickte.

Von der Schalenskulptur werden nur grobe Zuwachsstreifen ersichtlich.

Bemerkungen: Mit dem von d'Orbigny [1] abgebildeten Exemplar kann unser Stück nicht identifiziert werden. Das erstere zeigt vor allem geringere Verbreiterung der Hauptwindung sowie steiler gestellte Spindel. Nähere Beziehungen ergeben sich zu den Individuen von Valfin und zu denen von Tonnerre, die nach Loriol [2] übereinstimmen. Der letztere fand dort nie die steile Spindelstellung, wie sie d'Orbigny zeichnen ließ. Es macht sich vielmehr stets eine schräge Stellung der Spindel bemerkbar und im Zusammenhang damit eine breitere Beschaffenheit der Mundöffnung. Eine Reihe von gut erhaltenen Steinkernen des münchner Museums, die von Tonnerre stammen, zeigt im allgemeinen die für unser Stück angeführten Merkmale. Als unterscheidend macht sich die bedeutendere Höhe unseres Exemplars geltend, deren Maß die Angaben sämtlicher Autoren weit hinter sich läßt.

Ein Vergleich mit *Natica hemisphaerica* Roemer führte zu negativen Ergebnissen wegen des steileren Gewindes und der flacheren Beschaffenheit des letzten Umganges bei der vorliegenden Form.

Natica amata d'Orb. kommt vor im: Rauracien des Berner Jura, Astartien von Tonnerre, Kimméridgien von Valfin, La Rochelle, Bukowna (Galizien).

Untersuchte Stücke: 1.

Vorkommen: Feraïke im Kelbtal.

Sammlung: Zumoffen.

Natica Dido n. sp.
Taf. VI, Fig. 10a—b.

Maße: Ganze Höhe: 150 mm.

Höhe des letzten Umganges: 113 mm.

Durchmesser des letzten Umganges: 105 mm.

Höhe der Mundöffnung: 83 mm.

Breite der Mundöffnung: 61 mm.

Gewindewinkel: 74°.

Beschreibung: Gutkarakterisierte, sehr große, ziemlich schlanke, turmartige Form, viel höher als breit. Das Verhältnis der Höhe der Spira zu der des letzten Umganges beträgt beim größten Exemplar 1 : 3, bei dem kleinsten 6 : 7. Die Höhe der Schlußwindung erweist sich durchgehends als ziemlich gleich ihrem Breitendurchmesser.

Das Gehäuse baut sich aus 6—7 Windungen auf, die in ihrem peripheren Teil kräftige Wölbung zeigen und nach unten hin steil abfallen. Ihre Aufwicklung vollzieht sich unter einem Nahtwinkel, welcher nach unten hin an Größe zunimmt. Eine zuweilen etwas konkave Abplattung, die sich unter der Sutur befindet, verleiht den Umgängen nicht selten ein bauchiges Aussehen.

Im Gegensatz zu den Umläufen der Spira verbreitert sich die Schlußwindung schnell und in hohem Grade. Ihre Flanke zeigt gegen die Apertur hin Neigung zum Flacherwerden. Ihre infrasuturale Abplattung gestaltet sich in ihrem Verlauf nach vorn zu einer kräftig markierten Furche.

Die Mundöffnung von ziemlicher Größe erscheint schräg gestellt, ganzrandig, von unregelmäßig ovaler Form, oben winklich abgebogen, unten gerundet. Der Außenrand ist rundlich zugeschärft. Die stark verdickte Innenlippe legt sich oben meist dicht an den letzten Umgang an, verhüllt dann als freistehende

[1] 1851. d'Orbigny. Terrains jurassiques, Bd. 2, pag. 205, Taf. CCXCIV, Fig. 3—4.

[2] 1887. Loriol. Valfin, pag. 150, Taf. XV, Fig. 9—11.

Leiste zum Teil den Nabel und verbreitert sich auf der Spindel zu einer ausgedehnten Schwiele, welche verschiedene unregelmäßige Falten bildet. Der Nabel kommt je nach der Beschaffenheit der Innenlippe mehr oder weniger zum Vorschein. Manchmal zeigt die letztere flachere Stellung und ihr oberes Ende verbreitert sich stärker. Dann wird der Umbo auf einen schmalen Spalt reduziert. Beim vorliegenden Stück ist er hingegen tief und rund.

Die Skulptur der Schale besteht aus feinen Längsstreifen, die durch noch feinere Querstreifen gekreuzt werden. Die so entstehende zarte Gitterung verwischt sich sehr leicht, es bleibt ein System von kleinen, in Längsreihen und Querreihen angeordneten Punkten zurück.

Bemerkungen: Die ursprüngliche, nicht sehr bedeutende Dicke der Schale hat sich bei keinem der vorliegenden Exemplare erhalten. Sie erscheint vielmehr stets mehr oder weniger verstärkt durch Inkrustation mit Kalkspat. Erst später griff der Verkieselungsprozeß ein und metamorphosierte einzelne Individuen in einer ähnlichen Weise, wie man es z. B. bei den nattheimer Petrefakten antreffen kann. Die Form des Gehäuses zeigt auch unabhängig von seiner Größe mannigfache Verschiedenheiten. Messungen ergaben solche bezüglich des Gewindewinkels, des Verhältnisses des letzten Umganges zur Gesamthöhe und des Nahtwinkels. Es scheint darin keinerlei absolute Konstanz vorzuherrschen. Auch der Wölbungsgrad der einzelnen Windungen und das Maß ihrer infrasuturalen Abflachung unterliegt erheblichen Schwankungen. Hier scheint sich jedoch mit zunehmendem Alter eine stärkere Ausbauchung der Umläufe und ein höherer Grad der betreffenden Abplattung einzustellen. Ein Stück, das von einer anderen Lokalität herstammt als die übrigen, zeichnet sich dadurch vor den letzteren aus, daß sich der obere Teil seines Mundsaumes nicht mit schwieliger Verdickung an den Schlußumgang anlegt, vielmehr von diesem als etwas losgelöst erscheint.

Als »*probably cretaceous*« beschrieb Hamlin[1]) aus den Bergen von Gilead im östlichen Jordanland eine Form, welche mit einem der kleineren vorliegenden Exemplare bezüglich der Anzahl und der Wölbungsweise der Windungen ziemliche Übereinstimmung an den Tag legt. Auch die infrasuturale Abplattung wird in der Beschreibung erwähnt. Der letzte Umgang von *Lunatia gileadensis* Hamlin ergibt jedoch durchgreifende Verschiedenheiten in seiner schmaleren Ausbildung, sowie bezüglich der niedrigen, mehr horizontal eingestellten, halbmondförmigen Mundöffnung, welche wieder die gänzlich andere Gestaltung des Nabels hervorruft.

Ein Vergleich mit mitteleuropäischen Spezies ergibt Beziehungen zu *Natica marcousana* d'Orb.,[2]) einer Art, die mit Bezug auf die Größe und die viel flachere Wölbungsart der Windungen von unserem Typ erheblich abweicht. Die Mundöffnung dagegen zeigt ähnliche Ausbildung. Ein mittelgroßes Stück von Bekfeja im Kelbtal und ein Exemplar des münchner Museums aus dem oberen Portlandien von Auxerre (Yonne) besitzen weitgehende Übereinstimmung hinsichtlich der Gestalt des Mundsaumes, der leicht S-förmigen Schwingung der Innenlippe sowie der Konfiguration des Nabels. Ein weiteres gemeinsames Merkmal bildet die karakteristische Punktierung der Schale. Die gleichen Beziehungen ergeben sich auch bezüglich der von Loriol und Pellat[3]) gegebenen Abbildung einer *Natica Marcousana* d'Orb. aus dem Portlandien von Hartwell (England).

Von *Natica macrostoma* Roemer unterscheidet sich *Natica Dido* durch die bedeutendere Höhe ihrer Spira, durch das Vorhandensein einer Nahtvertiefung und durch abweichende Ausbildung der Hauptwindung, der Mündung und des Nabels. Exemplare des münchner Museums aus dem Portlandien von Kelheim zeigen außerdem eine weit plumpere Gesamterscheinung und langsam anwachsende, kaum gewölbte Umgänge.

Natica Marcousana d'Orb. findet sich im: Astartien und Kimméridgien von Hannover (Struckmann), im Portlandien von Haute-Marne (Loriol), Yonne (Loriol), Boulogne (Loriol), Salins (d'Orbigny), Aïn (d'Orbigny), Oise (d'Orbigny), Sizilien (Gemellaro).

---

1) 1884. Hamlin. Syrian molluscan fossils, pag. 14, Taf. I, Fig. 1.
2) Synonyme bei: 1868. Loriol et Cotteau. Yonne, pag. 32.
   1882. Schlosser. Diceras-Kalk, pag. 90.
3) 1866. Loriol et Pellat. Boulogne-s.-m., pag. 25, Taf. III, Fig. 11—12.

Untersuchte Stücke: 8 Schalenexemplare, 4 Steinkerne.

Vorkommen: Bekféja im Kelbtal und Aïn Hamâda im Salîmatal.

Sammlung: Zumoffen.

Natica Mylitta n. sp.

Taf. VI, Fig. 11 a—b.

Maße: Gesamthöhe: 19 mm.

Höhe des letzten Umganges: 16 mm.

Durchmesser des letzten Umganges: 15 mm.

Höhe der Mundöffnung: 13 mm.

Breite der Mundöffnung: 8 mm.

Gewindewinkel: etwa 75°.

Beschreibung: Kleines, wohlerhaltenes Schalenexemplar von ovaler Gestalt und höher als breit. Die Spira ist außerordentlich klein und zierlich und erscheint der Hauptwindung als spitzes Kegelchen aufgesetzt. Sie besteht aus etwa 5 Umgängen, die oben stärker gewölbt sind als unten und durch vertiefte Nähte verbunden erscheinen. Sie nehmen ferner anfangs langsam, dann schneller an Breite zu, an relativer Höhe ab. Die Messung des Gewindewinkels bezieht sich nur auf die Spira.

Der letzte Umgang entwickelt sich zu über drei Vierteln der Gesamthöhe. Er ist kräftig gewölbt und verjüngt sich nach unten hin stark, wodurch seine Oberregion ein bauchiges Aussehen erlangt, das von der grazilen Gestalt des Gewindes in karakteristischer Weise absticht.

Die nicht sehr große, ovale Mundöffnung erscheint etwas schräg gestellt, unten gerundet, oben winklig zulaufend. Die Außenlippe ist nicht sehr kräftig gebogen. Dagegen buchtet sich der Spindelrand in seiner unteren Partie mit bedeutender Konvexität gegen die Schlußwindung vor und gibt dadurch der Mündung ihre ansehnliche Breite. Die Kolumella erscheint in ihrem oberen Teil ganz glatt. Erst abwärts vom Nabel zeigt sich eine ansehnliche Schwiele, welche den letzteren bis auf eine schmale Furche verhüllt.

Die Skulptur der ziemlich dicken Schale besteht aus sehr feinen, unregelmäßigen Zuwachsstreifen.

Bemerkungen: Allem Anschein nach ist unsere Form anzuschließen an Natica Loriol[1]) aus dem Portlandien von Tour-Croï bei Boulogne. Gemeinsam haben beide Formen den bezeichnenden Gegensatz zwischen der kleinen, spitzen Spira und dem gewaltigen Schlußumgang, ferner die Gestalt der Mundöffnung und den sehr schmalen Nabelspalt. Als unterscheidend von der syrischen Form kommt für Natica venelia Lor. in Betracht: Das Vorhandensein einer deutlichen Längs- und Querstreifung, die geringere Höhe des letzten Umganges im Vergleich mit der Gewindehöhe sowie seine verschiedenartige Kontur, welche die stärkste Wölbung als tiefer liegend zeigt als bei unserem Stück. Die letztere Eigentümlichkeit hat wieder andere Gestalt der Spindel und abweichende Beschaffenheit der Schwiele und Nabelritze zur Folge. Diese Verschiedenheiten lassen unser Individuum als Vertreter einer neuen Art erscheinen. Natica venelia Loriol wurde meines Wissens nur aus dem Portlandien von Boulogne beschrieben.

Untersuchte Stücke: 1.

Vorkommen: Bekféja im Kelbtal.

Sammlung: Zumoffen.

Natica n. sp.

Taf. VI, Fig. 12.

Maße: Gesamthöhe: 41 mm.

Höhe des letzten Umganges: 35 mm.

Durchmesser d. letzten Umganges: 31 mm.

Gewindewinkel: 83°.

Beschreibung: Ziemlich gut erhaltenes Schalenexemplar mit beschädigtem Gewinde und unvollkommen erhaltenem Mundsaum. Das Gewinde weist eine nicht bestimmbare Anzahl von schwach gewölbten

---

1874. Loriol. Boulogne-s.-m., pag. 89, Taf. VIII, Fig. 9—12.

Umgängen auf, die sich durch vertiefte Nähte gegeneinander absetzen. Die Schlußwindung ist groß, kräftig konvex, in der Mitte bauchig. Ihre Krümmung erfährt eine Verminderung gegen die Außenlippe hin. Die ovale, oben winklige, unten gerundete, relativ schmale Mundöffnung erreicht nur etwas über die Hälfte der Gesamthöhe. Ihr Außenrand verläuft mäßig konvex, der Spindelrand erscheint schwach konkav. Der Nabel wird durch eine breite Schwiele gänzlich verhüllt, deren karakteristische Gestalt auf der Abbildung gut zum Ausdruck kommt.

Die Schale ist von großer Dicke und ganz glatt.

Bemerkungen. Die vorliegende Spezies besitzt bedeutende Ähnlichkeit mit *Natica elegans* Sow. wie sie mir in Gestalt der Zittelschen[1]) Originalexemplare aus dem stramberger Tithon vorliegt. Gemeinsam ist den beiden Formen die Größe des Gewindewinkels, das Höhenverhältnis der Spira zum Hauptumgang sowie die allgemeine Gestalt des letzteren. *Natica elegans* Sow. unterscheidet sich von unserem Typ durch das treppenartig Abgesetzte des Gewindes, durch die Abflachung der Schlußwindung, durch die stärkere Biegung des Spindelrandes und durch das Auftreten einer Nabelspalte.

Der von Loriol und Pellat[2]) gegebenen Figur steht unser Exemplar allerdings ziemlich fern. *Natica elegans* Sow. tritt auf im Portlandien von Stramberg, Boulogne (Loriol et Pellat), Oise, England.

Untersuchte Stücke: 1.

Vorkommen: Bekfëja im Kelbtal.

Sammlung: Zumoffen.

Natica n. sp.

Taf. VII, Fig. 1.

Beschreibung: Kleines, mäßig erhaltenes Schalenstück mit einem Gewindewinkel von 78°. Die Spira ist oben abgebrochen. Der äußere Mundsaum fehlt. Das Gehäuse ist turmförmig, oben anscheinend kräftig zugespitzt, unten oval gerundet. Die Spira besteht aus mehreren, flach gerundeten, gleichmäßig anwachsenden Umgängen, die durch einfache Nähte verbunden sind. Der letzte Umgang erscheint sehr hoch und bis zur Mündung kräftig aufgeblasen. Die Innenlippe beschreibt einen S-förmigen Bogen, dessen untere Konvexität sich energisch gegen die Schlußwindung vorschiebt. Der Nabel kommt als deutlicher Spalt zum Vorschein. Schalenskulptur ist nicht vorhanden.

Bemerkungen: Es gelang mir nicht, unter genabelten Naticiden eine formverwandte Art zu entdecken.

Untersuchte Stücke: 1.

Vorkommen: Bekfëja im Kelbtal.

Sammlung: Zumoffen.

Natica sp.

Beschreibung: Ziemlich kleine Steinkerne mit geringen Schalenresten. Von den zwei bis drei gerundeten Umgängen erscheinen die oberen bald etwas stärker, bald schwächer aufgewickelt. Dementsprechend ist die Spira bald höher oder niedriger. Letztere tritt völlig zurück gegen den Schlußumgang, welcher durch breite Nahtrinne von ihr getrennt seine starke Breiten- und Höhenentwicklung nimmt. Die Mundöffnung erscheint oval gestaltet, oben leicht zugespitzt, gegen die Spindel hin stärker erweitert und unten gleichmäßig gebogen. Die Schale ist ziemlich dünn.

Untersuchte Stücke: 4.

Vorkommen: Bekfëja im Kelbtal. Zwischen Merudsch und Antûra. Zwischen Aïn Alak und Bekfëja.

Sammlung: Zumoffen.

---

[1]) 1873. Zittel, Stramberger Schichten, pag. 407, Taf. XLV, Fig. 23.

[2]) 1866. Loriol et Pellat. Boulogne-s.-m., pag. 27, Taf. III, Fig. 13—15.

17°

Natica sp.

Es liegt mir eine Reihe von mittelgroßen Steinkernen vor, darunter einer mit karakteristischen Schalenresten. Letzterer erinnert durch die Lage und Gestalt seiner Mündung, durch das Vorhandensein einer Nabelritze und besonders durch die wohlausgeprägte Punktierung seiner ziemlich dicken Schale an *N. dido* n. sp. Wir schließen die hierhergehörigen Formen an die letztere Art deshalb nicht an, weil ihr Gewinde relativ niedriger zu sein scheint und weil ihnen die bezeichnende infrasuturale Abplattung fehlt.

Untersuchte Stücke: 3.

Vorkommen: Im Kelbtal bei Bekfēja und nahe den »Grotten«.

Sammlung: Zumoffen.

Untergattung: **Tylostoma** Sharpe.

Tylostoma sp.

Taf. VI. Fig. 13.

Maße: Gesamthöhe: 37 *mm*.

Gewindewinkel: etwa 60⁰.

Beschreibung: Mangelhaft erhaltener Steinkern von turmartiger Gestalt, viel höher als breit. Die Spira besteht aus mindestens drei Windungen und spitzt sich kräftig zu. Der letzte Umgang übertrifft das Gewinde beträchtlich an Höhe und erscheint etwas kräftiger gewölbt als die oberen Umläufe. Die Mündung ist nicht sehr schräg gestellt, relativ schmal, oben wahrscheinlich etwas breiter gerundet als unten. Von einem Nabel zeigt sich keine Spur.

Bemerkungen: In der allgemeinen Form zeigt das vorliegende Stück geringe Annäherung an *Tylostoma corallinum* Zittel, wie sie Loriol[1] zur Abbildung bringt. Der letzte Umgang dieser Spezies ähnelt dem unseren mit Bezug auf seine Längen- und Breitenproportionen, in der Art seiner Zuspitzung nach unten hin sowie bezüglich der Ausbauchung der Flanken. Ein wesentlicher Unterschied ergibt sich jedoch aus der verschiedenen Beschaffenheit des vorletzten Umganges, der bei unserem Exemplar verhältnismäßig bedeutend höher erscheint als bei der von Loriol gegebenen Figur.

Untersuchte Stücke: 1.

Vorkommen. Aïn Hamāda im Salīmatal.

Sammlung: Zumoffen.

Familie: **Nerineidae** Zittel.

Gattung: **Nerinea** Defr.[2]

Nerinea pauciplicata n. sp.

Taf. VII. Fig. 2 a—b.

Maße: Gesamthöhe: —

Höhe des letzten Umganges: 46 *mm*.

Durchmesser des letzten Umganges: 46 *mm*.

Höhe der Mündung: 24 *mm*.

Gewindewinkel: etwa 19⁰.

Beschreibung: Das große, massive, turmartige Gehäuse besteht aus zahlreichen, stark und gleichmäßig konkaven Windungen, die unter einem kräftigen Nahtwinkel in die Höhe streben. Nach unten hin verringert sich die Konkavität der Umgänge ebenso wie die relative Höhe der letzteren. Gegen seine untere Naht hin schwillt jeder Umlauf zu einem runden, aufgeblasenen Kiel an. Dicht unter der Sutur verläuft ein schmales Schlitzband. Die Unterseite des letzten Umganges erweist sich als etwas konkav.

---

[1] 1887. Loriol. Valfin, pag 149, Taf. XVI, Fig. 2, 2a.

[2] Zumoffen hebt in einem Schreiben an Blanckenhorn hervor (1902), daß in Gesellschaft von Stacheln von *Cidaris glandaria* zahlreiche Nerineen angetroffen wurden. Es seien vielfach Exemplare von bedeutender Größe, die von sehr hartem Gestein umgeben seien. Ein gemessenes Stück besaß 53 *cm* Länge bei 7 *cm* Durchmesser.

Die Mündung von ausgesprochen viereckiger Gestalt setzt sich oben in einen kurzen spitzwinkligen Ausschnitt fort, der sich in das Schlitzband verlängert. Sie endigt nach vorn in einen kurzen kanalartigen Ausguß. Die leicht konvexe Spindel erscheint hier glatt. Ein Querschnitt läßt jedoch erkennen, daß die Kolumella eine wohlausgebildete Falte besitzt. Auch die Außenwand zeigt an der Stelle der größten Konkavität eine schwache Verdickung, die man für die Anlage einer Falte halten kann. Die Innenlippe ist glatt.

Die relativ dünne Schale weist feine, leicht S-förmig geschwungene Zuwachsstreifen auf.

Bemerkungen: Enge Beziehungen verbinden unsere Art mit *Nerinea Desvoidyi* d'Orb. Als besonders ähnlich erweisen sich die von d'Orbigny[1]) und von Loriol[2]) abgebildeten Exemplare hinsichtlich der Form des Gewindes wie der Mündung. Als unterscheidend machen sich bei unserem Stücke geltend die beträchtlich konkavere Gestalt der Windungen und die abweichende Beschaffenheit der Falten. Ein gut erhaltenes Individuum von *N. Desvoidyi* d'Orb. von Conlanges sur Yonne, welches mir aus dem münchner Museum vorliegt, zeigt aufs deutlichste die typischen Falten auf Spindel und Außenlippe, von denen die letztere die kräftigere ist. Dahingegen besitzt unsere Form eine wohlmarkierte Kolumellafalte, während die Verdickung der Außenwand kaum als Falte zu bezeichnen ist. Die betonten Unterschiede in der äußeren und inneren Organisation unseres Stückes führen notgedrungen zur Aufstellung einer neuen Art.

Blanckenhorn[3]) brachte aus der syrischen Kreide den Durchschnitt einer *Nerinea* zur Abbildung, welche in der äußeren Form mit *Nerinea pauciplicata* völlig übereinstimmt. *Nerinea berytensis* Blanck. weicht jedoch hinsichtlich der inneren Organisation von unserem Typ nicht unerheblich ab. Es befinden sich nämlich auf der Spindel zwei leichte Anschwellungen, denen eine stärkere Verdickung der Außenwand gegenübersteht. Immerhin ist die Ähnlichkeit beider Formen anscheinend eine so bedeutende, daß wir uns *N. berytensis* Blanck. aus *N. pauciplicata* entstanden denken könnten.

Nerinea Desvoidyi d'Orb. findet sich im: Séquanien von Oyonnax (d'Orbigny); Yonne (Loriol); Meuse, Ardennes (d'Orbigny); Haute-Marne (Loriol); Boulogne (Loriol et Pellat); England (Woodward); Kimméridgien von Hannover (Struckmann); Franken (Guembel); Portlandien von Kelheim, Oberstotzingen, Ingolstadt (Schlosser).

Untersuchte Stücke: I.

Vorkommen: Bekfeja im Kelbtal.

Sammlung: Zumoffen.

Nerinea Maroni n. sp.

Taf. VII. Fig. 3 a—b.

Maße: Höhe: 64 *mm*.

Höhe des letzten Umganges: 18 *mm*.

Durchmesser des letzten Umganges: 28 *mm*

Gewindewinkel: 29°.

Nahtwinkel: 16°.

Beschreibung: Die ziemlich kleine, ungenabelte, turmartige Form besteht aus ungefähr sieben bis acht Windungen. Von diesen sind nur fünf erhalten, die von oben nach unten an relativer Höhe bedeutend abnehmen. Der Spiralwinkel zeigt das umgekehrte Verhalten. Die Umgänge weisen eine sehr kräftige Einsattlung auf, deren tiefster Punkt etwas über der Mitte liegt. Auf der Grenze zweier Umgänge befindet sich ein scharfer, aber gerundeter Kiel. Unter ihm verläuft die Sutur. Die Mündung ist fast vierseitig, höher als breit, mit kräftigem, schwach gebogenem Ausguß. Sie zählt bei einem Exemplar auf Spindel und Innenlippe je eine deutliche Falte. Ein Querschnitt durch das vorliegende Stück läßt eine dritte etwas

---

[1]) 1850. d'Orbigny. Terrains jurassiques, II, pag. 107. Taf. CCLXI, Fig 1—3.

[2]) 1872. Loriol. Haute-Marne, pag. 81, Taf. VI, Fig. 2.

[3]) 1891. Blanckenhorn. Kreidesystem in Syrien, pag. 106, Taf. VIII, Fig 3.

schwächere Falte auf der Innenseite der Außenwand erkennen und auf dem Boden der Kammer eine vierte, die jedoch nur sehr wenig angedeutet ist.

Die dünne Schale zeigt auf dem Kiel eine Reihe von ziemlich dicken, regelmäßig angeordneten Knoten, die sich als wenig markierte, breite Querrippen nach oben und unten fortsetzen. Der feinere Schmuck wird durch dünne Spiral- und Zuwachsstreifen gebildet.

Bemerkungen: Wie die Schale, so sind auch die größeren Falten auf Spindel und Innenlippe von lamellös feiner Beschaffenheit. Das Auftreten einer Falte auf dem Boden der Umgänge ist eine spezifische Besonderheit dieser Art. Im übrigen zeigt sie hinsichtlich ihrer äußeren und inneren Struktur sehr enge Verwandtschaft mit *Nerinea Visurgis* Roem. Das von d'Orbigny[1]) abgebildete Stück stimmt mit dem unsrigen überein in dem Vorhandensein einer Längs- und Querskulptur, sowie in der Anordnung der drei Falten, von denen jedoch, im Gegensatz zu *Nerinea Maroui*, die Außenfalte die stärkste Entwicklung erreicht.

Zwei Exemplare von *N. Visurgis* Roem. des münchner Museums, welche die Fundortsbezeichnung Coulanges-sur-Yonne tragen, lehnen sich in Bezug auf die Form der Umgänge und der Mündung noch enger an unser Exemplar an als die Typen von d'Orbigny.

Ein Steinkern, der nach den Angaben Zumoffens im Glandarienkalk des Kelbtales allgemein verbreitet ist, sei trotz seines kleineren Gewindewinkels vorläufig an unsere Spezies angeschlossen.

Nerinea Visurgis Roem. tritt auf im: Séquanien von Neuchâtel (Tribolet); Yonne, Meuse (d'Orbigny); Hannover (Struckmann); Ptérocérien von Oyonnax (d'Orbigny); Mangyschlak (Semenow).

Untersuchte Stücke: 3.

Vorkommen: Feraïke, Bekfêja, Aïn Alak im Kelbtal.

Sammlung: Zumoffen:

Nerinea Sesostris n. sp.

Taf. VII, Fig. 4a—b.

Beschreibung: Ziemlich lange, sehr schlanke, ungenabelte Art von der Form eines Schraubenziehers, deren Anfangs- und Schlußumgänge nicht erhalten sind. Das vorliegende Gewinde besteht aus neun Umgängen. Die Höhe der letzteren übertrifft oben deren Durchmesser, unten kommt sie ihm fast gleich. Der Nahtwinkel beträgt 22°. Die Windungen erscheinen derart konkav, daß sie sich an den Nähten zu scharfen Kielen vereinigen, welche dieser Art ihr karakteristisches Aussehen verleihen. Es existiert nur eine, ziemlich kräftige Spindelfalte. Die sonst glatte Schale ist mit feinen, nach oben anscheinend rückwärts geschwungenen Zuwachsstreifen verziert.

Bemerkungen: In der *Lethea bruntrutana*[2]) findet sich die Abbildung eines Individuums aus dem Astartien von Porrentruy, dessen Zugehörigkeit zu *Nerinea Gosae* Roem. von Thurmann und Etallon in Zweifel gezogen wird. In der Tat hat es nichts mit der letzteren Art zu tun. Seine Mündung zeigt den Typ der Kammerdurchschnitte, wie er sich bei unserer Spezies findet. Die Verwandtschaft beider Formen ist unverkennbar.

Noch enger sind die Beziehungen von *Nerinea Sesostris* zu *Nerinea contorta* Buv.[3]) Exemplare der münchner Sammlung aus dem Rauracien von Caquerelle zeigen sehr ähnliche äußere Formenverhältnisse, wie sie bei der ersteren bestehen. Die Konkavität der Windungen ist bei der berner Art etwas geringer, ebenso besitzt diese auf der Spindel eine schwächere und auf der Innenlippe eine kräftigere Falte, im Gegensatz zu der einzigen Spindelfalte unseres Exemplars. Loriol[4]), welcher *Nerinea contorta* Buv. aus dem Rauracien das Berner Jura beschrieb, spricht seinen Zweifel darüber aus, daß es mit der Spindelfalte der Buvignierschen Stücke seine Richtigkeit hat. Er konnte lediglich eine Falte auf der Innenlippe konstatieren. Wie dem auch sei, unsere Form behauptet dieser und ähnlichen Arten gegenüber, wie z. B. *Nerinea turriculata* d'Orb., eine durchaus selbständige Stellung.

[1]) 1850. d'Orbigny. Terrains jurassiques, II, pag. 122, Taf. CCLXVIII, Fig. 5—7.
[2]) 1861. Thurmann et Etallon, Lethea bruntrutana, page. 94, Taf. VII, Fig. 38 bis.
[3]) 1852. Buvignier, Meuse, pag. 33, Taf. IV, Fig. 7—8.
[4]) 1892. Loriol, Jura bernois, pag. 62, Taf. VIII, Fig. 1—2.

Nerinea contorta Buv. ist bekannt aus dem Rauracien des Berner Jura und des Maas-Gebietes.
Untersuchte Stücke: 4.
Vorkommen: Bekfēja, Aïn Alak im Kelbtal.
Sammlung: Zumoffen.

Nerinea sp.

Beschreibung: Das kleine, sehr schlanke, turmförmige, ungenabelte Gehäuse weist mehr als zehn Umgänge auf, die sich unter bedeutendem Nahtwinkel aufwickeln. Sie sind sehr wenig konkav und besitzen anscheinend über der Naht eine geringe kielartige Anschwellung. Ein Längsschnitt durch das Stück zeigt drei wohlentwickelte Falten. Die schwächste entfällt auf die Spindel. Eine zweite, längere, von lamellöser Feinheit, gehört der Innenlippe an. Die dritte, von bemerkenswerter Stärke und Länge ragt unter hakenartiger Aufwärtskrümmung von der Innenfläche der Außenwand in das Schalenlumen vor.

Bemerkungen: Die verschiedenen vorliegenden Exemplare befinden sich in sehr dürftigem Erhaltungszustand. Kein einziges gewährt allein für sich ein einheitliches Bild der oben angeführten Eigenschaften.

Untersuchte Stücke: 3.
Vorkommen: Bekfēja im Kelbtal.
Sammlung: Zumoffen.

Nerinea sp.

Beschreibung: Die verdrückten, turmförmigen Steinkernfragmente bestehen aus zahlreichen, unter bedeutenden Nahtwinkel aufsteigenden Windungen. An Falten sind vorhanden: eine kräftige an der Außenlippe und eine schwächere je auf der Innenlippe und auf der Spindel.

Bemerkungen: Mit den oben beschriebenen Formen aus dem Glandarienkalk besitzen die vorliegenden Stücke keine näheren Beziehungen.

Untersuchte Stücke: 2.
Vorkommen: Bektēja im Kelbtal.
Sammlung: Zumoffen.

Familie: **Strombidae** d'Orb.

Gattung: **Harpagodes** Gill.

Harpagodes[1] cfr. **Oceani** Brongn.

Taf. VII, Fig. 5*a—b*.

Synonyme:

1820. *Strombites denticulatus*, Schlotheim. Petrefaktenkunde, pag. 153, Nachträge, Taf. XXXII, Fig. 9.
1821. *Strombus Oceani*, Brongniart,[2] Annales des Mines, VI, pag. 545, 570, Taf. VII, Fig. 2.
1836. *Pteroceras Oceani*, Roemer, Oolithengebirge, pag. 145, Taf. XI, Fig. 9.
1837. *Pterocera Oceani*, Bronn, Lethaea, pag. 401, Taf. XXI, Fig. 4.
1841—1844. *Pteroceras Oceani*, Goldfuß, Petrefacta, Taf. CLXIX, Fig. 4*a—b*.
1842. *Pterocera Ponti*, Deslongchamps,[2] Coqu. ailées du Calvados, pag. 162, Taf. IX, Fig. 2.
1855. » *Oceani*, Pictet, Traité de Paléontologie, pag. 199, Atlas, Taf. LXIV, Fig. 14.
1856—1858 *Pterocera Oceani*, Oppel, Juraformation, pag. 717.
1860. » » Contejean, Kimm. de Montbéliard, pag. 117, 118, 215.
1861. » » Coquand, Charente, pag. 87.
1861. » » Thurmann et Etallon, Lethea, pag. 133, Taf. XII, Fig. 11c.
1862. » *Ponti*, Coquand, Paléontol. de Constantine, pag 279.
1863. » *Oceani*, Dollfuß, Cap de la Hève, pag. 17.
1864. *Aporrhais Oceani*, Credner, Pteroceras-Schichten, pag. 219.

---

[1] Vergl. 1903. Zittel. Grundzüge der Paläontologie, pag. 373.
[2] Zitiert nach: Loriol, Haute-Marne, pag. 144.

1864. *Pterocera Oceani*, Etallon, Jura graylois, pag. 455.
1867.   »   »   Moesch, Aargauer Jura, pag. 201.
1867.   »   »   Peters, Dobrudscha, pag. 35, Taf. II, Fig. 3—4.
1868.   »   »   Loriol et Pellat, Boulogne-s.-m., pag. 40, Taf. IV, Fig. 4—5.
1869.   »   »   Gemellaro, Calcare a Ter. janitor. pag. 84, Taf. XIV, Fig. 18—19.
1872.   »   »   Loriol, Haute-Marne, pag. 144, Taf. IX, Fig. 13—14.
1874.   »   »   Loriol, Boulogne-s.m., pag. 146.
1882.   » *cfr. Oceani*, Schlosser, Diceras-Kalk, pag. 67, Taf. X, Fig. 1—2.
1882.   »   *Oceani*, Alth, Nizniower Kalkstein, pag. 198.
1886. *Pterocera* ? *Oceani*, Douvillé, Choa, pag. 223.
1891. *Harpagodes Oceani*, Piette, Pal. française, pag. 456, Taf. XLV, Fig. 1—2, Taf. XLVIII, Fig 1, Taf. LXV, Fig. 5—7, Taf. LXXX, Fig. 1, Taf. LXXXI, Fig. 1—3.
1893. *Pteroceras Oceani*, Fibelkorn, Geschiebe d. ob. Juraform., pag. 424.
1896.   »   *cfr. Oceani*, Semenow, Mangyschlak, pag. 72.
1900.   »   »   »   Müller, Verstein. d. Jura u. d. Kreide, pag. 25, Taf. XVII, Fig. 6.
1904. *Harpagodes Oceani*, Cossmann. Essais de Paléoconchologie comparée. 6. Lief. Paris. pag. 85, Taf. VII, Fig. 1.

Beschreibung: Dem vorliegenden Steinkern fehlt der Kanalausguß, der obere Teil des Gewindes sowie der äußerste Teil des letzten Umganges. Erhalten sind nur die beiden letzten Umgänge. Die vorletzte Windung erscheint oben kurz aber kräftig gerundet, an den steil abfallenden Seiten mäßig gebaucht, im ganzen ziemlich niedrig und nach oben rasch anwachsend, so daß man auf eine relativ geringe Höhe der Spira schließen kann.

Der letzte Umgang ist außerordentlich erweitert. 6 breite, gleichmäßig gerundete Spiralrippen verleihen ihm sein karakteristisches, unregelmäßiges Aussehen. Von ihnen sind die 3 vorderen wieder stärker ausgebildet und durch breitere Zwischenräume getrennt als die hinteren. Die dritte Rippe, von unten ab gezählt, bildet einen kräftigen, schön geschwungenen Kiel, an dem sich die schwach konvexe Ober- und Unterseite der Schlußwindung in kräftiger Umbiegung gegeneinander absetzen. Gegen die Mündung hin wird die Wölbung der Schale bedeutend geringer. Letztere verbreitert sich hier flügelartig. Die drei schwächeren, oberen Rippen, deren höchste an der Sutur des vorletzten Umganges in die Höhe zieht, verschwinden nach hinten zu bald. Die unteren hingegen lassen sich mit großer Deutlichkeit auf der Spindel weiterverfolgen. Zwischen den beiden oberen von ihnen erscheinen etwa 4—5 schwach sichtbare, spirale Zwischenrippen.

Bemerkungen: In der Art der Berippung kommt unser Steinkern dem von Goldfuß[1] abgebildeten Exemplar am nächsten, dessen Fundort leider nicht angegeben ist. Es zeigt sich Übereinstimmung in der Anzahl der Rippen und in der Art ihrer Verteilung auf die Ober- und Unterseite der Schlußwindung. Spirale Zwischenrippen treten bei der Goldfußschen Form zwischen sämtlichen sechs Hauptrippen auf und waren vielleicht auch bei unserer Form ursprünglich vorhanden. Unterschiede ergeben sich aus der schärferen Ausbauchung der Schlußwindung der letzteren, die in ihrer oberen Partie relativ breiter, in ihrem unteren Teil jedoch verhältnismäßig schmaler ist als bei dem zitierten Exemplar. Man gewahrt ferner bei unserem Stück eine stärkere Aufkrümmung der Mundsaumregion und einen andersartigen Verlauf der drei unteren Rippen, welche sich vorn etwas kräftiger nach unten abbiegen.

Ähnliche Beziehungen ließen sich feststellen zu einem Steinkernexemplar, das mir aus dem Kimmeridge von Wendhausen bei Hildesheim aus dem münchner Museum vorliegt. Es erscheint deshalb nicht als ausgeschlossen, daß das Goldfußsche Original ebenfalls jener Lokalität entnommen war.

Der von Müller[2] aus dem Kimmeridgien des Mahokondo-Baches (Deutsch-Ostafrika) abgebildete Steinkern steht unserem Typ anscheinend ziemlich fern. Das gleiche gilt hinsichtlich des Individuums, das Peters[3] aus dem Kimmeridgien von Tschernawoda (Dobrudscha) zur Abbildung brachte.

An die zahlreichen Formen, die man bei französischen Autoren sieht (Loriol, Piette u. a.), finden sich wenig Anknüpfungspunkte. Größere Ähnlichkeit bezeugt unser Stück dagegen wieder zu dem

---

[1] 1841—1844. Goldfuß. Petrefacta Germaniae, III, Taf. CLXIX, Fig. 4*a*.
[2] 1900. Müller. Versteinerungen u. s. w., pag. 25, Taf. XVII, Fig. 6.
[3] 1867. Peters. Dobrudscha, pag. 35, Taf. II, Fig. 3—4.

von **Thurmann** und **Etallon**[1]) gebrachten Exemplar. Die betreffende Abbildung ist jedoch zu mangelhaft, um zu genaueren Vergleichen einzuladen.

Harpagodes Oceani Brongn. karakterisiert im allgemeinen die untere Etage des Kimméridgien. Nicht selten aber erscheint diese kosmopolitische Form schon im Astartien oder verschwindet erst im unteren Portlandien.

Untersuchte Stücke: 1.

Vorkommen: Bekfeja im Kelbtal.

Sammlung: Zumoffen.

Kephalopoden.

Familie: **Nautilidae** Owen.

Gattung: **Nautilus** Breyn.

Nautilus turcicus n. sp.

Taf. VII, Fig. 6a—b.

Maße: Größter Durchmesser: etwa 120 mm.

Höhe des letzten Umganges an der Mündung: 75 mm.

Größte Dicke: zirka 90 mm.

Beschreibung: Das Gehäuse ist ziemlich eng genabelt und sehr stark aufgeblasen. Der Externteil erscheint außerordentlich breit und gerundet. Die Flanken fallen ziemlich steil gegen den Nabel hin ab und gehen unter kräftiger Rundung in den letzteren über.

Die Mundöffnung ist bedeutend breiter als hoch und dehnt sich lateralwärts derart stark aus, daß der Nabel zum größten Teil verhüllt wird.

Die Sutur bildet an der Nabelkante einen kurzen, kräftigen Sattel, geht dann in einen weiten, flachen Lobus über und setzt unter abermaligem Aufsteigen mit mäßiger Konvexität über den Außenteil hinweg.

Die Schale ist dünn und allem Anschein nach glatt.

Untersuchte Stücke: 1.

Vorkommen: Bekfeja im Kelbtal.

Sammlung: Zumoffen.

Familie: **Phylloceratidae** Zitt.

Gattung: **Phylloceras** Sueß.

Phylloceras Salima n. sp.

Taf. VII, Fig. 7a—b.

Maße: Größter Durchmesser: 67 mm.

Höhe des letzten Umganges: 43 mm.

Dicke des letzten Umganges: 24 mm.

Nabelweite: 5 mm.

Beschreibung: Das enggenabelte, am Externteil kräftig gerundete, an den Seiten flach konvexe Gehäuse ist an der der Mündung ungefähr gegenüberliegenden Region der letzten Windung etwas verdrückt. Die Flanken der letzteren fallen unter ziemlich steiler Rundung zum Nabel ab. Sie zeigen sich, anscheinend von der Mitte an, nach auswärts mit zahlreichen, gleichartigen, gerundeten, geraden, rückläufigen Streifen bedeckt, die etwa halb so breit sind wie ihre Zwischenfurchen. Nach dem Siphonalteil zu werden die Rippen kräftiger und laufen ununterbrochen über ihn hinweg. Man zählt dort zwölf von ihnen auf die Länge eines Zentimeters nahe der Mündung. Die Höhe dieser letzteren verhält sich zu ihrer Breite wie 43 : 26 mm.

---

[1]) 1861. *Lethea bruntrutana*, pag. 133, Taf. XII, Fig. 110.

Beiträge zur Paläontologie Österreich-Ungarns. Bd. XVIII.

18

Die Überreste der Schale geben ein ziemlich genaues Bild der Loben und Sättel. Die Loben sind stark zerzackt. Die Sättel von gedrungenem, kräftigem Bau erscheinen reich verästelt. Der erste Laterallobus übertrifft den zugehörigen Außenlobus fast um das Doppelte der Länge des letzteren. Der Externsattel ist zweiblätterig und nur wenig kürzer als der erste Lateralsattel, welcher anscheinend in vier Blätter endigt. Die Blattspitzen zeigen eine ovale, zugespitzte Form. Die Anzahl der Hilfsloben beträgt an der Mündung 7, außerhalb des Nabels 5.

Bemerkungen: Das vorliegende, der Formenreihe des *Phylloceras heterophyllum* Sow. angehörende Stück ähnelt in seiner Gestalt, besonders hinsichtlich der Krümmung seiner Externseite und der Form seiner Mündung, am meisten dem *Phylloceras Kudernatschi* Hauer.[1]) Von dieser Spezies liegen mir Exemplare des münchener Museums vor aus dem obersten Bajocien von Digne und aus dem Bathonien von Swinitza im Banat. Unser Individuum unterscheidet sich von ihr durch die flachere Beschaffenheit seiner Flanken, durch die abweichende Anordnung seiner Rippen, welche niemals zu Bündeln vereinigt sind, durch die größere Anzahl seiner Hilfsloben sowie durch die Vierblätterigkeit des ersten Lateralsattels. Auch der Typ der Lobenzeichnung erinnert in mancher Beziehung an *Ph. Kudernatschi* Hauer. Die Bauart der Sättel weist ebenfalls auf eine gewisse Verwandtschaft hin, besonders hinsichtlich der Art ihrer Verästelung und der Form ihrer Blätter.

Mit *Phylloceras Kunthi* Neum.[2]) hat unser Exemplar gemeinsam die gleichartige Schalenskulptur die gleiche Anzahl der Auxiliarloben und die Vierblätterigkeit des ersten Lateralsattels. Unterschiede ergeben sich aus der weniger hochmündigen und stärker aufgeblasenen Gestalt unserer Art, welche einen weit gedrungeneren Bau der Loben und Sättel aufweist als *Ph. Kunthi* Neum.

Das Gewicht der trennenden Merkmale läßt das vorliegende Individuum als den Vertreter einer neuen Art erscheinen, die insbesondere zu *Ph. Kudernatschi* Hauer in ziemlich engen verwandtschaftlichen Beziehungen zu stehen scheint. Andere Heterophyllen wie *Phylloceras plicatum* Neum.[3]) und *Phylloceras praeposterius* Fontannes[4]) stehen unserer Spezies ziemlich fern in der Skulptur sowohl wie in der Anordnung der Suturlinie.

Untersuchte Stücke: 1.
Vorkommen: Duar im Salimatal.
Sammlung: Zumoffen.

Aspidoceras? sp.

Es liegt mir die verkleinerte Photographie eines ziemlich mangelhaft erhaltenen Ammoniten vor von 21 *cm* Durchmesser. Das Stück ist ziemlich weit genabelt und scheint nach Form und Skulptur dem Genus *Aspidoceras* anzugehören. An den Nabelkanten des letzten und vorletzten Umganges bemerkt man eine Reihe von kräftigen Knoten, die sich gegen die Externseite hin anscheinend in kurze Rippen fortsetzen. Die sonstige Skulptur der Schale ist durch Verwitterung unkenntlich geworden. Die Suturlinie tritt nur unvollkommen hervor. Loben wie Sättel erscheinen breit und mäßig zerschlitzt. Der erste und zweite Laterallobus sind anscheinend zweiteilig. Der erste Lateralsattel gabelt sich in zwei starke Äste.

Untersuchte Stücke: 1.
Vorkommen: Bekföja im Kelbtal.
Sammlung: Zumoffen.

Anhang.

Es liegt mir eine Reihe von Fossilien des Glandarienkalkes vor, die außerhalb des Rahmens dieser Arbeit stehen und daher nicht näher bestimmt wurden.

1. Eine neue *Hydrozoe*, die sich nach der Ansicht von Steinmann an die paläozoischen Stromatoporiden anschließt.

---

[1]) 1854. Hauer. Heterophyllen, pag. 902.
[2]) 1871. Neumayr. Jurastudien, pag. 310, Taf. XII, Fig. 4.
In obigem, pag. 312, Taf. XIII, Fig. 1.
[3]) Das gleiche, pag. 313, Taf. XII, Fig. 7, Taf. XIII, Fig. 2.
[4]) 1876. Dumortier et Fontannes. Crussol, pag. 38, Taf. VI, Fig. 1—2.

2. Mehrere Stielglieder und das mangelhaft erhaltene basale Kelchstück einer Millericrinusart, welche mit *Apiocrinus cretaceus* Fraas [1]) ident sein könnte. Da aber der Autor weder Beschreibung noch Abbildung gegeben hat, handelt es sich möglicherweise um eine neue Spezies.

3. Drei verschiedene Typen von Seeigelstacheln, von denen zwei zu *Cidaris glandaria* Lang [2]) und *Cidaris clavimorus* Fraas [3]) gehören. Cotteau [4]) wies mit Recht darauf hin, daß die letztere Art mit *Cidaris clavimorus* Quenstedt nicht vereinigt werden darf, wie es durch O. Fraas geschehen war. Er beschrieb sie als neue Art unter der Bezeichnung *Cidaris Morgueti* Cott., aber irrtümlicherweise aus dem Cenomanien von Aïn Hamāda, das er merkwürdigerweise in den Antilibanon versetzte. Das dritte Stachel-individuum erscheint als spezifisch verschieden von den beiden erwähnten.

4. Eine neue Bryozoe aus der Familie der Cerioporiden.

5. Ein kleiner, verlängert vierseitiger Fischzahn, dessen Struktur mit den Zähnen von *Strophodus subreticulatus* Ag. volle Übereinstimmung zeigt, wie sie mir aus dem kelheimer Diceraskalk vorliegen.

Allgemeiner Teil.

Ein Rückblick auf die beschriebene Fauna entrollt vor unseren Blicken das Bild einer relativ reichen und mannichfachen Lebewelt. Sie verteilt sich auf 5 Tierstämme mit insgesamt 9 Klassen, 34 Familien, 43 Gattungen, 94 Arten. Unter Hinzurechnung der von Blanckenhorn angeführten Schwämme und Korallenspezies sowie der von Loriol und von Cotteau beschriebenen See-igel und der von Felix bearbeiteten Korallen ergibt sich die stattliche Gesamtzahl von 144 Spezies, darunter über 80 neue Arten! Von den Faunengebieten, welche mit dieser Tierwelt des Glandarienkalkes nahe verwandt sind, zeigt eine ganze Anzahl von entsprechend großen mitteleuropäischen Bezirken einen weit erheblicheren Formenreichtum. Zieht man aber dabei in Rechnung, daß die letzteren seit über 100 Jahren die klassische Stätte bilden für das Studium der Juraablagerungen, während wir fast die ge-samte bisher nachgewiesene Fauna des libanesischen Malm der sporadischen Sammlertätigkeit eines einzelnen verdanken, so eröffnen sich für die Zukunft des weißen Jura im Libanon aussichtsreiche Perspektiven, welche das Herz des Fachmannes in dem gleichen Maße erfreuen, wie ihre Realisierung seiner wissen-schaftlichen Erkenntnis neue Wesenselemente zuführen kann.

Unter 24 Brachiopodenarten befinden sich zwölf neue Spezies. Von drei der letzteren wurde die nähere Verwandtschaft ermittelt. Vier Arten konnten identifiziert werden.

Von 18 Schneckenspezies wurden zwei unter Vorbehalt mit bekannten Arten als identisch erklärt. Von den zehn neuen Typen gelang es sechs an bekannte Formen ziemlich eng anzuschließen.

Die Muscheln umfassen 43 verschiedene Arten, darunter 24 neue. Vier wurden identifiziert, die eine davon unter Vorbehalt. Elf erwiesen sich als nah verwandt mit früher beschriebenen Spezies.

Die Kephalopoden endlich sind nur durch drei Arten vertreten, darunter zwei neue Typen.

Von insgesamt 88 Formen wurden somit neun vollkommen, drei mit Vorbehalt (cfr.) identifiziert. 47 sind neu. Der Rest von 30 Arten mußte wegen mangelhafter Erhaltung oder wegen ungenügenden Materials unbestimmt gelassen werden.

Die bearbeitete Fauna ist nicht nach Horizonten gesammelt worden. Es fehlt daher eine stratigraphische Grundlage und die Bestimmungen fanden auf rein paläontologischer Basis statt. Sie richteten sich aus-schließlich nach der größeren oder geringeren Übereinstimmung oder Verschiedenheit der für eine Art als wichtig erkannten Merkmale. Auf dieser Grundlage fußend, habe ich es für erlaubt gehalten, beim Aufsuchen von verwandten faunistischen Zentren und bei der Festlegung von stratigraphischen Etagen

[1]) 1878. O. Fraas. Orient, II. pag. 26.
[2]) 1708. Lang. Historia lapidum, pag. 127, Taf. XXXVI, Fig. 1.
[3]) 1878. Fraas O. Orient, II, pag. 30.
[4]) 1885. Cotteau Echinides nouveaux, pag. 56, Taf. VII, Fig. 16—17.

18*

wie es später versucht werden soll, auch solche Formen mit in den Kreis meiner Betrachtungen einzubeziehen, die sich als nah verwandt erwiesen zu anderwärts beschriebenen Malmvorkommen.

Es sei ferner ausdrücklich betont, daß sämtliche Vergleiche, welche später zur Klärung der faunistischen Beziehungen des Glandarienkalkes mit anderen Faunenbezirken unternommen werden, auf der Voraussetzung beruhen, daß das vorliegende Material in seiner Zusammensetzung ein relativ getreues Abbild gibt von der gesamten Tierwelt des libanesischen Malm.

1. Beziehungen der Fauna des Glandarienkalkes zum mitteleuropäischen Malm.

Da die später folgende Tabelle trotz ihrer Ausführlichkeit den stratigraphischen Gesamtkarakter unserer Fauna nicht voll zum Ausdruck bringen kann, so werden hier noch einmal kurz die der Überschrift entsprechenden Ergebnisse des beschreibenden Teiles zur Darstellung gebracht.

Die Brachiopoden lehnen sich in ihrer Gesamtheit auf das Engste an ostfranzösische, süddeutsche und schweizer Vorkommen an.

Rhynchonellidae: *Rh. Drusorum*, eine kleine, ungleichseitige Spezies nähert sich in ihrem Gesamthabitus Formen wie *Rh. astieriana* d'Orb. und *Rh. corollina* Leym., wie sie in der Schweiz und in Süddeutschland auftreten.

Terebratulidae: *T. Banhini* Lor. findet ihre nächsten Verwandten im französischen Jura und im Yonne-Gebiet. *T. subsella* Leym. zeigt die Ausbildung, wie sie diese Form in der Nordwestschweiz und in Ost- und Nordfrankreich erfahren hat. *T. bisuffarcinata* Schloth. steht fränkischen Typen (Amberg) sehr nahe. *T. Zieteni* Loriol sehen wir sich anschließen an Séquanienformen Süddeutschlands und der Schweiz. Die neuen Spezies, wie *T. curtirostris*, *T. longisinuata*, *T. phoeniciana* weisen auf französische und schweizer Typen hin. *T. saunina* und *T. beirutiana* sowie einige unbestimmte Arten nehmen eine isolierte Stellung ein. *Terebratulina substriata* Schloth. steht der nattheimer Ausbildungsweise dieser Art am nächsten. Für *Eudesia Zitteli* wurden in jurassischen Ablagerungen keine Verwandten ermittelt. Die Sippe der *Kingenen* reiht sich mit *K. cubica*, Qu., *K. gutta* Qu., *K. orbis* Qu. sehr eng an die süddeutschen und schweizer Formen an, die im Séquanien die Höhe ihrer Entwicklung erreichen. *K. triangularis* schließt sich an obige an. *K. latifrons* nimmt eine gesonderte Stellung ein.

Die Muscheln verweisen der Mehrzahl nach auf Ostfrankreich, Nordfrankreich und den Berner Jura, wobei vielleicht der Umstand, daß die Muscheln aus Franken und Schwaben nicht eingehend bearbeitet sind, zu Ungunsten der letzteren Faunengebiete in die Wagschale fällt.

Pinnidae: *Trichites suprajurensis* konnte an bekannte Arten nicht angeschlossen werden.

Limidae: Die nächsten Verwandten von *L. acutirostris*, *L. sublaeviuscula*, *L. informis* sind in dem Formenkreise der *Lima laeviuscula* Roem. zu suchen, wie er im Berner Jura, im östlichen und nördlichen Frankreich seine Ausbildung genommen hat. *L. densistriata* steht einer Form nahe, die im Virgulien des östlichen Frankreich vorkommt.

Pectinidae: *P. lykosensis* ließ sich auf *P. subspinosus* Schloth. beziehen wie er im Séquanien und Kimméridgien von Schwaben und Franken auftritt. *P. palmyrensis* steht dem *P. crinaceus* Buv. nahe, einer auf den Berner Jura und Ostfrankreich beschränkten Form.

Ostreidae: *O. akkabensis* und *O. kakurrensis* finden Anlehnung an *O. moreana* Buv., die in ihrer Verbreitung auf das Séquanien des berner Jura und Ostfrankreichs beschränkt ist. *O. hastellata* Schloth. steht den nattheimer Typen, aber auch denen des herner Jura nicht fern.

Mytilidae: *M. cfr. furcatus* Münst. zeigt wesentliche Merkmale der Art von Valfin, aber auch enge Beziehungen zu südostdeutschen Formen. *M. alatus* erweist sich als nahverwandt mit *M. jurensis* Mér. aus dem Ptérocérien des Jura von Bern. *Modiola Amphitrite* und *M. sp.* besitzen ihre nächsten Verwandten im Séquanien von Ostfrankreich und Valfin. *Lithodomus Lorioli* verweist auf *L. Pidanceti* Guir. aus dem Valfin, *L. Zumoffeni* auf *Modiola gradata* Buv. aus dem Séquanien von Ostfrankreich.

Trigoniidae: *T. libanensis* lehnt sich an Formen an, die im unteren Malm der Nordschweiz verbreitet sind.

145

Megalodontidae: *P. Blanckenhorni* tritt in entfernte Beziehungen zu *Pachyerisma septiferum* Buv. aus dem Rauracien des Berner Jura.

Isocardiidae: Zwei neue Arten weisen einen ziemlich fremden Habitus auf.

Lucinidae: *Unicardium subglobosum* gehört zur nächsten Verwandtschaft von *U. globosum* d'Orb. aus dem Séquanien des schweizer Jura.

Cardiidae: *C. corallinum* Leym. erwies sich als absolut ident mit dem Vertreter dieser Spezies aus dem Ptérocérien von Valfin.

Pleuromyidae: *Ceromya augusticostata* steht in nahen Beziehungen zu *C. globosa* Buv. wie sie im Séquanien von Ostfrankreich vorkommt. *C. excentrica* Ag. wurde mit Formen aus dem berner Jura identifiziert.

Pholadomyidae: *Pholadomya* sp. wurde in Beziehung gesetzt mit einer Art aus dem Kimmeridge von England.

Anatinidae: *Anatina* sp. zählt zur Verwandtschaft von *Cercomya expansa* Ag. aus dem Kimméridgien des Berner Jura.

Die Schnecken zeigen eine Entwicklungsweise, wie sie in Ostfrankreich, im Valfin und im berner Jura vorherrscht.

Turbinidae: *T. Antonini* steht nahe der *Chilodonta clathrata* Etallon aus dem Ptérocérien von Valfin.

Delphinulidae: *D. Tethys* verweist auf Formen aus dem Rauracien des Maas-Gebietes und aus dem Ptérocérien von Valfin.

Neritidae: *N. litoralis* zeigt Annäherung an *N. crassa* Etallon aus dem Ptérocérien von Valfin.

Purpurinidae: *Purpuroidea* sp. konnte in Verbindung gesetzt werden mit einer Art aus dem Rauracien des berner Jura und des Dép. Meuse.

Naticidae: *N. cfr. amata* d'Orb. ist vollkommen ident mit Vertretern aus dem Astartien von Tonnerre und aus dem Ptérocérien von Valfin. *N. Dido* besitzt Verwandte, welche im Portlandien von Yonne auftreten. Eine *Natica* n. sp. zeigt Beziehungen zu *N. Venelia* Loriol aus dem Portlandien von Boulogne-s.-m., *Tylostoma* sp. zu *T. corallinum* Zitt. aus dem Valfin.

Nerineidae: *N. pauciplicata* wurde mit *N. Desvoidyi* d'Orb. in Verbindung gebracht, wie sie in den Dép. Yonne und Haute-Marne angetroffen wird, *N. Maroni* mit Typen von *N. Visurgis* Roem., welche in Ostfrankreich heimisch sind. *N. Sesostris* steht am nächsten *N. contorta* Buv. aus dem Séquanien des Berner Jura.

Strombidae: *Harpagodes cfr. Oceani* Brong. konnte nur in Beziehung gesetzt werden zu der Goldfußschen Abbildung, deren Original wahrscheinlich einem Fundorte in Hannover entstammt.

Die Kephalopoden erscheinen in spärlicher Anzahl.

Nautilidae: Für *Nautilus* n. sp. wurden keine engeren Beziehungen ermittelt.

Ammonitidae: *Phylloceras Salima* steht in relativ engen Beziehungen zu Bathonien- oder Kallovienformen von echt alpinem Gepräge. Diese Tatsache verdient insofern Beachtung, als sie in scheinbarem Widerspruch steht zu unseren gesamten übrigen Ergebnissen. Da die erstere Form jedoch von einer typischen Malmlokalität (Duar) herkommt, da ferner die Unterschiede von den alpinen Formen in jedem Falle beträchtlich sind, so vermag diese einzige Ausnahme unsere Endergebnisse in keiner Weise zu beeinflussen. Letztere lassen sich kurz zu den folgenden Sätzen verdichten:

Die Fauna des libanesischen Glandarienkalkes zeigt keine Beziehungen zur borealen Faunenprovinz. Sie besitzt keine Formen von spezifisch alpinem Habitus. Es existiert auch keinerlei Verwandtschaft mit der indischen Region. Man muß ihr daher rein mitteleuropäischen Karakter zusprechen.

Innerhalb der mitteleuropäischen Faunenprovinz steht die Gesamtheit der oben beschriebenen Arten in ihrer Ausbildungsweise am nächsten der Tierwelt des schweizer und französischen Jura und des östlichen Frankreich. Vielfache Beziehungen ergeben sich ferner zu den Malmbezirken von Süddeutschland und Nordfrankreich.

Trotz dieser bemerkenswerten Annäherung an die obigen Gebiete steht ihnen die Tierwelt des Glandarienkalkes doch in gewisser Hinsicht als eigenartig entwickelt gegenüber vermöge ihrer überwiegenden Anzahl von neuen, zum Teil vielleicht autochthonen Formen.

2. Tabellarische Übersicht.

Zur Erläuterung der nachfolgenden Tabelle[1] bemerke ich folgendes: Sie ist in erster Linie dazu bestimmt, die horizontale und vertikale Verbreitung der identifizierten und mit cfr. versehenen Formen zu zeigen. Diese Formen werden in fettem Druck wiedergegeben. Es war dann ferner von Wichtigkeit, einen Überblick zu gewinnen über das horizontale und vertikale Verbreitungsgebiet derjenigen Spezies, welche zu den neuen Arten in näheren Beziehungen stehen. Horizont und Art ihres Auftretens sind durch schwächeren Druck angezeigt.

Aus Rücksicht auf die Raumverteilung wurden die Gastropoden vor den Muscheln eingereiht. Es werden ferner der Übersichtlichkeit halber folgende Abkürzungen angewendet: O = Oxfordien; S = Séquanien; R = Rauracien; A = Astartien; K = Kimméridgien; Pt = Ptérocérien; V = Virgulien; Po = Portlandien. Dort wo der nähere Horizont nicht mit Bestimmtheit ermittelt werden konnte, erscheint das Vorkommen durch ein (+) ausgedrückt.

Da die bearbeitete Fauna sich vornehmlich an die schweizer und ostfranzösische Ausbildungsweise anlehnt, so wurde der Parallelisierung eine Einteilung zu Grunde gelegt, wie sie im Wesentlichen von Autoren wie Bourgeat, Greppin, Kilian, Koby, Lambert, Lapparent u. a. angenommen worden ist. Es ergibt sich daraus die folgende Gleichstellung mit anderen Malmbezirken, die für unsere Zwecke vollkommen ausreicht:

	Frankreich	Schweiz (Moesch)	Süddeutschland	Norddeutschland	England (Woodward)
Séquanien	Oxfordien	Birmensdorfer Schichten Effinger Schichten	Oxford	Oxford	Oxfordian
	Rauracien	Geisbergschichten Crenularis Schichten			Corallian
	Astartien	Wangener Schichten Badener Schichten			
Kimméridgien	Ptérocérien	Wettinger Schichten	Kimmeridge	Kimmeridge	Kimmeridgian
	Virgulien	Plattenkalke			
	Portlandien		Tithon	Portland	Portlandian

---

[1] Die Tabelle bildet zugleich das Verzeichnis der Arten.

Laufende Nr.	Seitenzahl	Arten des Glandarienkalkes	Franz. Jura	Kant.: Neuenb., Freiburg, Bern	Aargauer Jura	Jura von Porrentruy, Dép.: Doubs, Haute-Saône	Dép. Yonne (Tonnerre)	Dép. Haute-Marne	Dép. Meuse Ardennes	Boulonnais	Le Hâvre Calvados	Charente	England *)	Yorkshire	Hannover	Pommern	Sachsen	Schwaben	Franken-Jura	Böhmen Mähren	Oberschlesien Polen	Ost-Galizien	Dobrudscha	Kaukasus	Transkaspien	Schoa	Somaliland	Algier	Sonstige Vorkommen
		Brachiopoden.																											
1	75	*Rhynchonella Drusorum* n. sp.																											
2	76	*Rhynchonella* n. sp.																											
3	77	*Terebratula asiatica* n. sp.																											
4	78	*Terebratula Bauhini* Et.	Pt	R	S	R															+				A				
5	79	*Terebratula beirutiana* n. sp.																											
6	80	*Terebratula bisuffarcinata* Schl.			S												S		OSK	O	O			+					Japan SK
7	81	*Terebratula curtirostris* n. sp. (*T. Bourgueti* Et.)		R	R		R			R											R								
8	82	*Terebratula longisinuata* n. sp. (*T. subsella* Leym).																											
9	83	*Terebratula phoeniciana* n. sp. (*T. Baltzeri* Haas)			A																								
10	83	*Terebratula sannina* n. sp.																				K							
11	84	*Terebratula subsella* Leym.			APt	APtV	Po	AKPo		AK	AK	AK	A		K	K	S				A		K	K	A	Pt	+	K	Nieder-Bayern SO (?)
12	86	*Terebratula* cfr. *Zieteni* Lor.			A								V	R			S	S	S	S			K	—					
13	86	*Terebratula* n. sp.																											
14	87	*Terebratula* sp.																											
15	87	*Terebratula* sp.																											
16	88	*Terebratula* sp.																											
17	88	*Terebratulina substriata* Schl.			OS										R		S	OSK	OSKPo		AK							S	Stramberg Po
18	90	*Eudesia Zitteli* n. sp.																											
19	91	*Kingena cubica* Qu.																A											
20	92	*Kingena gutta* Qu.			O													S	OS										
21	93	*Kingena latifrons* n. sp.																											
22	94	*Kingena orbis* Qu.			O													OS	OR		O								
23	95	*Kingena triangularis* n. sp.																											
24	95	*Kingena* sp.																											
		Gastropoden.																											
25	124	*Turbo Antonini* n. sp.																											
26	125	*Turbo* sp.																											
27	125	*Delphinula Tethys* n. sp.																											
28	126	*Nerita litoralis* n. sp.																											
29	127	*Purpuroidea* sp.																											
30	127	*Natica* cfr. *amata* d'Orb.	Pt	R			S				Pt											K							
31	128	*Natica Dido* n. sp. (*N. Marconsana* d'Orb.)				Po	Po	Po		Pu			AK		AK														Sizilien, Dép.: Aisne, Oise Po
32	130	*Natica Mylitta* n. sp. (*N. Venelia* Loriol)								Po																			
33	130	*Natica* n. sp. (*N. elegans* Sow.)											Po																Stramberg Po
34	131	*Natica* n. sp.																											
35	131	*Natica* sp.																											
36	132	*Natica* sp.																											
37	132	*Tylostoma* sp.																											
38	132	*Nerinea pauciplicata* n. sp. (*N. Desvoidyi* d'Orb.)	S				S	S	S	S			S		V				K										
39	133	*Nerinea Maroni* n. sp. (*N. Visurgis* Roem.)	Pt	R			R		R						R										Pt				
40	134	*Nerina Sesostris* n. sp. (*N. contorta* Buv.)		R					R																				
41	135	*Nerinea* sp.																											
42	135	*Nerinea* sp.																											
43	135	*Harpagodes* cfr. *Oceani* Brongn.			K	K		SK		SKPo	K	K			KPo							K	K		K	Pt			Deutsch-Ostafrika

Lamellibranchiaten.

Kephalopoden.

Stranberg, Friaul/Stalien | Po

		Species
44	96	*Trichites stylophoroensis* n. sp.
45	97	*Lima actutirostris* n. sp.
46	98	*Lima densistriata* n. sp.
		(*L. densipunctata* Roem.)
47	99	*Lima subdervuscula* n. sp.
48	99	*Lima tibaensis* n. sp.
49	100	*Lima inflorinis* n. sp.
50	100	*Lima Zenoidae* n. sp.
51	101	*Lima* n. sp.
52	101	*Lima* sp.
53	102	*Lima* sp.
54	102	*Pecten Zdmeyrensis* n. sp.
55	103	*Pecten tibaonensis* n. sp.
		(*P. subspinosus* Schloth.)
56	104	*Pecten* n. sp.
57	104	*Pecten* sp.
58	105	*Pecten* sp.
59	105	*Ostrea vikaboensis* n. sp.
60	106	*Ostrea kakorensis* n. sp.
61	107	*Ostrea* sp. (*Ostrea moravand* Buv.)
62	107	*Alectryonia lusediata* Schloth.
63	108	*Alectryonia* sp.
64	108	*Mytilus diletis* n. sp.
		(*M. jarvensis* Mchr.)
65	109	*Mytilus* cfr. *furcatus* Münst.
66	110	*Modiola Amphitrite* n. sp.
		(*Mytilus aequiplicatus* Stromb.)
67	111	*Modiola* sp.
68	112	*Lithodomus Loroli* n. sp.
		(*L. Pridanceti* Guir.)
69	112	*Lithodomus Zanaffini* n. sp.
		(*Modiola greulata* Buv.)
70	113	*Nucula* sp.
71	113	*Nucula* sp.
72	114	*Cucullaea?* sp.
73	114	*Myophoria* sp.
74	115	*Trigonia tibaurensis* n. sp.
75	115	*Astarte* sp.
76	116	*Pachyerisma Blauckeidi* n. sp.
77	117	*Isocardia elgivensis* n. sp.
78	118	*Isocardia* n. sp.
79	119	*Unicardium subglobosum* n. sp.
		(*U. globosum* d'Orb.)
80	119	*Cardium corullinum* Leym.
81	120	*Cardium* sp.
82	121	*Cardium ?* sp.
83	121	*Ceromya angusticostata* n. sp.
		(*C. globosa* Buv.)
84	122	*Ceromya excentrica* Ag.
		(*Cercomya expansa* Ag.)
85	123	*Pholadomya* sp.
86	125	*Anatina* sp.
87	137	*Nautilus tureicus* n. sp.
88	137	*Phylloceras Sidima* n. sp.
89	138	*Aspidoceras ?* sp.

[1] England mit Ausnahme von Yorkshire.

3. Stratigraphische Endergebnisse.

Es soll hier der Versuch gemacht werden, auf Grund der statistischen Tabelle über die vertikale Gesamtverbreitung der einzelnen Arten Klarheit zu gewinnen darüber, welche Stufen die vorliegende Fauna vertritt. Zunächst folgt eine Zusammenstellung der identifizierten und mit cfr. versehenen Spezies.[1])

1. Terebratula Bauhini Et.		SPt	
2. » subsella Leym.		AK	
3. » Zieteni Lor.		SK	SK
4. » bisuffarcinata Schloth.		OSK	
5. Terebratulina substriata Schloth.		OSKPo	
6. Kingena gutta Qu.		OS	OS
7. » orbis Qu.		OS	
8. » cubica Qu.		A	
9. Natica cfr. amata d'Orb.		SK	
10. Harpagodes cfr. Oceani Brongn.		K	
11. Alectryonia hastellata Schloth.		OSKPo	SK
12. Mytilus cfr. furcatus Münst.		SK	
13. Cardium corallinum Leym.		SK	
14. Ceromya excentrica Ag.		SKC	

Es ist augenscheinlich, daß die Mehrzahl der vorstehenden Formen in den beiden mittleren Hauptstufen des weißen Jura auftritt. Ein Vergleich mit den Einzelresultaten des ersten Kapitels ergibt nun, daß der Schwerpunkt in der Verbreitung der einzelnen Typen bald mehr in das Séquanien fällt, bald mehr in das Kimméridgien. Im ersteren Falle sehen wir wie hier bei Nr. 6 und 7 eine Anzahl von Formen aus dem Oxfordien aufsteigen und im Rauracien oder im Astartien den Höhepunkt ihrer Verbreitung gewinnen. Andere Arten wieder erreichen im Ptérocérien oder im Virgulien ihre Blüte, um erst im Portlandien zu erlöschen.

Das Vorhandensein des Séquanien und Kimméridgien im Libanon darf somit wohl als gesichert gelten[2].)

Weitere Bestätigung erhält diese These durch die folgende Übersicht über die den neuen Spezies nächstverwandten Formen:

1. Terebratula curtirostris (T. Bourgueti Et.)	R	R	
2. Nerinea Maroni (N. Visurgis Roem.)	R		
3. » Sesostris (N. contorta Buv.)	R		S
4. Terebratula phoeniciana (T. Baltzeri Haas)	A		
5. Lithodomus Zumoffeni (Modiola gradata Buv.)	S		
6. Unicardium subglobosum (U. globosum d'Orb.)	S		
7. Pecten lykosensis (P. subspinosus Schloth.)	OSK		
8. Ostrea kakurensis (O. moreana Buv.)	RAPt		
9. Nerinea pauciplicata (N. Desvoidyi d'Orb.)	SK		
10. Modiola Amphitrite (M. aequiplicata Stromb.)	SK		
11. Ceromya augusticostata (C. globosa Buv.)	SK		SK
12. Lithodomus Lorioli (L. Pidanceti Lor.)	Pt		
13. Anatina n. sp. (C. expansa Ag.)	K		
14. Lima densistriata (L. densipunctata Roem.)	SKPo		
15. Mytilus alatus (M. jurensis Mér.)	SKPo		
16. Natica Dido (N. Marcousana d'Orb.)	AKPo		
17. » Mylitta (N. Venelia Lor.)	Po		Po
18. » n. sp. (N. elegans Sow.)	Po		

Wenn es sich auch empfiehlt, dieser letzteren Zusammenstellung keine unumstößliche Bedeutung beizumessen, so dürfen ihre Ergebnisse anderseits nicht außer acht gelassen werden. Sie bestärken uns

---

[1]) O = Oxfordien; S = Séquanien; R = Rauracien; A = Astartien; K = Kimméridgien; Pt = Ptérocérien; V = Virgulien; Po = Portlandien.

[2]) Siehe die Resultate von Felix, 1904. Die Anthozoenfauna des Glandarienkalkes, pag. 166—167.

in erster Linie in unserer oben ausgesprochenen Überzeugung. Vielleicht enthalten sie aber auch bezüglich des Portlandiens eine Andeutung, die spätere Untersuchungen an Ort und Stelle zur Gewißheit werden lassen könnten.

Eine engere Gliederung der beiden Hauptzonen in Unterzonen unter Zuhilfenahme unserer geringen Kenntnis der Stratenfolge des Glandarienkalkes in Verbindung mit dem lithologischen Karakter des Muttergesteines unserer Fossilien erwies sich als undurchführbar.

4. Allgemeiner paläontologischer Karakter der Fauna.

Ein kritischer Blick auf das Gesamtbild, das uns die Brachiopoden- und Molluskentierwelt des Glandarienkalkes darbietet, enthüllt uns folgende bezeichnenden Züge:

Wir sind es zwar gewohnt, die Lamellibranchiaten als einen wesentlichen Bestandteil der Malm-Fauna Mitteleuropas anzusehen. Sie bilden nach Zittel[1] etwa die Hälfte sämtlicher Juramollusken. Im Libanon aber stehen sie den Brachiopoden und den übrigen Mollusken in nahezu ebenbürtiger Entwicklung gegenüber. Diese Tatsache ist um so bemerkenswerter, als gerade die Brachiopoden, wie wir gesehen haben, einen erstaunlichen Formenreichtum entfalten. Bei einer Rundschau über faunistisch verwandte Ablagerungen Mitteleuropas treffen wir auf ähnliche proportionale Verhältnisse in den Malmgebieten des berner Jura, von Haute-Marne, Yonne und Boulogne-s.-m. Wie die letzteren, so kennzeichnet auch unsere Muschelfauna das relativ starke Hervortreten der Limiden, Pectiniden und Mytiliden mit den gleichen Geschlechtern und mit Arten, welche denjenigen der erwähnten Bezirke als nah verwandt erscheinen. Negative Merkmale ergeben sich für unser Gebiet aus dem Zurücktreten der Trigonien und der desmodonten Sinupalliaten, hauptsächlich aber aus dem gänzlichen Fehlen von Diceras. Es verdient ferner hervorgehoben zu werden der meist dickschalige Habitus unserer Muscheln, der auf ein Leben in brandungsnahen Gewässern hinweist.

Die Glossophoren treten an Formenzahl und Mannichfaltigkeit weit hinter die Acephalen zurück. Das entspricht den Verhältnissen der oben berührten Regionen Frankreichs und der Westschweiz. Die ersteren sind karakterisiert durch das absolute Überwiegen der Nerineen und Naticiden, wie es in dieser Kombination als typisch gilt für die Ablagerungen Ost- und Nordfrankreichs und der nordwestlichen Schweiz. Auffällig ist der Mangel an Capuliden und Cerithiden, insbesondere aber die spärliche Entfaltung der Aspidobranchier. Unsere sämtlichen Schnecken sind mit starken Schalen ausgerüstet.

Die Klasse der Brachiopoden überrascht uns durch ihre große Anzahl von Arten. Die letztere beträgt mehr als ein Viertel der Gesamtziffer und übertrifft diejenige der Schnecken um ein Bedeutendes. Von den früher erwähnten Malmgebieten findet sich nur im berner Jura ein Bezirk, der einen annähernden Formenreichtum entfaltet. Erst im Aargau, weit mehr aber noch in Schwaben und Franken brachten gleiche oder wohl noch günstigere bionomische Bedingungen eine ähnliche und noch weit bedeutendere Mannichfaltigkeit des Artlebens hervor. Als bezeichnend für unsere Armfüßer heben sich folgende Punkte heraus:

1. Das auffallende Hervortreten der Terebrateln mit 14 meist biplikaten Formen, die zum größeren Teil auf verschiedene Malmgebiete Ostfrankreichs und der Schweiz hindeuten, zum kleineren Teil aber auf Schwaben, Franken und Norddeutschland.

2. Die starke Entwicklung der Sippe der Kingenen vor allem in Anlehnung an Südostdeutschland.

3. Das Zurücktreten der Rhynchonellen.

4. Das Fehlen typischer Waldheimien.

Die Kephalopoden endlich sind durch drei Arten höchst dürftig vertreten. Das seltene Vorkommen von Ammoniten bildet eine der hervorstechendsten Eigentümlichkeiten der Glandarienfauna.

Wenn wir schließlich noch die stark vertretenen Klassen der Korallen (Felix) und Schwämme (Rauff)[2] in den Kreis unserer Betrachtung einbeziehen, so ergibt sich die folgende Zusammenfassung:

---

[1] 1881—1885. Zittel. Paläozoologie, II, pag. 148.

[2] Die Bearbeitung der Spongien des Glandarienkalkes durch Rauff wird sich den Arbeiten von Felix und mir anschließen.

19*

Die gesamte Tierwelt des Glandarienkalkes weist folgende karakteristischen Züge auf:

Außerordentliche Entfaltung der Muscheln, Brachiopoden, Korallen und Schwämme.

Geringe Entwicklung der Kephalopoden.

Das Zahlenverhältnis der Arten innerhalb der verschiedenen Klassen in Verbindung mit der jeweiligen Zusammengruppierung bestimmter Familien und Geschlechter entspricht den faunistischen Verhältnissen, wie sie an erster Statt vorherrschen im berner Jura und in Ostfrankreich, fernerhin auch in Nordfrankreich und in Süddeutschland.

Mit den früher gewonnenen stratigraphischen Ergebnissen stimmt dieses Resultat völlig überein.

5. Bionomische Bemerkungen.

Wir wenden uns nun der Betrachtung der Lebensbezirke unserer Tierwelt zu, bei der uns Walthers[1] »Beobachtungen über das Leben der geologisch wichtigen Tiere« u. a. die wertvollsten Dienste leisten. Die tabellarischen Zusammenstellungen dieses Autors beziehen sich zwar nur auf das Leben der Gegenwart, sie beanspruchen auch bezüglich des letzteren nur beschränkte Geltung. Dennoch erscheint ihre ontologische Nutzanwendung als brauchbar für unseren bescheidenen Zweck.

Die vorliegende Fauna des Glandarienkalkes ist ihrer Zusammensetzung nach rein marin. Das ergibt sich a priori aus der hochmarinen Beschaffenheit ihrer Muttergesteine, welche wir am Schluß der Einleitung beschrieben haben.

Weitaus die Mehrzahl der Gattungen umfaßt ausschließliche Bewohner der diaphanen Region. Die Muscheln tragen entweder Litoral- und Flachseekarakter wie *Cardium*, *Mytilus*, *Trigonia*. Oder es sind typische Flachseebewohner wie das Heer der *Alectryonia, Astarte, Lima, Lucina, Modiola, Ostrea, Pecten, Pachyerisma, Trichites.* Formen wie *Nucula, Pholadomya, Anatina* greifen nicht selten auf die Tiefsee über und finden sich auch bei uns zum Teil in Sedimenten, welche in den tieferen Regionen der Flachsee zur Ablagerung gekommen sein können.

Unter den Schnecken verweisen *Nerita* und *Strombus* auf Küstengewässer. *Pleurotomaria, Turbo, Delphinula* sind bezeichnende Flachseetiere, ebenso die formenreichen Naticiden und Nerineiden.

Die Brachiopoden könnten uns in Verlegenheit bringen, wenn nicht das die Schalen erfüllende Gesteinsmaterial indirekt einigen Aufschluß über ihre Lebensbezirke erteilte. Bei den kleinen Formen wie *Terebratulina* und *Kingena* darf man es als wahrscheinlich annehmen, daß sie, wie zur Malmzeit in Franken und Schwaben, auf Schwammrasen angesiedelt waren, die auch in der Gegenwart häufig als Begleiter der Korallenriffe erscheinen. *Terebratula* wird rezent vielfach in der Tiefsee angetroffen. Da aber ihre Schalen hier mit Muscheln, Schnecken oder Kingenen vergesellschaftet vorkommen, deren Flachseekarakter keinem Zweifel unterliegt, so waren ihre Wohnsitze entweder die gleichen wie diejenigen der letzteren, was uns sehr wahrscheinlich vorkommt, oder aber sie wurden aus anderen Meeresregionen auf mechanischem Wege in fremde Wohnsitze verfrachtet und kommen dann nicht mehr in Betracht für bionomische Erwägungen.

Die Kephalopoden sind für unseren Zweck nicht brauchbar. Ihre Lebensbezirke werden sich im einzelnen Falle nur bei einem Zusammentreffen von besonders günstigen Umständen ermitteln lassen.

Die Korallen zeigen sich hier weitaus in der Mehrzahl als riffbildende Elemente. Da bei der gleichförmigen Lagerung des Glandarienkalkes kein Grund vorliegt zu der Annahme, daß sie auf den submarinen Bildungen eines tiefen Meeres erwachsen sind, so bildet ein seichtes Gewässer die natürliche Voraussetzung für ihre Entstehung.

Über den Karakter der Schwämme, welche von Rauff bearbeitet werden, ist noch nichts Näheres bekannt geworden. Fassen wir das Gesagte in allgemeinerer Weise zusammen, so ergibt sich kurz folgendes:

---

[1] 1893/94. Walther. Geologie als histor. Wiss., II, pag. 199 ff.

Die obere Region des Glandarienkalkes kennzeichnet sich durch ihre reiche Fauna und durch die Mannichfaltigkeit ihrer Sedimente als typisches Gebilde der Flachsee. Die letztere wird als ein sehr kalkhaltiges und, wenigstens stellenweise, stark bewegtes Gewässer karakterisiert durch das Auftreten zahlreicher riffbildender Korallen und durch den Reichtum an dickschaligen Mollusken. Die unteren Partien des Glandarienkalkes scheinen sich dagegen als Ablagerungen aus tieferem Wasser zu kennzeichnen auf Grund ihrer einförmigen, homogenen, lithologischen Beschaffenheit und der relativen Armut an Versteinerungen.

6. Paläogeographische Untersuchungen.

Im allgemeinen Teil sind die Beziehungen des libanesischen Jura zu den Malmgebieten von Mitteleuropa erörtert worden. Als letzte Aufgabe erübrigt eine Besprechung seiner Stellung zu den Malmvorkommen von Afrika, Asien und Südosteuropa. Die zentrale Lage des Libanon, der Reichtum und die Mannichfaltigkeit seiner Malmfauna lassen einen solchen Versuch als geboten erscheinen.

Von Interesse ist die Frage nach den Beziehungen zwischen dem Jura des Libanon und dem Jura am Hermon. Sind diese Komplexe trotz ihrer so verschiedenen Mächtigkeit in irgend einer Weise als Äquivalente aufzufassen? Die Antwort hierauf wurde zum Teil schon in der Einleitung gegeben.

Wie bekannt, erlitt seinerzeit Neumayr's glänzende Hypothese von den klimatischen Ringzonen den ersten starken Stoß durch das Bekanntwerden des mitteleuropäischen Karakters des Jura am Hermon.[1] Eine Durchsicht der Fossilien von Medschdel-es-Schems läßt in der Tat keinen Zweifel übrig an dem echt mitteleuropäischen Habitus dieser Fauna. Das gleiche Ergebnis wurde aber oben bezüglich der Tierwelt des Glandarienkalkes konstatiert.

Über die stratigraphische Stellung des Jura am Hermon sind verschiedene Ansichten laut geworden. Fraas und Diener nahmen an, daß außer dem Oxford auch die Ornatenzone vorhanden sei. Der erstere auf Grund des Erhaltungszustandes der Versteinerungen, welcher ihn auf das Eindringlichste an die schwäbischen Vorkommen erinnerte. Letzterer nach Auffindung von karakteristischen Ammoniten aus dem Formenkreise des *Peltoceras athleta*, des *Quenstedtoceras Lamberti* und des *Perisphinctes curvicosta*, ferner von *Cosmoceras ornatum* und *Hecticoceras lunula* u. a.

Noetling kam nach Bearbeitung seiner reichen Aufsammlungen zu dem Resultat, daß seine Fauna die gesamte Oxford-Stufe repräsentiere. Mir selbst bot das liebenswürdige Entgegenkommen Blanckenhorns Gelegenheit, seine Kollektion von Medschdel-es-Schems mit dem reichen Juramaterial des münchner Museums zu vergleichen. Sie besteht in der Hauptsache aus Ammoniten und Muscheln aus der Zone des *Harpoceras Socini* Noetl. Ein Teil dieser Formen wurde von mir bestimmt und legte bezüglich der Gestalt und des Erhaltungszustandes große Ähnlichkeit an den Tag mit Kalloovientypen, wie sie in Schwaben auftreten. Es erscheint mir daher als ernstlich in Betracht zu ziehen, ob nicht ein Teil der Arten aus der Socinizone dem Horizont des Ornatentons angehört.

Die darüber folgenden Stufen des *Collyrites bicordata*, des *Pecten capricornus*, der *Rhynchonella moravica* hatte Noetling sämtlich noch dem Transversarius-Horizont zugerechnet. Die oberste Zone, diejenige der *Cidaris glandaria* (nicht glandifera), stellte er dagegen in die Bimammaten-Stufe (Rauracien). Für diese letztere Annahme konnte indessen kein strikter Beweis erbracht werden, da von den vorkommenden Fossilien weder *Cidaris glandaria* noch *Terebratula bisuffarcinata* als Leitfossilien zur Abgrenzung gesicherter Horizonte gelten können. Noetling hielt deshalb auch das Vorhandensein des Rauracien als durchaus nicht für unanfechtbar. Auf der anderen Seite kamen wir weiter oben zu dem Ergebnis, daß das Rauracien im Libanon anscheinend seine volle Vertretung findet. Eine gewisse Gleichaltrigkeit der Ablagerungen in West- und Ostsyrien müßte sich sonach in ihren Faunen kundgeben. Sie beschränkt sich nun aber in Noetlings Zone e auf T. *bisuffarcinata*, welche unseren Formen ziemlich fern steht und vielleicht gar nicht dem Bisuffarcinatenkreise angehört. Wichtiger ist das Vorkommen von *Cidaris*

---

[1] 1878. Fraas. Aus dem Orient, II, pag. 17 ff.
1886. Diener. Libanon, pag. 26.

glandaria Lang, das der Zone ihren Namen eintrug. Es muß hier hervorgehoben werden, daß dieses Fossil im Libanon nicht nur in den oberen Partien des Glandarienkalkes erscheint, die durch das Séquanien und Kimméridgien vertreten sind, sondern daß Fraas[1]) es im Salimatal fand, wie es aus den tieferen Lagen unserer Schichtenserie herauswittert, die dort in einer Mächtigkeit von ca. 200 *m* in horizontaler Lagerung ansteht. Berücksichtigt man nun weiter, daß Noetlings Zone *e* sich als absolut untrennbar erwiesen hat von dem tieferen Horizont der *Rhynchonella moravica*, den Noetling noch dem Oxfordien zuzählte, daß der letztere sich außerdem durch die Ähnlichkeit seines Profils mit dem vom Fringeli vielleicht veranlaßt sah, seine ganze Parallelisierung etwas zu hoch anzusetzen, so gelangen wir zu folgendem Endergebnis:

Die Zone des *Harpoceras Socini* Noetl. vertritt aller Wahrscheinlichkeit nach nicht den Perarmaten-Horizont, sondern zum mindesten die Stufe des *Oecotraustes Renggeri*, also das allerunterste Oxfordien. Für diese Annahme bietet sich eine Reihe von Beweisen dar, vor allem das Auftreten von *Oecotraustes Renggeri* selbst. Das ganze Profil von Medschdel-es-Schems rückt dann in ein etwas älteres Niveau hinab. Die Zone der *Cidaris glandaria* wird zum obersten Oxfordien. Da nun für unsere Fauna, welche den oberen Partien des Glandarienkalkes entstammt, mit Sicherheit erst das Vorhandensein des Rauracien nachgewiesen wurde, so müssen die tieferen Lagen des Glandarienkalkes, soweit sie *Cidaris glandaria* führen, der Zone *e* am Hermon, d. h. dem obersten Oxfordien, äquivalent sein. Bei der großen Mächtigkeit unserer Stratenfolge erscheint es gleichwohl als denkbar, daß auch noch tiefere Zonen des Jura am Hermon im Libanon aufgefunden werden.

Aus Abessinien haben Douvillé,[2]) Blanford[3]) und Futterer[4]) eine Reihe von Fossilien des weißen Jura beschrieben. Ersterer und letzterer aus Schoa, Blanford aus Tigre. Futterer beschrieb eine 49 Arten umfassende Fauna, die er mit dem Ptérocérien des berner Jura in Parallele stellte. Es erscheint mir jedoch als möglich, daß er den stratigraphischen Bezirk seiner Fauna nicht tief genug abgrenzte. Nach der von ihm gegebenen Übersichts-Tabelle kann das Vorhandensein des oberen wie des unteren Séquanien als durchaus wahrscheinlich gelten, und Hinweise finden sich sogar auf das obere Oxfordien. Es muß ferner dahingestellt bleiben, ob Futterer denn die Fauna von Schoa mit Recht einem relativ engbegrenzten Bezirk wie dem berner Jura gleichstellte. Von der letzteren erweisen sich nur vier Formen als ident oder nah verwandt mit Typen des Glandarienkalkes:

Harpagodes cfr. Oceani Brongn. ident.

Mytilus tigrensis Bl. und *M. jurensis* Mér. sehr nahe stehend unserem *Mytilus alatus* n. sp.

Ceromya excentrica Voltz ident.

Terebratula suprajurensis Et. = *T. subsella* Leym.

Futterer hat die Beziehungen des abessinischen Malm mit dem weißen Jura von Mitteleuropa einer ausführlichen Besprechung unterzogen. Er kam dabei zu ähnlichen Ergebnissen, wie sie im »allgemeinen Teil« hinsichtlich des libanesischen Jura festgestellt wurden. Beide Faunengebiete zeigen eine typisch mitteleuropäische Entwicklungsweise. Diese relative Übereinstimmung fordert zu einem näheren Vergleich heraus.

Die lithologische Ausbildung unserer Malmsedimente ist ziemlich verschieden von derjenigen in Schoa. Hier wie dort erscheinen allerdings versteinerungsreiche Mergel in faunistischer Hinsicht von großer Wichtigkeit. Es fand jedoch im Libanon eine ungleich reichere Faziesbildung statt infolge der großen Rolle, welche hier den Korallen- und Oolithbildungen zufällt. Auch die Faunen stimmen nur in einem kleinen Bruchteil ihrer Spezies überein, wie wir oben sahen. Dennoch ergibt sich eine Anzahl von paläontologischen Vergleichsmomenten, die in folgende Sätze zusammengefaßt werden:

Beide Faunenbezirke treten einander nahe in der dominierenden Entwicklung der Muscheln, in dem auffallenden Zurücktreten der Kephalopoden und in dem Vorwiegen der karakteristischen Geschlechter der Limiden, Mytiliden, der desmodonten Integripalliaten und der Naticiden.

---

[1]) 1878. O. Fraas. Orient, II, pag. 23.
[2]) 1886. Douvillé. Fossiles du Choa, pag. 223.
[3]) 1870. Blanford. Geology of Abessinia, pag. 199, Tafel.
[4]) 1894. Futterer. Jura von Schoa, pag. 568—624, tab. 19—22.

Die Tierwelt des Glandarienkalkes unterscheidet sich von der abessinischen durch das stärkere Hervortreten der Gastropoden, durch den überraschenden Formenreichtum der Brachiopoden, durch das Vorhandensein von Kephalopoden, endlich durch das bezeichnende Auftreten von Nerineen und Kingenen. Dem steht gegenüber eine schwächere Entfaltung der Muscheln, welche in Schoa durch ihre außerordentliche große Zahl hervorragen. Daraus ergibt sich in Kombination mit den beiderseitigen Vergleichsresultaten hinsichtlich Mitteleuropas.

Die Faunenbezirke des libanesischen und des abessinischen Malm stehen, soweit sie bis jetzt bekannt sind, in engeren Beziehungen zu Mitteleuropa als untereinander.

Dieses Resultat kann uns nicht sehr überraschen, sobald wir uns vergegenwärtigen, daß die Entfernung Schoas vom berner Jura z. B. fast das doppelte der Strecke Schweiz-Libanon beträgt.

Dacqué[1]) veröffentlichte kürzlich[2]) eine eingehende Beschreibung der Fauna der Schichten von Hakim, Harro Rufa, Atschabo, Abulkassim und Badattino, welche von Neumann und Erlanger in den Gallaländern gesammelt worden sind. Bei Abulkassim fanden sich in grauen Kalken einige Fossilien, auf Grund deren der Autor besagten Schichtenkomplex in das obere Oxfordien stellt. Er stützt sich dabei vornehmlich auf *Rhynchonella moravica* Uhlig. Mit letzterer Art gemeinsam findet sich dort indessen *Exogyra bruntrutana* Thurm., eine Form, welche in Mitteleuropa erst im unteren Séquanien erscheint. Wir werden daher als das wahrscheinliche Alter der Abulkassim-Kalke das Rauracien festlegen können.

Die harten grauen und gelbbraunen Kalke von Hakim, Harro Rufa und Atschabo haben eine reiche Brachiopoden- und Molluskenfauna geliefert. 19 Formen wurden mit schon bestehenden Arten völlig, 4 unter Vorbehalt identifiziert. Dacqué folgert hieraus auf eine Vertretung des oberen Séquanien (= Astartien) und des Kimméridgion.

Diese Tierwelt stimmt nun mit der des libanesischen Malm lediglich in 2 kosmopolitischen Arten überein: *Terebratula subsella* Leym. und *Ceromya excentrica* Ag. Angesichts der faziellen Verschiedenheiten könnte ja auch eine irgendwie bedeutendere Übereinstimmung kaum erwartet werden. Während wir nämlich im Libanon eine typische Korallen-, Schwamm-, Brachiopoden- und Nerineenfazies antrafen mit ihrer Gefolgschaft von dickschaligen Riffbewohnern, tritt uns hier eine echte Kephalopoden- und Molluskenfauna entgegen, wie wir sie bei Mombassa (Deutsch-Ostafrika) kennen lernen werden. Von großer Bedeutung ist es nun für den Zweck unserer paläogeographischen Untersuchung, daß die von Dacqué beschriebene Fauna, wie der Verfasser ausdrücklich hervorhebt, das Séquanien und Kimméridgien in rein mitteleuropäischer Entwicklung vertritt, wie wir es in gleicher Weise für die Tierwelt von Mangyschlak, Libanon, Abessinien und Mahokondo feststellen werden. Wie die letzteren, so zeigt auch die oberjurassische Fauna der Gallaländer anscheinend engere Beziehungen zu der Fauna der mitteleuropäischen marinen Bildungsräume als zu den eben aufgezählten Vorkommen der orientalischen und äquatorialem Region. Das gleiche gilt sogar bezüglich der räumlich so naheliegenden Tierwelt von Abessinien.

Wir durften es vorher als selbstverständlich betrachten, daß in dem Meeresarm, welcher zur Malmzeit aus der Gegend von Kreta und vom Libanon über Abessinien bis zum Mahokondo-Bach vordrang, auch kephalopodenführende Ablagerungen entstanden. Gleichwohl überrascht uns hier das Auftreten einer Fazies, deren faunistischer Karakter mit den kephalopodenführenden Sedimenten von Mombassa und Kutch nicht die mindesten Berührungspunkte besitzt, in einem Gebiet, das von allen genannten dem großen indischen Faunenzentrum am nächsten gelegen ist. Zugleich bietet sich uns hier eine Bestätigung dar für unsere weiter oben geäußerte Meinung, daß Müller (l. c.) dem Malm von Schoa und Mahokondo mit Unrecht einen starken Einschlag indischer Faunenelemente zugeschrieben hat. Andererseits stellen sich jetzt unserem Verständnis des Malm von Mombassa größere Schwierigkeiten als zuvor in den Weg, da sein

---

[1]) 1905. Dacqué. Beiträge zur Geologie des Somalilandes. Beitr. z. Paläont. und Geol. Österr.-Ung. u. d. Or. pag. 119—151, Taf. 14—18.

[2]) Diese Arbeit erschien, als die meinige schon zum größten Teil gedruckt war. Es wird daher nur in diesem letzten Abschnitt auf sie Bezug genommen.

starker Prozentsatz an indischen Formen unserer paläogeographischen Auffassung ganz erhebliche Schwierigkeiten bereitet.

Zum mittleren Malm in Algier ergeben sich nur oberflächliche Beziehungen aus dem gemeinsamen Vorkommen von

Terebratula subsella Leym.
Erogyra bruntrutana Thurm.
Ceromya excentrica Ag.

Es liegt daher für uns keine Veranlassung vor, an eine direkte Verbindung dieser Gebiete untereinander zu glauben. Der innerafrikanische Kontinent, wie ihn v. Stromer für das Mesozoikum annimmt, dehnt sich nach dem Stande unseres heutigen Wissens zur Malmzeit im Norden über Ägypten und wahrscheinlich auch über Tripolis aus, reicht im Nordosten bis in die Gegend von Kreta und Mittelsyrien und im Osten in die Region des heutigen Habesch. Im Norden und Osten umbranden ihn die Wogen eines Meeres, dessen Flachräume einer typisch mitteleuropäischen Séquanien- und Kimméridgienfauna von verschiedenartigster fazieller Ausbildung Lebensmöglichkeiten gewährten.

Das letzte Jahrzehnt des vorigen Jahrhunderts brachte eine Reihe von neuen wichtigen Funden von Jurapetrefakten in Deutsch-Ostafrika.

Tornquist[1]) berichtete über eine Fauna von Mtaru, die sich vornehmlich aus Macrocephalen und Perisphincten zusammensetzt. Sie steht daher der unsrigen fern. Der Autor beschränkte das Alter dieser Schichten auf das Oxfordien.

Es erscheint mir indessen als nicht ausgeschlossen, daß auch noch Kallovienelemente hier Vertretung finden.

Jaekel[2]) berichtete über den Malm von Usambara. Es fanden sich dort: Cidaris glandifera Goldf.; eine Rhynchonella aus dem Formenkreise der Rh. lacunosa, welche er mit Rh. jordanica Noetl. in Verbindung brachte; Terebratula biplicata L. v. Buch; Ostrea dextrorsum Qu. Abbildungen existieren nicht, so daß wir uns über die nähere Beschaffenheit von Cidaris glandifera, die uns besonders interessiert, kein Urteil bilden können. Jaekel stellte diesen Fund in das Oxford. Die beiden letzteren Spezies verweisen jedoch auf jüngere Horizonte.

Futterer[3]) beschäftigte sich eingehend mit der Fauna von Mombassa, Saadani und Tanga. Letztere Vorkommen sind sämtlich als Kephalopodenfazies entwickelt und unterscheiden sich schon dadurch in fundamentaler Weise von dem libanesischen Jura. Der Malm von Mombassa enthält vorwiegend Astartien- und Kimméridgienelemente. Es fehlt aber auch nicht an Hinweisen auf die Anwesenheit des Rauracien. Bei Saadani fanden sich Kallovienformen in Gemeinschaft mit solchen des Oxfordien. In der Umgegend von Tanga wurde in verschiedenen Horizonten von kalkigen Mergeln und dickbankigen Kalksteinen eine Anzahl von Arten entdeckt, welche dem Oxford angehören und zu der Fauna von Mtaru in Beziehungen treten.

Müller[4]) beschrieb eine 40 Arten umfassende Jurafauna aus hellgrauem, in verwittertem Zustand gelbgrauem, sehr festem, sandigem Kalkstein von einer Lokalität westlich des Mahokondo-Baches, etwa 230 km südlich von Saadani. Hiervon sollen 19 Spezies auf den Dogger entfallen, 20 aber auf den Malm. Als fest bestimmten Horizont erachtet der Autor nur das Kimméridgien. Eine Prüfung der einschlägigen Literatur brachte mich jedoch zu der Überzeugung, daß für das Vorhandensein des Séquanien ebenso gewichtige Gründe sprechen wie für dasjenige des Kimméridgien. Steigen doch in den faunistisch nächstverwandten Gebieten des berner Jura, der Yonne, Haute-Marne und Meuse mit Ausnahme von zwei Arten sämtliche von Müller identifizierten und mit cfr. versehenen Formen aus dem Oxfordien auf und erlangen schon im Rauracien ziemliche Verbreitung. Jene beiden Spezies sind Harpagodes cfr. Oceani Brongn. und eine Art, welche in den erwähnten Bezirken erst im Portlandien vorkommt. An die Fauna des Glandarienkalkes bildet ersterer den einzigen Anknüpfungspunkt.

[1]) 1893. Tornquist. Oxfordfauna von Mtaru.
[2]) 1893. Jaekel. Oberjurass. Foss. aus Usambara, pag. 507—508.
[3]) 1894. Futterer. Jura in Ostafrika, I—III.
[4]) 1900. Müller. Versteinerungen des Jura und der Kreide, pag. 18—27, tab. 17—18.

In Mtaru, Mombassa, Tanga, Saadani trat uns eine Tierwelt entgegen, welche durch das Vorherrschen der Kephalopoden, durch das Zurücktreten der Muscheln und durch das Fehlen der Schnecken und Brachiopoden eigenartig karakterisiert ist. Sie zeigt nach der Ansicht der betreffenden Autoren gewichtige Anklänge an die Fauna der indischen Dhosa-Oolithe.

Die Mahokondofauna bietet aber hinsichtlich der Vorherrschaft von bestimmten Tierklassen und des Auftretens oder Fehlens von bezeichnenden Ordnungen und Geschlechtern ähnliche Verhältnisse, wie wir sie früher in Mitteleuropa, im Libanon, in Abessinien antrafen. Noch ein weiteres Analogon ergibt sich. Die von Müller zitierte Literatur beweist, daß der letztere in erster Linie Bezug nimmt auf den weißen Jura der Nordwestschweiz und des östlichen Frankreich. Das geschah nun von uns weiter oben in ähnlicher Weise bezüglich der Fauna des Glandarienkalkes. Auf Mitteleuropa hat Müller sechs identifizierte Arten bezogen und fünf mit cfr. versehen. Von seinen sieben neuen Typen weisen fünf ebenfalls auf mitteleuropäische Formen hin und zwei auf den Jura von Kutch. Außerdem fanden sich „vollkommen unbestimmbare Reste von *Phylloceras, Perisphinctes, Belemnites*".

Für die Gesamtheit der Mahokondofauna ergibt sich somit ein echt mitteleuropäischer Karakter. Es ändert hieran nichts das abweichende Ergebnis von nur zwei unter sieben neu aufgestellten Spezies und ebenso das etwas problematische Vorkommen eines *Phylloceras*. Das sporadische Auftreten solcher alpiner Formen gewährt uns meines Erachtens hier ebensowenig Anhaltspunkte für ihre bodenständige Lebensweise wie in Mitteleuropa oder im Libanon.

Das eben gewonnene Ergebnis findet weitere Bestätigung durch die von Müller betonte Ähnlichkeit seiner Fauna mit derjenigen von Schoa. Ein Gegensatz zwischen den Anschauungen des letzteren und denen von Futterer, Dacqué und mir besteht insofern, als wir den mitteleuropäischen Habitus des Jura von Südabessinien ausdrücklich in den Vordergrund stellen.

Zu der Uitenhage-Formation[1]) des Kaplandes zeigt der Glandarienkalk keine Beziehungen.

Das gleiche gilt von der Malmfauna auf Madagaskar,[2]) deren Beziehungen zu Ostafrika von Futterer und Müller eingehend gewürdigt worden sind.

Zu der Fauna von Kutch[3]) und Baluchistan[4]) ergaben sich keine Beziehungen, wie es die abweichende lithologische Ausbildung der Katrol-Gruppe voraussetzen ließ. Nach einer Durchsicht meines Materials bestätigte mir Kitchin[5]) dieses Ergebnis bezüglich der von ihm publizierten Muscheln und Brachiopoden.

Wir wenden uns nun nach Westen, wo wir auf Kreta weißen Jura antreffen. Cayeux[6]) fand dort kürzlich eine gewaltige Schichtenfolge von oberjurassisch-kretazischen Gesteinen, deren Mächtigkeit er im ganzen auf 4000 m schätzte. Fossilien fanden sich außerordentlich selten. Als Fundorte erwiesen sich zahlreiche fossile Korallenriffe, deren wichtigstes am Westfuß des Ida liegt. Der Riffkalk ruht auf einem nicht näher bezeichneten Konglomerat und ist reich an Bohrlöchern. Seine Fauna wird gekennzeichnet durch den Reichtum an Brachiopoden und Korallen. Es werden genannt:

Rhynchonella inconstans d'Orb.

Terebratula Repellini d'Orb.

Terebratula subsella Leym.

Terebratella pectunculoides Schloth.

---

[1]) 1845. Sharpe. Sec. Rocks of Sunday and Zwartkop-River.
1867. Tate. Sec. fossils from. S.-Afrika.
1881. Holub und Neumayr. Fossilien der Uitenhage-Formation.
[2]) 1901. Boule. Géol. et Pal. de Madagascar. Übersicht mit Literaturangabe.
1902. Boule. Madagascar au début du XXe siècle.
[3]) 1875. Waagen. The Cephalopoda.
[4]) 1895. Noetling. Kellaway's of Mazár Drik.
[5]) 1900. Kitchin. The Brachiopoda.
1903. Kitchin. Genus Trigonia.
[6]) 1903. Cayeux. Jurass. sup. dans l'île de Crète.

Terebratulinen in großer Anzahl, von Seeigeln die Geschlechter *Diplopodia* und *Glypticus*. Die Anzahl der Korallen beläuft sich auf acht bis zehn verschiedene Typen. Der Autor schließt daraus auf das Vorhandensein des Kimméridgien, hält jedoch die Existenz von jüngeren Horizonten nicht für ausgeschlossen. Für uns ergeben sich manche Anknüpfungspunkte an den kretischen Malm. Das Auftreten zahlreicher riffbildender Korallen in Verbindung mit einer reichen Brachiopodenfauna weist hin auf ähnliche lithogenetische und bionomische Verhältnisse, wie sie im Libanon herrschten. Die Fauna, soweit sie bis jetzt bekannt ist, trägt ausgesprochen mitteleuropäischen Habitus und nähert sich derjenigen des Glandarienkalkes, in welcher wir nachweisen konnten: *Terebratula subsella* Leym., sowie Arten aus den Formenzyklen der *Rhynchonella inconstans* d'Orb. (*Rhynchonella Drusorum* n. sp.) und der *Terebratula Repellini* d'Orb. (*T. Bauhini* Et.).

Déprat[1] berichtete über oberjurassische Ablagerungen am Drakopsilo-Berge auf Euboea. Er schildert sie als »une série également calcaire et dolomitique sans intercalations de schistes ni de grès.» In den mittleren Partien, in weißen, oolithischen und lithographischen, foraminiferenreichen Kalken fanden sich *Diceras Luci, D. Münsteri, Ptygmatis pseudobruntrutana* und *Ellipsactinien. D. Luci* ist auf das alpine Tithon beschränkt. *D. Münsteri* hat seine Hauptverbreitung gleichfalls im alpinen Tithon. G. Boehm[2] beschreibt diese Form aber auch von Lokalitäten mit vorwiegend mitteleuropäischer Fauna wie Kelheim und Cirin (Ain). *Pt. pseudobruntrutana* findet sich nach genanntem Autor[3] vorwiegend im unteren alpinen Tithon, aber auch im Astertien des berner Jura. Der oberste weiße Jura scheint somit auf Euboea in vorzugsweise alpiner Entwicklung aufzutreten. Es sei hier noch erwähnt, daß die drei obigen Spezies von Gemellaro[4] auf Sizilien nachgewiesen wurden.

Anzuschließen ist hier das folgende Vorkommen. Nach Douvillé[5] fand Boblaye bei Nauplia in der Landschaft Argolis diskordant auf älteren Schichten typische Lithoralablagerungen. Ihr Fossilgehalt erinnerte bezüglich seines Erhaltungszustandes an plumpe Korallenkalke. Als wohlbestimmbar erwies sich eine Anzahl von Nerineen, welche an Formen der Korallenfazies erinnern sollen, ferner eine Dicerasart, welche *D. Luci* nahesteht. Faunistisch scheint hier wie auf Euboea der obere Malm durch Elemente von alpinem Habitus seine Vertretung zu finden. Das gewinnt noch an Wahrscheinlichkeit durch den Fund einer *Ellipsactinia*, die nach Steinmann[6] stets in Gesellschaft von tithonischen Fossilien gefunden wird.

Cayeux (loc. cit.) und Philippson[7] konstatierten aus Analogien in den Lagerungsverhältnissen, daß die jurassischen Pindos- und Olonoskalke Griechenlands auf Kreta ihre Fortsetzung finden. Wir beschränken uns hier auf die Feststellung, daß der Malm von Euboea und Argolis alpines Gepräge[8] zeigt, daß in ihm bis jetzt nur Portlandfossilien aufgefunden wurden, während er am Ida wie im Libanon für mitteleuropäisch erachtet wurde und durch tiefere Horizonte vertreten wird.

Wir gehen nun ganz kurz auf die Malmfauna von Algier ein. Eine Durchsicht der hauptsächlichen Literatur[9] zeigt uns, daß der weiße Jura stellenweise zwar durch eine typische Ammonitenfazies vertreten ist und dort lithologisch wie faunistisch der mediterranen Entwicklung angehört. Das Séquanien und Kimméridgien kennzeichnen sich hingegen in anderen Gebieten durch den Mangel an Kephalopoden. Die Fauna dieser Etagen erscheint hier vielmehr aufs engste verbunden mit französischen, insbesondere mit ostfranzösischen Tierbezirken, die als wahrhaft klassischer Boden gelten können für die außeralpine Ausbildungsweise. Das beweist uns die lange Reihe von identen Spezies, welche in den Fossillisten u. a. von Coquand, figurieren. Es ist mir daher nicht recht klar, weshalb Neumayr und nach ihm

[1] 1903. Déprat. Géologie de l'Eubée, pag. 235—236.
[2] 1883. G. Boehm. Bivalven d. stramb. Schichten.
[3] 1882. G. Boehm. Bivalven d. kelh. Diceraskalkes.
[4] 1869. Gemellaro. Calcare a Ter.-janitor, parte II.
[5] 1896. Douvillé. Amm. trias. rec. en Grèce. pag. 799, 800.
[6] 1890. Steinmann. Fossilreste aus Griechenland, pag. 764—71.
[7] 1903. Philippson. Zur Geologie Griechenlands.
[8] Schwager erklärte den Olonoskalk für Globigerinenkalk!
[9] Literaturverzeichnis bei Péron Géologie de l'Algérie, 1883, und bei Lapparent, Traité de Géologie, 1900.

Futterer den Malm von Algier ohne Vorbehalt als echt alpin bezeichnet haben. Mit der Fauna der mittleren Stufen des letzteren hat die Tierwelt des Glandarienkalkes wichtige gemeinsame Berührungspunkte. Nicht nur in Hinsicht auf den beiderseitigen mitteleuropäischen Faunenkarakter und den auffallenden Reichtum an Seeigeln, sondern auch durch den Besitz der gleichen Formen wie *Terebratula subsella* Leym., *Terebratulina substriata* Schloth., *Cidaris glandifera* Goldf. eng verwandt mit unserer *C. glandaria* Lang, und *Ceromya excentrica* Ag.

In welchen Beziehungen steht nun der mittlere Malm von Algier, soweit er in mitteleuropäischer Fazies entwickelt ist, zu den ostafrikanischen Vorkommnissen?

In Abessinien fanden wir das Séquanien und Kimméridgien in enger Anlehnung an die Ausbildungsweise des Schweizer Jura. Futterer konnte 20 Arten identifizieren. Mit den entsprechenden Horizonten in Algier sind dem Jura von Schoa nur fünf Spezies gemeinsam. Es sind:

Acrocidaris nobilis Ag.
Terebratula subsella Leym.
Spondylus inaequistriatus Voltz.
Exogyra bruntrutana Thurm.
Ceromya excentrica Ag.

Es befinden sich demnach beide Gebiete in weit größerer Übereinstimmung mit Mitteleuropa als untereinander, ein Wechselverhältnis, wie wir es hinsichtlich der Faunen vom Libanon, von Schoa, von den Gallaländern und vom Mahokondo-Bach bereits kennen gelernt haben.

Sehr geringfügig erscheinen ferner die Beziehungen zu der Mahokondofauna. Letztere stimmt mit der Fauna des mittleren weißen Jura von Algier nur in einer Spezies überein: *Exogyra bruntrutana* Thurm. Andere übereinstimmende paläontologische Merkmale lassen sich kaum auffinden.

Unsere bisherigen Beobachtungen nötigen uns zur Annahme einer offenen Meeresverbindung zwischen Mitteleuropa, Algier, Kreta, Libanon, Abessinien, Gallaländern und Deutsch-Ostafrika zur Zeit des Séquanien und Kimméridgien.

Der lithogenetische und bionomische Karakter dieses Meeres begünstigte die Entstehung und Verbreitung einer Fauna wie sie in Mitteleuropa, besonders im schweizer Jura und im außeralpinen Frankreich, ihre typische Ausbildung gefunden hat.

Ein Versuch zur Rekonstruktion dieses Meeres soll an dieser Stelle nicht unternommen werden.

Im Norden unseres Gebietes fesselt unser Interesse eine Reihe von Malmvorkommen im weiteren und engeren Umkreise des schwarzen Meeres.

Alth[1]) beschrieb aus dem östlichen Galizien eine sehr reiche Litoralfauna, welche er mit dem Kimmeridge und Portland in Hannover, im berner Jura und in Ostfrankreich verglich. Eine Reihe von Formen aus dem Korallien von St. Mihiel, Châtel-Censoir u. a. scheint indessen auch einen Rückschluß zu gestatten auf die Anwesenheit des Rauracien. Die Übereinstimmung dieser Fauna mit der des Glandarienkalkes beschränkt sich nur auf drei Spezies:

Terebratula subsella Leym.
Natica cfr. amata d'Orb.
Harpagodes cfr. Oceani Brongn.

Die ganze Zusammensetzung der Tierwelt des Niżniower Kalksteines deutet auf andere bionomische Verhältnisse hin als sie im Libanon herrschten durch das Vorherrschen der Schnecken sowie durch das völlige Zurücktreten der Korallen, Seeigel, Brachiopoden und Kephalopoden.

Aus der Dobrudscha beschrieb Peters[1]) aus den oolithischen, korallenreichen Thonen, Mergeln und festen Kalksteinen von Tschernawoda eine Fauna, welche das Kimméridgien vertritt. Die lithologische Ausbildung dieser Ablagerung erscheint als ähnlich derjenigen des Glandarienkalkes. Der

---

[1]) 1882. Alth. Niżniower Kalkstein.

20*

von Peters[1]) abgebildete *Harpagodes Oceani* Brongn. ist von unserer Form ziemlich verschieden. Gesteine wie Fauna der Kalke von Tschernawoda besitzen vorwiegend mitteleuropäische Merkmale. Die weiter nördlich gelegenen Vorkommen von Hirschova und Kara-bair stellte Peters dem stramberger Tithon an die Seite. Neumayr[1]) fügte irrtümlicherweise die Gesamtfauna der Dobrudscha seiner alpinen Ringzone ein. Vor nicht langer Zeit stellte dann Anastasiu[2]) das Vorhandensein des Rauracien, Astartien und Kimméridgien fest auf Grund von Fossilfunden bei Tschernawoda, Topal und Cekirgeoa, welche rein mitteleuropäischen Karakter besitzen. Den oberen Teil der Schichten von Tschernawoda verwies er in die Kreide. Während nun bei Cekirgeoa eine Ammonitenfazies entwickelt ist, finden sich bei Topal und Tschernawoda fazielle Verhältnisse, welche denen des Glandarienkalkes als homolog erscheinen. Von identen Arten seien genannt:

Terebratula subsella Leym.

Terebratula Zieteni Loriol.

Als eine Mischung von mitteleuropäischen mit vorwiegend mediterranen Typen scheint sich eine dem oberen Séquanien angehörige Fauna zu kennzeichnen, die von Zlatarski bei Ginci im NNW. von Sofia gesammelt und von Toula[3]) beschrieben wurde. Neben selteneren Exemplaren von *Phylloceras, Lytoceras, Simoceras, Haploceras* spielen die Hauptrolle *flexuose Oppelien* sowie *Perisphincten* aus der Gruppe des *P. colubrinus* und *P. polyplocus*. Ähnlichkeiten mit dem Jura im Libanon wurden nicht konstatiert.

An der Südküste der Krim zwischen Yalta und Theodosia begegnet uns weißer Jura bei Sudak[4]). Während die relativ zahlreichen Korallen dieser Fauna zum größten Teil auf das Rauracien beschränkt sind, läßt die übrige Tierwelt das Vorhandensein von Astartien und Kimméridgien als nicht ausgeschlossen erscheinen. Die wenigen bis jetzt bekannten Spezies ergaben keine Verwandtschaft mit unseren Formen. Es zeigt jedoch der Malm von Sudak enge Anlehnung an die mitteleuropäische Ausbildungsweise, eine bemerkenswerte Tatsache, da Neumayr[5]) das von Favre[6]) beschriebene Juravorkommen der westlichen Krim als entschieden alpin bezeichnet hat.

In nordöstlicher Richtung treffen wir weiter auf den weißen Jura von Isjum am Donetz in der Entwicklung als grobkörniger Sandstein und oolithischer, bald gelblicher, weicher, bald weißer dichter und harter Kalkstein. Trautschold[7]) parallelisierte die dortige Fauna, welche mitteleuropäischen Habitus aufweist, mit dem Séquanien und Kimméridgien von Hannover. Nähere Beziehungen zum Malm des Libanon ließen sich nicht ermitteln.

Im Inneren von Kleinasien zeigen sich Ablagerungen von Oxfordien bei Angora.[8]) d'Archiac beschrieb von dort lediglich Ammoniten, welche die betreffenden Bildungen als mediterran zu karakterisieren scheinen.

Auch Leonhard[9]) stieß nur auf Oxford-Ammoniten südlich von Tutasch und im Tschatak-Boghaz.

Philippson[10]) fand in dem lithographischen Kalk von Mihalitsch Belemniten, die Jaekel dem oberen Jura zustellte.

---

[1]) 1867. Peters. Dobrudscha.
In obigem pag. 35, Taf. II, Fig. 3—4.

[2]) 1896. Anastasiu. Géol. de la Dobrogea.

[3]) 1893. Toula. Jura am Balkan. pag. 9—16, Taf. II.

[4]) 1897. Vogdt. Le Jurassique à Soudak.

[5]) 1883. Neumayr. Klimatische Zonen, pag. 20.

[6]) 1877. Favre. Sudouest de la Crimée.

[7]) 1878. Trautschold. Der Jura von Isjum.

[8]) Tschihatscheff. Asie mineure. Paléontologie (d'Archiac), pag. 83—86. Zitiert nach Pompeckj. Anatolien, 1897.

[9]) 1903. Leonhard. Andesitgebiet nördl. von Angora.

[10]) 1903. Philippson. Vorl. Bericht über Forschungen in Kleinasien.

Schlehan[1] berichtete über ein Juravorkommen bei Amasry, an den südlichen Gestaden des schwarzen Meeres. Es ist ein sehr mächtiger, weißer Kalkstein, dicht, feinkörnig und oolithisch, oft von Kalkspatadern durchzogen, stellenweise reich an Versteinerungen.

Von diesen verweisen auf den Lias:

Gryphea cymbium Lam.
Pleurotomaria anglica Sow.
Rotella polita Sow.

auf den Dogger: *Trochus duplicatus* Sow.
Pleurotomaria conoidea Desh.
Turbo ornatus Mill.

auf den Malm: *Isastraea helianthoides* Goldf.
Diceras arietinum Lam.
Harpagodes Oceani Brongn.
Nerinea suprajurensis Voltz.
»   *Gosae* Roem.
»   *bruntrutana* Thurm.

Wir haben es hier mit einer Fauna zu tun, die ein typisch mitteleuropäisches Gepräge besitzt und deren Malmspezies auf das Séquanien und Kimméridgien verweisen. Ihre Übereinstimmung mit dem Glandarienkalk beschränkt sich auf den einzigen *Harpagodes Oceani* Brong. Ralli[1] suchte kürzlich das Vorkommen von Jura bei Amasry vollkommen in Abrede zu stellen auf Grund von einigen Kreidefossilien, die er während eines kurzen Aufenthaltes in jener Gegend sammelte. Es ist nun keineswegs ausgeschlossen, daß auch Kreideschichten in jenem Gebiet zum Ausstreichen gelangen. Im übrigen aber erscheint mir die Leichtigkeit als unbegründet, mit welcher Ralli[2] die bedeutend gründlicheren Untersuchungen Schlehans bei Seite schiebt.

Von einer Besprechung der einzelnen Kaukasusvorkommen und ihrer Fossilfunde[3] wird hier Abstand genommen. Faunistisch beschränkt sich die Übereinstimmung mit dem Glandarienkalk auf einige kosmopolitische Arten, die sich wieder auf verschiedene Lokalitäten verteilen im Norden und Süden der zentralen Aufbruchszone kristalliner Gesteine. Es sind:

Terebratula subsella Leym.
T. bisuffarcinata Schloth.
T. Zieteni Loriol.
Ceromya excentrica Ag.
Nerinea Visurgis Roem. (*N. Maroni* n. sp.).

In beiden Regionen herrschen vielfach mitteleuropäische Faziesverhältnisse in normaler lithologischer und faunistischer Ausbildung vor. So begegnen uns im nordwestlichen Kaukasus am Bermamyt[4] bei Kislowodsk Séquanien- und Kimméridgienbildungen von typisch außeralpiner Entwicklung. Zu unterst lagern dort kompakte, korallenreiche, hellgraue Dolomite mit *Rhynchonella lacunosa* Schloth. und mit Stacheln von *Hemicidaris crenularis* Ag. Darüber setzen graue oder gelbliche, feinkörnige Dolomite auf mit *Natica hemisphaerica* d'Orb., *Nerinea Zeuschneri* Peter, *N. bruntrutana* Thurm. Außerdem mit *Ceromya excentrica* Voltz, *Nerinea Visurgis* Roem., *N. Defrancei* d'Orb. und N. sp. aff. *N. suprajurensis*.

---

[1] 1852. Schlehan. Geogr. Beschr. d. Gegend von Amasry.
[2] 1895/96. Ralli. Le bassin houiller d'Héraclée.
[3] 1892. Neumayr und Uhlig. Kaukasusfossilien.
[4] 1897. Karakasch et Rougéwitsch. Congrès VII. géol. intern, Heft 19.

Aus dem südwestlichen Kaukasus zitiert Simonowitsch[1]) aus der Umgebung von Koutais Kieselkalke mit *Cidaris florigemma* Münst., magnesiahaltige Kalke mit *Nerinea* und *Diceras*, ferner Kalke mit *Pteroceras*.

Das Bestehen einer selbständigen »krimo-kaukasischen Faunenprovinz« erscheint daher auch für den Malm als anfechtbar. Die Unhaltbarkeit jener Hypothese für den Lias legte Pompeckj[2]) eingehend dar.

Östlich des kaspischen Meeres erscheint der weiße Jura auf der Halbinsel Mangyschlak[3]). Die dortigen Séquanien- und Kimméridgienfauna hat mit der des Glandarienkalkes die folgenden Formen gemeinsam:

Terebratula Bauhini Loriol.

> » *subsella* Leym.

Alectryonia hastellata Qu.

Harpagodes cfr. *Oceani* Brongn.

Außerdem steht *Mytilus jurensis* Mér. sehr nahe unserem *M. alatus* n. sp., ebenso *Nerinea Visurgis* Roem. unserer *N. Maroni* n. sp. Das ist nicht die einzige Analogie. Der Malm vom Karatau besitzt lithologisch und faunistisch ausgesprochen mitteleuropäischen Karakter. Er zeigt in dem Auftreten gewisser Tierklassen sowie in der Ausbildung bestimmter Geschlechter enge Anlehnung an unsere Fauna. Es ist ferner zu konstatieren, daß sich in dem ersteren keine Fossilien finden, welche auf das Oxfordien hindeuten. Der weiße Jura von Mangyschlak scheint vielmehr ebenfalls erst mit dem unteren Séquanien zu beginnen. Letzteres darf allerdings nicht aus der von Semenow gegebenen Tabelle gefolgert werden, in welcher die Bezeichnungen der Malmetagen etwas unklar gehalten sind, indem die Art der Einteilung für Deutschland Gültigkeit hat, die Benennung aber für Frankreich. Hervorstechende Unterschiede zwischen den Malmkomplexen des Libanon und des Karatau sind für den letzteren gegeben in dem Fehlen von Korallen- und Oolithbildungen und im Zusammenhange hiemit in der zum Teil verschiedenartigen faziellen Ausbildung der Sedimente.

In der von Semenow beschriebenen Malmfauna ist eine große Anzahl von identen Formen Mitteleuropas enthalten. Die Fauna von Mangyschlak steht somit zu Mitteleuropa in bedeutend engeren Beziehungen als zu der Fauna des Glandarienkalkes und erst recht zu der Tierwelt von Schoa.

An diesem echt außeralpinen, mitteleuropäischen Karakter der Fauna von Mangyschlak vermag nun meines Erachtens auch das Auftreten von drei Aucellen-Spezies nichts zu ändern. Gewiß, es sind typische Bewohner des borealen Meeres, deren sporadisches Vorkommen auf eine Einwanderung aus der Richtung von Simbirsk schließen läßt. Weshalb aber soll ihr vereinzeltes Erscheinen auf den Karakter der eingesessenen Tierwelt irgendwie bestimmend einwirken? Auch im Frankenjura z. B. finden sich drei Aucellen von echt nordischem Habitus[4]) und doch wird niemand die rein mitteleuropäische Entwicklungsweise der dortigen Ablagerungen in Zweifel ziehen! Der Formenreichtum des fränkischen Malm kann hier nicht als Einwand benützt werden, da das Gebiet des Karatau sozusagen einen jungfräulichen Boden darstellt, in welchem vermöge des weitaus kürzeren Verbindungsweges mit dem borealen Meere ein entsprechend stärkerer Einschlag von nordischen Elementen als selbstverständlich erscheint.

Aus der Provinz Asterabad am Südostende des Kaspisees beschrieb Bogdanowitsch[5]) mehrere Malmvorkommen. Im Norden, an den Quellen des Flusses Gurgen, entdeckte er eine alpine Fauna von tithonischem Alter mit:

---

[1]) 1897. Simonowitsch. Environs de Koutais. Congrès VII. géol. intern, Heft 27.
[2]) 1897. Pompeckj. Anatolien, pag. 824—826.
[3]) 1896. Semenow. Mangyschlak.
[4]) 1901. Pompeckj. Aucellen im fränkischen Jura, pag. 29, 30.
[5]) 1889. Bogdanowitsch. Géologie de l'Asie centrale I.

Perisphinctes Richteri Opp.

Hoplites aff. Calisto d'Orb.

Belemnites cfr. semisulcatus Münst.

Phylloceras aus der Gruppe des *Ph. tatricum.*

Tithonische Ablagerungen wurden auch südlich des Elburs angetroffen. Weiter fand sich im Süden von Schahrud in der Ohionu-Kette eine Schichtenfolge von hellen, kompakten oder porösen Kalken oder von weichen, gelben und tonigen Kalken mit:

Peltoceras bimammatum Qu.

Perisphinctes plicatilis d'Orb.

» *aff. plicatilis* d'Orb.

» *Tiziani* Opp.

» *cfr. colubrinus* Qu.

Diceras sp.

Cidaris sp.

Das Auftreten von *Peltoceras bimammatum* veranlaßte Bogdanowitsch, auf das Vorhandensein des Rauracien zu schließen. Es könnten diese Fossilien jedoch das gesamte Séquanien repräsentieren. Man muß ausdrücklich betonen, daß diese kephalopodenreichen Horizonte lauter Formen enthalten, die im weißen Jura von Südostdeutschland zum Teil sogar eine leitende Rolle spielen. Die lithologische Ausbildung zeigt gleichfalls mitteleuropäischen Charakter.

Eine Reihe von wichtigen Beobachtungen über die Geologie von Nord-Persien veröffentlichte kürzlich Stahl[1]. Wenn seine Karte auch nur annähernd den wirklichen Verhältnissen entspricht, so bedeckt der weiße Jura im Elburs weite zusammenhängende Areale und bildet besonders häufig die oberen Partien ganzer Gebirgszüge. Die älteren Juraablagerungen, auf denen er nach Stahl konkordant auflagert, treten infolgedessen seltener zu Tage. Die Kreide ist beschränkt auf schmale Streifen an den Randzonen und in den tiefer eingeschnittenen Tälern. Gedenken wir ferner des Umstandes, daß archäische und paläozoische Gesteine vereinzelt, also keineswegs in einer bedeutenden, zusammenhängenden Zone zum Aufbruch kommen, daß endlich besonders im zentralen Teil große Flächen von jüngeren Eruptivgesteinen und Tuffen überdeckt werden, so entsteht in uns die Vorstellung, als habe das Malmmeer einst das ganze Elbursgebiet überflutet. Auffallend ist nun die einförmige Ausbildung der Malmsedimente auf solch weiten Strecken. Stahl erwähnt lediglich helle Kalke, helle dolomitisierte Kalke und helle Kalkkonglomerate. Im folgenden werden die versteinerungsführenden Vorkommen des weißen Jura kurz aufgezählt.

Bei Kulit, westlich von Aschref, am Nordrande des Gebirges, treten helle, horizontal gelagerte Kalke zu Tage in einer Mächtigkeit von 50 bis 60 *m* mit *Rhynchonella cfr.* Astieri, einer Astartien- und Kimméridgienform Süddeutschlands und der Nordschweiz. Bei Aschref enthalten die gleichen Schichten:

Cylindrophyma sp.

Belemnites sp.

Oppelia aus der Gruppe der *O. flexuosa.*

Aspidoceras Oegir Opp.

Perisphinctes aus der Gruppe d. *P. biplex.*

A. *Oegir* ist im wesentlichen auf das Oxfordien beschränkt, *O. flexuosa* und *P. biplex* auf das untere und obere Séquanien verschiedener mitteleuropäischer Jurabezirke. In den südöstlichen Gebirgsteilen

---

[1] 1898. Stahl. Zur Geologie von Persien.

erheben sich südlich des Tales von S c h a h m i r z a d mehrere schmale Gebirgszüge, die aus hellgrauen an P e r i s p h i n c t e n reichen Kalken bestehen. Bei K e l a t e, im NNW. von D a m g a n, stehen gleichfalls Kalke an mit *Perisphinctes*. Bei O s t a n e k im NW. von D a m g a n fanden sich in Malmkalken *Ammonites* aus der Gruppe des *Phylloceras silesiacum, Perisphinctes* und *Olcostephanus*, ersterer eine Tithonform von echt alpinem Gepräge. Bei T u e h, im WSW. von D a m g a n, wurden helle Kalke angetroffen mit *Perisphinctes* aus der Gruppe des *P. biplex*. Auf dem Passe zwischen T u e h und F u l a d m a h a l e stehen hellgraue ammonitenreiche Kalke des weißen Jura an.

Die von B o g d a n o w i t s c h und von S t a h l aufgeführten Fossilien karakterisieren eine Kephalopodenfauna, die mit der Fauna des Glandarienkalkes keine Berührungspunkte aufweist. Vielleicht aber veranschaulichen sie uns in gewisser Hinsicht die Verteilung a l p i n e r und a u ß e r a l p i n e r Vorkommen. Wir trafen im n ö r d l i c h e n E l b u r s eine alpine Tithonfauna am Flusse G u r g e n, unteren Malm in mitteleuropäischer Entwicklung bei A s c h r e f. Im s ü d l i c h e n E l b u r s fand sich bei S c h a h r u d eine Séquanienfauna von außeralpinem Habitus, im NW. von D a m g a n dagegen eine typische Form des alpinen Tithon.

Bis jetzt liegt daher keine Veranlassung vor, an eine zonenweise Anordnung der mediterranen und mitteleuropäischen Lebensbezirke im Elbursgebirge zu glauben, wie sie die Theorie von den klimatischen Zonen zur Voraussetzung hatte. Auch bezüglich der »krimo-kaukasischen Faunenprovinz« scheint unser früher ausgesprochener Zweifel neue Nahrung zu finden.

Auf die Malmablagerungen der S p i t i - S h a l e s kann hier nicht näher eingegangen werden, da von U h l i g noch der Abschluß seiner wichtigen Untersuchungen zu erwarten ist. Die Verwandtschaft unseres *Phylloceras Salima* zu *Phylloceras plicatius* Uhlig erstreckt sich lediglich auf ihre gemeinsame Zugehörigkeit zum Formenkreise des *Ph. heterophyllum*.

In J a p a n liegt an der Basis der unterkretazischen Sandsteine und Schiefer der T o r i n o s u - K a l k, ein dunkler, bituminöser, vielfach oolithischer Kalkstein mit einer reichen Fauna von F o r a m i n i f e r e n, K o r a l l e n, S e e i g e l n, Z w e i s c h a l e r n und S c h n e c k e n. N e u m a y r[1]) und Y o k o y a m a beschrieben von S a k a w a u. a.

Textularia cf. cordiformis Schw.

Cidaris cf. glandifera Goldf.

Hemicidaris cf. crenularis Ag.

Terebratula bisuffarcinata Zieten.

Nerinea cf. Visurgis Roem.

Auf Grund dieser Fossilien kam N e u m a y r zu dem Schluß, daß wir es hier mit einer oberjurassischen Fauna von zweifellos mitteleuropäischem Karakter zu tun haben. Er glaubte das Alter dieses Horizonts auf das Rauracien präzisieren zu können. S a g a w a[2]) fand später bei O g a w a:

Alectryonia cf. amor d'Orb.

Nerinea cf. dilatata d'Orb.

Von diesen Formen ist *N. dilatata* d'Orb. (*Ptygmatis costulata* Et.) nach C o s s m a n n[3]) auf das Ptérocérien beschränkt. *Alectryonia amor* d'Orb. findet ihre Hauptverbreitung im Astartien und Kimméridgien. Die Gesamtfauna des T o r i n o s u - K a l k e s kann also vielleicht das Séquanien und Kimméridgien vertreten. Die Beamten der japanischen geologischen Reichsanstalt[4]) rechnen den letzteren neuerdings zur unteren Kreide, da er von den neokomen R y o s e k i S e r i e s nicht zu trennen sei. Die Versteinerungen lassen jedoch keinen Zweifel übrig an dem oberjurassischen Alter der Korallenkalke.

---

[1]) 1890. N a u m a n n und N e u m a y r. Zur Geol. und Pal. von Japan.

[2]) 1900. Geology of Japan, pag. 60.

[3]) 1900. C o s s m a n n. Nérinées.

[4]) 1900. Geology of Japan, pag. 61.

Die Faunen des Torinosukalkes und des Glandarienkalkes haben folgende entweder identen oder nahverwandten Arten gemeinsam:

Torinosukalk.	Glandarienkalk.
Cidaris cf. glandifera Goldf.	*Cidaris glandaria* Lang.
Terebratula bisuffarcinata Zieten	*Terebratula bisuffarcinata* Zieten.
Alectryonia cf. amor d'Orb.	*Alectryonia hastellata* Schloth.
Nerinea cf. Visurgis Roem.	*Nerinea Maroni* n. sp.

Das Fehlen von Abbildungen erschwert leider eine Beurteilung. Bei der geringen Anzahl der bisher bekannten japanischen Malmfossilien muß das obige übereinstimmende Ergebnis gleichwohl überraschen. Neumayr bemerkt außerdem bezüglich der *Cidaris cfr. glandifera* Goldf., daß ihre Stacheln sich nur unbedeutend von den *lapides judaici*, d. h. von den Stacheln von *C. glandaria* Lang, unterscheiden. Vielleicht weist auch diese Tatsache auf eine engere Verwandtschaft der beiden Faunenbezirke hin.

Die lithologische Ausbildung der beiden Komplexe erweist sich ebenfalls als nicht sehr verschiedenartig. Hier wie dort treten oolithreiche Korallenkalke auf, welche Faunen von anscheinend gleichartiger Zusammensetzung ähnliche bionomische Existenzbedingungen darboten. Die dunkle Farbe des Torinosukalkes ist wohl auf seinen Bitumenreichtum zurückzuführen und scheint dem Gewicht der erwähnten Beziehungen gegenüber nur die Bedeutung einer leichten fazieller Verschiedenheit zu besitzen. Eingehendere Untersuchungen der Tierwelt der japanischen Korallenkalke müssen uns zeigen, inwieweit diese Verschiedenheit der Fazies von Einfluß war auf die nähere Beschaffenheit der zugehörigen Organismenwelt.

Schon jetzt aber können wir uns der Erkenntnis nicht verschließen, daß der Torinosukalk ein Glied von großer Wichtigkeit bildet in der Reihe der von uns besprochenen Malmvorkommen. Wir sahen, wie sich innerhalb der gegenseitigen Beziehungen der letzteren durchwegs stärkere faunistische Unterschiede geltend machen als in ihrem Einzelverhältnis zu Mitteleuropa. Es könnte uns daher Mitteleuropa als das Entstehungszentrum dieser Tierwelt gelten, von dem aus auf ungeheure Entfernungen hin die jeweils korrespondierenden marinen Lebensbezirke besiedelt wurden.

Die Verbreitung von Sedimenten und von Faunen, die in ihrer faziellen Entwicklung entweder volle Übereinstimmung zeigen mit einem relativ engumgrenzten Gebiet Mitteleuropas oder als eine Mischung aufzufassen sind von mehreren solchen Lebensbezirken, vom 50. Grad nördlicher bis zum 10. Grad südlicher Breite, in einer kontinuierlichen Kette von gleichaltrigen Ablagerungen läßt aufs neue die Theorie von den klimatischen Zonen als völlig unhaltbar erscheinen. Eine geschlossene alpine Zone scheint sich in ihrem östlichen Teil zu beschränken auf die Region zwischen dem Karpathenbogen und den Dinariden. Von hier aus greift sie, dem Zuge beider folgend, auf das kleinasiatische Festland über. Einen Hinweis darauf enthalten die Fossilien, welche im Süden im Bereich der Olonos- und Pindoskalke gefunden wurden. In Kleinasien lernten wir dann aus der Gegend des Marmarameeres und von Angora Faunenelemente kennen von alpinen Habitus. Im Gebiet des schwarzen und kaspischen Meeres scheint dagegen ein geschlossener Zug von mediterranen Ablagerungen nicht mehr vorhanden zu sein. Fanden sich doch in der Dobrudscha im Norden alpine, im Süden außeralpine Elemente. In der Krim im Westen mediterrane, im Südosten mitteleuropäische Faunen. Im Innern Kleinasiens alpine, bei Amasry wieder außeralpine Ablagerungen! Im Kaukasus wie im Elburs stellten wir im Norden wie im Süden beiderlei Faunen fest.

Es liegt im Rahmen dieser Arbeit, wenn wir hier lediglich die obigen Tatsachen konstatieren, ohne uns mit mehr oder minder lückenhaften Rekonstruktionsversuchen der Verteilung von Meer und Festland zur Zeit des weißen Jura weiter zu befassen.

Unsere Untersuchungen gelangen hiermit zum Abschluß. Es ist ihr Zweck gewesen, die Fauna des Glandarienkalkes mit den Vorkommen zu vergleichen, die uns bis jetzt in so spärlicher Weise aus den weiten Gebieten der orientalischen und äquatorialen Region bekannt sind und die wenigen Resultate darzulegen.

Sie führen zu der Annahme, daß zur Zeit des Séquanien und Kimméridgien eine offene Meeresverbindung existiert hat, die in Polen, in Ostgalizien, in der Gegend des schwarzen und kaspischen Meeres, in Japan, ferner in Syrien, auf Kreta sowie in Nord- und Ostafrika die Ablagerung von Sedimenten und die Ausbildung von Faunen ermöglichte, wie sie sie uns in Mitteleuropa in so mannichfacher Entwicklung entgegentreten.

INHALT.

K. u. K. Hofbuchdruckerei Karl Prochaska in Teschen.

BEITRÄGE

ZUR

PALÄONTOLOGIE und GEOLOGIE

ÖSTERREICH-UNGARNS und des ORIENTS.

MITTEILUNGEN

DES

GEOLOGISCHEN UND PALÄONTOLOGISCHEN INSTITUTES
DER UNIVERSITÄT WIEN

HERAUSGEGEBEN

MIT UNTERSTÜTZUNG DES HOHEN K. K. MINISTERIUMS FÜR KULTUS UND UNTERRICHT

VON

VICTOR UHLIG,   CARL DIENER,

PROF. DER GEOLOGIE   PROF. DER PALÄONTOLOGIE

UND

G. VON ARTHABER,

PRIVATDOZ. DER PALÄONTOLOGIE.

BAND XVIII.

HEFT III UND IV, MIT 8 TAFELN UND 33 TEXTFIGUREN.

WIEN UND LEIPZIG.

WILHELM BRAUMÜLLER

K. U. K. HOF- UND UNIVERSITÄTS-BUCHHÄNDLER

1905.

DIE FISCHRESTE DES MITTLEREN UND OBEREN EOCÄNS VON ÄGYPTEN.

I. Teil: Selachii, B. Squaloidei und II. Teil: Teleostomi, A. Ganoidei.

Von

Ernst Stromer

(München).

Mit 2 Tafeln (XV (III) und XVI (IV).

In dem ersten Abschnitt meiner Abhandlung (diese Zeitschrift, Bd. 18, S. 37—58) habe ich Reste von Myliobatinen und Pristiden beschrieben, weitere Familien der Rochen sind leider nicht vertreten, wohl nur deshalb, weil die winzigen Zähne dieser Formen nur selten erhalten und nur schwer zu finden sind. Zähne von Haien im engeren Sinne jedoch sind aus dem Eocän von Ägypten schon in größerer Zahl bekannt geworden (Dames 1883, Priem 1897 und 1899, Stromer 1903) und liegen mir in vielen Hunderten wohlerhaltener Exemplare aus dem Kalksteine des unteren Mokattam bei Kairo, den Mergeln des Uadi Ramlïëh bei Wasta und der Kasr-es Sagha-Stufe des Fajum und vor allem von verschiedenen Fundorten aus den lockeren Sandsteinen und Mergeln der Birket el Kurun-Stufe des Fajum vor.

Leider wurden aber keine zusammengehörigen Reste einzelner Individuen gefunden, sondern die vielen großen und kleinen Zähne der verschiedensten Formen konnten nur durch Sortierung von mir gesondert werden. Dazu gehörige Flossenstacheln sind nicht vorhanden und Wirbel nur in sehr beschränkter Zahl. Sie lassen sich bestimmten Arten nicht zuteilen und ich kann daher diese nur nach ihren Zähnen charakterisieren. Bei dem Mangel einer Durcharbeitung der Gebisse der rezenten Haie, der größtenteils recht ungenügenden Beschreibung und Abbildung derselben und bei der nicht ausreichenden Menge des mir zur Verfügung stehenden rezenten Materials, das ich vor allem der hiesigen zoologischen und vergleichend anatomischen Sammlung und dem Stuttgarter Naturalienkabinett, sowie der Güte von Herrn Prof. Cori in Triest und R. Burckhardt in Basel verdanke, konnte ich von vornherein nicht hoffen, die natürlichen Schwierigkeiten der Bestimmung isolierter Haifischzähne zu überwinden.

Obwohl es bei der Menge und guten Erhaltung des fossilen Materials sehr verlockend war, den Versuch von Rekonstruktionen ganzer Gebisse zu machen und daraufhin eine Revision der beschriebenen fossilen Arten anzubahnen, stand ich bald davon ab, weil diese Rekonstruktionen größtenteils willkürlich geworden wären. Die Form der einzelnen Zähne bei einer Art wechselt ja nach der Stellung, womöglich auch nach Geschlecht und Lebensalter und anderseits sind sehr häufig einzelne Zähne ganz verschiedener Formen so gleichartig, daß sie nicht oder kaum zu unterscheiden sind.

Es kann sich im folgenden deshalb fast nur um Mitteilungen über die Zahnformen, die im Mitteleocän Ägyptens sich finden, um annähernde Bestimmungen und um Bemerkungen über die wichtigsten Literaturangaben handeln, um so einer künftigen Revision etwas die Wege zu ebnen.

Da die Bezeichnungen der Orientierung der Zähne nicht gleichartig gebraucht werden, möchte ich hier meine Ausdrucksweise klarstellen: Die auf dem Palatoquadratum befindlichen Zähne nenne ich »obere«, die des Mandibulare »untere«. Der einzelne Zahn, also auch der obere, wird aber stets so gestellt gedacht, daß die Kronenspitze »oben«, die Wurzel »unten« ist. Gezählt werden die Zähne von der Medianebene aus. »Innen« gebrauche ich für lingual, »außen« für labial oder buccal, »vorn« für mesial, also für die der Symphyse zugewandte, »hinten« oder distal für die ihr abgewandte Seite. Von »Länge« ist in der Kieferlängsachse, also in mesiodistaler Richtung die Rede, von »Dicke« in labiolingualer Richtung und von »Höhe« in der Richtung von oben nach unten. Endlich unterscheide ich oben wie unten mittlere oder Symphysenzähne, vordere oder Frontalzähne, Lückenzähnchen und hintere oder Seitenzähne.

Eine Zahnkrone steht »gerade« und ist bilateral »symmetrisch«, wenn sie nicht distalwärts geneigt ist, »aufrecht«, wenn sie nicht nach innen (lingual) gebogen ist. Wo nichts Besonderes bemerkt ist, habe ich die Kronenlänge außen unten gemessen, die Dicke auch unten und die Höhe in der Mitte der Außenseite. Einen senkrecht zur Vertikalachse gelegten Schliff nenne ich endlich einen »horizontalen«, den senkrecht zur Längsachse einen »queren«, den senkrecht zur Querachse einen »frontalen«, und unter »Medianschliff« verstehe ich einen in der Symmetrie-Ebene liegenden Querschliff. In Bezug auf die Benennung der verschiedenen Hartgebilde schließe ich mich endlich in der Hauptsache an Tomes (A Manual of dental Anatomy, 6. Edit., London 1904) an, da ich dessen Bedenken gegen Röse (Anat. Anzeiger, Bd. 14, Jena 1898, S. 21 ff.) Einteilung mich nicht verschließen kann, bemerke aber, daß ich im folgenden nur systematisch wichtige Merkmale hervorhebe und eine ausführliche Beschreibung der Mikrostruktur der Hartgebilde und Stellungnahme zu dieser Frage mir vorbehalte.

B. Squaloidei, Scylliidae.

Taf. XV (III), Fig. 32, 33.

Schon 1903, S. 31, 32, habe ich Bedenken betreffs der Zugehörigkeit der kleinen ebenda, Taf. 1, Fig. 10, und von Dames (1883, Taf. 3, Fig. 9, 10) abgebildeten Zähnchen zu *Odontaspis verticalis* Ag. geäußert. Sie verstärkten sich, weil *Odontaspis* und die verwandten Genera in meinem Material vom unteren Mokattam und der Kurun-Stufe reichlich und auch in kleinen Lücken und Seitenzähnchen vertreten sind, die betreffenden Zähnchen sich aber nur im Uadi Ramlieh und zu Hunderten in der Kurun-Stufe fanden, ohne daß in der Größe und der Form der Wurzeln Übergänge dabei waren, und sie wurden durch den Nachweis einer regelmäßigen Pulpahöhle[1] gerechtfertigt.

Bei den meisten Zähnchen ist die schlanke, gerade Krone etwas nach innen gebogen, außen ein wenig, innen deutlich gewölbt und die Wurzel unten kaum konkav, innen median stark verdickt und wie bei den *Carcharidae* mit einer deutlichen Vertikalfurche versehen und endlich unten innen so abgeplattet, daß eine Kante als obere Grenze dieser Fläche innen an der Wurzel ausgebildet ist. Bei einigen aus der Kurun-Stufe ist aber die Krone außen flach, nicht nach innen gebogen und die Wurzel nicht so dick, so daß sie sich von den gleich großen Zähnchen des *Aprionodon frequens* Dames fast nur durch die deutlichen Seitenspitzen unterscheiden. An sie schließen sich dann ebenda seitliche, zum Teil recht kleine Zähnchen an, bei welchen überdies die Krone meistens relativ länger und wenig bis etwas rückgeneigt ist (Taf. XV (III), Fig. 32 und 33).

Da nach den Abbildungen von Müller und Henle (1841) *Scyllium Bürgeri* anscheinend recht ähnliche Zähnchen hat, möchte ich die vorliegenden Zähnchen alle zu *Scylliidae* rechnen, kann aber nicht entscheiden, zu welchem Genus, da weder genügende Abbildungen noch Beschreibungen der Zähne der verschiedenen dazu gehörigen Formen mir zur Verfügung stehen, und da ich zum Vergleich nur Gebisse von *Scyllium caniculus* habe, dessen Zähne durch den außen unten stark konkav begrenzten Schmelz und die etwas divergierenden Seitenspitzen deutlich abweichen.

---

[1] Anmerkung: Es strahlen von ihr auf dem Horizontalschliffe die zahlreichen, sehr spitzwinklig sich verzweigenden Dentinröhrchen regelmäßig radiär aus, ihre feinsten, etwas geschlängelten Äste dringen zum Teil auch in die deutlich abgegrenzte und relativ dicke Schmelzschicht ein, wo sie gerade auf die Oberfläche zu verlaufen, ohne sie aber (nach dem Frontalschliffe) zu erreichen.

Ich muß auch unentschieden lassen, ob all die Zähnchen zu einer Form gehören, und ob auch das 1903, Taf. I, Fig. 11 von mir abgebildete Zähnchen mit schlanker gedrehter Krone und unten konkaver Wurzel, zu dem ich kein Seitenstück fand und dessen Struktur ich nicht kenne, hieher zu rechnen ist.

Von den von A. Smith Woodward (1891, S. 106) mit den vorliegenden Formen in Beziehung gebrachten Zähnchen scheinen mir die von *Otodus Mourloni* Winkler (1880) und *Odontaspis parvus* Winkler (1876) echte Lamniden-Zähne zu sein, *Otodus minutissimus* Winkler (1874) aber könnte hieher gehören. Nötling (1886, S. 3) allerdings wollte diese Zähnchen zu *Odontaspis gracilis* gerechnet wissen, wogegen jedoch das Vorhandensein der Medianfurche auf der Innenseite der unten sehr wenig konkaven Wurzel spricht. Eine sichere Entscheidung gegen die Zugehörigkeit zu Lamniden kann eben nur eine Untersuchung der Struktur geben.

Äußerlich ähnlich sind auch die ungefähr gleichalterigen, als vordere Seitenzähne von *Synechodus eocaenus* von Leriche (1902, S. 30, Taf. I, Fig. 24) beschriebenen Zähnchen, deren Struktur wohl noch nicht untersucht ist. Ihre Krone ist aber gestreift, während bei all den vorliegenden der Schmelz glatt ist. Eine Ähnlichkeit mit weiteren anderwärts beschriebenen Zähnen konnte ich nicht finden und darf deshalb wohl annehmen, daß eine neue Art eines Scylliiden vorliegt, gebe ihr aber natürlich bei dem dargelegten Stand der Kenntnisse keinen Namen.

Scylliolamnidae.

Ginglymostoma Müller et Henle s. s.

Ein schön präpariertes Kopfskelett eines erwachsenen G. *Mülleri* Günther (G. *concolor* Müller et Henle, non Rüppel) aus dem Roten Meere, das ich aus dem Stuttgarter Naturalienkabinett erhielt, ermöglicht mir, über das Gebiß des auch fossil vertretenen einen Subgenus von *Ginglymostoma* einige Bemerkungen zu machen.

Zunächst gaben Müller und Henle (1841, S. 23), die das Gebiß der Art abbildeten, nur zwei bis vier Nebenspitzen auf jeder Seite der Zahnkrone an, bei dem vorliegenden Exemplar sind aber vier bis fünf vorhanden, es wechselt also ihre Zahl ebenso wie bei G. *cirratum*, wo nach jenen (l. c.) in der Jugend drei, im Alter fünf bis sieben Spitzen sich finden. Dann bildete Nötling (1886, S. 1, Fig 1, 1 *a—c*) einen vorderen unteren Zahn derselben Art ab, erwähnte aber wie jene nichts über den Unterschied der oberen und unteren Zähne und behauptete (l. c. S. 2), daß die mittleren und seitlichen Zähne nicht zu unterscheiden seien, und endlich lassen die bisherigen Abbildungen die Wurzelhörnchen von vorn nicht sehen.

Bei meinem Exemplar nun sind erstlich die seitlichen Wurzelecken von vorn, wenigstens bei den Zähnen des Unterkiefers, stets sichtbar und dann ist zu erwähnen, daß die Außenseite der Krone bald glatt, bald mit einer senkrechten Medianfurche oder mit mehreren vertikalen Furchen versehen ist, hierin also variiert.

Im Unterkiefer sind die mittleren Zähne bilateral-symmetrisch, bei den immer kleiner werdenden seitlichen neigt sich aber zuletzt die Hauptspitze, neben der jederseits drei bis fünf Nebenspitzen sind, ein wenig nach hinten und der seitliche untere Kronenrand, der mesial wie bei den mittleren Zähnen ein wenig konkav ist, wird distal gerade.

Am Oberkiefer sind die mittleren Zähne ein wenig kleiner, ihre Krone ist niederer, denn ihr Unterrand ist median weniger konvex als bei den unteren Zähnen, und jederseits sind vier bis fünf Seitenspitzchen vorhanden. Bei den seitlichen Zähnchen neigt sich die Hauptspitze wie unten etwas nach hinten, aber die seitlichen Unterränder der Krone sind jederseits konkav und median ist der Rand nach unten konvexer als bei den vorderen Zähnen.

Es lassen sich also die seitlichen Zähne sehr wohl von den mittleren unterscheiden und auch die unteren einigermaßen von den oberen. Um auch von den Größenverhältnissen einige Daten zu geben, füge ich noch an, daß bei einer Schädellänge von 172 *mm* die Krone eines unteren Vorderzahnes 6·2 *mm* lang und 5 *mm* hoch ist, die eines oberen 6·1 *mm* lang und nur 4·2 *mm* hoch.

Was die Struktur der Zähne anlangt, so ist nach einem Medianschliff senkrecht zur Kante unten eine ungefähr dreieckige Höhlung zu sehen, also eine kleine Pulpahöhle; darüber aber ist das Innere der

21*

Krone erfüllt von regellosem Osteodentin. Die randlichen Kanäle sind jedoch der Oberfläche ziemlich parallel und von ihnen laufen zahlreiche spitzwinklig sich verzweigende Dentinröhrchen senkrecht gegen sie aus, so daß das Osteodentin von einem Mantel von regelmäßigem Dentin umgeben erscheint. Der Schmelz endlich, der im oberen Teile der Krone ziemlich dick wird, ist wie meist bei den Haien nicht scharf abzugrenzen, indem in ihn die feinsten Ausläufer der Dentinröhrchen senkrecht zur Oberfläche eindringen.

Endlich ist noch zu erwähnen, daß die Zähnchen in sehr vielen Querreihen dicht nebeneinander stehen und daß die Aufrichtung der Kronen allmählich erfolgt, daß aber nur eine bis zwei Längsreihen funktionieren, und zwar wahrscheinlich nur insofern, als die vielen Haupt- und Nebenspitzchen ein Festhalten glatter Beutetiere ermöglichen, denn zum Zerreißen oder Zerreiben eignet sich das Gebiß nicht.

Ginglymostoma Blanckenhorni Stromer.

Taf. XV (III), Fig. 28—31.

Der von mir (1903, S. 34, 35, Taf. 1, Fig. 6) beschriebene Zahn ist wahrscheinlich ein Mittelzahn des Unterkiefers. Jetzt liegen mir etwa 60 in Größe und Form dazu gehörige (St., wenige Fr. und M.) vor, die alle aus dem untersten Mokattam unter der Tingije Moschee bei Kairo stammen.

Die Außenseite der Krone ist bei ihnen wie bei den rezenten von G. *Mülleri* bald glatt, bald mit einer oder mehreren Vertikalfurchen versehen, fast nie sind aber die seitlichen Unterränder, die bei den meisten Mittelzähnen kaum konkav sind, wie bei dem Originalexemplar nach außen vorgewölbt. Die bei der genannten rezenten Art ziemlich flache Außenseite der Krone ist übrigens bei der Mehrzahl der seitlichen Zähne in der Vertikalrichtung etwas konkav und bei allen ist die Mittelspitze relativ schwach. Obere und untere Zähne sind kaum zu unterscheiden, nur dürften die mit seitlich konkaven Unterrändern versehenen Vorderzähne dem Unterkiefer, die mit geraden Rändern (Taf. XV (III), Fig. 28) dem Oberkiefer angehören.

Bei den seitlichen Zähnen ist der mesiale Unterrand stets konkav, der distale aber ziemlich gerade. Die Hauptspitze ist relativ noch schwächer und neigt sich bei den kleineren deutlich nach hinten und zugleich werden die oberen Kronenränder unsymmetrisch, indem der distale gerade bleibt, der mesiale aber länger und konvex wird und mehr Spitzen als der distale bekommt (Taf. XV (III), Fig. 29—31).

Es ist demnach bei allen Zähnen konstant die Krone mit einer schwachen Hauptspitze und vielen Nebenspitzen versehen und ihr Unterrand ist median stark nach unten konvex. Bei den Mittelzähnen sind außerdem die oberen Seitenränder stets gerade und bei den seitlichen werden nur die mesialen konvex.

Wie groß die Art gegenüber der rezenten wurde, geht daraus hervor, daß ein noch fast symmetrischer Seitenzahn (St.) eine 15 *mm* lange, 13 *mm* hohe Krone hat. Erwähnenswert ist aber, daß aus der Kurun-Stufe des Fajum ein Mittel- und vier Seitenzähnchen (St., M.) vorliegen, die alle recht klein sind, sonst aber, außer durch größere Länge der Krone anscheinend nicht von den beschriebenen sich unterscheiden. Da sie jedoch alle schlecht erhalten sind, kann ich sie nicht näher bestimmen. Zugehörige Wirbel sind leider nicht unter meinem Material zu finden.

Von den bisher beschriebenen *Ginglymostoma*-Arten ist mir unter den rezenten leider nur G. *Mülleri* dem Gebisse nach bekannt. Die vorliegende Form unterscheidet sich davon vor allem durch die schwache Mittelspitze aller Zähne, ebenso auch unter den fossilen von G. *serra* Leidy sp. (1879, S. 250, Taf. 34, Fig. 11—14), zu dem nach den obigen Ausführungen über die Form der Seitenzähne *Acrodobatis obliquus* Leidy. (l. c.) als synonym zu rechnen ist, sowie von G. *Miqueli* Priem (1904, S. 288, Fig. 35) und von G. *minutum* Forir (1887, S. 35, Taf. 2, Fig. 2, 3); von letzteren unterscheidet übrigens auch die größere Zahl und geringere Größe der Seitenspitzen. Bei G. *thielense* Winkler sp. (1874, S. 301, Taf. 7, Fig. 5, Nötling, 1886, S. 1—3, Fig. 2, 3), wo die Hauptspitze eher noch schwächer ist, sind die oberen Seitenränder der Krone etwas konvex, der Unterrand aber viel breiter konvex und bei G. *trilobatum* Leriche (1902, S. 19, Taf. 1, Fig. 30) scheinen, soweit die schlechte Abbildung etwas zu sehen erlaubt, die Krone niederer, ihre Hauptspitzen stärker und ihre Seitenränder konvex zu sein.

Ginglymostoma ist demnach in mehreren zum Teile verhältnismäßig großen Arten im Mittelmeere, wo es jetzt nicht mehr vorkommt, und im mittleren Atlantischen Ozean schon zur Eocänzeit vertreten, in einer Art, *G. minutum* Forir, sogar schon zur Zeit der obersten Kreide. Leider sind die Wirbel dieser fossilen Formen unbekannt; ihre Untersuchung böte insofern Interesse, als Hasse (1882, S. 193 ff.) das Genus für das jüngste in der von ihm aufgestellten Familie der *Scylliolamnidae* erklärte. Was aber die Zähne anlangt, so unterscheiden sie sich in bemerkenswerter Weise von den im Tertiär und der Jetztzeit meist verbreiteten Formen der Haifischzähne der Lamniden und Carchariden durch die geringe Entfaltung der Wurzelhörner, indem die Krone auf einer niederen, flachen, wie sie nach innen verbreiterten Basis aufsitzt. Sie gleichen hierin älteren Zahnformen der Haifische (siehe Jaekel, 1898, S. 146!) und sind auch in der Ausbildung einer Hauptspitze mit beiderseits kleiner werdenden Nebenspitzen mesozoischen Haifischzahnformen wie *Synechodus-*, *Hybodus-* und auch manchen *Notidanus-*Zähnen ähnlich.

Ihre Struktur, die bei *G. Blanckenhorni* genau dieselbe ist wie bei *G. Mülleri*, rechtfertigt übrigens die Trennung von den *Scyllidae*, wo in der Krone kein Osteodentin vorhanden ist (Agassiz, 1843, S. 301, Taf. X, Fig. 1, 2). Sie gleicht in der Krone fast völlig derjenigen von *Acrodus* (Owen, 1840, S. 54, 55, Taf. 14, 15, 16, Fig. 2); da aber zum Unterschiede von dieser und verwandten Formen in der Basis eine kleine Pulpahöhle vorhanden ist, nehmen die Zähne eine vermittelnde Stellung zwischen beiden Strukturformen ein.

Lamnidae.

Aus dem untersten Mokattam bei Kairo und aus der Birket-el Kurun-Stufe des Fajum liegen mir Hunderte trefflich erhaltener Zähne dieser im Tertiär so reich entwickelten Familie vor, einige auch aus dem Kalke des weißen (unteren Mokattam) ohne genaue Niveauangabe (M., aus der Zittelschen Sammlung), andere aus den Mergeln des Uadi Ramlieh (Stromer, 1903) und endlich auch aus der Knochenschicht der Kasres Sagha-Stufe des Fajum. Ein brauchbares äußeres Merkmal der oft recht schwierigen Unterscheidung dieser Zähne von denjenigen gleichzeitig vorkommender Angehöriger anderer Familien scheint mir die sehr geringe Größe der Gefäßeintritte in die Wurzel zu sein, während speziell bei Carchariden anscheinend immer eine deutliche vertikale Medianfurche diese Stelle bezeichnet.

Oxyrhina.

Aus der hiesigen zoologischen Sammlung habe ich zwei Gebisse einer *Oxyrhina glauca* vor mir, deren Zähne auch Müller und Henle (1841) abbildeten, aber anscheinend nach einem jungen Exemplar, denn es sind statt 13—14 Zähnen nur 12 : 11 vorhanden und außerdem scheint bei ihm unten vorn die Bezahnung nicht ganz normal zu sein. Bemerkenswert ist, daß sich bei dieser Art die Krone des 2. bis 4. oberen und 2. und 3. unteren Zahnes mehr nach hinten neigt als die der seitlichen Zähne, während der vorderste untere Zahn ein wenig, der obere etwas in dieser Richtung geschwungen ist.

Nach Eastman (1894, S. 186, 187) sollen sich die Zähne dieser Art nicht von denjenigen der anderen rezenten *O. gomphodon = Spalanzanii* unterscheiden. Nach der Abbildung in Agassiz (1843, Taf. G, Fig. 2) sind aber die Zahnkronen bei letzterer deutlich länger und an den Frontalzähnen nicht so seitlich geschwungen wie bei *O. glauca*, doch vermitteln die Zähne von *O. gomphodon* in Müller und Henle (1841) in letzterer Beziehung. Bei beiden Arten sind übrigens, ebenfalls in Widerspruch mit der Angabe von Eastman (l. c.), stets die ersten zwei Zähne ziemlich gleich groß und unten ist, wie ein so feiner Beobachter wie Probst (1879, S. 128, 129) in seiner guten Charakteristik des *Oxyrhina-*Gebisses schon bemerkte, der erste Zahn eher kleiner als der zweite. Endlich ist auf die Angaben von Alessandri (1902, S. 298) und anderen zu verweisen, daß manchmal neben der Krone einiger Zähne Seitenspitzen wie bei anderen Lamniden vorhanden sind, was natürlich die Bestimmung isolierter Zähne sehr erschwert.

Oxyrhina cfr. Desori Ag.

Taf. XV (III), Fig. 15—18.

Priem (1897, S. 215, Taf. 7, Fig. 5, 6, und 1899 S. 243, Taf. 2, Fig 5, 6) beschrieb einige Seitenzähne aus dem unteren Mokattam und erwähnte (1899, S. 246) einen fraglichen aus dem oberen und ich beschrieb (1903, S. 30, Taf. I, Fig. 13—15) einige dazugehörige Zähne aus dem Uadi Ramlieh,

Dames (1883) aber erwähnte einige von Prof. Schweinfurth auf der Kurun-Insel gesammelte Zähne (B.) nicht. Sie hat Prof. Jaekel auf der Etikette als Typen einer neuen Art *O. aegyptiaca* bezeichnet, aber auch zu Carchariden gehörige Zähne und einen zu einer abweichenden *Oxyrhina*-Art gehörigen, aus dem Eocän Ägyptens (B. coll. Eilemann 1883, ohne Fundortsangabe) dazugerechnet.

Mir liegen acht gut erhaltene *Oxyrhina*-Zähne der Zittelschen Sammlung (M.) aus dem unteren Mokattam und 17 weitere (St, M, und Fr.), sicher aus dem untersten Mokattam bei Kairo stammend, vor. Einige davon gleichen genau den Originalen von Priem, andere auch den von mir aus dem Uadi Ramliëh beschriebenen, keine aber den dort in Fig. 13 und 14 abgebildeten. Dagegen ist ein oberer Frontalzahn (St.) dabei, dessen nach innen geschwungene, aber kaum seitlich geneigte Krone länger und innen weniger gewölbt ist als bei dem nur wenig kleineren Original von Fig. 14, so daß er sehr Fig. 1, Taf. 2 in Probst (1879) gleicht.

Unter den sehr zahlreichen *Oxyrhina*-Zähnen aus der Kurun-Stufe (St., M., wenige B.) sind all die erwähnten Formen vertreten, bemerkenswerterweise aber kein so großer Zahn, wie der von mir 1903, Fig. 15 abgebildete, dafür aber größere Exemplare der Form von Fig. 14, wovon die größte eine Kronen-höhe von 30, Länge von 15'5 und Dicke von 9 *mm* hat.

Die meisten all dieser Zähne lassen sich nun wohl unter *Oxyrhina Desori* Ag., die von Nötling (1884 S. 50 ff, Taf. 3) als *O. xiphodon* bezeichneten mit inbegriffen, zusammenfassen, es sind aber einige Bemerkungen zu machen.

Zunächst sind unter den Frontalzähnen mehrere mit kaum nach innen gebogener Krone, nach Analogie der rezenten *O. glauca* obere, unter den seitlichen Zähnen haben aber im Gegensatz zu den Zähnen dieser Art fast alle beiderseits abgestutzte, unten nur wenig konkave Wurzeln und nur ein Teil hat gerade-stehende Kronen, ein anderer etwas rückgeneigte.

Bei der miocänen *Oxyrhina hastalis*, nach Alessandris Abbildung (1896, Taf. 1, Fig. 1), sind aber sogar an Frontalzähnen die Wurzeln ebenso entwickelt und bei der rezenten *O. Spalanzanii* nach Agassiz' zitierter Abbildung an den seitlichen Zähnen auch ähnlich, und bei ihr sind die Kronen der oberen Seiten-zähne, bei *O. glauca* wenigstens die des zweiten bis vierten oberen und dritten unteren Zahnes etwas rückgeneigt, so daß also hier nichts Besonderes vorliegt.

Nun finden sich aber unter den Seitenzähnen mit abgestutzten Wurzelenden, aber nur unter den-jenigen aus der Kurun-Stufe und dem Uadi Ramliëh auch solche, deren Krone nicht nur rückgeneigt, son-dern durch Konvexität des mesialen und Konkavität des distalen Randes eben bis etwas rückgebogen ist, während bei den anderen Seitenzähnen diese Ränder fast gerade sind. Sie sind bis zu ganz kleinen herunter vertreten (Taf. XV (III), Fig. 15—18) und die größten (Fig. 15) besitzen auch eine relativ längere Krone als die anderen, gleichen also Fig. 4 in Nötling (1884, Taf. 3) und Nr. 8 und 9 in der ge-nannten Abbildung in Alessandri, oder Fig. 18, 19, Taf. 2, in Probst (1879), welch letztere zu *Oxy-rhina hastalis* gehören sollen.

Das Fehlen solcher Formen bei den zwei rezenten Arten und unter dem allerdings nicht großen Material aus dem Kalksteine des unteren Mokattam spricht nun allerdings dafür, daß hier eine zweite fossile Art vertreten ist; ich kann aber unter den Frontalzähnen keine klare Trennung zu Wege bringen, begnüge mich also mit der Konstatierung des Vorkommens dieser Zahnformen.

Während bei all diesen Zähnen die Außenseite der Kronen ganz schwach oder nicht gewölbt ist, hat der oben genannte Seitenzahn bei *O. aegyptiaca* (B. coll. Eilemann), der seiner Erhaltung nach aus dem weißen Kalkstein des unteren Mokattam stammt, eine etwas konvexe Außenseite und gleicht bis auf den etwas konkaven Unterrand der Wurzel den aus dem Eocän von Carolina stammenden Zähnen von *Oxyrhina Sillimani* Gibbes (1849, S. 202, Taf. 27, Fig. 165—168).

Außerdem liegen mir dann noch Formen vor, wie sie Gibbes l. c. Fig. 162 und 164 als *O. minuta* Ag. abbildete. Erstere sollen aber unter *Alopecias* besprochen werden und letztere gehören zu *Carchariden*. Die Originale der genannten Art von Agassiz jedoch sind meiner Ansicht nach alle unbestimmbar.

? Alopecias, Müller et Henle.

Taf. XV (III), Fig. 19—23.

Agassiz (l. c. S. 87) erwähnte von den Zähnen dieses Genus nur, daß sie schwer von *Oxyrhina*-Zähnen zu unterscheiden seien und Probst (1879, S. 139 ff.) hat auch zum Teil *Oxyrhina*-Zähne fälschlich dazu gerechnet. Er betonte nur die Gleichartigkeit der Zähne, die alle schief zur Basis gestellte Kronen haben sollen, was den Angaben und der Abbildung in Müller und Henle (1841, S. 74) direkt widerspricht. Der eine von ihm abgebildete Zahn seines *Alopecias acuarius* (l. c. Taf. 2, Fig. 6), der fast völlig einigen bei *Aprionodon frequens* Dames zu erwähnenden mit Pulpahöhle versehenen Zähnchen gleicht, hat aber eine gerade Krone, ebenso wie die Zähne seines *Alopecias gigas*, er legte also selbst keinen Wert auf dieses Merkmal.

Nötling endlich gab (1884, S. 345—348) zwar eine sehr genaue Beschreibung des oligocänen *Alopecias Hassei*-Zähnchens, das vollkommen einem rezenten *Alopecias*-Zähnchen gleichen soll, den von Probst hieher gerechneten aber ganz unähnlich ist. Ich habe nun leider kein rezentes Vergleichsmaterial, um die Widersprüche entscheiden zu können, und muß mich deshalb an die Beschreibung und Abbildung in Müller und Henle halten, die nach einer gütigen Mitteilung des Kustos am Berliner zoologischen Museum Herrn Dr. Pappenheim ganz richtig ist. Auch er betont, daß die Krone der vorderen Zähne sich fast gerade stellt, hebt aber zugleich hervor, daß sie nie ganz symmetrisch wird. Danach sind also die geraden Vorderzähne von den rückgekrümmten seitlichen deutlich verschieden und zu den letzteren könnte das Zähnchen von *Alopecias Hassei* Nötling sehr wohl gehören.

Ihnen gleicht nun wieder das von mir (1903, Taf. 1, Fig. 12), abgebildete Zähnchen aus dem Uadi Ramlīēh, welches ich (l. c. S. 34) zu *Aprionodon frequens* Dames rechnete, wie ja auch unter den von Dames aus dieser Art gestellten Zähnchen von der Kurun-Insel (B.) ein solches sich befindet, das aber von Herrn Prof. Jaekel nachträglich auf der Etikette zu *Hypoprion* gerechnet wurde. Außerdem habe ich jedoch aus der Kurun-Stufe einige Dutzend solcher Zähnchen (St., M.) nebst Übergängen zu solchen mit relativ kürzerer Krone und zu Vorderzähnchen mit gerader und meist relativ kurzer Krone, die ganz dem von Gibbes (1849, Taf. 27, Fig. 162) als *Oxyrhina minuta* Ag. abgebildeten Zahn aus dem Eocän von Süd-Carolina gleichen. (Taf. XV (III), Fig. 19—23.)

Falls sie alle, wie mir sehr wahrscheinlich ist, zusammengehören, sind es Vorder- und Seitenzähne und die Verschiedenheit in der Kronenlänge deutet dann auf Unterschiede von oberen und unteren Zähnen. Sie sind sämtlich klein (Kronenhöhe des größten 14, Länge 12 *mm*) und haben keine Pulpahöhle, sondern bestehen aus Ostendentin. Ihre Wurzel ist unten, besonders an den vorderen Zähnen, stets deutlich konkav, nie winklig oder fast gerade, ihre Enden sind mehr oder weniger spitz und außen ist sie nieder und flach, innen höher und gewölbt, aber nie besonders verdickt oder mit einer Kante oder Furche versehen. Der glatte Schmelz der Krone ist unten gerade bis etwas konkav begrenzt und springt außen nicht über die Wurzel vor. Die Krone ist stets niederer als die Wurzel lang ist, bei Vorderzähnen aber wenigstens höher als lang, außen fast flach, innen mäßig gewölbt und immer weniger dick als lang. Ihre scharfen, glatten Seitenränder verlaufen unten nicht, auch finden sich nie Seitenspitzen angedeutet. Die niemals nach außen oder innen gebogene Krone ist an den Vorderzähnen gerade und wird bei seitlichen immer mehr rückgebogen.

Die äußere Ähnlichkeit dieser Zähnchen mit denjenigen von *Alopecias vulpes* nach Müller und Henles Abbildung und Beschreibung veranlaßt mich, sie alle zu *Alopecias* zu rechnen, natürlich nur mit größtem Vorbehalt, weil das von Nötling (1884, S. 347) für besonders charakteristisch gehaltene Merkmal, das Vorspringen der Außenseite der Krone, für sie nicht zutrifft und weil die von mir dazugerechneten Vorderzähne symmetrisch sind.

Odontaspis, Lamna und Otodus.

Taf. XV (III), Fig. 13, 14, 24—27.

Außer einem Gebiß eines stattlichen *Odontaspis ferox* und einer *Lamna cornubica* aus der Privatsammlung Herrn Prof. Burckhardts habe ich noch zwei unter sich und von letzterer Art verschiedene Gebisse rezenter Lamna-Arten aus der hiesigen Sammlung und glaube auf Grund dieses Materiales im Vergleich mit den Abbildungen und Beschreibungen in Müller und Henle (1841), Agassiz (l. c. S. 287—288, Taf. G, Fig. 1, 1 a—d) und Probst (1879, S. 143, 144) einige Bemerkungen über die rezenten Gebißformen machen zu dürfen.

Bei Odontaspis ferox und taurus ist nur die Krone einiger vorderer Seitenzähne ein wenig distalwärts geneigt und bei den drei Lamna-Gebissen nur diejenige einiger neben dem oberen Lückenzahn befindlicher Seitenzähne und des zweiten oberen Frontalzahnes, nie aber ist die Krone rückgebogen. Bei allen drei Lamna-Gebissen springt ferner der Unterrand der Krone außen staffelförmig vor, wie es Nötling (1884, S. 24) für Alopecias als charakteristisch angab, bei dem Gebiß von Odontaspis ferox ist dies aber nur an wenigen Zähnen der Fall. Endlich ist die Wurzel bei allen stets unten deutlich konkav, aber auch dies ist kein konstantes Merkmal, denn nach der Figur in Müller und Henle (1841) ist die starke Ausbildung von Wurzelhörnern bei den seitlichen Zähnen von Odontaspis taurus und nach Taf. G, Fig. 3, in Agassiz auch bei Lamna cornubica nicht vorhanden.

Wie groß übrigens die Schwierigkeit der Bestimmung isolierter Zähne dieser Genera ist, geht am besten daraus hervor, daß Lamna elegans Ag. von Smith Woodward (1889, S. 361) als Odontaspis bezeichnet wurde und daß Leriche (1902, S. 19) die Zähne von Otodus obliquus Ag. als Seitenzähne dazurechnen zu dürfen glaubte.

Aus der Kurun-Stufe beschrieb Dames (1883, S. 145, Taf. 3, Fig. 8) Zähne als Odontaspis verticalis Ag. — Die fälschlich von ihm (1883, S. 145—146, Taf. 3, Fig. 9, 10) und mir (1903, S. 31, 32, Taf. 1, Fig. 10, 11) dazugerechneten kleinen Zähnchen sind schon oben S. 164 unter Scylliidae besprochen — und Priem (1897, S. 213, Taf. 7, Fig. 4) wollte dieselbe Art auch im unteren Mokattam konstatieren, Jaekel (1895, S. 31) errichtete aber auf die Originale von Agassiz ein neues Genus Hypotodus.

Zunächst ist nun festzustellen, daß die Originale von Dames gut mit den von Agassiz (l. c. S. 294, Taf. 37a, Fig. 31, 32) beschriebenen Zähnen übereinstimmen und daß sich unter dem Material aus der Kurun-Stufe (St., M.), dem unteren Mokattam aus der Zittelschen Sammlung (als Otodus aegyptiacus Zittel bezeichnet) und dem untersten Mokattam (St., M., Fr.) völlig übereinstimmende Zähne befinden. Der von Priem abgebildete Zahn hat aber eine höhere Wurzel und eine längere, relativ niedere Krone, gehört also nicht dazu, wohl aber der eine von ihm (l. c. Taf. 7, Fig. 2) als Lamna Vincenti Winkler bezeichnete Zahn, denn auch die Originale von Dames weisen Andeutungen von zweiten Nebenspitzchen auf, fast alle der von mir hieher gerechneten Zähne aus dem untersten Mokattam haben auch je zwei Nebenspitzchen, und schon Agassiz, wie neuerdings Alessandri (1902, S. 296, Anm.), betonte die Variabilität solcher Gebilde.

Bei Vergleich der zitierten Abbildung und Beschreibung von Agassiz mit den rezenten Lamna-Zähnen sehe ich nun, wie Smith Woodward (1891, S. 106), keinen Grund zu einer generischen Trennung von Lamna und finde weder eine Berechtigung dafür, daß Jaekel l. c. von einer kegelförmigen Krone der Vorderzähne sprach, nachdem diese doch eine nur ganz wenig gewölbte Außenseite haben (Agassiz l. c. Fig. 31a, 32b), noch auch dafür, daß er derartige Seitenzähne wie l. c. Fig. 8, zu seiner neuen Art rechnete. Ich kann nach Analogie der rezenten Lamna-Gebisse aus meinem Material Zahnreihen bis zu Seitenzähnen von ziemlich geringer Größe aufstellen und finde nur, daß die Seitenspitzen größer als bei Lamna sind. Da sie aber nicht so groß sind wie bei Odontaspis und auch die Zahnkronen nicht so schlank, an den Vorderzähnen nicht so geschwungen und außen nicht so gewölbt sind wie bei ihm, rechne ich sie alle zu Lamna, und zwar zu verticalis Ag., obwohl die Kronen innen zwar deutlich gewölbt, nie aber besonders dick sind.

Der von Smith Woodward (1891, Taf. 3, Fig. 2) dazu gerechnete Zahn unterscheidet sich durch größere Länge der Krone und der Seitenspitzen und gleicht hierin den als Lamna Vincenti Winkler von Priem abgebildeten Formen (1897, Taf. 7, Fig. 1, 1899, Taf. 2, Fig. 2) vom unteren Mokattam und dem Plateau von Gizeh bei Kairo. Eben solche Lamna-Zähne liegen mir aus dem untersten Mokattam (St., M.) (Taf. XV (III), Fig. 24) wie aus der Kurun-Stufe (St., M.) in ziemlicher Anzahl vor. Sollte übrigens Winkler, der allerdings meistens das Unrichtige erraten hat, (1878, S. 25, Taf. 2, Fig. 9, 10) Seiten-

179

zähne mit etwas rückgebogener Krone mit Recht dazugerechnet haben, so sind auch sie zahlreich vorhanden. (Taf. XV (III), Fig. 25.)

Dames beschrieb ferner aus der Kurun-Stufe zwei Zähne, wovon er einen abbildete (1883, S. 145, Taf. 3, Fig. 6 *a*, *b*), als *Otodus obliquus* Ag., sie unterscheiden sich aber von den Typen von Agassiz durch ihre spitzigen Seitenzacken. Aus der Kurun-Stufe liegt mir eine ziemliche Menge solcher Zähne vor (St., M.), die teils etwas größer, teils auch kleiner sind und alle eine lange, nicht dicke, etwas bis deutlich rückgebogene Krone besitzen, zum Teil aber keine zweite Nebenspitze haben.

Den größeren schließt sich vollkommen die von mir (1903, S. 32, 33, Taf. 1, Fig. 8) unter *Lamna macrota* Ag. aus dem Uadi Ramlieh beschriebene Zahnform an, bei welcher auch jederseits nur eine Nebenspitze vorhanden ist, und sie leitet über zu Frontalzähnen, deren Nebenspitze jedoch schlank ist. Ihre geradestehende Krone ist aber auch relativ lang, außen ganz wenig, innen nur etwas gewölbt und auch nicht oder kaum nach innen geneigt (St., M.), die Seitenspitzen erheben sich direkt neben deren Basis und die wohlentwickelte Wurzel ist unten deutlich konkav (Taf. XV (III), Fig. 13, 13 *a*).

Auch vom untersten Mokattam ist übrigens eine ganze Anzahl solcher Frontal- und Seitenzähne vorhanden (St., M., Fr.). Aber selbst die größten unter diesen Zähnen sind kaum halb so groß als die *Otodus obliquus*-Zähne (Ag. l. c. Taf. 31, Fig. 1—14, Taf. 36, Fig. 22—27, und Alessandri, 1902 *a*, Taf. 12, Fig. 1—6), die Krone der Frontalzähne ist schlanker und die Nebenzacken sind fast immer schwächer und spitzer. Da *Lamna macrota* Ag. nach Smith Woodward (1899, S. 9) auf der Innenseite der Krone Streifung zeigt, die hier fehlt — es sind nur manchmal Furchen und Risse vorhanden — und die Seitenspitzen dort auch stumpfer sind, kommt diese Art, die Leriche, wie erwähnt, mit *Odontaspis elegans* Ag. vereinigt, auch kaum in Betracht, und *Lamna compressa* Ag. endlich hat bis auf die Ag. l. c. Taf. 37*a*, Fig. 37, abgebildete Form kürzere Kronen.

Zittel hat nun auf einen zu den vorliegenden Formen gehörigen Seitenzahn vom unteren Mokattam (Taf. XV (III), Fig. 14) mit exzeptionell hohen Nebenspitzen, der sehr einem von Alessandri (1902 *a*, S. 450—454, Taf. 12, Fig. 7, 8) zu *Lamna Vincenti* Winkler gerechneten Zahn aus dem Unteroligocän Italiens gleicht, handschriftlich eine neue Art *Otodus Aschersoni* gegründet, und es ist wohl das einfachste, darunter all die genannten Zähne aus der Kurun-Stufe, dem Uadi Ramlieh und unteren Mokattam vorläufig zusammenzufassen, bis glückliche Funde vollständiger *Otodus*-Gebisse die so nötige Revision der beschriebenen fossilen Formen erlauben.

Priem (1899, S. 243, Taf. 2, Fig. 7) erwähnte einen im Schutt des unteren Mokattam gefundenen Zahn als *Odontaspis elegans* Ag. und in der Tat scheint er sich von den typischen Formen nur durch seine seitliche Biegung zu unterscheiden. Auffälligerweise ist jedoch unter meinem großen Material keiner, der wie bei dieser Art innen an der Krone sehr viele und sehr feine Vertikalstreifen hat. Viele zeigen allerdings die von mir (1903, S. 32, Taf. 1, Fig. 9) beschriebenen Rillen, die in unregelmäßigen Abständen bald unten, bald höher oben beginnend manchmal bis fast zur Spitze laufen und bei den herausgewitterten Zähnen aus dem Uadi Ramlieh und Fajum als Furchen erscheinen, an den aus dem Kalke des Mokattam herauspräparierten aber doch als ursprüngliche Risse sich erweisen. Es sind übrigens auch die Seitenspitzen bei ihnen stärker als bei den typischen *O. elegans*-Zähnen.

Das Original von Uadi Ramlieh zeichnet sich ferner dadurch aus, daß die Innenseite der relativ langen Krone an der Stelle der stärksten Wölbung abgeflacht ist, worin zahlreiche Zähne vom untersten Mokattam und der Kurun-Stufe (St., M.) ihm gleichen. Bei vielen ist auch die Krümmung der Krone nach innen recht schwach. Wahrscheinlich dürfte also in ihnen *Odontaspis crassidens* Ag. in der ihm von Smith Woodward (1889, S. 373) gegebenen Fassung vertreten sein.

Sowohl in dem untersten Mokattam (Taf. XV (III), Fig. 26) wie in der Kurun-Stufe sind aber ebenso große *Odontaspis*-Zähne nicht selten, deren Krone ein wenig kürzer und innen nicht abgeplattet ist (St., M., Fr.). Die kleinen spitzkonischen Seitenspitzen sind bei ihnen nicht selten von je einem kleineren begleitet, die Zähne entsprechen demnach eher *Odontaspis cuspidata* Ag. (l. c. S. 290, Taf. 37*a*, Fig. 43—50). Das *Odontaspis Abattei* genannte Zähnchen endlich (Priem 1899, S. 246, 247, Taf. 2, Fig. 26), dessen Abbildung leider rast nichts erkennen läßt, dürfte ein Lückenzähnchen einer der *Lamna-* oder *Odontaspis*-Arten sein, wie mir solche auch vereinzelt vorliegen (Taf. XV (III), Fig. 27).

Carcharodon.

Taf. XV (III), Fig. 1—12.

Agassiz (l. c. S. 91, 245, 246, Taf. F, Fig. 3, 3 *a—c*) hat die Zähne der einzigen noch lebenden Art *Carcharodon Rondeleti* Müller et Henle, die er einmal *C. Smithii*, dann *C. lamia* nennt, beschrieben und abgebildet und ich habe außer den linken Kiefern dieser Form aus der hiesigen Sammlung ein prächtiges Gebiß eines im Golf von Salerno gefangenen 5·5 *m* langen Tieres aus der Privatsammlung des Herrn Prof. Burckhardt zum Vergleich, kann also einiges zur Charakteristik des Gebisses bemerken.

Zunächst möchte ich einige Maße angeben:

		Krone in *mm.*	
		hoch	lang
Erster Zahn unten (M.)	. .	—	21
» » » (Salerno) .	30·5	23—25
» » oben (M.)	. .	33	29·5
» » » (Salerno)	36	36—36,5
Dritter » » (M.) .	. .	?25	26
» » » (Salerno) .	24·5—25	26·5

Es schwanken danach die Größenverhältnisse der Zähne etwas und vor allem ist bei dem Exemplar von Salerno der dritte obere Zahn relativ viel kleiner als nach der Abbildung von Agassiz, wobei das Münchner Exemplar vermittelt, es ist ferner auch die Kronenbasis des ersten und zweiten oberen Zahnes bei dem ersteren länger als in der genannten Figur 3.

Im übrigen kann ich die Angabe von Storms (1901, S. 262), daß oben die ersten sechs Zähne allmählich, die weiteren rasch an Größe abnehmen, und daß sie erst vom vierten an ein wenig schiefe Kronen haben, ebenso daß unten die ersten fünf etwas abnehmen, die weiteren aber rasch sehr klein werden, nur bestätigen, ich finde aber unten den zweiten Zahn nur bei dem Münchner Exemplar etwas stärker als den ersten und die hintersten drei durch schlankere Kronenspitzen von den oberen hintersten Zähnen verschieden. Es zeigt das letztere ja auch die Abbildung in Agassiz, die zugleich erkennen läßt, daß unten die Kronen stets gerade stehen.

Erwähnenswert ist auch ein Schwanken in der Zahl der Zähne, die nach Müller und Henle (1841, S. 70) $\frac{12}{12}$, nach Günther (S. 392) $\frac{12}{11}$ und nach der Figur in Agassiz $\frac{13}{12}$ beträgt. Sie ist nämlich bei dem Münchner Exemplar $\frac{13}{11}$, bei dem von Salerno $\frac{12-13}{12-11}$ und bei letzterem ist oben auf der Seite mit 13 Zähnen noch eine anormale Querreihe dicht neben der Symphyse vorhanden. Es sind unregelmäßig schräg gestellte Zähne mit etwas medianwärts gekrümmter Krone von 17 *mm* Höhe und 17·5 *mm* Breite, die kaum Symphysenzähnen entsprechen, sondern wohl eher medianen Lückenzähnen, wie sie z. B. bei *Odontaspis ferox* vorhanden sind. Dasselbe dürfte also wohl auch bei den von Jaekel (1895, S. 28, Taf. 2, Fig. 4) beschriebenen Zähnchen von *Carcharodon turgidus* Ag. gelten und ich bemerke gleich, daß mir ein entsprechendes (St.) aus dem untersten Mokattam vorliegt (Taf. XV (III), Fig. 5).

Ob bei der großen Verbreitung der rezenten Art (Günther, 1870, S. 392) die erwähnten Unterschiede nicht doch auf das Vorhandensein geographischer Abarten hindeuten, kann ich mit meinem Material leider nicht entscheiden, jedenfalls ist dadurch ein gewisses Variieren der Bezahnung der lebenden Form erwiesen und dadurch wahrscheinlich gemacht, daß die große Artzersplitterung der fossilen keine Berechtigung hat, wenn man auch zugeben muß, daß zur einstigen Blütezeit des Geschlechtes in einer Region mehrere Arten nebeneinander vorkommen konnten.

Da ich eine Arbeit von Lawley, in der das Gebiß der rezenten Art mit dem der fossilen verglichen ist (Studi comparativi sui pesci fossili coi viventi etc., Pisa 1881), nicht erhalten konnte und Herr

Prof. Jaekel eine Monographie über das Genus in Vorbereitung hat, beschränke ich mich im folgenden auf die kurze Besprechung der mir vorliegenden Zahnformen.

Priem (1897, S. 216, 217, Taf. 7, Fig. 7) hat einige im unteren Mokattam gefundene Zähne zu *Carcharodon auriculatus* Blainv. gestellt, wobei er die Art so weit faßte wie Smith Woodward (1889, S. 411, 413) und Bassani (1895, S. 7 ff.). Außer drei unvollständigen Zähnen aus der Zittelschen Sammlung vom gleichen Fundort liegen mir über 40 meist vorzüglich erhaltene Zähne (St., M., Fr.) aus dem untersten Mokattam vor, darunter auch solche obere seitliche, wie der von Priem abgebildete, aber kein so schlanker, wie er (l. c.) für einen unteren Frontalzahn angab, denn der größte dieser Art (St.) hat eine Kronenhöhe von 42·5 und Länge (ohne Ohren) von 26 *mm*.

Herr Prof. Fraas stellte die Zähne vorläufig zu *C. lanceolatus* Ag. und in der Tat steht der Typus dieser leider nur sehr dürftig begründeten Art (Agassiz, Taf. 30, Fig. 1) manchen der unteren Zähne sehr nahe. Herr Prof. Jaekel machte mich aber auf die Ähnlichkeit mit *C. Sokolowi* (Jaekel, 1895, S. 25—27, Taf. 1, Fig. 1—5)[1]) aufmerksam. Sie gleichen auch diesen Zähnen in der starken Konkavität des Unterrandes der Wurzel und deren nicht sehr starker Entwicklung, aber die Zähne sind, besonders die oberen, schlanker und alle etwas kleiner. Derartig große Zähne mit rückgebogener Krone, wie *C. heterodon* Ag., Taf. 28, Fig. 16, liegen ferner zwar nicht vor, wohl aber solche wie dessen Taf. 28, Fig. 11—15, doch sind die Ohren schwächer und die Kronenränder weniger konvex. Wieder andere Zähne stehen den in der hiesigen paläontologischen Sammlung reich vertretenen *C. angustidens* Ag. (S. 257, Taf. 30, Fig. 3) nahe, während ich keine spezielle Ähnlichkeit mit den von Gibbes (1849, S. 142—147, Taf. 18—21) beschriebenen Formen finde.

Entweder sind also im unteren Mokattam mehrere Arten vertreten oder es variieren die Zähne einer Art etwas und manche seitliche Zähne verschiedener Arten sind kaum zu unterscheiden. Da fast alle aus einer beschränkten Lokalität stammen und in Größe und Form den verschiedenen Zähnen eines Gebisses wohl entsprechen könnten, neige ich mehr zu letzterer Ansicht und möchte sie alle einer *Carcharodon angustidens* Ag. nahestehenden Art zurechnen, die sich derartig charakterisieren würde (siehe Taf. XV (III), Fig. 1—7): Krone aller Zähne schlank, Seitenränder gleichmäßig fein gezähnelt, Ohren klein, Wurzel nie sehr groß, Unterrand stets stark konkav.

Bei den unteren Zähnen ist die Wurzel nicht hoch aber innen deutlich verdickt, die Krone der Frontalzähne sehr schlank, bis über 40 *mm* hoch, 20—26 *mm* lang (ohne Ohren), gerade und senkrecht mit schwach geschwungenen Seitenrändern, ebener Außen- und deutlich gewölbter Innenseite; bei den seitlichen Zähnen ist sie weniger schlank, gerade bis ein wenig ungleichseitig mit geraden Seitenrändern. Oben sind wohl ungleichseitige kleine Lückenzähne neben der Symphyse (Taf. XV (III), Fig. 5). Die Wurzeln sind hier innen recht dick, die Krone der Frontalzähne wird bis über 40 *mm* hoch und bis über 30 *mm* lang, ist symmetrisch mit fast geraden Seitenrändern, ein wenig nach innen gebogen, außen ein wenig, innen deutlich gewölbt. Bei den oberen Seitenzähnen wird sie mehr oder weniger unsymmetrisch und ist manchmal ein bißchen nach außen gebogen, die Spitze kleinerer Seitenzähne ist fast ober dem hinteren Ohr, der Mesialrand ist etwas konvex, der distale ebenso konkav.

Von der Kurun-Insel beschrieb Dames (1883, S. 145) einen 55 *mm* hohen und 60 *mm* langen Zahn als *C. angustidens* Ag. nahestehend, er liegt mir leider nicht vor, aber Herr Prof. Jaekel schrieb mir, er gehöre nicht zu dieser Art, unterscheide sich auch deutlich von den Formen aus dem unteren Mokattam und sei von ihm als Typus einer neuen Art *C. aegyptiacus* bezeichnet. Ich habe nun zahlreiche zum Teil recht stattliche und wohlerhaltene Zähne aus der gleichen Stufe (M., St., Taf. XV (III), Fig. 8—12) und einige derselben Art aus dem unteren Teile der Kasr es Sagha-Stufe (St.) vor mir und finde eine so große Ähnlichkeit mit hier befindlichen Zähnen des *C. turgidus* Ag. aus dem Oligocän von Flohnheim bei Mainz und von Rupelmonde in Belgien, daß ich sie kaum von dieser Art trennen möchte, obwohl unter den oberen Zähnen keiner mit so langer Krone wie der von Agassiz (Taf. 30 *a*, Fig. 9) oder von Jaekel (1895, Taf. 2, Fig. 3) abgebildete sich vorfinden. Die größte Krone eines oberen Frontalzahnes (M.) ist wohl fast 55 *mm*

---

[1]) Anm.: Seine Figur 3 ist ein oberer Zahn.

22*

hoch und fast 40 *mm* lang, eines unteren (M.) 50 resp. 55 *mm*, und die des größten oberen rückgeneigten Zahnes (Taf. XV (III), Fig. 11) 46·5 resp. 38 *mm*. Einige Zähne gleichen aber *C. angustidens* Ag. (Taf. 28, Fig. 20—25), doch sind keine so schlanken wie die unteren Zähne dieser Art vom Kressenberg dabei. Die meisten stehen vielmehr im Verhältnis von Länge und Höhe der Krone zwischen den Zähnen der zwei genannten Arten, in der Ausbildung der Wurzel schließen sie sich aber an *Carcharodon turgidus* Ag. an, also der geologisch jüngeren Form. Sie kommen ja auch im oberen Mitteleocän vor, also im höheren Niveau als die Zähne aus dem unteren Mokattam und in Ablagerungen, welche manche sonst obereocäne oder oligocäne Fossilien enthalten. Auch hier sind übrigens außer den rückgeneigten deutlich rückgebogene seitliche Zähne vorhanden (Taf. XV (III), Fig. 12).

Carcharidae.

Hemipristis *curvatus* Dames.

Taf. XVI (IV), Fig. 1—3.

Probst (1878, S. 29 ff.), der zuerst für die Beurteilung der *Hemipristis*-Zähne durch die Identifikation mit denjenigen des rezenten *Dirhizodon* Khunzinger eine sichere Basis schaffte, betonte die Ähnlichkeit mancher Formen mit Jugendstadien von *Prionodon glaucus*, Dames (1883, S. 140—142, Taf. 3, Fig. 4 a, b) aber, der auf einige Zähnchen aus der Kurun-Stufe (B.) eine neue Art *Hemipristis curvatus* aufstellte, die Schwierigkeit, seine Originale von *Galeocerdo*-Zähnen zu unterscheiden, und Jaekel (1894, S. 168) endlich wies auf die geringen Unterschiede dieser Formen von *Galeus*-Zähnen hin.

Außer einem aus der Sagha-Stufe des Fajum stammenden Zähnchen (M.), das völlig mit Dames' Originalen übereinstimmt, und einem aus dem unteren Mokattam (M.), das einen glatten Vorderrand hat, liegen mir nur einige Dutzend hieher gehöriger Zähnchen aus der Kurun-Stufe (St., M.) vor, von welchen das größte eine Gesamthöhe von nur 10·5 *mm* und eine Wurzellänge von 12·9 *mm* hat. Viele davon sind schlanker und ihre Krone ist weniger rückgebogen und mesial nur unten gezähnelt, es sind also intermediäre untere Zähne, bei manchen ist die Krone kaum asymmetrisch (Taf. XVI (IV), Fig. 1, 1 a), mediane Zähnchen finde ich aber nicht in meinem Material. Der in Fig. 1, 1 a abgebildete fast symmetrische Vorderzahn (St.) hat übrigens eine innen stark verdickte in deutliche Hörner geteilte Wurzel und eine innen stark gewölbte Krone, deren Schmelz außen unten konkav begrenzt ist, seine Zugehörigkeit erscheint mir nicht ganz sicher, da er sehr manchen Zähnchen von Scylliiden gleicht. Dagegen möchte ich wegen des Vorhandenseins von Übergängen andere Zähnchen, deren Mesialrand keine Zähnelung aufweist, z. B. Taf. XVI (IV), Fig. 3, doch zu *Hemipristis curvatus* rechnen, obwohl sie kaum von manchen *Galeus*-Zähnen zu unterscheiden sind. Dames (1883, S. 140, 141) bemerkte ja, daß die Zähnelung am Vorderrand im Schwinden begriffen sei, während Jaekel, wie oben erwähnt, wohl richtiger darauf hinwies, daß hier noch Übergangsformen von *Galeus*- und *Hemipristis*-Zähnen vorliegen. Die Unterschiede endlich von anderen *Hemipristis*-Arten hat Dames schon hervorgehoben und die Figuren (Taf. XVI (IV), Fig. 1—3) lassen sie ja leicht erkennen.

Galeocerdo, Galeus und Alopiopsis.

Taf. XVI (IV), Fig. 4—15.

Smith Woodward ließ in seinem Katalog (1889, S. 446) die Zähne von *Galeocerdo minor* Ag. (l. c., Taf. 26, Fig. 15—19) bei diesem Genus, später rechnete er aber (1899, S. 12, Taf. 1, Fig. 27—30) sie und ganz ähnliche aus dem englischen Eocän stammende Zähne zu *Galeus*. Es steht also auch hier mit der Bestimmung isolierter Zähne verschiedener Genera nicht zum besten, abgesehen von der eben betonten Ähnlichkeit mancher Zähne von *Hemipristis* und *Galeus* und der weiteren von Zähnen des *Galeocerdo* mit gewissen *Prionodon*-Zähnen.

Da ich aus der hiesigen und Stuttgarter Sammlung Gebisse des *Galeocerdo arcticus* Faber und *obtusus* Klunzinger ♀, sowie eines jungen und eines erwachsenen *Galeus canis* habe und sie mit den Abbildungen und Beschreibungen von Gebissen dieser und weiterer rezenter Arten (*Galeocerdo tigrinus* und *Galeus japonicus*) in Müller und Henle (1841) und Agassiz (l. c. Taf. E, Fig. 5, 6) vergleichen kann, glaube ich doch einige Bemerkungen über die rezenten Genera machen zu sollen.

Bei allen drei Galeocerdo-Arten sind — abgesehen von den Symphysenzähnen — die oberen und unteren Zähne kaum verschieden und bis zu den hintersten an den Kronenrändern vorn und hinten gezähnelt und, wenn auch die Zähnelung gegen die Spitze zu minutiös werden kann, ist sie es nie an der ganzen aufragenden Krone. Bei Galeus aber ist die aufragende Krone frei von Zähnelung, nur an der Basis des mesialen Randes ist eine solche an den oberen Vorder- und Symphysenzähnen des erwachsenen Galeus canis vorhanden, wie auch Alessandri (1902, S. 306) fand. Ferner ist bei Galeocerdo der Mesialrand der Krone etwas konvex, bei Galeus gerade und außer bei Galeocerdo tigrinus ist die Krone bei Galeocerdo länger als bei Galeus. Die stärkere Zähnelung hinten unter dem Einschnitt ist ja beiden gemeinsam und unterscheidet von den gleichartiger gezähnelten Prionodon - Zähnen; der Winkel des Einschnittes wird übrigens bei seitlicheren Zähnen spitzer. Bei Galeus ist er manchmal nicht scharf und liegt höher als bei Galeocerdo, auch sind unter ihm nur 2—3, seltener 4—5 Spitzchen, so daß eine Verwechslung mit manchen Hemipristis-Zähnen sehr nahe liegt. Über die Symphysenzähne, die bei Galeus fast symmetrisch sind, habe ich den bisherigen Angaben nichts anzufügen und über die Wurzeln nur zu bemerken, daß sie unten fast stets etwas konkav, aber nie in längere Hörner ausgezogen zu sein scheinen.

Wenn man demnach die Zähne der rezenten Genera wohl auseinander halten kann, so ist bei fossilen, besonders paläogenen Arten doch möglich, daß die Diagnose des Gebisses jedes Genus so erweitert werden muß, daß die Unterschiede sich ganz verwischen. Immerhin scheint mir sicher, daß die meisten der von Agassiz (l. c. S. 232) als Galeocerdo minor beschriebenen Zähnchen typische Galeus-Formen sind (Taf. 26, Fig. 15—19, Taf. 26a, Fig. 64—66), die nur zum Teil an der Basis des Mesialrandes Zähnelung zeigen; auch die von Winkler (1875, S. 118, 119, Taf. 2, Fig. 10) und von Kißling (1896, S. 21, Taf. 1, Fig. 26—28) als Galeocerdo latidens beschriebenen Zähne gehören zu Galeus, ebenso Galeocerdo recticonus Winkler (1874, S. 296, Taf. 7, Fig. 1) wohl als obere Symphysenzähne, dagegen Galeocerdo minor Gibbes (1849, S. 192, Taf. 25, Fig. 63—65) und Galeocerdo dubius Nötling (1884, S. 367, Taf. 5, Fig. 6) sowie Galeocerdo minor Koch (1903, S. 147, Taf. 1, Fig. 6 a—c) zu Carcharias.[1])

Die von Dames 1883, S. 142, 143) als Galeocerdo latidens Ag. bestimmten Zähnchen aus der Kurun-Stufe hat Herr Prof. Jaekel handschriftlich als obere und untere Zähne einer neuen Art, aegyptiacus bezeichnet, ich kann aber bei den rezenten Galeocerdo-Arten keinen Unterschied von oberen und unteren Zähnen finden und nur die ersteren als Galeocerdo-Zähne anerkennen und dafür Jaekels Name annehmen. (Taf. XVI (IV), Fig. 4) Es gehören dazu noch etwa 60 Zähnchen aus der Kurun-Stufe (M., St.) und das von mir (1903, S. 33, Taf. 1, Fig. 7) beschriebenen Zähnchen aus dem Uadi Ramlieh.

Die Zähnchen sind alle klein und länger als hoch. Die Wurzel ist nicht dick und unten deutlich konkav. Die Krone ist im aufgerichteten Teil nie sehr lang und immer sehr spitzig, etwas bis deutlich rückgeneigt. Ihr etwas konvexer Vorderrand ist höchstens bis nahe zur Spitze etwas gezähnelt, oft fast ganz glatt, ihr Hinterrand aber stets glatt. Die unter der spitzwinkligen Kerbe befindlichen Zähnelung endlich bildet meistens eine Konvexität.

Agassiz (l. c. S. 231) sagt nun zwar von seinen Originalen von Galeocerdo latidens, daß die Krone speziell am Vorderrand nur sehr fein gezähnelt sei, was auch bei den von Gibbes (1849, S. 192, Taf. 25, Fig. 59—62) dazugerechneten Formen der Fall ist, aber die geringe Größe der vorliegenden Zähne und das schon von Dames (1883, S. 142) betonte Verhalten der Zähnelung unter der Kerbe bilden doch Unterschiede, welche der in der rudimentären Kronenzähnelung liegenden Differenz Nachdruck verleihen. Daß in diesen Formen Übergänge zu Galeus-Zähnen vorliegen, braucht nach dem oben ausgeführten nicht weiter betont zu werden; wenn aber Jaekel (1894, S. 165) sagt, daß ihm echte Galeocerdo-Zähne aus unzweifelhaften Eocänablagerungen unbekannt seien, so kann auf die von Dixon (1850, S. 202, Taf. 11, Fig. 22, 23) und Smith Woodward (1899, S. 12, Taf. 1, Fig. 31, 32) abgebildeten Zähne aus dem englischen Eocän verwiesen werden, sowie auf die gleich zu erwähnenden aus dem untersten Mokattam.

---

[1]) Anm. Siehe auch Alessandri 1902, S. 306, 307!

Diese zu *Galeocerdo latidens* Ag. zu rechnenden Zähne (Taf. XVI (IV), Fig. 10—15) liegen nur in mäßiger Zahl (20 St., 3 M., 1 Fr.) vor, aber in allen Größenabstufungen. Die Wurzel ist bei ihnen etwas konkav und nicht dick, die Krone stets gezähnelt, an der Spitze meistens nur ganz fein oder nicht. Sie ist an den größeren vorderen Zähnen relativ länger und wenig rückgeneigt, so daß die Kerbe hier stumpfwinklig ist. Bei diesen ist auch der Mesialrand etwas bis deutlich konvex, während er bei seitlichen Zähnen wenig konvex wird. Letztere gleichen derartig den Seitenzähnen von *Galeocerdo medius* Wittich (1898, S. 6, 7, Taf. 1, Fig. 4) aus dem Mainzer Oligocän, daß ich diese nicht als Vertreter einer neuen Art anerkennen möchte. Zähne, die sehr der auf Taf. 25, Fig. 25, von Gibbes (1849) abgebildeten Form gleichen, bestätigen ferner die Bemerkung von Probst (1878, S. 25, 26), daß manche Zähne von *Galeocerdo latidens* und *aduncus* kaum zu unterscheiden seien, doch ist bei ersteren die Verbindungslinie der unter der Kerbe gelegenen Spitzchen stets eine fast gerade, nie eine deutlich konvexe Linie.

Der von Priem (1897, S. 217, Taf. 7, Fig. 8) abgebildete auch aus dem unteren Mokattam stammende Zahn scheint nun gar nicht hieher zu gehören und läßt sich mit manchen *Hemipristis*-Zähnen vergleichen. Abgesehen davon aber, daß zugehörige weitere *Hemipristis*-Zähne nicht vorliegen, habe ich gleiche Formen, die durch Übergänge in Gestalt und Größe mit den anderen verbunden sind und sich so als vorderste Zähne von *Galeocerdo latidens* Ag. erweisen (Taf. XVI (IV), Fig. 10, 10a, 12). Es ist also eine echte *Galeocerdo*-Art, die fast so groß wurde wie der rezente *G. arcticus* Müller et Henle, im untersten Mokattam, also im unteren Parisien vertreten.

Außerdem liegen mir aber ziemlich viele Zähnchen aus der Kurun-Stufe (M., St.) vor, zu welchen eines aus dem Uadi Ramlieh (M.) und drei aus dem untersten Mokattam (St.) und die drei von Dames (1883, S. 142) als Unterkieferzähne von *Galeocerdo latidens*, von Jaekel schriftlich als solche von *G. aegyptiacus* bezeichneten Exemplare von der Kurun-Insel (B.) gehören (Taf. XVI (IV), Fig. 5—9). Sie sind alle klein, wenn auch die größten stattlicher sind als die Zähne von *Galeocerdo aegyptiacus*. Ihre Krone ist etwas bis deutlich rückgeneigt, schlank und sehr spitz, außen etwas, innen deutlich gewölbt und an der Spitze fast immer etwas gedreht. Ihr Mesialrand ist gerade oder ein wenig, selten etwas konvex, zugeschärft und selten ganz fein gezähnelt, der ebenfalls scharfe Distalrand ist oben ganz glatt, unter dem spitzwinkligen Einschnitt aber manchmal mit drei bis vier Spitzchen oder meist mit Kerbungen versehen. Die niedere lange Wurzel ist unten kaum bis etwas konkav, innen an den seitlichen Zähnen etwas, an vorderen aber sehr stark verdickt. Stets ist übrigens die für Carchariden-Zähne charakteristische Vertikalfurche wohl entwickelt.

Es ist nun gar nicht zu verkennen, daß die von Gibbes (1849, S. 193, Taf. 25, Fig. 71—74) beschriebenen Zähne von *Galeocerdo contortus* den vorliegenden sehr ähnlich sind, andernteils entsprechen die Frontalzähne der von Jaekel (1894, S. 165, 168, Fig. 37) *Alopiopsis* genannten Form, wie ja auch Jaekel (1898 a, S. 165) bei oligocänen Zähnchen, die er zu *Galeocerdo contortus* Gibbes rechnete, die Ähnlichkeit mit *Alopiopsis*-Zähnen erwähnte. Von typischen *Galeocerdo-* und *Galeus*-Zähnen weichen sie entschieden so stark ab, daß ich die Aufstellung eines besonderen Genus *Alopiopsis* billige, und nur bedaure, daß Jaekel, wie mehrfach, die angekündigte Beschreibung der ihm vorliegenden Zahnformen nicht publiziert hat. Er bezeichnete l. c. den von ihm abgebildeten Zahn als Seitenzahn, ich müßte ihn aber als Frontalzahn auffassen, da er selbst (l. c. S. 165) bemerkte, daß wie bei *Galeocerdo* (und *Galeus*) die Kronen der seitlichen Zähne sich mehr rückneigen. Der Unterschied endlich von gewissen *Carcharias(Physodon)*-Zähnen von den *Alopiopsis*-Zähnen scheint mir nach den Beschreibungen und Abbildungen nicht groß zu sein. Deshalb kann ich die vorliegenden Zähnchen wie die von *Galeocerdo contortus* Gibbes nur mit Vorbehalt zu dem neuen Genus rechnen.

Carcharias.

Taf. XVI (IV), Fig. 16–28.

Nur bei wenigen Genera der Haifische tritt die geringe systematische Bedeutung einzelner Zähne so auffällig hervor als bei diesem jetzt so formenreichen Geschlecht. Da ich überdies zum Vergleich fast nur Gebisse von *Prionodon*-Arten vor mir habe und also in bezug auf die anderen Subgenera nur auf die Beschreibungen und ungenügenden Abbildungen angewiesen bin, beschränke ich mich auf Feststellung der hieher gehörigen Formen. Es liegen mir nur einige Zähnchen aus dem Uadi Ramliëh (M.), aus dem untersten Mokattam (St.) und aus der Kasr es Sagha-Stufe (M.) vor, aber Hunderte von kleinen und relativ großen Zähnen aus der Birket el Kurun-Stufe (St. M.), die zu *Carcharias* zu rechnen sind.

Prof. J a e k e l hat auf den Etiketten nur die ersten von D a m e s (1883, S. 143, 144) als *Aprionodon frequens* zusammengefaßten Zähnchen aus der Kurun-Stufe dabei belassen (Taf. 3, Fig. 7 a — f) und die weiteren als *Hypoprion aegyptiacus* n. sp. bezeichnet. Auch in dieser engeren Fassung ist der D a m e ssche Artname richtig, denn mir liegen Hunderte von solchen Zähnchen aus der Kurun-Stufe vor (St. M.) und P r i e m (1899, S. 243, 244) fand sie auch bei Kafr el Ahram bei Gizeh sehr häufig. Er konstatierte ihr Vorkommen auch auf dem Gebel Giuschi (oberer Mokattam bei Kairo) (1899, S. 246), ich im Uadi Ramliëh (1903, S. 33, 34) und nun liegen mir auch einige aus dem untersten Mokattam (St.) und aus der Sagha-Stufe vor (M.).

Prof. J a e k e l hat Formen, wie D a m e s' Fig. 7 f, als Frontalzähne aufgefaßt, ich aber möchte sie, die mir in ziemlich großer Anzahl aus der Kurun-Stufe vorliegen (St. M.), nur mit Vorbehalt hieher rechnen, denn sie unterscheiden sich von den anderen durch die Form ihrer Wurzel und die sehr spitze, schlanke und innen stark gewölbte Krone.

Die den Formen von D a m e s' Fig. 7. i, l, n und o entsprechenden Zähnchen haben eine etwas längere Krone mit selten etwas konvexem Vorderrand, die eben bis etwas, bei kleineren Exemplaren auch deutlich rückgeneigt ist, und sind von manchen Zähnchen des *Scoliodon Kraussi* Probst (1878, Taf. 1, Fig. 8, 9) zum Teil kaum zu unterscheiden. Großenteils zeigt übrigens bei ihnen der nach hinten auslaufende scharfe Kronenrand wie bei den typischen Zähnchen von *Aprionodon frequens* eine Kerbung. Sie sind sehr häufig in der Kurun-Stufe (St., M.), viel seltener im untersten Mokattam (St.), dem Uadi Ramliëh (5 Stück M.) und in der Sagha-Stufe (25 Stück M.), kommen also in entsprechender Zahl und Größe in denselben Schichten vor wie jene, was doch vielleicht für D a m e s Ansicht spricht, daß sie zusammengehören.

A g a s s i z (l. c. S. 228, Taf. 36, Fig. 6, 7), hatte aus dem Tertiär von Maryland stammende Zähne zuerst zu *Carcharias* gerechnet und ihre Ähnlichkeit mit solchen von *Galeocerdo* betont, sie aber dann doch als *Corax Egertoni* bezeichnet und D a m e s (1883, Taf. 3, Fig. 5) zählte sechs Zähne von der Kurun-Insel dazu. P r i e m aber, der (1897, S. 225) sie zu *Prionodon* rechnet, will noch zwei Zähne von dem oberen Mokattam bei der Giuschi-Moschee (bei Kairo) und eventuell noch einen vom Kafr el Ahram bei Gizeh, die er leider nur ungenügend abbildet (1899, S. 246, Taf. 2, Fig. 17, und S. 244, Taf. 2, Fig. 16), als dazugehörig betrachten. Ich habe nun etwa dreißig derartige Zähne aus der Kurun-Stufe vor mir (St., M.) (Taf. XVI (IV), Fig. 17—19).

Das Vorhandensein einer Pulpahöhle und die deutliche Vertikalfurche der Wurzel spricht für Zugehörigkeit zu *Carcharidae*, von den Typen in A g a s s i z unterscheiden sich aber alle durch die gleichmäßige Konvexität des Vorderrandes und den scharfen stumpfen Winkel des Hinterrandes, auch erreichen nur die größten die Größe von seiner Fig. 6. Bei kleineren ist übrigens zum Teil die Krone relativ schmaler und etwas mehr rückgeneigt, so daß sie Zähnen von *Galeocerdo* sehr ähnlich sind. Aber die oberen Zähne eines mir vorliegenden rezenten *Prionodon aff. falciformis* Bibron und des *Prionodon Menisorah* Val. nach M ü l l e r und H e n l e s (1841) Abbildung verhalten sich ebenso und bei *Galeocerdo* ist die Zähnelung unter der Kerbe stärker. Bei manchen Zähnen ist jedoch eine Zähnelung überhaupt kaum zu erkennen und nur ihre sonst völlig gleiche Form (Größe und Fundort derselbe) lassen sie mit Vorbehalt auch hieher rechnen, also zu einer *Prionodon*-Art, die *Egertoni* Ag. sehr nahe steht.

Die von A l e s s a n d r i (1895, S. 16, 17, Fig. 13 a, b) abgebildeten Zähne von *Prionodon Egertoni* aus dem Neogen von Piemont gleichen dem vorliegenden vollkommen, nicht aber die von Pasquale (1903, Fig. 7, 8) abgebildeten. In Größe, Länge der Krone, glatter Spitze und gerundeten Winkel unterscheidet sich auch *Prionodon (Galeocerdo) dubius* Nötling (1884, S. 367, Taf. 5, Fig. 6). S m i t h W o o d w a r d (1889, S. 439) rechnete endlich auch die von G i b b e s (1849, S. 192, Taf. 25, Fig. 66—68) beschriebenen Zähne zu *Prionodon Egertoni* und dessen Fig. 66 und 69 passen auch dazu. Fig. 68 unterscheidet sich von meinen Originalen durch den geraden Vorderrand, Fig. 67 ist aber einigen ganz ähnlich. Bei allen vorliegenden ist jedoch die Wurzel innen hoch und wenig gewölbt, während sie nach G i b b e s l. c. sehr dick sein soll.

Smith Woodward wollte nun (l. c.) die Zähne von *Glyphis subulata* Gibbes (1849, S. 194, Fig. 86, 87) als untere zu *Prionodon Egertoni* rechnen und es liegen mir in der Tat ähnliche Formen von denselben Fundorten der Kurun-Stufe vor, aber sie zeigen keine Spur der von Gibbes erwähnten Zähnelung der Kronenränder und ich kann mich auf die Zurechnung isolierter unterer Zähne von *Carcharias* um so weniger einlassen, als untere Zähne der rezenten *Prionodon aff. falciformis*, Pr. *Menisorah* und *Hypoprion hemiodon* kaum voneinander zu unterscheiden sind.

Aus dem untersten Mokattam stammen außer den schon bei *Aprionodon frequens* Dames erwähnten Zähnchen nur noch zwei *Carcharias*-Zähne (St.), die zu *Prionodon* aber zu einer neuen Art gehören dürften. (Taf. XVI (IV), Fig. 16, 16 a). Ihre mäßig lange Krone ist außen ganz wenig, innen deutlich gewölbt, die Ränder sind unten deutlich, an der Spitze nur ganz fein gezähnelt, der vordere ist ein wenig wellig konvex, der hintere deutlich konkav. Die so nach hinten gebogene Krone ist aber außerdem ein wenig um ihre Vertikalachse gedreht, was sie allein schon von Zähnen von *Galeocerdo latidens* oder *Prionodon Egertoni* unterscheidet. Die wohl entwickelte, unten konkave und an den Enden gerundete Wurzel ist übrigens innen neben der medianen Rinne mäßig verdickt.

Sehr häufig in der Kurun-Stufe (St., M.), aber auch in der Sagha-Stufe gut vertreten (etwa 20 Stück M.) sind Zähne, die ganz denjenigen von *Odontaspis Hopei* Gibbes (1849, S. 198, Taf. 26, Fig. 120—123) gleichen, aber durch den Besitz einer regelmäßigen Pulpahöhle und einer Vertikalfurche an der Wurzelinnenseite als zu Carchariden gehörig sich erweisen, wie sie ja schon Smith Woodward (1889, S. 449) zu *Hemipristis serra* Ag. rechnete.

Nach den Angaben von Probst (1878, S. 29 ff.) kann ich sie aber unmöglich bei *Hemipristis* lassen, auch müßten bei der mir vorliegenden Zahl großer Zähne doch entsprechende gezähnelte *Hemipristis*-Zähne, nicht nur die kleinen oben S. 174 besprochenen in meinem Material sich befinden. Viel eher vergleichbar erscheinen mir die von Probst (1878, Taf. 1, Fig. 27 und 32) abgebildeten *Prionodon*-Zähne, doch finde ich leider unter den rezenten Formen nichts ähnliches, speziell die Wurzel ist bei meinem Vergleichsmaterial nie derartig innen verdickt und unten so stark konkav.

Die Krone der fossilen Zähne ist mehr oder minder deutlich nach innen und die Spitze wieder nach außen gebogen, nur selten auch etwas zur Seite, außen ist sie wenig, innen stark gewölbt und beiderseits mit einer bis nahe zur Basis herablaufenden Kante versehen (Taf. XVI (IV), Fig. 20, 23). Die Hörner der dicken Wurzel sind bei den meisten Zähnen sehr nahe beieinander, es gibt aber Übergänge zu Formen mit deutlich divergierenden Hörnern (Taf. XVI (IV), Fig. 21). Beide Formen sind übrigens in stattlichen bis kleinen Exemplaren vorhanden, doch überwiegen größere.

Die kleineren nun sind kaum zu trennen von Zähnen, bei welchen die Kanten bis unten scharf sind, da bei manchen nur einseitig die Kante vorher verläuft, bei welchen ferner die Krone nur wenig nach innen gebogen ist und die hier stets ungleichen Hörner der innen ebenfalls dicken Wurzel recht deutlich divergieren. Sie finden sich nur in einigen Dutzend Exemplaren von mittlerer Größe in der Kurun-Stufe (St., M., Taf. XVI (IV), Fig. 24). Nur manchmal ist bei ihnen die Krone ganz wenig rückgeneigt und hinten neben ihrer Basis ein ganz schwacher Absatz vorhanden (Taf. XVI (IV), Fig. 22). Offenbar sind es seitliche Zähne, sollten sie aber zu den vorigen gehören, so fällt ihre geringe Zahl auf.

Die letzten der vorhandenen Zahnformen kommen bis auf einige Exemplare aus der Sagha-Stufe (M.) auch alle nur in der Kurun-Stufe häufig vor (St., M.). Es sind die den Fig. 7 g, h in Dames (1883) entsprechenden, welche von Prof. Jaekel auf den Etiketten teils zu *Oxyrhina aegyptiaca*, teils zu *Hypoprion aegyptiacus* gerechnet wurden, meiner Ansicht nach aber zusammengehören. Die größten stehen in der Mitte zwischen den Zähnen von *Aprionodon frequens* und den vorhin beschriebenen Vorderzähnen. Stets ist ihre Wurzel neben der Vertikalfurche nur wenig verdickt, unten wenig bis kaum konkav und mäßig lang. Die spitze, glatte Krone ist außen ganz schwach, innen nur mäßig gewölbt und ihre scharfen glatten Seitenränder laufen unten scharf aus. Sie ist nie nach innen gebogen, an Frontalzähnen gerade und schlank (Dames, Fig. 7 g), an seitlichen schwach bis deutlich rückgeneigt (Taf. XVI (IV), Fig. 25—26) oder rückgebogen (Taf. XVI (IV), Fig. 27, 28, und Dames, Fig. 7 h) und dann ist die Krone meistens relativ länger und hinten unten ein kleiner scharfkantiger Absatz vorhanden. Solche gebogene Formen sind bis zu recht geringer Größe vorhanden, also wohl Zähne aus den Mundecken.

Welchen Subgenera und wie vielen Arten diese drei Zahnformen zuzuteilen sind, möchte ich aus den mehrfach betonten Gründen nicht entscheiden, mir kommt es ja hier wie überhaupt bei der Bearbeitung der isolierten Haifischzähne auf das Feststellen und Auseinanderhalten der verschiedenen Formen an, zum systematischen Bestimmen halte ich die Zeit noch nicht gekommen.

Tabelle der Verbreitung der Haifischzähne im Mitteleocän Ägyptens.

	Mokattam bei Kairo			Uadi Ramlieh bei Wasta	Norden des Fajum		Anmerkungen:
	unterster	unterer	oberer		Birket el Kurun-Stufe	Kasr es Sagha-Stufe	
Scylliidae	—	—	—	2	5	—	1 = 1—2 Zähne
Ginglymostoma Blanckenhorni Stromer	.1	—	—	1	?2	—	2 = wenige »
Oxyrhina cfr. Desori Ag.	3	2	1	3	5	—	3 = mehrere »
» 2. spec.	—	—	—	2	3	—	4 = viele »
» cfr. Sillimani Gibbes . .	—	1	—	—	—	—	5 = sehr viele »
? Alopecias	—	—	—	2	4	—	
Odontaspis elegans Ag	—	1	—	—	—	—	Die Zähne aus dem
» cfr. crassidens Ag. . .	3	—	—	1	3	—	untersten Mokattam
» cfr. cuspidata Ag. . .	4	—	—	—	3	—	sind alle in einem un-
Lamna verticalis Ag.	3	3	—	—	4	—	terhalb der Tingije
» cfr. Vincenti Winkler . . .	4	2	—	—	3	—	Moschee befind-
? Otodus Aschersoni Zittel	.1	1	—	2	4	—	lichen Kalkstein-
Carcharodon aff. turgidus Ag. . .	—	2	—	—	4	2	bruche unter dem
» aff. angustidens Ag. .	4	2	—	—	—	—	Hauptlager des N.
Hemipristis curvatus Dames . . .	—	1	—	—	3	1	gizehensis gefunden.
Galeocerdo aegyptiacus Jaekel . .	—	—	—	1	4	—	
» latidens Ag.	3	1	—	—	—	—	Lamna cfr. Vin-
? Alopiopsis aff. contortus Gibbes .	2	—	—	1	4	—	centi wies Priem
Aprionodon frequens Dames . . .	3	—	2	3	5	3	auch auf dem Pla-
Prionodon aff. Egertoni Ag. . . .	—	—	?1	—	3	—	teau von Gizeh
» nov. spec.	1	—	—	—	3	—	nach, Aprionodon
Carcharias forma 1	—	—	—	—	5	3	frequens und Pri-
» » 2	—	—	—	—	3	—	onodon bei Kafr el
» » 3	—	—	—	—	4	3	Ahram bei Gizeh.

Schlußworte betreffs der Haifische.

Auch wenn man sich, wie im vorstehenden, fast nur auf die so wohl erhaltungsfähigen Zähne stützt, erhält man von der Verbreitung der fossilen Haifische nur ein sehr unvollständiges Bild. Stattliche, auch häufige oder weitverbreitete Haifische haben ja nicht selten nur winzige Zähnchen, deren Erhaltung und besonders Auffindung nur bei einem Zusammentreffen sehr günstiger Umstände möglich ist. Natürlich muß man sich auch hüten, aus der Zahl der gesammelten Zähne einen einfachen Rückschluß auf die Häufigkeit der Tiere zu machen, da die Zahl der Zähne eines Individuums bei den verschiedenen Haifischen eine wechselnde ist und auch die Intensität des Zahnwechsels verschieden stark sein kann.

Im untersten Mokattam bei Kairo ist nun zwar jahrelang und in der Birket el Kurun-Stufe wochenlang sorgfältig gesammelt worden, so daß für diese Schichten der Zufall gelegentlichen Findens möglichst ausgeschlossen ist, trotzdem beweist das Nichtauffinden von Zähnen der meisten Familien der Rochen, der Squatiniden und Spinaciden nicht, daß sie im ägyptischen Teile des mitteleocänen Mittelmeeres nicht vorkamen, und Zähne von Chimaeren wie Cestracioniden sind im Eocän Europas auch nicht so häufig, daß das Fehlen ihrer Zähne nicht ebenfalls nur ein zufälliges sein könnte. Auch ist es nicht zu verwundern, daß die kleinen Zähne der Scylliidae und Scylliolamnidae gegen die meist stattlichen der Lamnidae und

Carcharidae sehr zurücktreten. Immerhin beweist das Fehlen von Hautschildern mancher Rochen und von Chimaeridenzähnen, daß diese Formen höchstens sehr selten vorkamen. Sehr auffällig ist dagegen, daß kein einziger Zahn eines Notidaniden gefunden wurde, nachdem solche im Tertiär Europas und speziell auch Italiens nicht sehr selten sind; doch ist bemerkenswert, daß sie nach Woodward (1899, S. 5) auch im Mittel- und Obereocän Englands fehlen oder selten sind.

Jedenfalls ist das im ersten Teile der Arbeit besprochene Vorherrschen von *Pristidae*- und *Myliobatis*-Arten im Vereine mit dem von *Lamnidae* und *Carcharidae* sichergestellt, die anderen eben genannten Familien waren dagegen wohl nur in wenigen Arten oder nur in recht kleinen Formen vertreten. Wie bei *Myliobatis* und *Pristidae* ist übrigens die Fauna des unteren Mokattam von der des Fajum etwas verschieden[1]), es kann dies sowohl auf Differenzen des Alters als der Fazies beruhen. Im unteren Mokattam ist ja rein mariner Kalkstein, in der Birket el Kurun- und Kasr es Sagha-Stufe aber ein Wechsel von Mergeln, Tonen, Sandsteinen und unreinen Kalken vorhanden und in der letzteren sind ja auch Fossilien genug gefunden, die auf brackisches und süßes Wasser hinweisen (Beadnell 1905, S. 41—55).[2])

Über die *Scylliidae* ist auf Grund meiner unsicheren Befunde kaum noch etwas zu bemerken und über *Ginglymostoma* ist das nötige schon oben S. 166, 167 vorgebracht, ebenso über *Myliobatidae* und *Pristidae* im ersten Abschnitte der Arbeit. Daß die *Lamnidae* in mehreren Gattungen mit mehreren Arten vertreten und an Größe und Formenreichtum den *Carcharidae* überlegen sind, entspricht den schon öfters für das Paläogen festgestellten Verhältnissen, doch mußte ich ja mehrere bisher bei ihnen eingereihte Formen anderwärts einstellen. Ein verschiedenen Genera der damaligen Zeit (*Oxyrhina*, *Lamna*, *Otodus* und *Carcharodon*) gemeinsames Merkmal sind die seitlichen rückgebogenen Zähne, welche den jetzigen Vertretern dieser Geschlechter anscheinend fehlen, auch hat wenigstens *Carcharodon* noch Nebenohren, während sonst nur Nebenspitzen auftreten, die nie so lang sind als bei den kretazischen *Otodus*-Zähnen, und es scheint mir nicht unmöglich, daß die auf Seite 173 erwähnten Lückenzähne so zu deuten sind, daß die ältesten Formen von *Carcharodon* wie manche andere *Lamnidae* regelmäßig solche besaßen. Im übrigen finden sich aber dieselben Zahnformen wie jetzt.

Carcharidae herrschen ja in der Gegenwart weitaus vor (siehe u. a. Jackel, 1894, S. 156 ff.), sind aber im Mitteleocän nicht so schwach vertreten, wie man bisher annahm (Jaekel, ibidem und 1898 a, S. 167), denn obwohl ihre Zähne nie sehr groß, meistens sogar ziemlich klein sind, übertreffen sie an Zahl diejenigen der *Lamnidae* bedeutend und es macht nicht nur etwa *Aprionodon frequens* seinem Namen Ehre, sondern die Familie war damals schon offenbar ziemlich formenreich und nach der Größe der Zähne zu schließen, keineswegs arm an stattlichen Exemplaren.

Hemipristis allerdings war klein und, wie schon S. 174 erwähnt, in seiner Bezahnung so *Galeus* ähnlich, daß ich nicht sicher bin, ob unter den zu der einen Art gerechneten Zähnchen nicht doch *Galeus* selbst auch vertreten ist. Das Genus war wohl nie artenreich und scheint im Miocän seine stattlichsten Vertreter gehabt zu haben, und zwar auch in den ägyptischen Gewässern (Alessandri, 1902, S. 303, Taf. 5, Fig. 3).[3]) Bemerkenswert ist, daß seine einzige rezente, wohl sehr seltene Art jetzt nur im Roten Meere nachgewiesen ist, also in der Nachbarschaft Ägyptens.[4])

Galeocerdo ist nicht häufig, aber doch in typischen und keineswegs kleinen Zähnen vertreten, nach Smith Woodward (1895, S. 45) soll er ja schon in der oberen Kreide vorkommen. Die betreffenden Zähnchen sind Seitenzähnen von *G. aegyptiacus* ähnlich und besitzen auch die bei Carchariden stets

---

[1]) Siehe die Tabelle auf Seite 179!

[2]) Beadnell (l. c. S. 41) nimmt die Birket el Kurun-Stufe als gleichalterig mit dem oberen Teile des unteren Mokattam an, sie erscheint aber lithologisch und faunistisch so eng mit der Kasr es Sagha-Stufe verbunden, daß vor genauer Vergleichung der Fossilien ihre von Blanckenhorn angewiesene Stellung an der Basis des oberen Mokattam einstweilen besser beibehalten bleibt.

[3]) Wittich (1897, S. 49) hat übersehen, daß Agassiz (l. c. S. 237) mit Recht erwähnte, das Vorkommen einer *Hemipristis*-Art (*H. subserrata* Münster, 1846, S. 21) in der oberen Kreide sei sehr unwahrscheinlich; die hier befindlichen Originale Münsters gehören zu *H. serra*.

[4]) Auch in dem Auftreten von *Ginglymostoma*, das im Mittelmeere jetzt anscheinend fehlt, besteht ja eine Beziehung zum Roten Meere. Sonst fand ich aber sehr viele europäische Arten.

vorhandene Vertikalfurche der Wurzel. Das Zähnchen von *Galeocerdo denticulatus* Ag. (l. c. S. 223, Taf. 26, Fig. 1) aus der Kreide von Maestricht ist aber zu problematisch, um einen Beweis für das Auftreten eines echten *Galcocerdo* bilden zu können. Die ersteren und die meisten eocänen hieher gerechneten Zähnchen sind allerdings bemerkenswerterweise denjenigen von *Galeus* recht ähnlich oder zeigen Merkmale einer anscheinend jetzt nicht mehr vertretenen Form (? *Alopiopsis*). Jedenfalls sind also *Galeocerdo* und ähnliche Formen älter, als Jaekel (1894, S. 165, 166) annahm.

Mein rezentes Vergleichsmaterial reicht leider nicht aus, um über die Zähne der übrigen Genera und Subgenera der *Carcharidae* mich weiter verbreiten zu können, doch so viel war ich doch im stande festzustellen, daß *Carcharias* in zum Teil recht stattlichen Zähnen vertreten ist und gar nicht selten oder formenarm war. Typische Prionodon- und Aprionodon-Zähne sind sicher in meinem Material vorhanden, ob auch solche der anderen Subgenera, bin ich nicht in der Lage zu konstatieren. Bemerkenswert ist jedenfalls die Tatsache, daß Zähne mit gezähnelten Rändern gegenüber glatten recht selten sind, während jetzt bei *Carcharias* erstere sehr häufig sind. Es scheint also hier eine ähnliche Entwicklung stattgefunden zu haben wie bei *Galeocerdo*.

Da ich ein Zusammenstellen von Gebissen aus isoliert gefundenen Zähnen außer in Fällen, wo offenbar nur eine wohl charakterisierte Art vorliegt, wie *Ginglymostoma Blanckenhorni* im untersten Mokattam, für äußerst gewagt halte, muß ich mich mit obigen wenigen Bemerkungen begnügen und kann nichts sagen über die interessante Frage nach der Herausbildung der verschiedenen jetzt vertretenen Gebißformen (Jaekel, 1894, S. 162—164).

Um endlich wenigstens ein ungefähres Bild von dem Verhältnis der im Mitteleocän von Ägypten und des Monte Bolca gefundenen Haifische zu den jetzt aus dem Mittelmeere und Roten Meere bekannten zu geben, füge ich noch die untenstehende Tabelle bei. Ich bemerke dazu, daß es fraglich ist, wie vielen Arten die zu *Scylliidae*, *Lamna*, *Odontaspis* und *Otodus*, *Alopecias* und *Carcharias* gerechneten Zähne entsprechen. Bezüglich der Haifische vom Monte Bolca habe ich einfach die von Eastman (1904, S. 27) gegebene Tabelle wiedergegeben, während ich die rezente Fauna Palackj (1891, S. 114 ff.) und Klunzinger (1871, S. 655 ff.) entnahm. Leider konnte ich die ziemlich unkritische Zusammenstellung von Palackj nur zum Teil durch Vergleich mit Berichten über Lokalfaunen (vor. Gräffe u. s. w.) kontrollieren und die veraltete und daher sicher unvollständige Liste Klunzingers nur wenig durch neuere Angaben (Kossmann, 1877, S. 31—33, Picaglia, 1894, S. 38, 39) ergänzen.

Die Zahlen der nachstehenden Tabelle beziehen sich auf die Arten. Die in meinem Material gar nicht vertretenen *Spinacidae*, die jetzt aus dem Mittelmeere in sieben Gattungen mit zehn Arten bekannt sind, sowie die ebenfalls in der Gegenwart so zahlreichen Rochen lasse ich weg. Es ist ja schon im ersten Abschnitte meiner Arbeit vermerkt, daß *Myliobatis* und die *Pristidae* im Mitteleocän Ägyptens besonders reich vertreten sind, während sonstige Rochen und verwandte Formen dort noch nicht gefunden wurden.

Die Tabelle zeigt klar, daß die mitteleocäne Haifischfauna kaum ärmer war als die jetzige, wenn man berücksichtigt, daß damals die *Lamnidae* durch größeren Formenreichtum den Ausfall mancher *Carcharidae* deckten und daß seltene Formen und solche mit sehr kleinen Zähnen noch unbekannt sind und daß die Fauna weiter Meeresbecken mit der lokalen ägyptischen verglichen ist.

Einige Worte möchte ich zum Schlusse noch Hays (1901, S. 63 ff.) Versuch einer Übersicht der Entwicklung der *Elasmobranchier* widmen. Es erscheint mir nicht nur deshalb verfrüht, weil eine neue wirklich kritische Durcharbeitung des fossilen Materials fehlt, sondern vor allem auch, weil jetzt zwar viele *Selachier* sehr weit, zum Teil sogar fast kosmopolitisch, andere aber nur lokal verbreitet sind, und wei also anzunehmen ist, daß es früher ebenso war und daß deshalb die allein leidlich bekannten Faunen Europas und Nordamerikas nur ein recht unvollständiges Bild der einstigen Verhältnisse geben können. Hay hat die Bedeutung dieses Umstandes und die damit zusammenhängende der nicht nur für das Leben der Tiere, sondern vor allem für die Erhaltung ihrer Reste günstigen oder abträglichen Fazies zwar erörtert, scheint sie mir aber doch nicht genug zu würdigen. Auch kommen ja solche Zufälligkeiten, daß z. B. die Solnhofer Kalksteine im größten Maße abgebaut werden oder daß im Miocän von Baltringen ein so sorgfältiger Beobachter wie Probst Jahrzehnte lang sammelte, bei seiner Statistik sehr in Betracht.

23*

Mitteleocän		Mittelmeer	Rotes Meer
Ägypten	Monte Bolca		
—	—	Chimaera 1	—
—	—	Heptanchus 1	—
—	—	Notidanus 1	—
Scyllide 1?	Mesiteia 1	Scyllium 3	—
—	—	Pristiurus 1	—
Ginglymostoma 1	—	—	Ginglymostoma 1
—	—	—	Stegostoma 1
? Alopecias 1	—	Alopecias 1	—
Oxyrhina 3?	—	Oxyrhina 1	Oxyrhina 1
Lamna 2?	Lamna 1	Lamna 1	—
Odontaspis 3?	Odontaspis 1	Odontaspis 2	—
Otodus 1	—	—	—
Carcharodon 2	Carcharodon 1	Carcharodon 1	—
—	—	Selache 1	—
Carcharias 3?	Scoliodon 1?	Carcharias 2?	Scoliodon 2
Prionodon 2	—	Prionodon 3	Prionodon 4
Aprionodon 1?	—	—	Aprionodon 3
—	—	—	Loxodon 1
—	—	Sphyrna 3	Sphyrna 2
? Alopiopsis 1	Alopiopsis 1	—	—
—	Pseudogaleus 1	—	—
—	—	Galeus 1	—
Hemipristis 1	—	—	Hemipristis 1
Galeocerdo 2	—	—	Galeocerdo 2
—	—	Mustelus 2	Mustelus 2
—	—	—	Triacnodon 1
—	—	Thalassorhinus 1	—

und endlich vergleicht er direkt derartig verschiedene Abschnitte wie das ganze Devon, und die ganzen mesozoischen Formationen mit Tertiärstufen wie Miocän und Pliocän.

Die Zahl der z. B. aus dem Kohlenkalk bekannten Arten wird sicher bedeutend überschätzt, denn die damaligen *Elasmobranchier* waren gewiß großenteils anisodont und heterodont und man hält ihre meistens isoliert gefundenen Zähne nicht nur als Formen, sondern als Arten auseinander. Sie entsprechen also nicht den aus Solnhofen, Monte Bolca oder vom Libanon bekannten Arten.

Die Erhaltung vollständiger Reste wie dort ist ja leider nur zu exzeptionell, um viel mehr als wie durch Blitzlicht ermöglichte Einblicke in ein recht dunkles Gebiet zu gewähren. Deshalb erscheint mir eine wirkliche Ordnung in der Systematik der *Selachier*-Zähne und eine Revision der großenteils minderwertigen Literaturangaben nur möglich auf Grund vollständiger Durcharbeitung rezenten Materials, da die späteren Systematiker wie Dumeril und Günther das Gebiß der lebenden *Selachier* noch viel weniger berücksichtigt haben als Müller und Henle. Von dieser sicheren Basis aus könnten dann erst die einzelnen Formen in die Vergangenheit zurückverfolgt werden, denn es entspricht den Anforderungen einer strengen Wissenschaftlichkeit vom Gesicherten zum Unsicheren vorzugehen und nicht gemäß der Entwicklungstheorie vom Ältesten zum Jüngsten.

Mögen auch die Zähne der *Selachier* nur recht mäßigen systematischen Wert haben, so wäre es bei dem Interesse, das sich gerade an die niedersten unter den rezenten Fischen mit Recht knüpft, und bei der Häufigkeit und oft so vorzüglichen Erhaltung dieser Fossilien von großer Bedeutung, in einigermaßen klarer Weise die phylogenetische Entwicklung dieser Organe, die Ausbildung der einzelnen Zahnformen und ihrer Struktur, der Gleichheit oder Ungleichheit der unteren und oberen (isodont, anisodont), der vorderen, seitlichen und hinteren Zähne (homoeodont, heterodont), ihrer Verbindung und Verwachsung verfolgen zu können.

Da ich von Anfang an nur eine Beschreibung einer Fauna geben wollte und bei dem jetzigen Stand des Wissens über die Verbreitung der rezenten oder gar der fossilen *Selachier* tiergeographische Erörterungen kaum möglich sind, muß ich natürlich zufrieden sein, zur Lösung solcher Probleme Material beigetragen zu haben. Ich habe mich dabei möglichst bemüht, das wenige Gesicherte von dem fraglichen scharf zu trennen und hoffe, daß es mir doch gelungen ist, zu zeigen, daß die eocäne *Selachier*-Fauna Ägyptens eine recht reiche war, daß dort damals schon manche noch jetzt vorhandene Genera in mannigfaltigen und stattlichen Formen vertreten waren, und daß im ganzen die Fauna schon sehr der modernen sich näherte.

Literatur-Verzeichnis zum Abschnitte I B.

Agassiz L.: Recherches sur les Poissons fossiles, Bd. 3 mit Atlas. Neuchâtel, 1843.

Alessandri G.: Contribuzione alla Studio dei Pesci terziari del Piemonte e della Liguria. Accad. R. Sci. di Torino, S. 1–33, 1 T., Torino. 1895.

  »   Avanzi di *Oxyrhina hastalis* del Miocene di Alba. Atti Soc. ital. Sci. nat. e Mus. civ. Stor. nat. Vol. 36, S. 263–269, 1 T., Milano, 1896.

  »   Sopra alcuni Odontoliti pseudomiocenici d'ell Istmo di Suez. Ibidem, Vol. 41, S. 287–312, T. 5, Milano, 1902.

  »   Note d'Ittiologia fossile. Ibidem, Vol. 41, S. 443–462, T. 12, Milano, 1902 (a).

Bassani Fr.: Avanzi di *Carcharodon auriculatus* etc. Accad. agr. arti e comm. di Verona, Ser. 3, Vol. 71, S. 1–11, 1 T., Verona, 1895.

Beadnell H.: The Topography and Geology of the Fayum Province of Egypt. Cairo 1905.

Dames W.: Über eine tertiäre Wirbeltierfauna von der westlichen Insel des Birket el Qurûn im Fajum (Ägypten). Sitz.-Ber. kgl. preuss. Akad. d. Wiss., Bd. 6, S. 129–153, 1 T., Berlin, 1883.

Dixon Fr.: The Geology and Fossils of the tertiary and cretaceous Formations of Sussex. London, 1850.

Eastman Ch. R.: Beiträge zur Kenntnis der Gattung *Oxyrhina*, mit besonderer Berücksichtigung von *Oxyrhina Mantelli* Ag. Palaeont., Bd. 41, S. 149–192, T. 16–18, Stuttgart, 1893–1894.

  »   Description of Bolca Fishes. Bull. Mus. comp. Zool. Harvard Coll., Bd. 46, Abt. 1, S. 1–36, 2 T., Cambridge (Mass.), 1904.

Forir H.: Contributions à l'Étude du Système Crétacé de Belgique. Ann. Soc. géol. de Belgique, T. 14, S. 25–53, Pl. 1, 2, Liège, 1887.

Gibbes W.: Monograph of the fossil *Squalidae* of the United States. Journ. Acad. nat. Sci., Ser. 2, Vol. 1., S. 130–147, T. 18–21 und 191–203, T. 25–27, Philadelphia, 1849.

Günther Alb.: Catalogue of the Fishes in the British Museum. Vol. 8, London, 1870.

Hasse C.: Das natürliche System der *Elasmobranchier* etc. Jena, 1879–1882.

Hay O. P.: The chronological Distribution of the *Elasmobranches*. Trans. amer. philos. Soc. Vol. 20, S. 63–75, Philadelphia, 1901.

Jackel O.: Die eocänen *Selachier* von Monte Bolca. Berlin, 1894.

  »   Untertertiäre *Selachier* aus Süd-Rußland. Mem. Com. géol. Vol. 9, Nr. 4, St. Pétersbourg, 1895.

  »   Über *Hybodus*. Sitz.-Ber. Ges. naturf. Fr., S. 135–146, Berlin, 1898.

  »   Verzeichnis der *Selachier* des Mainzer Oligocäns. Ibidem S. 161–169, Berlin, 1898(a).

Kissling E.: Die Fauna des Mitteloligocäns im Berner Jura. Abh. schweizer. paläont. Ges. Vol. 22, S. 1–71, 9 T., Zürich, 1896.

Klunzinger: Synopsis der Fische des Roten Meeres, II. Teil. Verh. k. k. zool. bot. Ges., Bd. 21, S. 441–668, Wien, 1871.

Koch Anton: Tarnócz im Komitate Nógrád als neuer, reicher Fundort fossiler Haifischzähne. Földtani Közlöny, Bd. 33, S. 139–164, 2 T., Budapest, 1903.

Kossmann, Robby: Zoologische Ergebnisse einer im Auftrage der k. Akademie der Wissenschaften zu Berlin ausgeführten Reise in die Küstengebiete des Roten Meeres. 1. Hälfte I. Kossmann und Räuber: Pisces. Leipzig, 1877.

Leydy Jos.: Description of Vertebrate Remains, chiefly from the Phosphate Beds of South Carolina. Journ. Acad. nat. Sci. Ser. 2, Vol. 8, S. 209–261, T. 30–34, Philadelphia, 1879.

Leriche M.: Les Poissons paléocènes de la Belgique. Mém. Mus. R. d'Hist. nat. de Belgique, T. 2, S. 5–48, Pl. 1–3, Bruxelles 1902.

Müller Joh. und Henle J.: Systematische Beschreibung der Plagiostomen. Berlin, 1841.

Münster H.: Über die in der Tertiärformation des Wiener Beckens vorkommenden Fischüberreste. Beiträge zur Petrefaktenkunde, Hft. 7. S. 1–31, Bayreuth 1846.

Nötling Fr.: Die Fauna des samländischen Tertiärs. 1. Teil. I. Vertebrata. Abh. geol. Spez.-Karte von Preußen. Bd. 6, Heft 3, Berlin, 1884.

Nötling Fr.: Einige fossile Haifischzähne. Sitz.-Ber. Ges. naturf. Fr., S. 1—4. Berlin, 1886.

Owen R.: Odontography. 2 Vol. London. 1840—1845.

Palackj J.: Die Verbreitung der Fische. Prag, 1891.

Pasquale M.: Revisione dei Selaciani fossili dell'Italia meridionale. Atti Accad. Sci., Vol 12, S. 1—31, 1 T. Napoli, 1903.

Picaglia L.: Pesci del Mar Rosso pescati nella campagnia idrografica delle R. nave Scilla nel 1891—1892 etc. Atti Soc. naturalisti, Ser. 3, Vol. 13, S. 22—40, Modena, 1894.

Priem E.: Sur les Poissons de l'Eocène du Mont Mokattam. (Égypte.) Bull. Soc. géol. France, Sér. 3, T. 25, S. 212—227 Pl. 7., Paris, 1897.

»   Sur des Poissons fossiles éocènes d'Égypte etc. Ibidem Sér. 3, T. 27, S. 241—253, Pl. 2, Paris, 1899.

»   Sur les Poissons des Terrains tertiaires supérieurs de l'Hérault. Ibidem Sér. 4, T. 4, S. 285—294, 12 Fig., Paris, 1904.

Probst J.: Beiträge zur Kenntnis der fossilen Fische aus der Molasse von Baltringen. Haifische. Jahresh. Ver. vaterl. Naturk. Württemberg, S. 1—42. T. 1 und S. 127—191, T. 2, 3. Stuttgart, 1878 und 1879.

Storms R.: Un Carcharodon du Terrain Bruxellien. Bull. Soc. belge de Géologie, T. 15, S. 259—267, Pl. 7, Bruxelles, 1901.

Stromer E.: Haifischzähne aus dem unteren Mokattam bei Wasta in Ägypten. N. Jahrb. f. Miner. etc. 1903, I, S. 29—41, T. 1. Stuttgart, 1903.

»   Die Fischreste des mittleren und oberen Eocäns von Ägypten. I. Teil: Die Selachier, A. Myliobatiden und Pristiden. Diese Zeitschr. Bd. 18, S. 37—58, 2 T, Wien, 1905.

Winkler T. C., Mémoire sur les Dents de Poissons du Terrain Bruxellien. Arch. Mus. Teyler, Vol. 3, S. 295—304, T. 7, Harlem, 1874.

»   Beschreibung einiger fossiler Tertiärfischreste, vorzugsweise des Sternberger Gesteins. Arch. Ver. Fr. Naturgesch. von Mecklenburg, Bd. 29, S. 97—129, T. 2, 3. Neubrandenburg, 1875.

»   Deuxième Mémoire sur les Dents de Poissons fossiles du Terrain Bruxellien. Arch. Mus. Teyler, Vol. 4, S. 16—48, T. 2, Harlem, 1878.

»   Note sur quelques Dents de Poissons fossiles de l'Oligocène inférieur et moyen de Limbourg. Ibidem, Vol. 5, S. 73—84, Harlem, 1880.

Wittich E.: Über neue Fische aus dem mitteloligocänen Meeressand des Mainzer Beckens. Notizbl. Ver. Erdk. etc. Ser. 4, Heft 18, S. 43—49, T. 5, und Hft. 19, S. 1—16, T. 1, Darmstadt, 1897 und 1898.

Woodward A. Smith: Catalogue of the fossil Fishes in the British Museum. Pt. 1 Elasmobranchii. London, 1889.

»   Notes on some Fish Remains from the lower Tertiary and upper Cretaceous of Belgium. Geolog. Magaz. Dec. 3, Vol. 8, S. 104—114. T. 3, London, 1891.

»   Note on a supposed Tooth of Galeocerdo from the english Chalk. Ann. Mag. nat. Hist. Ser. 6, Vol. 15, S. 4, 5, T. 1, Fig. 5—7, London 1895.

»   Notes on the Teeth of Sharks and Skates from the english eocene Formations. Proc. Geolog. Assoc. Vol. 16, S. 1—14, T. 1, 1899.

II. Teil: Teleostomi. A. Ganoidei.

Ordnung: Crossopterygii, cfr. Polypterus.

Taf. XVI (IV), Fig. 29., 30.

Während man tertiäre Reste der Acipenseridae, Lepidosteidae und Amiidae schon seit längerer Zeit aus Europa und Nordamerika kennt, scheinen fossile Vertreter der Polypteridae noch nicht gefunden worden zu sein, und es klafft deshalb eine große Lücke zwischen den marinen mesozoischen und den jetzt nur noch in den Flüssen Afrikas lebenden Crossopterygiern.

Es ist von vornherein am wahrscheinlichsten, daß im Tertiär ihres jetzigen Verbreitungsgebietes fossile Angehörige dieser hochinteressanten Fischgruppe zu finden sein würden, und zwar nicht in rein marinen Ablagerungen. Drei verschieden große Ganoidschuppen (2 St., 1 M.) von drei Fundorten der Birket el Kurun-Stufe, die ja aus typischen Küstenablagerungen besteht, zeigen nun an, daß sehr stattliche Ganoidfische, nach Vergleich mit Schuppen eines Polypterus bichir aus dem Nil bis etwa 3 m lang, vorhanden waren. Da aber trotz ihrer Größe und trotz meines umfangreichen, von den gleichen Fundorten stammenden Materials keine weiteren zugehörigen Reste vorliegen, müssen diese Fossilien sehr selten und wahrscheinlich in die Küstenablagerungen nur eingeschleppt sein. Die Tiere lebten eben in

193

dem eocänen libyschen Urnil (Blanckenhorn, 1902, S. 696—699), wie jetzt noch *Polypterus* im Nil vorkommt.[1])

Wenn auch die dürftigen Reste natürlich nicht mehr als einen Beweis für das Vorkommen eines mitteleocänen nahen Verwandten der rezenten *Polypterus*-Arten bilden können, sind sie doch als erste tertiäre Reste von *Crossopterygiern* von Bedeutung und verdienen deshalb eine genauere Beschreibung. Sie sind um so interessanter, als die bisher bekannten mesozoischen und sehr viele paläozoische Vertreter dieser merkwürdigen Fischgruppe keine dicken Rhombenschuppen besitzen. Vielleicht haben eben die Nachkommen der mit Rhombenschuppen bekleideten Oldred-Formen sich ganz in das Süßwasser zurückgezogen und sind bald auf den alten afrikanischen Kontinent beschränkt worden, und womöglich sind manche der in der Karooformation Südafrikas sowie nordöstlich des Nyassa-Sees gefundenen Ganoidschuppen, die als Reste von *Palaeoniscideu* oder *Lepidostiern* angesehen wurden, ihnen zuzurechnen.

Alle drei Schuppen sind ungefähr rhombisch, ihre besonders vorn ziemlich dicke Knochenschicht besitzt oben dieselben zwei Fortsätze und unten bei der großen (Taf. XVI (IV), Fig. 30) vor, bei den kleineren (Taf. XVI (IV), Fig. 29, 29 *a*) hinter der Mitte die konischen Gelenkgruben wie die *Polypterus*-Schuppen. Ihre Schmelzschicht ist mit unregelmäßigen starken, aber gerundeten Runzeln verziert, bei der größten Schuppe (St., Taf. XVI (IV), Fig. 30) aber nur in den vorderen zwei Dritteln. Auch dies spricht für einen *Polypterus*, da seine meisten Schuppen im Gegensatz zu denjenigen von *Calamoichthys*, die eine Skulptur von rundlichen Erhebungen haben (Smith, 1867, S. 463 und 466) und denen des rezenten und fossilen *Lepidosteus*, die außer ganz vorn am Rumpf glatt sind (Dümeril, 1870, S. 302), eine ganz ähnliche, wenn auch nur schwache Skulptur besitzen.[2]) Ein Querschliff durch eine Schuppe, den Herr Dr. O. Reis mit seinen zahlreichen Dünnschliffen von Ganoid-Schuppen zu vergleichen die Güte hatte, bestätigt völlig das erhaltene Resultat, denn er zeigt unter der dicken Schmelzschicht typisches Osteodentin, das an der Basis in spongiösen Knochen übergeht, also nach Dr. Reis eine Struktur charakteristisch für *Crossopterygier* im Gegensatz zu *Lepidostiern*. Die Dentinschicht ist aber mächtiger als bei *Polypterus*, was vielleicht dafür spricht, daß ein neues, ihm sehr nahestehendes Genus vorliegt.

Die größte (St., Taf. XVI (IV), Fig. 30) und die mittlere (M.) Schuppe ist fast rechteckig, letztere zeichnet sich aber durch einen deutlich konvexen Unterrand aus, die kleinste (St.) endlich ist schief rhombisch (Taf. XVI (IV), Fig. 29, 29 *a*). Da bei allen der schmelzbedeckte Teil etwa 1½mal so hoch als lang und das hintere Untereck nur bei der kleinsten etwas spitz ist, sind es offenbar keine Schwanzschuppen und speziell die größte stammt wohl aus der Dorsalregion des Rumpfes.

Ordnung: **Euganoidei.**

Pycnodontidae, Pycnodus.

Taf. XVI (IV), Fig. 31—37.

Die Genera *Palaeobalistum* Blainville und *Pycnodus* Ag. sind beide auf Fische vom Monte Bolca (*Palaeobalistum orbiculare* und *Pycnodus platessus*),[3]) also aus der Mokattam-Stufe ungefähr gleichalterigen Schichten, gegründet und von letzterem ausgehend hat Agassiz (II, S. 181 ff.) die Familie der *Pycnodontidae* aufgestellt. Es ist also von Wichtigkeit, über die betreffenden Arten Klarheit zu erlangen, und zwar vor allem über ihr Gebiß, da mir leider nur Zähne von *Pycnodontiden* vorliegen.

---

[1]) Beadnell (1905, S. 66) bezweifelt zu Unrecht die Annahme Blanckenhorns, daß in der Obermokattam-Stufe Spuren von Flußmündungen seien; Blanckenhorns zahlreiche Profile der Kasr es Sagha-Stufe, deren Fossilien und auch seine eigenen Angaben (l. c. S. 53) darüber, lassen Schlüsse auf deren Lage im Norden des Fajum zu. Für die Birket el Kurun-Stufe liegen allerdings noch keine so guten Anhaltspunkte vor, sie schließt sich aber topographisch und lithologisch eng an die erstere an.

[2]) Ich konnte das Schuppenkleid von vier Exemplaren von *Polypterus* und von zwei *Lepidosteus* aus den hiesigen Sammlungen mit den Literaturangaben vergleichen, von welchen ich diejenigen über die fossilen *Lepidosteus*-Schuppen nicht anzuführen brauche.

[3]) In der Figur 1, Taf. 72, in Agassiz (l. c.) ist die Stirn gewölbter gezeichnet als bei dem Original der Fall ist.

Nach Heckel (1855, S. 204) bestände ein Unterschied in der Bezahnung beider Genera eigentlich nur am Gaumen, indem bei *Pycnodus* die Zähne aller fünf Gaumenreihen von vorn nach hinten gestreckt, in den drei Mittelreihen rundlich und ziemlich gleich groß und in den zwei äußeren elliptisch und größer seien, während bei *Palaeobalistum* die Mittelzähne quergestreckt, und alle ziemlich gleich groß und elliptisch sein sollen. Das trifft auch für *Palaeobalistum Ponsortii* Heckel (l. c. S. 236, Taf. 11, Fig. 7) zu, die seitdem beschriebenen *Pycnodus*-Gebisse fügen sich aber nicht recht in diese Definition ein.

Das in der hiesigen paläontologischen Sammlung befindliche Original von *Pycnodus platessus* Ag. (II S. 185—188, Taf. 72, Fig. 1, 2) und seine Gegenplatte ließ nun leider die Bezahnung nicht genügend erkennen, mit gütiger Erlaubnis von Herrn Prof. Rothpletz konnte ich sie aber so weit herauspräparieren, daß ich das Wichtigste festzustellen in der Lage bin.

Unten sind auf der Platte (Agassiz II, Taf. 72, Fig. 1) und der Gegenplatte (l. c. Fig. 2) beide Unterkieferhälften von innen zu sehen, aber der untere und vordere Teil der rechten Hälfte befindet sich fast ganz auf der letzteren. Vorn ist auf ihr zwischen den Abdrücken zweier kleiner Schneidezähne und einem einzigen Stiftzahn nur ein großer Schneidezahn der rechten Seite erhalten, dessen außen etwas konvexe scharfkantige Krone 4·1 *mm* lang und 1·6 *mm* hoch ist. Dahinter liegen die abgebrochenen Zähne der Innenreihe der rechten Seite und über ihnen die drei Zahnreihen der linken, während auf der Platte unten die Basis der hinteren Zähne der Innenreihe und darüber die zwei anderen Zahnreihen, wenn auch alle nicht vollständig zu sehen sind.

Oben ist nur auf der Platte ein winziger Stiftzahn, die Basis eines größeren Schneidezahnes der linken, sowie ein großer Schneidezahn wohl der rechten Seite zu sehen. Seine Krone ist wie am unteren scharfkantig, innen ein wenig konkav und 3·1 *mm* lang, 2·3 *mm* hoch und hat mesial ein spitzes, distal ein stumpfes Eck, wie der von mir (Taf. XVI (IV), Fig. 31) abgebildete Zahn. Die Gaumenzähne waren leider nur teilweise herauszupräparieren und sind so verteilt, daß auf der Platte außer einem Zahn der rechten Zwischenreihe die Mittelzähne, die vorderen vier linken Zwischenzähne und der vorderste linke Seitenzahn, auf der Gegenplatte nur die fünf hinteren linken Zwischenzähne und mittleren Seitenzähne zu sehen sind.[1]

Ich kann nun die Heckelsche Definition nur für das Unterkiefergebiß als richtig anerkennen und die Beschreibung, die Smith Woodward (1895, S. 276) nach dem Blainvilleschen Original von *Zeus (Pycnodus) platessus* gab, insofern modifizieren, als bei dem Agassizschen Original auch die äußeren Zähne glatt sind, und kann das Gebiß desselben folgendermaßen beschreiben.

Vorn sind unten und oben jederseits außer ein oder zwei seitlichen stiftförmigen Zähnchen ein oder mehrere lange nicht sehr hohe und dicke Zähne von typischer Schneidezahnform. Dahinter sind die glatten, sehr wenig bis deutlich gewölbten Mahlzähne alternierend in Längsreihen angeordnet, und zwar sind unten jederseits drei Längsreihen, oben jedoch eine Mittelreihe und jederseits eine Zwischen- und eine Seitenreihe vorhanden. Die Zahl der Zähne jeder Reihe beträgt nicht unter sechs, wahrscheinlich ist sie 7 bis 9.

Die Größe der Zähne, speziell ihre Breite nimmt von innen nach außen und von hinten nach vorn ab, die Länge aller Zähne bis auf die vordersten ist aber in allen Reihen und oben wie unten ziemlich die gleiche. In der unteren Außenreihe sowie in der oberen Mittelreihe und Zwischenreihe befinden sich vorn 2 bis 3 recht kleine fast halbkugelige Zähne, die anderen sind aber alle mehr oder weniger oval.

Unten sind sie alle einfach queroval, nur diejenigen der Zwischenreihe verschmälern sich gegen das äußere Ende zu und die der Außenreihe sind nur wenig queroval. Die hochgewölbten Zähne der Innenreihe sind so groß, daß sie nur unvollkommen mit denjenigen der Mittelreihe alternieren, ihre Breite übertrifft bei den größten hintersten Zähnen sowohl die der zwei entsprechenden Zähne der anderen zwei Reihen, als sogar die der Mittel-, Zwischen- und Seitenreihe der Gaumenzähne zusammengenommen. Auch die Zähne der unteren Zwischen- und Seitenreihe sind größer als die entsprechenden Gaumenzähne.

Am Gaumen sind hinter den zwei kleinen Zähnen in der Mittelreihe querovale, wenig gewölbte Zähne mit deutlich konvexem Vorder- und eben konkavem Hinterrand und in der Zwischenreihe kleinere gewölbte kaum querovale Zähne vorhanden. Der vorderste Zahn der Seitenreihe ist stark längsoval, die weiteren

---

[1] Am Gaumen wende ich die Ausdrücke lang in der Körperlängsachse, breit in der Querachse, hoch in der Sagittalachse an.

sind größer, aber stets kleiner als die der Zwischenreihe, flach und etwas längsoval. Alle Gaumenzähne scheinen endlich mit denen der Nebenreihe zu alternieren und nur ausnahmsweise ein Grübchen auf der Oberfläche zu besitzen, sonst aber wie die unteren glatt zu sein.

Palaeobalistum, bei dem ich mich auf die Angaben Heckels verlassen muß, würde sich demnach im Gebiß nur dadurch unterscheiden, daß bei ihm im Unterkiefer die äußeren Zähne nicht queroval sind und daß am Gaumen die Zähne weniger in der Größe verschieden und die Zwischen- wie die äußeren Zähne längsoval sind. Es sind aber auch bei dem Typus von *Pycnodus* die vorderen Außenzähne des Unterkiefers nicht und die weiteren nur wenig queroval und das Gaumengebiß von *Pycnodus pachyrhinus* Egerton (1877, Taf. 4, Fig. 2) hat ähnliche Mittelzähne wie *Pycnodus platessus*, aber schrägovale Zwischenzähne und vermittelt so zu *Pycnodus mokattamensis* Priem (1897, Taf. 7, Fig. 9) und *Pycnodus Munieri* Priem (1902, S. 45, Fig. 1), wo die Gaumenzähne in den Größenverhältnissen sich wie bei *Pycnodus*, in der Stellung aber wie bei *Palaeobalistum* verhalten.

Egerton (1877, S. 50, 51 und 53) wies schon auf die Variabilität der Mahlzähne hin und das Gebiß von *Pycnodus Bowerbanki* Egerton (l. c. Taf. 3, Fig. 2), *P. pachyrhinus* Egerton (l. c. Taf. 4, Fig. 2), *P. Munieri* Priem (1902, S. 45, Fig. 1), *P. Pellei* Priem (1903, Taf. 13, Fig. 5), das eben beschriebene von *P. platessus* Ag. und einige der hier zu beschreibenden, z. B. Taf. XVI (IV), Fig. 35—37 und die Maße meiner Tabelle, S. 191, beweisen genugsam, daß vorn nicht nur meistens recht kleine, rundliche Mahlzähne, sondern auch manchmal unregelmäßig gestaltete Zähne vorhanden sind und daß auch in der Mitte und am Hinterende jeder Reihe die Form der Zähne wechseln kann. Bei dem Taf. XVI (IV), Fig. 36, abgebildeten Gebiß sind auch Spuren einer innersten Reihe kleinster Mahlzähne vorhanden, wie sie Egerton (l. c. S. 53) bei einem Unterkiefer von *P. toliapicus* Ag. einseitig ausgebildet fand. Es sind also die Maße und die Form einzelner Zähne nicht genügend zu einer Bestimmung, auch unvollständige Gebisse sind kaum ganz sicher und selbst vollständige nur schwer bestimmbar, denn durch obige Befunde erscheinen ja sogar die Unterschiede der Bezahnung von *Palaeobalistum* und *Pycnodus* sehr verwischt.

Vom untersten Mokattam bei Kairo liegen mir 6 mehr oder minder vollständige, kleine bis sehr große Unterkieferhälften mit je 3 Zahnreihen (5 St., 1 M., siehe Tabelle S. 191) und eine kleine (St.) mit nur 2 erhaltenen Zahnreihen, und ein kleines (M) und etwas größeres (St.) Gaumengebiß (siehe Tabelle S. 191) außer vielen einzelnen Mahl- und Schneidezähnen (St., M. und Fr.) vor, aber nur ein großer glatter und ovaler Mahlzahn (St.) aus den Mergeln der Kurun-Stufe des Fajum. Pycnodonten sind also im unteren Mokattam in sehr stattlichen und häufigen Exemplaren vertreten, im oberen aber äußerst selten.

Dabei ist gleich hier zu bemerken, daß *Ancistrodon*[1])-Zähne im untersten Mokattam bei Kairo auch sehr häufig und zum Teil sehr groß sind, in der Kurun-Stufe aber klein, jedoch nicht selten. Die zuletzt von Priem (1902, S. 49) erwähnte Ansicht von Smith Woodward (1895, S. 283), sie seien Vorderzähne von Pycnodonten, erscheint mir aber nach der Form der Schneidezähne von *Pycnodus platessus* und der isolierten Pycnodonten-Schneidezähne aus dem unteren Mokattam, sowie derjenigen von mesozoischen Pycnodonten ausgeschlossen, auch haben die seitlich stark komprimierten hakenförmigen *Ancistrodon*-Zähne eine von jenen ein wenig abweichende Struktur.[2])

Was nun die Gebisse vom unteren Mokattam anlangt, so gehören die zwei etwas querkonvexen Gaumengebisse (siehe Taf. XVI (IV), Fig. 33, 34, und Maßtabelle S. 191) sicher zu einer dem *Pycnodus*

---

[1]) Der 1849 von Debey (Römer) aufgestellte Name *Ancistrodon* ist schon 1797 für eine rezente *Crotalide*, allerdings in der griechischen Schreibweise *Agkistrodon*, vergeben. Da ich die Zugehörigkeit der hakenförmigen *Ancistrodon*-Zähne zu einem Gymnodonten-Genus erweisen zu können hoffe, hat es keinen Zweck, dafür einen neuen Namen aufzustellen.

[2]) Owen (1840, S. 72, 73, Taf. 43, Fig. 1) und Agassiz (II, S. 242, 243, Taf. J, Fig. 1, 3, 4 und 5) beschrieben die Struktur der *Pycnodus*-Mahlzähne. Danach ist meistens eine Pulpahöhle vorhanden, von welcher die dicht stehenden und sehr spitzwinklig verzweigten Dentinröhrchen senkrecht zur Oberfläche ausstrahlen, z. B. *Gyrodus, Microdon, Pycnodus* und dasselbe fand ich auch bei Mahlzähnen vom unteren Mokattam, bei *Periodus Koenigii* aber fand Agassiz l. c. das ganze Innere mit Osteodentin erfüllt. Etwas ähnliches kann ich auch bei *Pycnodus*-Schneidezähnen vom unteren Mokattam konstatieren, bei welchen außen, wie es Agassiz l. c. S. 242 beschrieb, zwei Schichten zu unterscheiden sind, das Innere aber ganz von Vasodentin erfüllt ist.

platessus sehr nahe stehenden Art. Bei beiden sind alle fünf Längsreihen, aber nur mit höchstens je vier Zähnen vorhanden, die kleinen vordersten und die hinteren fehlen. Die Größenverhältnisse, Form und Stellung der Zähne sind fast ganz wie bei *Pycnodus platessus* Ag., speziell der vorderste Zahn der Mittelreihe ist wie dort der vierte vorn stark konvex, hinten gerade begrenzt, aber alle sind deutlich gewölbt, der übernächste Zahn hinter ihm ist deutlich queroval und der nur am kleineren Gebiß (M., Taf. XVI (IV), Fig. 33) erhaltene vierte ähnlich wie der vorderste gestaltet, nur schmaler. Bei dem größeren Stück (St.) endlich ist auf allen Zähnen der Zwischen- und Seitenreihen ein kleines Grübchen vorhanden, das natürlich beim Abkauen verschwinden muß.

Das Gaumengebiß von *P. pachyrhinus* Egerton (1877, S. 54, Taf. 4, Fig. 1, 2) unterscheidet sich von diesen vor allem durch seine schrägovalen Zwischenzähne, das von *P. mokattamensis* Priem (1897, S. 217—220, Taf. 7, Fig. 9, 10) durch die deutliche Grube und die Radialfalten der Zähne, welche in der Mittelreihe fast alle ein wenig mehr queroval und in der Zwischenreihe eher längs- als schrägoval sind. *P. Munieri* Priem (1902, S. 44—46, Fig. 1) hat zwar in den Seitenreihen und den ersten drei Mittelzähnen fast dieselben Verhältnisse wie meine Exemplare, aber die weiteren Mittelzähne sind deutlich quer-, die Zwischenzähne etwas längsoval und *P. Savini* Priem (1902, S. 46—48, Fig. 2) endlich weicht in seinen stark querovalen Mittelzähnen, den etwas schrägovalen Zwischen- und den nur wenig längsovalen Seitenzähnen stärker ab.

Die unteren Mahlzahngebisse bezeichne ich, wie in der Tabelle S. 191 angegeben ist, und bemerke, daß bei St. 1 a nur sechs Innenzähne und drei verschobene vordere Zwischenzähne erhalten sind. St. 1 und St. 3 enthält nur vordere, St. 4 nur hintere Zähne, die anderen Stücke sind vollständiger, speziell bei St. 5 (Taf. XVI (IV), Fig. 35) fehlen nur hinten an der Außenreihe und vorn wenige Zähne.

Bei dem größten (St. 5, siehe Taf. XVI (IV), Fig. 35) und bei St. 3 ist auch der Unterkiefer so weit erhalten, daß sich unten eine deutlich konvexe Fläche, oben aber unterhalb der Innenzahnreihe eine Längsrinne wie bei *Periodus Koenigii* Ag. (II, S. 201, Taf. 72 a, Fig. 62) und bei *Pycnodus Pellei* Priem (1903, Taf. 13, Fig. 5) erkennen läßt. Die bei allen außer bei St. 1 a normale Lage der Zahnreihen ist offenbar die für *Pycnodus* geltende, da sie auch bei dem Original von *P. platessus* Ag. und bei *P. Pellei* Priem (1903, S. 403) dieselbe ist. (Siehe Heckel 1855, S. 193, Anm. [1]) Sie ist insofern eigenartig, als bei horizontal gestellter Oberfläche der Zwischenzähne die der äußeren nach innen und oben, die der inneren aber nach oben und mäßig innen sieht. Ist die Abkauung deutlich, so sind wie bei *P. platessus* Ag. und *Periodus Koenigii* Dixon (1850, Taf. 10, Fig. 13) die Zwischenzähne am stärksten abgenützt, flach bis flachkonkav, die Innenzähne sind aber nur bei den kleinsten Gebissen St. 1 und St. 1 a und dem größten St. 5 wie bei *P. platessus* Ag. auf der Oberfläche abgenützt, bei St. 2 und M. 1 (Taf. XVI (IV), Fig. 36 und 37) wie bei *P. faba* H. v. Meyer (1848, Taf. 20, Fig. 3) und *P. Koenigii* Dixon l. c. jedoch an ihrem äußeren Oberende. Diese Verschiedenheit in der Art des Abkauens hängt wohl mit Unterschieden in der relativen Größe und Wölbung der Innenzähne und Gaumenzähne zusammen. In bezug auf den Zahnersatz kann ich nur bemerken, daß wie bei *P. platessus* Ag. die vorderen Zähne am meisten abgenützt sind, die hinteren manchmal noch gar nicht, z. B. bei St. 1 a, St. 1, St. 2, M. 1. Es spricht das natürlich für den von Smith Woodward (1895, S. 194) angenommenen Ersatz von hinten her.

Bei allen sind die gewölbten Innenzähne ganz glatt und die Zwischen- und Außenzähne haben nur bei den zwei größten Exemplaren (St. 4 und St. 5) eine kleine Grube auf der Oberfläche. Fast alle Zähne sind mehr oder weniger breiter als lang, nur vorn sind, wie in der Regel bei *Pycnodus*, in der Außenreihe runde Zähne. Bei St. 1 sind alle drei erhaltenen Außenzähne rund, bei St. 3 nur der erste und bei M. 1 und St. 5 (siehe Taf. XVI (IV), Fig. 35 und 37) ist er zugleich anormal klein. Auch hier wie bei *P. platessus* Ag. werden die Zähne nach außen und vorn zu kleiner, doch letzteres nicht immer regelmäßig; die Zahnzahl jeder Reihe dürfte auch 8 oder 9 betragen und die Zähne der Zwischen- und Außenreihe alternieren außer bei St. 1 und St. 2, die der ersteren und der Innenreihe aber außer bei St. 1 nur undeutlich.

Die stark gewölbten Innenzähne sind bei allen ungefähr zweimal so breit als lang, bei den kleineren Exemplaren zum Teil bis zweieinhalbmal, bei St. 4 und St. 5 so breit als die zwei daneben liegenden Zähne zusammen, bei den kleineren aber weniger breit. Sie sind nur bei St. 1 a, St. 4 und St. 5 einfach oval, bei den anderen ist ihr vorderes Außeneck gerundet, das hintere bei St. 1 spitzwinklig, bei St. 2 (Taf. XVI (IV), Fig. 36) ist ihr Hinterrand ein wenig konkav und bei St. 1 und St. 2 sind sie außen länger als innen und nehmen wie bei St. 1 a nach vorn zu deutlich an Größe ab, während sie bei St. 5 ziemlich gleich bleiben. Die Zähne der Zwischenreihe sind weniger gewölbt, oben meist durch Abkauung flach oder konkav. Ihre Länge ist bei St. 1 a und 3 wenig, sonst deutlich geringer als die der entsprechenden Innenzähne, die Breite ebenfalls, besonders bei St. 4 und St. 5, stets werden sie nach vorn zu ein wenig schmaler, aber kaum kürzer und sind deutlich queroval, nur bei St. 1 a und 2 sind die vorderen außen spitzwinklig.

Die äußeren Zähne sind kaum kürzer, aber etwas bis mäßig schmaler als die entsprechenden Zwischenzähne, die vorderen sind stets schmaler als die hinteren. Sie sind nur etwas queroval, vorn, wie schon erwähnt, oft rund.

Es ist nun natürlich nicht leicht zu entscheiden, ob die sieben Gebisse alle zu einer Art gehören und ob sie zu den beschriebenen Gaumengebissen oder zu dem von *Pycnodus mokattamensis* Priem zu rechnen sind. Die nicht unerheblichen Unterschiede können ja nicht nur auf der schon oben S. 187 festgestellten Variabilität beruhen, sondern auch auf Differenzen der je nach ihrer Stellung etwas anders gestalteten, zufällig erhaltenen Zähne der größtenteils unvollständigen Gebisse (siehe Smith Woodward, 1895, S. 195!) und endlich auch auf Verschiedenheit im Lebensalter. Es ist im Hinblick darauf sicher bemerkenswert, daß die zwei größten und die drei kleinsten Stücke am meisten Besonderheiten zeigen, die mittelgroßen aber vermitteln.

Gemeinsam ist allen, daß die Zähne glatt oder nur bei den zwei größten Stücken mit einer schwachen Grube versehen sind, ferner daß die Innenzähne $2-2^1/_2$mal so breit als lang, selten so breit als die zwei daneben liegenden Zähne zusammen werden und daß die Zwischenzähne stets sehr deutlich, die Außenzähne aber nur etwas oder gar nicht breiter als lang sind. Der Mangel einer deutlichen Skulptur der Zwischen- und Außenzähne unterscheidet sie nun zunächst von den auch im unteren Mokattam gefundenen unvollständigen Unterkieferresten von *Pycnodus mokattamensis* Priem (1897, S. 219, Taf. 7, Fig. 11, und 1899, S. 240, 241, Taf. 2, Fig. 1), auch sind dort die Außenzähne relativ breit, die Zwischenzähne relativ schmal. Es stimmt dies also überein mit den schon beim Vergleich der Gaumengebisse gefundenen Unterschieden und genügt demnach zur Trennung der Arten.

Von *Pycnodus Munieri*, Savini und *pachyrhinus* sind leider die Unterkiefer noch nicht nachgewiesen, ich kann deshalb nur aus den Differenzen der Gaumengebisse des Mokattam von jenen schließen, daß auch die wahrscheinlich zu ihnen gehörigen Unterkiefer verschieden sein werden.

Das Gebiß von *P. Pellei* Priem (1903, S. 402—404, Taf. 13, Fig. 5) hat relativ breitere Innen- und Außenzähne als meine Exemplare (speziell die großen), relativ längere Innenzähne als *P. platessus* Ag. und glatte Zähne gegenüber *P. mokattamensis* Priem. Das Gebiß von *P. Bowerbanki* Egerton (1877, S. 52, 53, Taf. 3, Fig. 2) unterscheidet sich, wie Priem (1903, S. 403) auseinandersetzte, auch deutlich von ihm, aber auch von den anderen genannten Formen. Seine Innenzähne sind etwa $2^1/_2$mal so breit als lang, aber nicht so breit als die beiden Zähne daneben, weil die Zwischenzähne recht breit, zweimal so breit als lang sind. Die Außenzähne sind im Verhältnis zu ihnen dann natürlich viel schmaler als bei meinen Exemplaren (außer die vorderen runden bei St. 1), nur etwas breiter als lang. Egerton l. c. bezeichnete sie als »fast kreisförmig«, Smith Woodward (1895, S. 279) aber irrtümlich als »bedeutend breiter als lang«.

Das Gebiß von *P. faba* H. v. Meyer (1848, S. 152, Taf. 20, Fig. 3, 4) zeichnet sich durch die Länge der Innenzähne und die geringe Größe der kaum querovalen, offenbar vorderen Zwischen- und Außenzähne aus. Das von *P. toliapicus* Ag. (II, S. 196, Taf. 72 a, Fig. 55) hat Innenzähne wie meine großen Exemplare, ihre Breite übertrifft aber wohl die der zwei daneben liegenden Zähne, denn die Zwischenzähne sind hier im Gegensatz zu denen von *P. Bowerbanki* nur halb so breit als die Innenzähne und nur etwas queroval und die Außenzähne scheinen auch kaum oder nur wenig queroval zu sein. Das Gebiß von *Periodus = Pycnodus Koenigii* Ag. (II, S. 201, Taf. 72 a, Fig. 61, 62 und Taf. J, Fig. 45) hat Innenzähne wie *P. Bowerbanki* Egerton, sie sind aber so breit als die zwei daneben liegenden Zähne, weil die Zwischenzähne nur halb so breit als sie und nur etwas queroval sind und auch der vierte Außenzahn kaum queroval-

24*

oval ist. Von meinen Exemplaren unterscheidet es sich außer durch die Struktur seiner Mahlzähne (siehe Agassiz, S. 243, Taf. J, Fig. 4, 5 und oben S. 187 Anm. 2!) vor allem durch seine relativ kurzen und breiten Innenzähne und eben dadurch auch von dem Gebiß von *Periodus Koenigii* Dixon (1850, S. 205, Taf. 10, Fig. 13), das sich in der Größe und den Form- und Abkauungsverhältnissen so an M. 1 anschließt, daß ich beide zusammen rechnen muß.

Bis auf dieses letzte Gebißstück zeigen also alle beschriebenen eocänen Unterkiefer so deutliche Unterschiede von meinen Exemplaren und untereinander, daß ich sie zu anderen getrennten Arten rechnen muß, die wichtigste noch ausstehende Vergleichung ist aber die mit *Pycnodus platessus* Ag. Dort sind die hinteren Innenzähne so breit wie bei keiner anderen Form, was allein zur Unterscheidung von den Stücken aus dem Mokattam genügt. Es ist aber immerhin bemerkenswert, daß die kleinsten Exemplare manche Annäherung zeigen, indem bei St. 1 a und St. 2 die hinteren Innenzähne breiter sind als bei den anderen und auch die Form der Zwischenzähne dieselbe ist wie bei *F. platessus* und endlich bei St. 1 a und St. 1 die Innenzähne wie bei ihm abgekaut sind. Aber auch das Gebiß St. 1 a, das hierin und in der Größe jener Art am nächsten steht, hat relativ größere Zwischenzähne und es sind also die Unterschiede der unteren Mahlzähne doch größer als die der Gaumengebisse von jenen des *P. platessus* Ag.

Wenn ich nicht das Vorkommen einer ganzen Zahl sich nahe stehender *Pycnodus*-Arten im unteren Mokattam annehmen will, bleibt nichts übrig, als wie oben schon angedeutet, außer einer allgemeinen Variabilität, besonders der vorderen Zähne, Altersverschiedenheiten anzunehmen und alle Unterkiefer unter einer Art, zu welcher auch der gleichalterige Unterkiefer von *P. Koenigii* Dixon (non Ag.) und die Gaumengebisse gehören, zusammenzufassen. Dafür spricht entschieden, daß die zwei größten Stücke St. 5 und St. 4, dann wieder die mittelgroßen *P. Koenigii* Dixon und M. 1 sich am nächsten stehen, daß dann wieder das nächst kleinere St. 3 kaum zu trennen ist und daß nur die drei kleinsten in der Form der Innen- und Zwischenzähne am meisten Differenzen zeigen, was einer besonderen Variabilität in der Jugend entspräche. Diesem im Unterkiefergebiß so variablen, stattlichen *Pycnodus variabilis mihi* stände dann der deutlich verschiedene, ebenfalls große *Pycnodus mokattamensis* Priem aus einer höheren Schicht der gleichen Lokalität gegenüber.

Zu erwähnen ist noch, daß mir außer zahlreichen einzelnen Zähnen, die wohl zu ersterem gehören, auch einige (St.) mit Skulptur der Krone wie bei der anderen Art vorliegen und auch eine ziemliche Zahl von *Pycnodus*-Schneidezähnen (St., 2 Fr., 1 M.), deren Zugehörigkeit und Stellung sich leider nicht genauer feststellen läßt (Taf. XVI (IV), Fig. 31, 31 a, 32, 32 a). Ihre aus Vasodentin mit einem sehr dicken Dentinmantel bestehende, glatte Krone ist stets länger als dick oder hoch und oben in eine schneidende Kante, die oft abgekaut ist (Taf. XVI (IV), Fig. 32), zugeschärft, außen etwas gewölbt, innen konkav und erhebt sich auf einem im Horizontalschnitt etwas ovalen, aus Vasodentin bestehenden Sockel. Im übrigen wechselt ihre Form ziemlich stark, die Kante wölbt sich meistens auf einer Seite konvex empor, während sie auf der anderen in einem spitzwinkligen Eck endet, wie es ja auch bei dem oberen Schneidezahn von *P. platessus* Ag. der Fall ist; seltener endet sie beiderseits in mehr rechtwinkligem Eck, so daß die Krone ziemlich bilateral symmetrisch ist. Unten bleibt die Krone nur selten platt, sondern fast immer wird sie hier innen dicker, so daß der Horizontalschnitt ihres untersten Teiles ein Oval darstellt.

Zum Schluß sei noch hervorgehoben, daß die beiden Arten vom Mokattam wie die meisten andern eocänen Arten von *Pycnodus* zu den stattlichsten Vertretern der ganzen Familie gehören; speziell Formen wie *Pycnodus Bowerbanki* Egerton, *Pellei* und *Savini* Priem dürften den größten mesozoischen Vertretern der Familie nicht nachstehen. Wie öfters in der Tierwelt finden sich also auch in dieser Tiergruppe unmittelbar vor dem Erlöschen besonders stattliche Vertreter in größerer Zahl und anscheinend auch in keiner geringen Menge von Individuen, doch sind es keine ganz exzeptionellen Riesenformen, denn schon im Jura kommen ja so große Tiere wie *Gyrodus titanius* Wagner und *Mesodon gigas* Ag. vor.

Maße der Pycnodus-Zähne.[1]

Unterkiefer

	Innenzähne lang	Innenzähne breit	Zwischenzähne lang	Zwischenzähne breit	Außenzähne lang	Außenzähne breit
Pycnodus platessus Ag.	(1) 2	3'5	(2) 1'8	2'8	(2) 1 9	2'1
	(6) 2	6	(4) 1'9	3	5) 1'5	2'5
P. mokatta-mensis Pr. 1899 n. 1897	(1) 10	20	(3) 8	13	7	1 3
	—	—	(4) 9	10	—	—
St. 1 a	(1) 2'1	4'5	(1) 2'1	3'5	—	—
	(2) 2'5	5'5	(2) 2	4	—	—
	(4) 2'9	6'8	—	—	—	—
	(6) 2'6	7	—	—	—	—
St. 1	(1) 2'5	4'5	(1) 1'5	3	(1) 2	2
	(2) 3	5'5	(3) 2	3'5	(2) 2	2
	(3) 3	6	(5) 2	4	(3) 2	1'9
*St. 2	(1) 3	6'5	(3) 3	6	(1) 3	3'9
	(3) 3'5	8'5	(6) 3	6'6	(2) 3	4
	(6) 4'1	9	(8) 3	7	—	—
St. 3	(1) 3'5	—	(2) 4	6	(1) 3'5	3 5
	(2) 4'5	10	(3) 4'1	6 9	(2) 3'5	4'3
	(3) 4'5	10'2	(4) 4	6'9	(3) 3'5	4'2
*M 1	(1) —	—	(1) 4'1	7	(2) 4'4	6
	(2) 6'6	11'5	(4) 4'8	8	(4) 4'4	6'5
	(3) 6'7	11'5	(7) 4'2	8	(6) 4'4	6'5
St. 4	—	—	(1) 6'5	9'2	(1) 6'1	8'5
	(1) 9	18	(2) 6'5	8'5	(3) 6'1	8'5
	(2) 9	19	(3) 7	10'1	(4) 6'2	8 6
*St. 5	(1) 9	18	(1) 6'5	10'5	(2) 6	8 8
	(3) 10	18	(4) 6'5	10'5	(4) 6'1	9
	(5) 9'5	18	(8) 6	12	(7) 6'1	10'5

Gaumen

	Medianzähne lang	Medianzähne breit	Zwischenzähne lang	Zwischenzähne breit	Seitenzähne lang	Seitenzähne breit
Pycnodus platessus Ag.	(4) 2	2'5	(5) 1'9	2	(1) 2	1'1
P. mokattamensis Pr.	10	14—15	12	9	11	8
*M. (St. 1 a)	(1) 3	4 5	(1) 3	3'5	(1) 3	2
	(2) 3'1	4	(2) 3	2'5	(2) 3'2	1'8
	(3) 2'8	5	(3) 3	3	(3) 3'1	1'9
	(4) 3	4	—	—	—	—
*St. (St. 1)	(1) 5	6	(1) 4	5	(1) 5	3
	(2) 5	7	(3) 4	5'5	(2) 4	2'5
	(3) 5	8	(4) 4	5'5	—	—

[1] Maße in Millimetern. Die eingeklammerten Zahlen bezeichnen den gemessenen Zahn von vorn her gezählt. Die mit einem * versehenen Stücke sind auf Taf. XVI (IV) abgebildet. Die mit M. und St. bezeichneten Gebißteile des *Pycnodus variabilis* nov. spec. sind bei der Tingije Moschee unter dem Hauptlager des *Nummulites gizehensis* gefunden.

Literatur-Verzeichnis zum Abschnitte II A.

Agassiz L.: Recherches sur les Poissons fossiles, Tome II. et Atlas II, Neuchâtel, 1833—1843.

Beadnell H.: The Topography and Geology of the Fayum Province of Egypt. Cairo 1905.

Blanckenhorn M.: Die Geschichte des Nilstromes in der Tertiär- und Quartärperiode etc. Zeitschr. Gesellsch. f. Erdkunde. Bd. 37, S. 694—762, Berlin, 1902.

Dixon Fr.: The Geology and the Fossils of the tertiary and cretaceous Formations of Sussex, London, 1850.

Duméril Aug.: Histoire naturelle des Poissons, Tome II, Paris, 1870.

Egerton Grey: On some new Pycnodonts. Geolog. Magaz. Dec. 2, Vol. 4, S. 49—55, Taf. 3, 4, London, 1877.

Heckel Joh. Jak.: Beiträge zur Kenntnis der fossilen Fische Österreichs. Denkschr. k. Akad. d. Wiss. math. naturw. Kl., Bd. 11, S. 187—274, 15 Taf., Wien, 1855.

Meyer H. v.: Myliobates pressidens, Cobitis longiceps und Pycnodus faba. Palaeontogr. Bd. 1, S. 149—152, Taf. 20, Kassel, 1851.

Owen R.: Odontography, 2 Vols., London, 1840—1845.

Priem F.: Sur les Poissons de l'Eocène du Mont Mokattam (Égypte), Bull. Soc. géol. de France, Sér. 3, T. 25, S. 212—227, Pl. 7., Paris, 1897.

Priem F.: Sur des Poissons éocènes d'Égypte etc. Ibidem, Sér. 3, T. 27, S. 241—253, Pl. 2, Paris, 1899.

   »   Sur des Pycnodontes tertiaires du Departement de l'Aude. Ibidem, Sér. 4, T. 2, S. 44—49, 2 Fig., Paris, 1902.

   »   Sur les Poissons fossiles des Phosphates d'Algerie et de Tunisie. Ibidem, Sér. 4, T. 3, S. 393—406, Pl. 13, Paris, 1903.

Smith John M.: Description of Calamoichthys etc. Trans. R. Soc. of Edinburgh, Vol. 24, S. 457—479, Taf. 31, 32, Edinburgh, 1867.

Woodward A. Smith: Catalogue of the fossil Fishes in the British Museum, Part. 3, London, 1895.

DIE OBERTRIADISCHE FISCHFAUNA VON HALLEIN IN SALZBURG.

Von

Dr. Karl Gorjanović-Kramberger,

k. Universitätsprofessor in Agram.

Mit 5 Tafeln (XVII (I) bis XXI (V)) und 19 Textbildern.

Vorwort.

Die vorliegende Fischfauna bearbeitete ich auf Ansuchen des Herrn Hans Hoefer, Professor an der k. k. montanistischen Hochschule in Leoben. Es wurde mir die Kollekte eigentlich zur Bestimmung übersendet, doch wurde ich bei einer genaueren Durchsicht derselben gewahr, daß dieselbe einzelne bisher in der oberen Trias noch nicht gefundene Fische enthält. Nachdem noch sehr schöne Exemplare von *Colobodus* und ein *Semionotus* vorlagen, entschloß ich mich sofort diese Kollekte wissenschaftlich zu verwerten, da so manche Ergebnisse zu erwarten waren, die gewisse Ansichten über die Stellung dieser oder jener Art besser zu begründen versprachen. Vor allem mußte die Frage über die Existenzberechtigung der Art *Colobodus latus* im Sinne Kner und Bassanis untersucht und die problematische Stellung der Art *Semionotus Kapffi* Fraas in der Gattung geprüft werden. Ebenso habe ich die systematische Stellung der Gattung *Heterolepidotus*, welche A. S. Woodward zur Fam. *Eugnathidae* versetzte, wiederum zurück zu jener der *Semionotidae* gestellt. Fügen wir noch hinzu, daß diese schöne Fischfauna auch eine neue Gattung, ferner einen Pycnodonten enthält: so haben wir damit auch die wichtigsten Momente erwähnt, die uns bewogen haben, diese sehr interessante Fauna zu bearbeiten, die in mehrfacher Weise die bereits bekannten Faunen der entsprechenden obertriadischen Abteilung nicht nur vervollständigt, sondern auch gewisse Verbindungen mit den nächst älteren und jüngeren — des Jura — darstellt.

Ein großes Verdienst ist es, daß sich Herr Prof. Hoefer mit dieser Aufsammlung für die Wissenschaft erworben hat.

Bevor ich zum speziellen Teil übergehe, möge in Kürze eine geologische Darstellung der in Rede stehenden Fundstelle, die ich eben dem Entdecker derselben, Herrn Prof. Hoefer, verdanke, folgen.

I. Die geologischen Verhältnisse und Angabe der Fundorte.

Der Mergel, dessen Fischfauna im nachfolgenden beschrieben wird, findet sich an der Straße von Hallein nach Ebenau. Dieselbe führt von Hallein bis zur sog. Glashütte — jetzt Marmorschleiferei — über das Diluvium der Salza. Unmittelbar neben der Fabrik treten die Oberalmer Schichten zu Tage, welche sowohl der Almbach, als auch die neue Straße von Adnet bestens aufschließt. Oberhalb der Fabrik ist an der Ebenauer Straße ein Steinbruch, in welchem diese Schichten, von mehreren nicht bedeutenden Verwerfungen durchsetzt, mit 8^0 nach 14^h 8^0 (astron.) verflächen. Sie bestehen aus Mergelschiefer mit bis 3 m mächtigen Bänken lichtbraunen Kalkes; insbesondere im ersteren fördert man nicht näher bestimmbare Kriechspuren, Belemniten und Perisphincten, sowie *Aptychus Beyrichi* Opp., sind somit tithonen Alters. Bei der weiteren Verfolgung der Straße nach NO. halten die Oberalmer Schichten in petrographisch gleicher Ausbildung an, bis man beim Gehöfte »Maurer« wieder zu Steinbrüchen gelangt, in welchen rote Adneter Kalke gewonnen werden, die ziemlich reich an Ammoniten und Belemniten sind; das häufige Auftreten von Nautilus ist bemerkenswert. Die Adneter Kalke begleiten nun die Straße, bis sie bei einigen Häusern etwas steiler ansteigt, dort finden sich die dunklen Kössener Kalke mit Brachiopoden wenig gut aufgeschlossen und sind weiterhin zum Teil von Glazialdiluvium überdeckt. Unmittelbar hinter dem Wirtshause »Zum Schmidt«, bei einer Brücke, sind in einer Grube abermals die dünnbankigen roten Adneter Kalke gut aufgeschlossen, ebenso etwas weiter an der Straße. Bei dem genannten Wirtshause muß ein Verwurf durchsetzen, welcher sich westlich als ein Sattel zwischen dem Almberge (722 m S. H.) und dem Eberstein (733 m) markiert, und auch am Westabhang dieses Bergzuges beim Jägerhause (J. H.) nördlich von der Pucher Kirche wieder zu finden ist.

Die Adneter Kalke werden vom Glazialdiluvium überdeckt. Die Straße übersetzt beim »Edelgut« einen Bach; linker Hand, d. i. westlich, ist ein naher, größtenteils bewaldeter Rücken, aus dunklen, zum Teil mergeligen Kalken bestehend, die ziemlich reichlich die Fauna, insbesonders Muscheln, der Kössener Schichten führen. Diese halten an, bis die Straße in den Wald tritt und einen scharfen Bug nach O. macht. In diesem, bei ziemlich scharfen Ansteigen, treten in mächtigen Bänken Kalke und dolomitische Kalke zu Tage, die bis zur Höhe (»Schöngut«) anhalten, und hier in typischen Dolomit übergehen; von hier bergabwärts ist Dolomit und dolomitischer Kalk, in welchem der fischführende Mergel eingelagert ist. Er ist dunkelgrau, führt neben Fischen vereinzelt auch Pflanzenreste und Herr Kollege Dr. F. Wähner fand — laut privater Mitteilung — auch einen kleinen Saurier. Der Mergel ist in Bänken geschichtet, welche mit 10^0 nach 17^h0^0 (astron.) verflächen. Das etwa 7 m starke Mergellager wird steinbruchmäßig abgebaut und das Material in Hallein zu Zement verarbeitet. Das Lager läßt sich als dunkle, tonige, sumpfige Erde in der Höhe nördlich vom Raucheck gut verfolgen und verschwindet weiter nördlich im Bache, welcher vom »Waschl« herabkommt. Es wird vom Dolomit über- und unterlagert, welcher bis Ebenau anhält, ab und zu von Glazialschutt überdeckt. Dieser Dolomit muß als Hauptdolomit angesehen werden, welcher bei Seefeld in Nordtirol ebenfalls einen fischführenden Mergel, den bekannten Asphaltschiefer, führt, dem unser Fundpunkt stratigraphisch gleich zu stellen ist.«[1] (Siehe das Profil auf Seite 222).

---

[1] Knapp vor Drucklegung dieser Monographie erhielt ich von Herrn Prof. Eberhard Fugger, Leiter des Museums »Carolino-Augusteum« in Salzburg, noch eine kleine Kollekte von Fischresten, die von derselben Fundstelle herrühren, wie diejenigen in vorliegender Arbeit beschrieben und welche 4 Exemplare von *Ophiopsis attenuata* Wagner, einen kleinen *Colobodus ornatus* Ag. und einen recht gut erhaltenen *Heterolepidotus dorsalis* (Kner.) enthaltet. Ferner die verkleinerten Photobilder von 3 Exemplaren des *Colobodus ornatus* Ag., wovon eines 44 *cm* lang ist und jene charakteristisch gekörnten Schuppen besitzt, wie man solche bei erwachsenen Stücken dieser Art beobachtet. Die übrigen Exemplare dieser Art sind laut Angabe des Herrn Fugger 20 und 19 *cm* lang.

II. SPEZIELLER TEIL.

A. Systematische Übersicht der Fischfauna

von

Hallein in Salzburg.

Subclass.: **Teleostomi.**
Ordo: **Actinopterygii.**
Subordo: **Protospondyli.**
Fam.: **Semionotidae.**

1. Gen.: **Semionotus**, Agassiz.
    1. Semionotus Kapffi Fraas.
2. Gen.: **Colobodus**, Agassiz.
    2. Colobodus ornatus, Agass. sp.   3. Colob. (Lepidotus) decoratus, Wagner.
3. Gen.: **Heterolepidotus**, Egerton.
    4. Heterolepid. dorsalis, Kner sp.,   5. Heterolep. parvulus, n. f.
4. Gen.: **Dapedius**, Leach.
    6. Dapedius sp. aff. Costae, Bass.
5. Gen.: **Spaniolepis**, n. gen.
    7. Spaniolepis ovalis, n. f.
Fam.: **Macrosemiidae.**
6. Gen.: **Ophiopsis**, Agassiz.
    8. Ophiopsis attenuata, Wagner.
7. Gen.: **Mesodon**, Wagner.
    9. Mesodon Hoeferi, n. f.
Subordo: **Isospondyli.**
Fam.: **Pholidophoridae.**
8. Gen.: **Pholidophorus**, Agassiz.
    10. Pholidophorus latiusculus, Agass.,   11. Pholidoph. sp. n. (?)

B. Beschreibung der Arten.

Subordo: **Protospondyli.**
Fam.: **Semionotidae.**
1. Gen.: **Semionotus**, Agassiz.

Diese Gattung wurde im Jahre 1901 durch Prof. E. Schellwien[1]) monographisch bearbeitet, und zwar auf Grund des bereits vorhandenen bearbeiteten Fischmaterials, insbesondere aber wurde in die osteologischen Verhältnisse des Schädels Klarheit gebracht durch einen in der Gegend von Senekal in Südafrika gemachten Fund einer Platte mit sieben beinahe vollständigen Exemplaren der Art *Semionotus capensis*

---

[1]) Über *Semionotus* Ag. Schriften der physikal. ökonom. Gesellschaft zu Königsberg in Pr., 1901.

Beiträge zur Paläontologie Österreich-Ungarns, Bd. XVIII.   25

A. S. Woodw., die bisher bloß in Bruchstücken bekannt war. Ich unterlasse eine eingehendere Schilderung dieser trefflichen Arbeit; ich werde aus ihr nur jene Momente vergleichend verwerten, welche bei der Beschreibung eines aus Hallein stammenden sehr gut erhaltenen Exemplars notwendig sein werden, um ein noch klareres Bild über die Charakteristik der Gattung *Semionotus* zu erhalten. Bisher sind nämlich noch einige Punkte unerledigt geblieben, die sich aber mit Zuhilfenahme der Überreste der nordamerikanischen s. g. *Ischypterus*-Arten, die nach Woodward und Schellwien eben mit *Semionotus* synonym sind, vollkommen klarstellen lassen. Unser Fisch ist auch in anderer Beziehung wichtig, der nämlich, als er die fraglich gewordene Stellung der Art *Semionotus Kapffi* Fraas in der Gattung *Semionotus* zweifellos machen und jene noch ungenügend beleuchteten Punkte über die Beschaffenheit der Dorsal und Caudalflosse, dann das Vorhandensein von Fulcra endlich definitiv erledigen wird.

Semionotus Kapffi, Fraas.

(Taf. 11, Abb. 2.)

1861.   *Semionotus Kapffi,* O. Fraas: Württemb. Jahreshefte, Bd. XVII, pag. 91, 95, Taf. I, Fig. 1—3.
1865.   »   »   A. S. Woodward: Catalogue of fossil Fishes III, pag. 56.
1901. (?)   »   »   Schellwien: Schriften der physikal.-ökonom. Gesellschaft in Königsberg, pag 27.

Dieser ausgezeichnet erhaltene Fisch verblieb, was seine Gestalt betrifft, vollkommen normal. Es gleicht der Körper einer flachen Ellipse, da sowohl die Rückenprofil- als auch die Bauchprofillinie gebogen sind, doch ist jene stärker gekrümmt als die letztere. Am besten wird das Gesagte ersichtlich durch die Ausmaße und die daraus sich ergebenden Verhältnisse:

Totallänge des Fisches . . . . 176·5 *mm*
Maximale Körperhöhe. . . . . 62·0 »
Kopflänge. . . . . 48·0 »
Kopfhöhe. . . . .   —   47·5 »
Schwanzstielhöhe . . . . 26·2 »

Es ergeben sich daraus folgende Relationen:

Die maximale Körperhöhe ist in der Gesamtlänge 2·8mal enthalten. Der nach vorn zugespitzte Kopf beträgt den 3·6 Teil der Gesamtlänge und die Höhe des oben nach rückwärts ausgezogenen Schwanzstieles ist 2·4mal in der Körperhöhe enthalten.

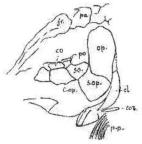

Abb. 1. — *Semionotus Kapffi,* Fraas. — Ein Teil des Schädels. — pa. = Parietale; fr. = Frontale; co. = Circumorbitalia; so. = Suborbitalia; op. = Operculum; s. op. — Suboperculum; i. op. = Interoperculum; cor. = Coracoid; p. p. = Pinna pectoralis.

Die Schädelknochen sind leider nicht ganz geblieben, doch erkennt man nach den noch teilweise erhaltenen Knochen und Eindrücken das oben etwas verschmälerte Operculum welches unkenntlich in die übrigen darunter liegenden Deckelstücke übergeht. Vor diesen Knochenplatten liegen einige deutlich erhaltene Circumorbitalia. Hinter dem Operculum steht die Clavicula und vor ihr etwa 7 *Radii branchiostegi,* die länglich sind und nach einwärts an Länge zunehmen. Am wichtigsten ist, daß in den Kiefern nicht nur eine Zahnart vorhanden war, wie dies Schellwien annimmt, sondern es waren deren wenigstens zwei Formen in den Kiefern: sehr dünne konisch zugespitzte mit etwas gebogener Spitze, als auch kräftigere Griffelzähne mit einer kurzkonischen Krone, die jenen bei den *Colobodus* beobachteten knopfartigen Ansatz besitzen. Bezüglich der Zähne hat bereits Fraas für seinen *Semionotus Kapffi* (l. cit. pag. 92) hervorgehoben, daß er »einen unter der Krone geschnürten spitzen Griffelzahn« besitzt. Aber auch Schellwien bemerkte an

Ischypterus tenuiceps von Sunderland (l. cit. pag. 29) derbere griffelförmige Zähne. An einem Stücke von *Isch. fultus* schienen ihm aber hinter den vorderen Zähnen der Zwischenkiefer »niedrige, stumpfe Zähne zu liegen«. Schellwien aber hält diese Zahnformen als möglicherweise zufällige, durch die Präparation

205

emtstandeue. Wir finden auch demgemäß in der Gattungsdiagnose bezüglich der Zähne bloß den Satz »Zähne überall lang und spitz«, was eben rektifiziert werden muß.

Bezüglich der Beschaffenheit der Oberfläche der Kopfknochen nämlich der »Skulptur der Kopfplatten«, so ist bei den *Ischypterus* die Beobachtung gemacht worden, daß die Kopf- und Circumorbitalplatten teilweise eine gekörnelte Oberfläche besessen haben. Nachdem ich an unserem *Semionotus Kapffi* ebenfalls eine sehr leichte radiäre Runzelung und eine leichte Körnelung der Circumorbitalia bestätigen kann, so schwindet abermals eine Kluft zwischen *Ischypterus* und *Semionotus*, da ja auch echte *Semionotus* leicht skulpturierte Kopfplatten aufweisen.

Die Rückenflosse beginnt hinter der Mitte des Körpers und hat eine kurze der Schwanzstielhöhe entsprechend lange Basis. Sie besteht aus 14 Strahlen, von denen der erste mit schlanken (7—8) Fulcra belegt ist. Die gegliederten und mehrfach geteilten Strahlen sind ziemlich stark und nicht gedrängt. Der längste Strahl entspricht der halben Körperhöhe.

Die Anale mochte unter dem Ende der Dorsale begonnen haben und war jedenfalls sehr schmal und zählte nur wenige Strahlen. Dieselben sind leider aneinander gedrückt und deshalb kann ihre Anzahl und nähere Beschaffenheit nicht angegeben werden.

Die Ventralen sind gar nicht sichtbar, aber um so besser die Pectoralen, die fächerförmig ausgebreitet sind und aus 22 Strahlen bestehen.

Die Caudale ist sehr gut entwickelt, deutlich ausgebuchtet und besteht aus 20 Strahlen, deren oberer und unterer Hauptstrahl mit schlanken Fulcra belegt ist. Die Entfernung der beiden Caudallappenenden beträgt 55 *mm* und die Länge des längsten Strahles am unteren Caudallappenrande an 44 *mm*. Es ist also die Abbildung des *Sem. Kapffi* bei Fraas bis auf die zu dünn gehaltenen Strahlen der Flossen, die jedoch hier zumeist aneinandergelegt sind, ganz richtig, sowohl was die Form der Caudale, als auch was die Existenz der Fulcra am ersten Dorsalstrahl betrifft, dargestellt.

Die Schuppen sind zum Teil als Abdrücke, zum Teil auch ganz erhalten geblieben. Diejenigen der vorderen Körperpartie hinter der Clavicula sind höher als breit, die hinteren wiederum rhombisch. Alle sind glatt und am Raude nicht gezähnelt oder gesägt. Besonders zeichnen sich die 23—24 unpaaren Schuppen des Vorderrückens (bis zur Dorsale) durch ihre Gestalt und hauptsächlich dadurch, daß sie nach rückwärts in einen schlanken etwas abgebogenen Dorn übergehen, aus.

Der Körperlänge nach verlaufen an 55 Schuppen, eine Querreihe aber enthält an der höchsten Körperstelle an 23 Schuppen.

Die Seitenlinie hinterließ im oberen Drittel des Körpers gleich hinter dem Kopfe einige sichelförmige Eindrücke, die einen ganz ähnlichen Verlauf, wie bei *Sem. capensis* S. Woodw. zeigen.

Und nun wollen wir einen Vergleich zwischen den beschriebenen Exemplaren der Art *Sem. Kapffi* Fraas, dem *Sem. Bergeri* Ag. und unserem Halleinerfisch durchführen.

Art	*Sem. Bergeri*	*Sem. Kapffi* (Stuttgart).	*Sem. Kapffi* (Hallein).
Körperhöhe: tot. Länge wie —	1:3'4—3'7	1:2'5-3	1.2'8
Kopflänge: tot. Länge wie =	1:3'9	1:1	1:3'5
Schwanzstielhöhe: Körperhöhe =	1:3	1:3	1:2'4
D hat Strahlen:	16—19	(?) 12	·14
Schuppenreihen der Körperlänge nach =	45	gegen 40	an 42
Schuppenreihen der Quere in Maxim. =	—	16	23
Rückenschuppen bis zur D =	—	21-22	23—24

Es unterscheidet sich also unser *Semionotus Kapffi* von *Sem. Bergeri* durch einen etwas höher gewölbten Rücken, eine geringere Anzahl der Strahlen in der Dorsalen und durch die ausgebuchtete Caudale aus. Die geringen Abweichungen sind aber zumeist auf Kosten des Erhaltungszustandes oder auch unbedeutenden individuellen Eigenheiten zuzuschreiben, die man an diesen mesozoischen Fischen so häufig beobachtet, insbesondere muß dies der Fall sein bei Formen von Gattungen, deren Charaktere so vielfach mit denen der verwandten Genera verflochten sind.

25*

Schlußbemerkung.

Aus dieser kurzen Auseinandersetzung folgt, daß die generische Diagnose von *Semionotus* noch die nachfolgenden Charaktere enthalten muß:

»Zähne zweierlei: sehr dünne konische oft leicht gebogene Bürstenzähne und kräftigere Griffelzähne mit kurzkonischer Krone, auf welcher ein knopfförmiger Ansatz wie bei *Colobodus* vorkommt. Schädeldachknochen glatt oder teilweise leicht skulpturiert; die Orbitalia gekörnelt. Die Caudale mehr minder deutlich ausgebuchtet oder gerade abgestutzt.« — Durch diesen Zusatz wird die Gattungsdiagnose, die uns Schellwien (l. cit. pag. 32) gibt, komplett.

2. Genus: Colobodus, Agassiz.

Bezüglich des Historiats der Gattung *Colobodus* verweise ich auf die kurze aber gründliche Auseinandersetzung in Dames' Abhandlung: »Die Ganoiden des deutschen Muschelkalkes«[1], worin auch die Unterschiede dieser Gattung gegenüber der verwandten hervorgehoben sind. Ziehen wir ferner noch die kurze Zusammenstellung und Charakteristik sowohl der Gattung *Colobodus* mit den dazu gehörigen Arten, wie wir sie in A. Smith Woodwards Katalog vorfinden,[2] so sind wir einerseits über die Kennzeichen der in Rede stehenden Gattung orientiert als auch gleichzeitig unterrichtet, daß da so manche Arten bloß auf Zähnen und Schuppen begründet sind und daher ihre Bestimmung resp. Wiedererkennung im gegebenen Falle sehr schwierig, ja geradezu unmöglich ist. Selbst die Identifizierung gut erhaltener Exemplare stößt auf Schwierigkeiten, wie uns dies ein Vergleich der Arten *Colobodus ornatus* (Ag.) und *Colobodus latus* (Agass.) belehrt. Die beiden Diagnosen sind nämlich unvollständig und beruhen auf ziemlich sekundären Merkmalen so, daß eine Unterscheidung der genannten Arten in einer größeren Seite auf Grund der bestehenden Merkmale nicht gut möglich ist. So ist z. B. die Anzahl der Flossenstrahlen geringen Schwankungen unterworfen, desgleichen aber auch das Schuppenkleid, insbesondere die Ausdehnung jener an ihrem hinteren Rande gefingerten Seitenschuppen. Ferner schwankt auch die Lage der Flossen als auch die Gestalt des Körpers, da beides wohl zum großen Teil mit einer Deformation der Körperhülle durch Druck in Zusammenhange steht! — Es will mir scheinen, daß die Höhe und Länge des Schwanzstieles, dann die Fortsetzung der Schuppenhülle in den oberen Schwanzlappen etwas stabilere Merkmale liefern dürften. Wir finden zwar bei Bassani[3] Fische mit jener in den oberen Schwanzlappen verlängerten Schuppenhülle als *Colobodus ornatus* und *Colob. latus* bezeichnet, anderseits wiederum Fische dieser Gattung mit ungleich gebauten Schwanzstielen, die aber auch mehreren Arten oder Varietäten angehören. Es kann sein, daß die Bassanischen Formen nur einer und derselben Art angehören, die auch demgemäß dieselbe Schwanzstielbildung aufweisen.

In der Kollekte, die mir Herr Prof. H. Hoefer gesendet hat, gibt es eine größere Anzahl verschieden großer und alter Individuen der Gattung *Colobodus* und alle diese ließen sich bezüglich ihrer Körperform und der Beschaffenheit des Schwanzstieles in zwei Gruppen mit drei Formen sondern, und zwar:

A. Körper mit hohem Rückenprofile:

a) Schwanzstiel kurz, hoch, die Schuppen in den oberen Caudallappen verlängert. Caudale mäßig ausgebuchtet:

Colobodus ornatus.

b) Schwanzstiel kürzer, niederer, am Ende abgestumpft unbedeutend in den oberen Caudallappen übergehend:

---

[1] Paläontolog. Abhandlungen. IV. Band, 1888, pag. 23.

[2] Catalogue of the fossil Fishes. Part. III., 1895, pag. 68—77.

[3] La Ittiofauna della Dol. princ. di Giffoni. 1895, pag. 186—196. — Tav. XII (IV), Fig. 8, 9, Tav. XIII (V), Fig. 1, Tav. XIV. (VI); Tav. XII (IV), Fig. 5—7, Tav. XIII (V), Fig. 2—4 et 5.

Colobodus ornatus var. *obtusus*.

B. Körper gestreckt, Schwanzstiel kurz, am Ende abgestumpft und unbedeutend in den oberen Caudallappen übergehend:

Colobodus elongatus n. f.

Ich übergehe zum ersten Formenkreise der Gattung *Colobodus*, zu welchem ich die von **Bassani** und **Kner** als *Colob. latus* beschriebenen Formen zuziehe, und zwar aus Gründen, die sich im Laufe der Beschreibung ergeben werden.

1. Colobodus ornatus, Agassiz.

(Taf. I, Abb. 1; Taf. V, Abb. 1, 4.)

1832. *Lepidotus ornatus*, L. A g a s s i z : Neues Jahrb., pag. 145.
1833—37.   »   »   L. A g a s s i z : Poiss. foss. Vol. II, pag. 9, 219, Pl. XXXII.
(?) 1844. *Lepidotus speciosus*, L. A g n s s i z : ibid., pag. 266, Pl. XXXIV. a. Fig. 5—7.
1850. *Lepidotus acutirostris*, O. G. C o s t a : Atti Acad. Pontan, Vol. V, pag. 301, Vol. VIII, Fig. 1 A.
1850. *Lepidotus gigas*, O. G. C o s t a : ibid, pag. 308, Pl. VIII.
1857. *Lepidotus?spinifer*, C. B e l l o t t i in A. S t o p p a n i : Studie geol. e paleont. Lomb., pag. 421.
1862. *Lepidotus acutirostris*, O. G. C o s t a : Atti R. Acad. Sc. Napoli. Vol. VI. Append , pag. 17, 44. Pl. VII, Fig. 3.
1862. *Lepidotus sp.*, O. G. C o s t a : ibid., pag, 20, 42, Pl. II.
1862. *Semionotus sp.*, O. G. C o s t a : ibid., pag. 43, Pl. III.
1862. *Semionotus curtulus*, O. G. C o s t a : ibid., pag. 20, 43. Pl. IV.
1862. *Urocomus picenus*, O. G. C o s t a : ibid., pag. 27, 43, Pl. VI, Fig. 1 a, A.
1866. *Lepidotus ornatus*, R. C r e d n e r : Sitzungsber. d. k. Akad. d. Wiss., math. naturw. Kl. Bd., 54, pag. 313, Taf. II.
1866. *Lepidotus obessus*, O. G. C o s t a : Atti R. Acad. Sci. Nap. Vol. III, pag. 4, Pl. I, II.
1889. *Semionotus spinifer*, W. D e e c k e : Palaeontogr. Vol. XXXV, pag. 136.
1891. *Lepidotus triumphinorum*, A. de Z i g n o : Mem. R. Acad. Lincei, (4) Vol. VII, pag. 6, Pl. I.
1892. *Lepidotus (Colobodus) ornatus*, F. B a s s a n i : Mem. Soc. Ital. Sci. (3), Vol. IX, pag. 24.
1895. *Colobodus ornatus*, A. S. W o o d w a r d : Catalogue of the foss. Fisches. Part. III, pag. 72.
1895. *Colobodus ornatus*, F. B a s s a n i : La Ittiofauna d. Dol. princ. di Giffoni, pag. 187 (19), Tav. XII (IV), Fig. 8, 9 ; Tav. XIII (V), Fig. 1; Tav. XIV (VI); Tav. XV (VII), Fig. 4—30.

Dazu hätte man noch zu setzen:

1866. *Semionotus latus*, R. K n e r : Foss. Fische v. Seefeld in Sitzungsber. d. k. Akad. der Wiss. math. nat. Kl., Bd. LIV, pag. 319, Taf. III, Fig. 5, et Taf. IV.
1895. *Colobodus latus*, F. B a s s a n i : La Ittiof. di Giffoni, pag. 192 (24), Tav. XII (IV), Fig. 5, 5a, 6 und 7, Tav. XIII (V), Fig. 2—4 und 5 (?), Tav. XV (VII), Fig. 31—43 und Fig. 44—47 (?).
1895. *Colobodus latus*, A. S. W o o d w a r d : Catalogue Part III, pag. 75.

Die bisher als *Colobodus ornatus* und *Colobodus latus* (im Sinne Kners und Bassanis) beschriebenen Arten, bilden meines Erachtens nach bloß eine einzige Art, welche man als *Colobodus ornatus* zu bezeichnen hätte. Die Berechtigung zu einem derartigen Vorgange ergibt sich aber aus dem Vergleiche der entsprechenden Artsdiagnosen. — A. S. W o o d w a r d hat die genannten Arten wie folgt charakterisiert:

Colobodus ornatus (A g a s s i z) [Siehe: Catalogue III, pag. 73]:

»A species attaining a length of about 0·5. Trunk deeply fusiform, its maximum depth much greater than the length of the head with opercular apparatus, which occupies nearly one-quarter of the total length of the fish. External bones finely ornamented with tuberculations; teeth smooth, not closely adpressed, those within the mouth oval or rounded. Pelvic fins arising opposite the origin of the dorsal fin, and much nearer the the anal than to the pectorals; dorsal fin with about 24 rays, the anal less than half as large and opposed to its hinder portion. Scales smooth, but those of the flanks, except in the hinder half of the caudal region, with long and conspicuosus posterior digitations; principal flank-scales scarcely deeper than broad.«

Colobodus latus (A g a s s i z) [l. cit. pag. 75]:

»A species attaining a length of about 0·35; general proportions, teeth, and external ornamentation of bones as in *Colobodus ornatus*. Scales smooth and without serrations, except in the lower half of the abdominal flank, where they are often marked with feeble obligue striations and pectinated at the hinder margin; principal flankscales considerably deeper than broad.«

In letzterer Diagnose fehlen alle Angaben über die Lage der Flossen und über die Anzahl der Strahlen.

Ziehen wir noch in Betracht daß die übrigen Verhältnisse des Körpers jenen des *Colobodus ornatus* entsprechen, so bleibt uns mit Ausnahme der gezackten Schuppen des *Colobodus ornatus* kaum noch etwas zur Charakteristik des *Colobodus latus* übrig.

Mein hochgeehrter Kollege Prof. Dr. F. Bassani hebt noch für *Colobodus ornatus* die gekörnte Fläche der Schuppen hervor und bemerkt, daß ganz glatte Schuppen selten sind. Ich beobachtete gekörnte Schuppen bloß im Bereiche der Basis der Rückenflosse, wo man hie und da einzelne Körner an der Schuppenfläche findet. Zahlreicher wird die Körnelung der Schuppenfläche bei ausgewachsenen Individuen, wie ich dies an geeigneter Stelle noch zeigen werde und ich möchte hier bloß hervorheben, daß die stärkere Körnelung der Schuppen ein an das individuelle Alter der Art *Colobodus ornatus* gebundenes Merkmal ist (siehe bei Exemplar IV).

Auch bezüglich der fingerigen Zackung der hinteren Partie der Schmelzschicht der Schuppen werden wir uns noch überzeugen, daß dieser Charakter abermals ein ganz individueller ist, da man an sonst ganz gleich gebauten Exemplaren einmal zahlreiche gezackte Schuppen vorfindet, ein andermal wiederum nur wenige derartige Schuppen beobachtet. Ich bin geneigt, die Zackung der Schuppen geschlechtlichen oder sonstigen individuellen Unterschieden zuzuschreiben.

Die hier vorgebrachten Gründe mögen vorläufig ausreichen, um mein Vorgehen bei der Vereinigung der beiden genannten *Colobodus*-Arten zu rechtfertigen, gleichzeitig aber gebe ich zur Beschreibung der 6 Halleiner Exemplare der Gattung *Colobodus* über.

Exemplar I.
(Taf. I., Abb. 1.)

Auf einer großen, leider zerschlagenen Platte eines grauen kalkigen Mergels befindet sich eine ganze Kollekte von Fischen: 3 große hochrückige *Colobodus*, 5 schlanke der Gattung *Heterolepidotus* und eine Anzahl junger Fische. Von den *Colobodus* werde ich in dieser Abhandlung das eine ganze Exemplar in Betracht ziehen (siehe Abb. Taf. I) und von dem zweitgrößten derselben Platte den Schädel, weil die Bezahnung der Kiefer hier sehr gut ersichtlich ist. — Dem best erhaltenen Exemplar fehlt der obere und das Endteil des unteren Caudallappens, sonst ist der Fisch komplett.

Die Ausmaße sind folgende:

Totallänge	350 + x *mm*
Länge der Caudale	310
Körperhöhe bei der Dorsale	175
Kopflänge	ca. 94
Kopfhöhe	ca. 93
Schwanzstielhöhe	61·3
D hat Strahlen	31·23
A »	c. 21 10
C »	— [x—9—10]

Der Körper des Fisches ist sehr hoch, denn es ist seine maximale Höhe beim Beginne der Dorsale bloß 1·5mal in der Körperlänge (ohne der Caudalen) enthalten. Der kurze hohe Schwanzstiel ist in der Körperhöhe nur 2·8mal und in der Körperlänge 5mal enthalten. Der verhältnismäßig kleine, dreieckige Kopf kann beiläufig 3½mal auf die Körperlänge (ohne Caudale) übertragen werden. Von den Kopfknochen ist wenig zu bemerken, da sie leider deformiert sind. Man gewahrt aber immerhin das breite, gekörnte Operculum, das Suboperculum, Teile der Clavicula, Fragmente der stark skulpturierten Parietalia und Frontalia und Kieferbruchstücke. Etwas besser ist der Schädel des zweitgrößten Exemplars, von welchem ich hier einiges entnehmen möchte. Am Unterkiefer sieht man eine Reihe von 8 konischen Zähnen, welche unter der Krone eingeschnürt sind und auf der Krone noch jene warzige Erhöhung zeigen (a, b). Am Zwischen- und Oberkiefer beobachtet man ähnliche Zähne (c), am Gaumen dagegen bemerkt man eine Gruppe größerer runder, halbkugeliger Pflasterzähne, umgeben von kleinen derartigen Zähnen. Diese Pflasterzähne sind ebenfalls in der Mitte etwas erhaben (d). Sämtliche Zähne stehen schütter. Die konischen Kieferzähne erreichen 2 *mm* an Länge und 0·7 *mm* Kronenbreite; die größten Pflasterzähne messen im Durchmesser 2·5 *mm*. — Vor dem schmalen Präoperculum sieht man Spuren größerer Suborbitalia und unter dem Interoperculum mehrere leicht gebogene *Radii branchiostegi*.

Um eine gleichmäßige Beurteilung der Flossenstellung zu erlangen, bin ich so vorgegangen, daß ich die Insertionsstelle der Pectorale mit der Basis des ersten mit Fulcra belegten Analstrahles verbunden habe. Zu dieser Geraden zog ich aus der Mitte der Schwanzstielhöhe eine Parallele, auf welche Linie ich nun die Anfangspunkte der Flossen (D, V, A, P) projizierte.

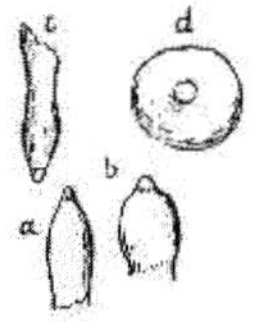

Die Dorsale beginnt fast in der Mitte oder etwas vor ihr, erstreckt sich 120·5 *mm* weit zurück und endet beiläufig eine Schwanzstielhöhe vor der Insertionsstelle der Caudale. Die Basislänge der Flosse ist etwa 1½mal in der maximalen Körperhöhe enthalten. Die Flosse besteht aus 23, bis zur Basis herab geteilten Strahlen; bald beginnt sich jeder Teil wiederum zu spalten, so daß die Endspitzen der Strahlen in vier bis sechs Fäden zerschliezt sind. Außerdem sind noch die einzelnen Teile gegliedert. Der erste Flossenstrahl ist mit Fulcra besetzt; letztere beginnen aber schon etwas vor dem ersten Strahl, und zwar so, daß sich je eine Schindel zwischen die drei vor dem ersten Hauptstrahl liegenden Dorne einschaltet, vor welchen noch drei solche immer kürzer werdende Dorne stehen (siehe beiliegende Textabbildung). Der längste Strahl der Flosse war der fünfte und mißt an 101·5 *mm*, während der letzte noch 47 *mm* erreicht.

Abb. 2. — Zähne von *Colobodus ornatus* (Ag.) vergrößert dargestellt.

Die Anale beginnt unter dem 16. Hauptstrahl der Dorsalen oder unter dem 3. Viertel ihrer Basislänge und reicht etwas über das Ende der vorigen heraus. Die Basislänge der Afterflosse beträgt kaum den dritten Teil der vorigen. Die Flosse enthält 10 Hauptstrahlen und etwa 2 Dorne. Der erste Hauptstrahl ist mit Fulcra belegt; die längsten Strahlen (der 2. und 3.) dürften der halben Länge der längsten Dorsalstrahlen gleich kommen. Sonst sind die Strahlen ähnlich wie diejenigen der Dorsale beschaffen.

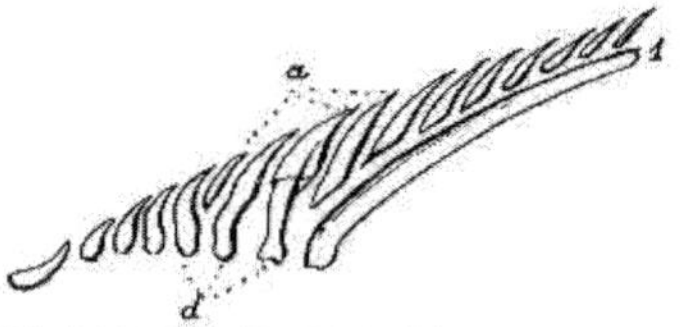

Die Caudale ist am kurzen hohen Schwanzstiel derart befestigt, daß der obere Teil des Stieles mit vier Schuppen in den Caudallappen übergeht, doch so, daß die Schuppen der Querreihe rasch an Größe und Zahl abnehmen und dieser schräg aufwärts gerichtete Stiel endlich spitz mit einer Schuppe endet. Der Hinterrand des Schwanzstieles ist in der Mitte leicht ausgebuchtet, weil die Schuppen der unteren Schwanzstielhälfte auch etwas ausbiegen. Charakteristisch ist nun die Anordnung der Schuppen in dieser mittleren Schwanzstielpartie mit Bezug auf die Verlängerung des Stieles. Die rhombischen Schuppen der vorletzten Reihe hinterlassen

Abb. 3. — *Colobodus ornatus* (Ag.), 1 = erster Dorsalstrahl; a = Fulcra zwischen die Dorne d einschaltend.

da einen dreieckigen Ausschnitt, und die tiefste Stelle desselben ist gerade die Mitte des Schwanzstieles. Dieser Ausschnitt ist nun durch größere und anders gestaltete Schuppen ausgefüllt, so zwar, daß die größten Schuppen die Mitte des Ausschnittes bilden. Wir sehen zuerst im Winkel die große fünfeckige Schuppe a. Auf diese Schuppe schmiegen sich mehrere oder bloß eine rhomboidische Schuppe und zwar nach oben bloß eine —b—, nach unten aber 6 — c — h, welche letzteren allmählich kürzer werden. An die Schuppe — b — legen sich sogleich zwei rhombische, mit ausgezogenen hinteren oberen Winkel und gehen in den oberen Caudallappen über, doch so, daß sich daran noch die beiden vorangehenden Schuppenreihen eine kurze Weile beteiligen. Zuletzt verbleiben nur die zwei immer schlanker werdenden Schuppen der letzten Reihe, von welchen endlich nur eine übrig bleibt. Auf diese Schuppen lehnen bereits die Fulcra. — Wie gesagt, schmiegen sich an die Schuppe — a — nach abwärts 6 rhomboidische an. An die letzte derselben lehnen zwei kleinere rhombische. Von nun an biegt der Schwanzstielrand nach abwärts und es treten bis zum ersten unteren Caudalstrahl weitere vier Schuppenreihen hinzu.

Die Schwanzflosse scheint aus 21 Haupt- (2 I 10—11 I 3) und nur einzelnen Randstrahlen zusammengesetzt zu sein. Der obere und untere randständige Hauptstrahl ist mit Fulcra belegt; die darauf folgenden oberen 5 und unteren 6 sind dicht aneinander gedrängt, kurz gegliedert und jedes Glied ist mit einer ovalen oder rundlichen, flachen, glänzenden Schmelzerhebung geziert. Teilt sich der Strahl, so werden auch die durch die Bifurkation entstandenen Glieder auf dieselbe Weise geziert.

Diese Schmelzverzierungen sind indessen auf die untere Partie der genannten Hauptstrahlen gebunden Die mittleren Strahlen der Caudale stehen schütter, sind dünner und bis zur Basis geteilt, von wo sie dann rasch zerschließt (12fach) werden, ohne jene Verzierung zu zeigen.

Die Ventralen sind am schwächsten entwickelt und liegen etwas hinter dem Anfange der Dorsalen so zwar, daß sie den Analen näher stehen als den Pectoralen.

Die Pectoralen endlich stehen knapp hinter dem Kopfe am hinteren Rande, sind ziemlich gut entwickelt und aus einer größeren Anzahl von Strahlen zusammengesetzt.

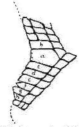

Abb. 4. — *Colobodus ornatus* (Ag). Ein Teil des hinteren Schwanzstieles schematisch dargestellt.

Abb. 5. *Colobodus ornatus* (Ag.). — Zwei Hauptstrahlen der Caudale die Schmelzverzierung zeigend (schematisch).

Die Schuppen sind im großen und ganzen von rhombischer Gestalt, doch weichen sie je nach der Körperlage auch bedeutend von dieser Grundform ab. Insbesondere geschieht dies dort, wo sie sich zum Teil an eine besondere Konfiguration eines Körperteiles anpassen mußten. Als solche abweichend geformte Schuppen haben wir bereits jene des hinteren Schwanzstielrandes kennen gelernt. Es weichen ferner von der rhombischen Gestalt jene Schuppen, welche den Bauch- und Rückenrand besetzen, ab. Besonders bemerkenswert sind jene an der Rückenflossenbasis verlaufenden, weil sie — abgesehen von einer anderen Gestalt — noch mit gröberen Körnern bedeckt sind. In der schrägen S-ähnlichen Querreihe von der Dorsale bis zum Beginne der Anale liegen an 32 Schuppen; der Körperlänge nach dürften ca. 46—48 Schuppen liegen. Leider sind die Schuppen mit geringer Ausnahme schlecht erhalten geblieben. Die Schuppen des vorderen Rückenteiles sind grob gekörnt, sonst sind alle übrigen, mit Ausnahme der erwähnten an der Basis der Rückenflosse gelegenen, glatt. Noch möge bemerkt sein, daß vor der Anale eine größere gezähnte Schildschuppe steht.

Exemplar II.

(Taf. V, Abb. 1.)

Ist der Abdruck eines vorzüglich erhaltenen Fisches, dem leider der Kopf fehlt. Die Flossen und insbesondere die Beschuppung sind vortrefflich.

Die Ausmaße des Abdruckes und die Anzahl der Strahlen ist folgende:

Körperlänge bis zum Schultergürtel . . . . . . 177 *mm*

Körperhöhe bei der Dorsale . . . . 106 »

Höhe des Schwanzstieles . . . . 23 «

D hat Strahlen   2 oder $3\,|\,25-26$

A »   »   . . . . $2\,|\,10$

C »   »   . . . . $1\,20-21\,|\,3$

Nachdem diesem Fische leider der Kopf fehlt, so habe ich vom vorhandenen Körperteil dessen maximale Höhe und die Länge vom hinteren Rande des Schultergürtels an bis zur Basis der Caudale, mit denselben Ausmaßen des vorigen Fisches, vergleichend in Betracht gezogen. Der Vergleich ergab, daß an beiden Exemplaren die maximale Höhe $1\frac{1}{8}$mal in der Länge vom hinteren Clavicularrande bis zur Mitte des hinteren Schwanzstielrandes, die Höhe des Schwanzstieles aber in der größten Höhe 3mal enthalten ist und es kommt diesbezüglich dieser Fisch dem vorher beschriebenen (mit 2·9) fast ganz gleich. Wie beim vorher geschilderten Fische, so steigt auch bei diesem die Rückenprofillinie gleich vom Hinterhaupte steil und bogig gegen den Beginn der Dorsale an, von wo sie wiederum mehr geradlinig gegen den Schwanzstiel abfällt, welch letzterer beim Ende der Dorsale stumpfwinklig abbiegt, um sich endlich in den steil aufgerichteten oberen Caudallappen fortzusetzen. Die Bauchprofillinie, nämlich von den Pectoralen bis zur Anale, ist leicht abwärts gebogen, von letzterer Flosse wiederum ist das Profil bis zur Ansatzstelle der Caudale aufwärts gebogen.

Wie bemerkt, fehlt unserem Fische der Kopf; bloß sind noch die postclavicularen Schilder des Schultergürtels sichtbar. Es sind dies drei ungleich große und verschieden gestaltete, stark gekörnte Schildschuppen (siehe Skizze Abb. 6), von denen die obere das Supraclaviculare (s. cl.) das mittlere das claviculare (cl) und das untere das interclaviculare (i. cl.) Schuppenbild darstellt. Letzteres zeigt außer der Körnelung noch einige radiale Furchen.

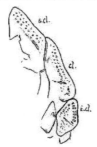   

Abb. 6. *Colobodus ornatus* (Ag.). — Postclaviculare Schilder, und zwar: *s. cl.* = supraclaviculares, *cl.* = claviculares und *i. cl.* = interclaviculares Schuppenbild.

Abb. 7. *Colobodus ornatus*, (Ag.). — Ein Teil des hinteren Schwanzstieles schematisch dargestellt.

Die Dorsale ist lang und hoch, denn ihre Basis mißt 78 *mm* und reicht von der höchsten Stelle des Rückens bis 28·3 *mm* vor den aufgebogenen Teil des Pediculus caudalis zurück. Sie besteht aus 25 oder 26 Hauptstrahlen und etwa 2 oder 3 kurzen, ungegliederten, welche vor dem ersten mit Fulkra belegten Hauptstrahle stehen. Die längsten vorderen Strahlen messen 66 *mm*, der letzte nur 20 *mm*, der mittlere aber 57 *mm*. Die Strahlen sind bis zur Basis einmal geteilt, doch teilen sie sich in ihrer weiteren Erstreckung mehrfach, wobei sie auch gegliedert sind.

Die Anale beginnt erst unter dem ca. 22. Dorsalstrahl und endet gleich hinter dem Ende der Dorsale. Ihre Basis mißt bloß $21\frac{1}{2}$ *mm*, während die Länge des zweiten Strahles $44\frac{1}{2}$, die des letzten nurmehr $16\frac{3}{4}$ *mm* beträgt. Der erste Flossenstrahl ist mit Fulcra besetzt.

Die Caudale ist auf dem kurzen hohen Schwanzstiel inseriert, dessen oberer Teil schräge nach aufwärts verlängert ist. Dieser aufgebogene Teil des Pediculus mißt basalseits 13·3 *mm* und besteht da aus fünf Schuppen deren Zahl sich natürlich gegen das Ende des sich verschmälernden Fortsatzes vermindert. — Auch auf diesem Schwanzstiele gewahrt man einen dreieckigen Ausschnitt, welcher durch einige größere und zum Teil anders geformten Schuppen der letzten Reihe verkleidet ist. Die Mitte des Ausschnittes nimmt eine große, unregelmäßig sechseckige Schuppe — a — ein. An diese schmiegt sich jederseits bloß eine, und zwar: oben eine sehr schmale — b —, unten eine breite — b^1 — an. Auf die obere — b — folgen nun drei Doppelreihen rhombischer Schuppen, von denen nachher die Außenreihe ausbleibt und die Schuppen der vorletzten Reihe länglich ausgezogen ebenfalls enden, doch bilden hier einige — mehr weniger — deformierte Schuppen der vorangehenden Reihen den nur mäßig ausgezogenen Schwanzstiel. Mit der Schuppe — b^1 — hört zugleich die hintere Schuppenreihe des Pediculus auf, da nachher bereits die verlängerten Schuppen der vorletzten Reihe an die Caudale herausreichen.

Ein Vergleich dieses Schwanzstieles mit dem des zuvor beschriebenen Exemplars I ergibt zwar eine Analogie in der Anordnung der letzten Schuppenreihen, doch auch augenfällige Abweichungen. Die Übereinstimmung beobachten wir im oberen Caudallappen, indem auf die Schuppe — b — (an beiden Exemplaren) eine Doppelreihe von Schuppen folgt, während am unteren Lappen des Exemplares II, eine bedeutende Reduktion in der Anzahl der Schuppen der letzten Reihe auftritt.

Die Ventralen liegen gerade so wie beim vorigen Exemplare, nämlich hinter dem Anfange der Dorsale und stehen der Anale näher als den Pectoralen. Die Strahlen der Bauchflossen waren über 23 mm lang.

Die Pectoralen liegen knapp unter dem Schultergürtel und sind nur teilweise erhalten geblieben.

Der Abdruck des Schuppenkleides ist vortrefflich erhalten. Bezüglich ihrer Anzahl soll bemerkt sein, daß man längs des Körpers vom Schultergürtel an bis zur Mitte des Schwanzstieles 44 Schuppen zählt. In der schrägen und S-förmig gebogenen Querreihe von der Dorsalen bis zur Analen gibt es 30—31 und am Schwanzstiele 17 Schuppen. Was die Gestalt der Schuppen anlangt, so ist dieselbe je nach der Körperpartie verschieden. Hauptsächlich treten aber zweierlei Formen hervor: die parallelepipedischen der vorderen Brustflanken und die rhombischen des Caudalabschnittes. Die ersteren sind im allgemeinen höher als breit ($1^1/_3$—2mal) und weil ihr hinterer Rand leicht gebogen, der Ober- und Unterrand aber gerade ist, so sehen die Schuppen wie gestreckte Sechsecke aus. Sowohl nach oben, unten und nach hinten nimmt die Höhendimension der Schuppen etwas ab und übergehen, nachdem auch die Reihen schräger werden, in Rhomboide und Rhombe über, doch werden die Gestalten an den Rändern des Körpers und bei den einzelnen Flossen deformiert und zu Deltoiden, Pentagonen und anderen unregelmäßigen Polygonen umgeformt. Die Schuppen der ersten 6—7 Reihen der mittleren Brustpartie, und zwar vom Schultergürtel an, besitzen an der hinteren Schuppenfläche bis acht etwas abwärts geneigte fingerige oder kammartige Zacken (a).

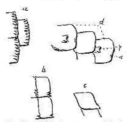

Abb. 8: *Colobodus ornatus* (Ag.) — Verschiedene Schuppen. a = aus der vorderen Körperpartie hinter dem Schulterblatte; b = Schuppen mit reduzierter Zackenzahl; c = eine Schuppe aus dem Caudalabschnitte; d = drei Schuppen der Seitenlinie mit dem Ausschnitte (x) und der Kanalöffnung (y).

Die Zacken aber reduzieren sich bald auf 4, 3, 2 oder 1 (b), und zwar nach allen Richtungen so, daß endlich bloß im Bereiche der Ventralen noch zwei oder eine Zacke sichtbar sind, welche sich beim unteren Schuppenwinkel befinden. Im caudalen Körperteil ist den rhombischen Schuppen der hintere untere Winkel in einen Dorn ausgezogen.

Die Seitenlinie zieht beiläufig durch die Mitte des Körpers und ist an unserem Bilde deutlich sichtbar durch die Einbiegung zweier nebeneinander verlaufender Schuppenreihen. Die Schuppen jener Reihe, in welcher sich die Öffnungen der betreffenden Kanäle befinden, zeigen an ihrem hinteren Rande unter der Mitte einen Ausschnitt (x) bei —d—, und auf jeder zweiten Schuppe eine dachluckenartige, nach rückwärts geöffnete Erhebung (y) bei — d —.

Exemplar III.

Ist ein recht gut erhaltenes Stück, dem aber die Anale und Caudale fehlt. Dieses Exemplar schließt sich, was Größe und Gestalt anlangt, derart an das vorher beschriebene Stück, daß ich es ursprünglich für das Original jenes Abdruckes hielt, bis mich genaue Messungen nicht überzeigten, daß es ein anderes doch gleich großes Individuum ist. Wenn wir sich das vorher beschriebene Stück durch diesen Fischrest vervollständigt denken, d. h. zu jenem den Kopf dieses Restes sich hinzu denken, so erhalten wir für die Exemplare II und III folgende Ausmaße und Relationen:

Gesamtlänge des Körpers . . . . 260·5 *mm*
Länge des Körpers ohne Caudale . . . . 216·5 »
Kopflänge . . . . 71·5 »
Kopfhöhe. . . . . 68·4 »

Körperhöhe zur tot. Länge, wie 1 : 2·04
» » Länge ohne C 1 : 2
Schwanzstielhöhe zur Körperlänge ohne C 1 : 5
» » Körperhöhe, wie 1 : 3
Kopflänge zur Gesamtlänge, » 1 : 3·6
Kopflänge zur Körperlänge ohne C, » 1 : 3

Exemplar IV.

Dies ist ein vollkommen erhaltener Fisch, dessen Schuppenhülle weggebrochen ist. Er ist der kleinste und gleichzeitig auch etwas schlanker als die bisher beschriebenen Reste. Sonst aber stimmt er in allem mit den übrigen Fischen überein.

Totallänge des Körpers . . . . .ca.170 *mm*
» » » ohne C . . . . 142 »
Körperhöhe. . . . . 66 »
Schwanzstielhöhe . . . . 22·6 »

Körperhöhe zur Gesamtlänge, wie 1 : 2·57
» » Länge ohne C, 1 : 2·15
Schwanzstielhöhe zur Gesamtlänge, » 1 : 7·5
» » Länge ohne C, » 1 : 6·2
» » Körperhöhe, » 1 : 2·9

D hat Strahlen . . . . 2 I 26
A » » . 2 I 10
C » » . . . . I 20 I

Längs des Körpers, und zwar vom Schultergürtel bis zur Mitte des Pediculus caudalis zählt man 38 und in der Querreihe von der Dorsale zur Anale 30—31 Schuppen. Hinter dem Schultergürtel sind bloß an einigen Schuppen Abdrücke von Zacken sichtbar und an der Basis der Rückenflosse sind an den Schuppen der dritten Reihe punktförmige Abdrücke von Vertiefungen sichtbar.

Dieser Fisch unterscheidet sich von den Exemplaren II und III hauptsächlich dadurch, daß er eine geringere Anzahl von gezackten Schuppen hinter der Clavicula besitzt.

Exemplar V.

Ist ein kompletter Fisch, dessen Kopf und vordere Rückenpartie durch einen Sprung gestört ist. Sein Körper ist sehr hoch und ganz wie bei Nr. I beschaffen, nur ist der Schwanzstiel kürzer, niederer und dabei geht der obere Teil des Pediculus kaum merklich in die Caudallappen über.

Die Messungen ergeben folgende Zahlen:

Totale Körperlänge . . . . 234 *mm*
Körperlänge ohne Caudale . . . . 182 »
Körperhöhe . . . . 95 »
Kopflänge . . . . ca. 65 »
Kopfhöhe . . . . 66 »
Schwanzstielhöhe . . . . . 28·6 »

26*

214

```
Dorsale  hat Strahlen  . . . . . . . . . .  (?) 1 24 mm
Anale  «  »       . . . . . . . . . . . . . 3 1 11  »
Caudale  »  »         . . . . . . . 3—4 1 10—9 1 3  »
```

Aus diesen Ausmaßen ergeben sich folgende Relationen:

```
Die Körperhöhe verhält sich zur Gesamtlänge, wie  1 : 2·4
   »     »       »     »    » Länge ohne C  »  1 : 1·9
Die Schwanzstielhöhe verhält sich zur Totallänge wie, 1 : 8·1
   »     »         »    »  » Länge ohne C wie, 1 :  6·3
   »     »         »    »  » Körperhöhe wie, 1 : 3·3
Die Kopflänge zur totalen Höhe, wie . . . . . . 1 : 3·2
```

Der Körperlänge nach liegen an 40 Schuppen (bis zur Mitte des Schwanzstieles gezählt) und in der schrägen Querreihe von der D. bis A. 30 Schuppen. Nur wenige Schuppen sind (hinter dem Schultergürtel) gezackt.

Bezüglich der Flossenlage habe ich nichts zu bemerken, da in dieser Beziehung dasselbe gilt, was bereits bei dem vorher beschriebenen Fische gesagt wurde.

Exemplar VI.

Ist leider nur teilweise erhalten, denn es fehlt dem Fische der Kopf mit dem vorderen Rückenteil, die vordersten (ca. 3) Dorsalstrahlen und die Caudale. Es ist dies zugleich der größte Colobodus der Kollekte! — Die Körperhöhe dieses Fischrestes beträgt 23—24 cm und die Länge vom Clavicularende bis zum Ende des Schwanzstieles mag etwa 30 cm gemessen haben. Der ganze Fisch aber war an 50 cm lang und stimmte diesbezüglich fast genau mit jenem Colobodus ornatus, den F. Bassani aus Giffoni beschrieben hat überein. Von der Rückenflosse sind 23 Strahlen erhalten geblieben; es fehlen also bloß die vordersten 1—3 Strahlen. Bemerkenswert sind die zumeist rhombischen Schuppen, weil sie an ihrer Fläche gekörnt sind. Die Anzahl der Körner ist aber eine unregelmäßige; es gibt im Caudalabschnitte Schuppen ohne oder mit nur 2—4 Körnern. Die gekörnten Schuppen sind indessen zahlreicher nahe dem Bauchrande, ferner am Rücken längs der Dorsale. Im Caudalteil fand ich auch eine rhombische, glatte Schuppe, deren hinterer, unterer Winkel in einen dornigen Fortsatz ausgezogen ist. Ob die Schuppen der abdominalen Körperpartie gezackt waren, kann leider nicht bestimmt werden, weil die Schuppen der betreffenden Körperpartie abgebrochen sind.

Jedenfalls ist das Vorhandensein dieser gekörnten Schuppen an unserem Colobodus bemerkenswert, da wir daran jenes Merkmal zu erkennen haben, welches Bassini für Colob. ornatus namhaft macht. Wir beobachteten gekörnte Schuppen am Vorderrücken und an der Basis der Dorsalen unseres Exemplars I (Taf. I, Abb. 1), welches das zweitgrößte Individuum dieser Art ist (entspricht fast genau dem Bassanischen Col. latus aus Giffoni), jedoch — wie wir sahen — in beschränkterer Verbreitung. Über das ganze Schuppenkleid sind derartige Schuppen bloß bei großen Exemplaren verteilt. Eine grobe Körnelung der Schuppen sehen wir endlich auf dem auf Taf. V, Abb. 4, abgebildeten Bruchteile eines aus der Gegend beim Anfang der Dorsale herrührenden Schuppenkleides eines ausgewachsenen Individuums.

Aus allen den gemachten Beobachtungen aber folgt, daß die Körnelung der Schuppen ein rein individuelles und auf das Alter des Fisches gebundenes, also sekundäres Merkmal ist.

Wir wollen nun in der Folge die Charaktere und Ausmaße der fünf beschriebenen vollständigen Exemplare in tabellarischer Form wiedergeben:

Exemplar	I.	II.	III.	IV.	V.
Verhältnis der:					
Körperhöhe zur Länge (ohne C), wie .	1:1·8—1·9	1:2	1:2·15	1:1·9
Schwanzstielhöhe zur Körperhöhe, wie .	1:2·8	1:3	1:2·9	1:3·3
Dorsale hat Strahlen	3 I 23	2—3 I 25—26	2 I 26	I 24
Anale ″ ″	2 I 10	2 I 10	2 I 10	3 I 11
Caudale ″ ″	1 x—9—10 I	1 20—21 I	1 20 I	3—4 I 10—9 I 3
Schuppenzahl der Länge nach	46—48	44	38	40
Schuppenzahl der Quere nach (von der D zur A)	32	30—31	30—31	30

Zur besseren Feststellung der Art müssen wir noch die entsprechenden Zahlen der von Bassani für *Colobodus ornatus* und *Colobodus latus*, dann jene Werte, die Kner und Agassiz für die Seefelder Fische gaben berücksichtigen:

Name	Colob. ornatus = Semion.ornatus (Kner)	Colob. ornatus (Bassani)	Colob. latus = Semion.latus (Kner)	Colob. latus (Bassani)
Körperhöhe zur Länge (ohne C), wie .	1:2 (nach d. Abb.)	1:2·2	—	1:2
Schwanzstielhöhe zur Körperhöhe, wie .	1:2·7 ″ ″ ″	1:2·7	—	1:2·5
Dorsale hat Strahlen	I 22—23	min. 22	2—3 I 20—21	min. 22
Anale ″ ″	I 9—10	ca. 14	I 9—10	8—9
Caudale ″ ″	—	I 10—9 I	—	I 13—10 I
Pectorale ″ ″	10—12	—	—	—
Schuppen längs des Körpers	—	42	—	36
Schuppen von der D zur A	28—29	28	28	28—29

Ein Vergleich unserer Fische mit den Agassizschen *Lepidotus ornatus* (= *Colobodus ornatus* und *Semionotus latus* (= *Colobodus latus*) kann nicht gut durchgeführt werden, da letztere nur Fragmente sind. So viel ist indessen sicher, daß der Agassizsche *Colobodus ornatus* mit unseren und den Bassanischen übereinstimmt. Dasselbe kann jedoch nicht für *Colobodus* (= *Semionotus*) *latus* Ag. behauptet werden, da er entschieden zu schlank ist (er hat nur 20 Schuppen in der Querreihe von der D zur A) als daß man ihn mit *Colobodus latus* im Sinne Kners[1]) und Bassanis[2]) zusammenwerfen dürfte. Kner hatte ganz recht, wenn er zweifelte, daß jener Seefelder Fisch wirklich dem Agassizschen *Semionotus latus* zuzuzählen ist. Anderseits ist wiederum eine Trennung des *Colobodus ornatus* von *Colobodus latus* dadurch erschwert, daß dem Bassanischen *Colobodus latus* aus Giffoni die Ventralen nicht erhalten blieben und daß beim Knerschen Exemplare dieser Art der Bauchrand ziemlich deformiert ist. Ziehen wir noch den Umstand in Betracht, daß sowohl die Zackung als auch die Körnelung der Schuppen bloß als individuelle Eigenheiten betrachtet werden dürfen so wird es — glaube ich — klar, daß unsere im Anfange betonte Annahme, *Colobodus ornatus* und *Colobodus latus* wären bloß eine Art, als begründet angesehen werden darf. Es dürfte sich dies noch aus den nachfolgenden Betrachtungen ergeben: Bei allen fünf Exemplaren variiert der Unterschied im Verhältnisse der Körperhöhe zur Körperlänge (ohne C) zwischen 1·9—2·15, also ein Unterschied, der kaum eine spezifische Trennung zulassen würde (bei Bassani beiläufig 2—2·2). — Die Höhe des Schwanzstieles ist in der Körperhöhe 2·8—3 und nur in einem Falle (V) = 3·3 enthalten (bei Bassani 2·5—2·7). Die Anzahl der wahren Dorsalstrahlen oszilliert zwischen 23—26 (bei Bassani über 22), diejenige in der Anale zwischen 10—11 (bei Bassani 8—14!). Die Anzahl der wahren Caudalstrahlen wechselt zwischen 19—21 (bei Bassani 19—23). — Die Schuppenzahl längs des Körpers variiert von 38—44 (bei Bassani 36—42), diejenige in der Quere von der D zur A 30—32 (bei Bassani 28—29). — Es können also auch in dieser Beziehung keine

[1]) Die foss. Fische v. Seefeld, pag. 319.
[2]) Ittiofauna die Giffoni, pag. 192.

namhaften Differenzen heraus gefunden werden, die man als Artcharaktere ansprechen könnte. Am interessantesten sind aber die Resultate, die sich aus einer vergleichenden Prüfung der Beschaffenheit der Schuppen ergeben. Unsere Fische II und III haben an den Seiten (hinter dem Schultergürtel) die meisten gezackten Schuppen. Dieses Merkmal spricht dafür, daß unsere erwähnten Fische der Art *Colobodus ornatus* angehören. Der Fisch I besitzt — soviel beobachtet werden konnte — keine gezackten Schuppen an der Brust, wohl aber gekörnte am Vorderrücken und an der Basis der Dorsale und hat überdies nur 23 Dorsalstrahlen, gehört aber dennoch wie die übrigen mit 26 Strahlen der Art *Colobodus ornatus* an! Der Fisch IV mit nur wenigen gezackten Schuppen muß an die vorigen angeschlossen und der Art *Colobodus ornatus* zugeteilt werden. Bloß der Fisch V zeigt geringfügige Abweichungen, welche aber hauptsächlich in der Bildung des Schwanzstieles liegen. Derselbe ist nämlich etwas kürzer und schlanker als bei allen vorher erwähnten Exemplaren und geht kaum merklich in den oberen Schwanzlappen über. Dieser Fisch, den ich auch abgebildet habe (Taf. II, Abb. 1), könnte eventuell als eine Varietät von *Colobodus ornatus* aufgefaßt werden.

Aus den gemachten Erörterungen geht ziemlich klar hervor, daß die besprochenen *Colobodus*-Stücke nur einer einzigen Art zuzuzählen sind, die jedoch nach verschiedener Richtung hin variieren. Insbesondere sind es die Schuppen und an diesen wiederum ist es die Beschaffenheit ihrer Oberfläche, welche gewisse Verschiedenheiten aufweisen. Doch sind alle diese Verschiedenheiten wie wir dies annehmen dürfen — entweder auf geschlechtliche oder auf Altersdifferenzen zurückzuführen. Letzteres möchte ich geradezu für die Körnelung der Schuppen behaupten, welche bloß an erwachsenen Individuen am ganzen Körper auftritt, während die Zackung der Schuppen ohne Rücksicht auf Körpergröße hier spärlicher, dort häufiger vorkommt und vielleicht auf geschlechtliche Unterschiede zurückzuführen sei.

Die Artsdiagnose, welche sich auf Grund der eben gemachten Beobachtungen für *Colobodus ornatus* ergibt, lautet wie folgt:

Körper hochrückig, buckelig; Körperhöhe gleicht der halben Körperlänge. Schwanzstiel kurz, hoch, 3mal in der Körperhöhe enthalten. Kopf klein, dreieckig, unbedeutend länger als hoch. Oberfläche der Kopfknochen körnig. Zähne von der bei den *Colobodus* üblichen Gestaltung. Die Ventralen hinter dem Anfange der Dorsale und der Anale näher als den Pectoralen. Die Dorsale hat 23—26 Strahlen; die schmale hohe Anale beginnt unter dem hinteren Teil der Dorsalen, mit 10—11 Strahlen. Caudale ausgebuchtet. Die Schuppen vornehmlich rhombisch, vorn an den Seiten etwas höher als breit, mehr weniger gezackt oder glatt und je nach Alter des Individuums mehr weniger gekörnt.

Von der Art *Colobodus ornatus* könnte man — wie gesagt — unser Exemplar V (Taf. II, Abb. 1) trennen, da es einen kürzeren und dünnen Schwanzstiel und eine tief ausgebuchtete Caudale aufweist. Ich bezeichne diese Form als *Colobodus ornatus var. obtusus.*

Colobodus elongatus, Kramb. Gorj.

(Taf. III, Abb. 1.)

Diese Art ist zugleich der Vertreter des zweiten Formenkreises der Gattung *Colobodus*, zu welchem eben langgestreckte Fische mit einem hohen, kurzen und nicht (oder kaum merklich) in den oberen Caudallappen verlängertem Schwanzstiel gehören. Jedenfalls bleibt für diese Gattung bezeichnend, daß sämtliche Arten buckelig sind, denn auch unsere gestreckte Form ist hinter dem Kopfe eingeschnürt, von wo sich dann die Rückenprofillinie etwas erhebt, um sich beim Anfange der Dorsale zu senken, jedoch schon vor ihrem Ende leicht aufbiegend, in den Schwanzstiel übergeht. Der Bauchrand ist etwas deformiert, und zwar in der Gegend der Anale, wo die Schuppen etwas auseinander geschoben sind, weshalb die genannte Flosse eine etwas tiefere Lage erhalten hat.

Der Unterschied zwischen dieser gestreckten Form und dem *Colobodus ornatus* liegt in einer anderen Gestalt und in einer längeren Rückenflosse mit 26 Strahlen. Die gezackten Schuppen sind an die vorderen Körperpartien gebunden und reichen bis über den Anfang der Dorsalen zurück. Gekörnte Schuppen beobachtet man nur hinter dem Schädel am Rücken. Wir sehen da abermals, daß sowohl die Körnelung als auch die Zackung der Schuppen keine spezifischen Merkmale abgeben können, da sie an verschiedenen Arten in derselben Weise auftreten.

Die Ausmaße und Anzahl der Flossenstrahlen ist:

Gesamtlänge des Körpers	520 mm
Körperlänge ohne Caudale. .	. 410 »
Körperhöhe	. . ca. 149 »
Kopflänge	. . 110 »
Schwanzstielhöhe	65 »
Dorsale hat Strahlen	. . 1 26 »
Anale » »	. . . l ca. 8 »
Pectorale » »	. ca. 14 »
Caudale »	. . . . ca. 19 »

Es ergeben sich für diesen Fisch nachfolgende Relationen:

Die Körperhöhe ist in der Gesamtlänge 3·48mal und in der Körperlänge ohne der Caudale 2·7mal enthalten. Der Kopf macht den 4·7. Teil der Gesamtlänge oder den 3·7. Teil ohne Caudale aus. Der Schwanzstiel ist 2½mal in der Körperhöhe enthalten.

Der kleine Kopf ist nicht gut erhalten, doch läßt er einige charakteristische Merkmale erkennen. Vor allem sei des breiten, hohen Operculums gedacht, dessen Oberfläche von oben herab gekörnt ist. An

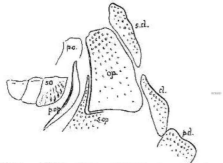

Abb. 9 — Schädelknochen von *Colobodus elongatus* n. f. *op.* = Operculum; *s. op.* — Suboperculum; *p. op.* = Präoperculum; *s. cl., cl., i. cl.* = postclaviculare Schuppenschilder; *p. o.* = Postorbitale; *s. o.* — Suborbitalia.

Abb. 10. — *Colobodus elongatus* n. f. Erster Dorsalstrahl (1) mit den Fulcra (*a*) und den Dornen (*d*).

dasselbe schmiegt sich unten das mit einem nach aufwärts gerichteten langen Fortsatz versehene Suboperculum, welches ebenfalls gekörnt ist. Hinter den Opercularknochen liegt die Clavicula die nach unten merklich ausgebreitet ist, als auch drei gekörnte post. claviculare Schuppenschilder (*s. cl., cl.* u. *i. cl.*) Ferner sind noch grob gekörnt die Parietalia und Frontalia. Bemerkenswert ist es, daß auch Abdrücke der Orbitalia sichtbar sind. Ich nenne davon die Suborbitalia — *so.* --, wovon das eine nahe dem schmalen stumpfwinklig gebogenen Praeoperculum stehende, radiär gestreift ist. Ober diesen gewahrt man Eindrücke der kleineren Circumorbitalia — *c. o.* — ferner den undeutlichen Rest des Postorbitale — *p. o.* —

Die Rückenflosse beginnt schon vor der Mitte des Körpers und erstreckt sich über eine Basislänge von 161 mm. Sie enthaltet 26 Strahlen, wovon der erste mit Fulcra besetzt ist und vor welchem sich noch 6 nach vorn immer kürzer werdende Strahlen resp. Dorne befinden. Zwischen dem 5—7. basalen Strahl. schaltet sich bereits eine beiderseits zugespitzte Schindel (*a*) ein, welche nachher den ersten dorsalen Hauptstrahl (1) der Länge nach und in schräger Richtung besetzen. Die längsten Strahlen dieser Flosse erreichen eine Länge von 75 mm; sie sind mehrfach geteilt und gegliedert. Der Seitenrand des ersten, mit Schindeln belegten Strahles ist noch mit einer Reihe von Knoten versehen.

Die Anale ist etwas herabgeschoben, doch lag ihr Anfang unter den hinteren Strahlen der Dorsale.

Sie ist schmal und zählt etwa 8 Strahlen. Zu bemerken wäre, daß die Fulcra des ersten Strahles länger sind als jene am ersten Dorsalstrahl gelegenen.

Die Caudale ist breit und tief ausgebuchtet; ihre Hauptstrahlen stehen beim oberen und unteren Flossenrande dicht beieinander, doch werden sie gegen die Mitte der Flosse rasch schütter. Man zählt etwa 19 Hauptstrahlen. Auch bei dieser Art sind die basaleren Teile der dem Flossenrande genäherten Strahlen mit emaillierten, schwach erhabenen, runden oder rundlichen Flächen geziert.

Die Ventralen liegen unter der Mitte der Dorsalen und sind näher der Analen als den Pectoralen.

Die Pectoralen sind gut entwickelt und bestehen aus etwa 14 Strahlen, wovon der erste mit Fulcra belegt ist, der längste aber an 69 mm erreicht.

Die Schuppen sind zumeist rhombisch und glatt; nur die Schuppen der vorderen Körperpartie und zwar vom Schultergürtel abwärts, sind etwas höher als breit und auf ihrem hinteren Rande gezackt. Gezackte Schuppen beobachtet man bis unter die vorderen Strahlen der Dorsale herab und dann noch teilweise längs der Basis der genannten Flosse, wo sie noch hie und da gekört und in förmliche kleine Dorne ausgezogen sind. Grob gekörnte Schuppen beobachtet man sonst blos am Rücken gleich hinter dem Schädel. Die Anzahl der fingerigen Zacken, die in das Email der Schuppenfläche eingeschnitten sind, variiert von 9—10 und weniger. Die meisten Zacken sieht man an den Schuppen gleich beim Schultergürtel. Die Schuppen des Caudalabschnittes sind alle glatt und rhombisch, nur die Schuppen der hinteren und mittleren Partie des Schwanzstieles zeigen — wie gewöhnlich — eine andere Gestalt, welche eben durch den Bau der Flosse bedingt wurde. Jener dreieckige Ausschnitt des mittleren, hinteren Schwanzstieles wird durch bedeutend größere, jedoch ungleiche Schuppen ausgefüllt. Auf die mittlere, spitzrhombische Schuppe — a — (siehe beiliegende Textabbildung) folgen zwei ungleich große — b b' —; neben — b' — liegen noch weitere 4 ähnliche — c, d, e, f —. Neben — b — zuerst eine dreieckige — c' —, auf dieser zwei ungleichgroße — ε' d' —, ferner — f' —, von wo sich die Schuppen zur Stütze des oberen Schwanzlappens etwas schräg aufbauen; während sich am unteren Lappen die Schuppen bereits von — f — nach ab und rückwärts ordnen. Der hintere Schwanzstielrand hat also ein welliges Aussehen.

Der Körperlänge nach gibt es 41—42 Schuppen, in der schrägen Querreihe vor der Dorsalen etwa 22 Schuppen.

Es liegen endlich noch einige Bruchstücke der Schuppenhülle von ausgewachsenen Individuen der Gattung Colobodus oder auch (?) Lepidotus vor. — Ich werde davon bloß zwei markantere Fragmente bildlich darstellen, und zwar das eine, welches wir bereits bei Colobodus ornatus erwähnten und welches auf Taf. V., Abb. 4., in natürlicher Größe gezeichnet ist. Derselbe stellt uns eine Schuppengruppe aus der Umgebung der vorderen Dorsalflossenpartie dar, in welcher wir verschieden gestaltete: hexagonale, rhombische und teilweise abgerundete Schuppen beobachten. Die meisten sind gekört, doch vornehmlich bei ihrem Rande herum; doch nimmt die Körnelung von der Flossenbasis nach abwärts ab. An einigen Schuppen der zweiten Reihe (unter der D) sieht man

Abb. 11. — Colobodus elongatus n. f. Mittlere Schwanzstielpartie von Colob. elongatus m., schematisch dargestellt.

auch kleine fingerige Einschnitte in der Emailschichte doch sind diese, obzwar nahe beim hinteren Rande — doch noch unregelmäßig verteilt — und enden hie und da mit einem Körne. Die größte Schuppe mißt an 9·5 mm.

Ein zweites Schuppenkleidfragment (Taf. I., Abb. 2.) zeigt uns zehn Schuppenreihen aus der vorderen Körperpartie gleich hinter dem Schultergürtel. Es sind dies stark gezackte Schuppen, deren Spitzen teilweise über den hinteren Schuppenrand herausragen. Die Länge dieser scharf eingeschnittenen Zacken ist indessen oft an einer und derselben Schuppe eine ungleiche, da man oft sieht, wie auf eine über den Rand herübergreifende Zacke, eine um die Hälfte kürzere folgt. Die Anzahl derselben (11) nimmt nach rückwärts ab. Ihre Anordnung ist eine andere als bei Colob. ornatus, wo bekanntlich die Zacken eine schräg nach abwärts gerichtete Lage besitzen. An unserer Schuppengruppe sind die Zacken radiär angeordnet und entsprechen in hohem Grade jenen Schuppen, welche W a g n e r[1] als *Lepidotus decoratus* beschrieb, und zu welchem ich auch dies Fragment stellen möchte, obwohl damit noch die generische Stellung desselben keineswegs als erledigt betrachtet werden kann.

3. Genus Heterolepidotus Egerton.

[Eine Revision der Art: *Allolepidotus dorsalis* (Kner) u. s. w.]

Als *Pholidophorus dorsalis* Ag. bezeichnete R. K n e r[3] einen aus Seefeld stammenden fragmentären Fisch. In derselben Schrift aber[3] beschreibt Kner als *Semionotus striatus* A. zwei verschieden große Individuen, die offenbar derselben Gattung und Art angehören. Im Jahre 1867 beschrieb K n e r abermals einen gut erhaltenen Fisch (Seefeld) als *Semionotus striatus*[4], bei welcher Gelegenheit alle wichtigeren Merkmale dieses Fisches hervorgehoben werden (vergl. pag. 898—901). Ich entnehme dieser Beschreibung bloß folgende Momente:

»Die Kopflänge beträgt den vierten Teil der Totallänge. Deckknochen des Schädels fein gekörnt. Hinter dem Brustgürtel sind drei hohe, schmale schilderähnliche Schuppen, deren Oberfläche rauh, gekörnt und gefurcht ist. Die Pectorale mit ca. 20 Strahlen; Ventrale ca. 7 und genau dem Anfange der Dorsale gegenüber also nahezu in halber Totallänge, und liegt der Anale näher als der Pectoralen. Anale hat acht Strahlen nebst den ersten mit langen Fulkra besetzten ungeteilten. Vor der Anale liegen zwei größere schildähnliche Schuppen, die vordere davon am Rande rings in Spitzen ausläuft.

Die Dorsale reicht wie die Anale weit zurück und hat mindestens 20 Strahlen. Wichtig ist, daß die Schuppen außer Längsfurchen auch einige wenige Zähne am Rande besitzen. Über der Bauchflosse liegen bis zum Rücken 18—19, vor der Anale bis zum Beginn der Dorsale 23—24 Schuppen.

Am wichtigsten ist, was K n e r über die Zähne berichtet. Es gibt da zahlreiche sowohl spitzkonische des Kiefers, als die rundlichen Pflasterzähne des Gaumens. An einigen der abgedruckten Köpfe sieht man die schlanken, fast zylindrischen Zähne, welche in eine knopfartig verdickte Spitze auslaufen. Außerdem gibt es noch größere, kugelig abgerundete Pflasterzähne« u. s. w. — Wir wollen sich mit diesem Auszuge des Artscharakters, den K n e r für den in Rede stehenden Fisch gab, zufrieden stellen, da er vollkommen ausreicht, die systematische Stellung desselben den nötigen Aufschluß zu gewähren.

D e e c k e kreierte im Jahre 1889 die Untergattung *Allolepidotus* für solche *Heterolepidotus*-Formen,[5] bei denen in der Höhe bedeutend verlängerte Schuppen die Mitte des Flanken einnehmen und bei denen die Bauchschuppen quadratisch bleiben. Über die Bezahnung dieser *Allolepidotus* meint Deecke, sind wir noch ganz im unklaren, so daß ihre Stellung bei *Heterolepidotus* auch nur eine provisorische ist.

Die Gattung *Heterolepidotus* aber stiftete E g e r t o n[6] für *Lepidotus*-artige Fische ohne Mahlzähne und mit schmalen, leistenartigen Schuppen auf der unteren Seite der Flanken und auf dem Bauche.

A. S m i t h W o o d w a r d stellt nun beide diese Gattungen, nämlich *Heterolepidotus* und *Allolepidotus* in die Fam. *Eugnathidae*[7]. In die Gattung *Allolepidotus* aber hat er jene anfangs nominierten und von K n e r als *Pholidophorus dorsalis* und *Semionotus dorsalis* (l. cit.) beschriebenen Seefelder Fische untergebracht.

Da in der Hoeferschen Kollekte mehrere Fische vorliegen, die mit dem von K n e r in seinem Nachtrage beschriebenen *Semionotus dorsalis* vollkommen übereinstimmen, so bleibt uns hauptsächlich zu untersuchen, ob

a) jene K n e r schen Fische wirklich der Gattung *Allolepidotus* Deecke angehören und ob

b) jene K n e r schen Fische überhaupt in die Fam. *Eugnathidae* einzureihen sind.

---

[1] Monographie d. foss. Fische a. d. lith. Schiefern Bayerns. II. 1863. (Abh. d. k. bayr. Ak. d. Wiss. Bd. IX, pag. 626 (16).

[2] Sitzungsber. der k. k. Ak. d. Wiss. math. natw. Kl. Wien, 1866, LIV., pag. 324, Tab. VI, Fig. 1.

[3] ibid. pag. 322, Taf. V., Fig. 1.

[4] ibid. Bd. LVI., pag. 898, Taf. 1, Fig. 1.

[5] Palaeontographica 1889, Vol. XXXV. pag 114.

[6] Fig. u. Descript. Organic Remains XIII. (Mem. geol. Sarwey, 1872) Nr. 2.

[7] Catalogue. Part. III, pag. 285.

Was die erste Frage betrifft, so ist eine Entscheidung freilich schwer, und zwar deshalb, weil hiezu die Vertreter der Gattung *Allolepidotus* vorliegen müßten, um einen Vergleich unserer Fische mit jenen durchführen zu können. Aus der kurzen genetischen Diagnose, welche uns A. S. Woodward (l. cit. pag. 304) gibt, kann ebenfalls nur weniges auf unsere Fische bezogen werden. Wir müssen vielmehr einen indirekten Weg einschlagen, um eine Antwort auf die oben gegebenen Fragen zu erlangen.

Vor allem muß ich erklären, daß die Beschreibung Kners, welche er uns (auf pag. 898—901) über den *Semionotus striatus* Ag. gab, zutrefflich ist. Wir werden nur unsere hieher gehörigen Fische mit den Knerschen vergleichend zu untersuchen und auf Grund der gemachten Erfahrungen einen allgemeinen Charakterzug derselben festzustellen haben und diesen endlich mit den der bekannten ähnlichen Vertretern zu vergleichen.

Das wichtigste Merkmal der Gattung *Heterolepidotus* als auch des Subgen. *Allolepidotus* bilden die Schuppen und dann auch die Zähne, da ja *Heterolepidotus* keine Mahlzähne besitzt, die Bezahnung von *Allolepidotus* aber unklar ist. Bezüglich der Schuppen hat Kner ganz richtig seinen *Sem. dorsalis* jenen verglichen, von welchen Agassiz auf Taf. 27 a, Fig. 7 a, b, zwei Schuppen abbildet. Solche Schuppen besitzt auch unser größeres Exemplar. A. S. Woodward stellt jenen *Sem. dorsalis* zu *Heterolepidotus*. Jedoch soll diese Gattung keine Mahlzähne besitzen, was wiederum mit dem obigen Befunde Kners und mit meinen Beobachtungen nicht übereinstimmt, da wir beide eine aus konischen und mehr minder runden ungleich großen Pflasterzähnen bestehende Bezahnung vorfanden, welche ganz und gar jener der Gattung *Colobodus* entspricht. Aus diesem Grunde müssen jedenfalls die Gattungen *Heterolepidotus* und *Allolepidotus* aus der Familie *Eugnathidae* entfernt und — wie dies Deecke ganz richtig meinte — mit *Semionotus* zu den *Stylodontidae* resp. *Semionotidae* (im Sinne Woodwards) eingereiht werden. Auch im Bau des Schädels ist die Übereinstimmung unserer resp. der Knerschen Fische mit *Colobodus* eine derartig große, daß diese Fische unbedingt in der nächsten Nähe von *Colobodus* belassen werden müssen, von welchen sie sich hauptsächlich durch die gestrecktere Form des Körpers, des Kopfes, die zwar lange und aus ebenso zahlreichen, doch dünnen Strahlen bestehenden Dorsale unterscheiden.

Jetzt frägt sich nun, welcher von den beiden Gattungen: *Heterolepidotus* oder der Subgatt. *Allolepidotus* unsere und auch die Knerschen Fische angehören? Wir haben bereits gesagt, daß A. S. Woodward jenen *Semion. striatus* Ag. (Agassiz, Taf. 27 a, Fig. 7 a b), mit welchen die Schuppen unserer Fische übereinstimmen, zur Gattung *Heterolepidotus* (Catalogue, pag. 311) versetzt hat. Diese Auffassung teile ich ebenfalls, jedoch mit dem Bemerken, daß die genannte Gattung in die Fam. *Semionotidae* und in die nächste Nähe zur Gattung *Colobodus* zu stellen ist.

Ich übergehe nun zur Beschreibung der vorliegenden, aus Hallein herstammenden Fische.

Hoterolepidotus dorsalis (Kner).

(Taf. III, Abb. 2, 3.; Taf. IV, Abb. 1.)

1866. *Pholidophorus dorsalis*, Kner: Sitzungsber. d. k. Akad. d. Wiss. math. naturw. Kl., Bd. LIV, pag. 324, Taf. VI, Fig. 1.

1865. *Semionotus striatus*, Kner: ibid. pag. 322, Taf. V, Fig. 1.

1867. *Semionotus striatus*, Kner: ibid. pag. 898, Taf. I, Fig. 1.

1867. *Pholidophorus dorsalis*, Kner: ibid. pag. 903, Taf II, Fig 2.

1895. *Allolepidotus dorsalis* (Kner): A. S. Woodward, Catalogue III, pag. 316.

Es liegen davon mehrere Exemplare an jener großen Platte, von welcher ich zwei aufnahm. Die Dimensionen und die Anzahl der Strahlen ist folgende:

Exemplar Taf. IV. Fig. 1.

Totale Körperlänge (ohne C und einen Teil des Caudalabschnittes) . .	125 + x	*mm*
Körperhöhe (maximale)	56	»
Kopflänge	47	»
Kopthöhe	42·5	»

D hat Strahlen . . . . ca. 4 I 26

A » » . . . . ?

P » » . . . . , ... ca. 18

Schuppenzahl von der D zur A 28

Neben diesem Fisch liegt auf der Platte ein anderer ganzer, der jedoch in dieser Abhandlung nicht abgebildet ist. Ich habe ihn indessen gemessen und die Anzahl seiner Flossenstrahlen genau angegeben:

Totale Körperlänge . . . . 131·0 *mm*

Körperhöhe (maximale) . . . . 41·5 »

Höhe des Schwanzstieles . . . . 15·0 »

Kopflänge . . . . 34·6 »

Kopfhöhe . . . . 32·0 »

D hat Strahlen . . . . I 26

C » » . . . . I 10—11 I

Exemplar Taf. III. Fig 2.

Ist ein ganzer Fisch, dem der Bauch etwas deformiert ist, weshalb er breiter aussieht, als er ursprünglich war.

Totale Länge . . . . 119 *mm*

Körperhöhe . . . . ca. 40 »

Schwanzstielhöhe . . . . 14·6 »

Kopflänge . . . . 35·6 »

Kopfhöhe . . . . 31·5 »

Dorsale hat Strahlen. . . . . I 26

A » » . . . . ca. I 9

C » » . . . . 20—21

P » » . . . . ca. 18

Exemplar Taf. III. Fig. 3.

Ist der Länge nach zerbrochen und der untere Caudallappen fehlt.

Totallänge . . . . 94 *mm*

Körperhöhe . . . . 27·0 »

Schwanzstielhöhe . . . . 10·6 »

Kopflänge . . . . 30 »

Kopfhöhe . . . . 23·6 »

D hat Strahlen . . . . I 26

A » » . . . . 9—10

P » » . . . . ca. 16

Die hieher gehörigen Fische erreichten kaum mehr als 155 *mm* an Länge. Die leichtgebogene Rückenprofillinie übergeht in den Kopf und bildet mit diesem zusammen einen leicht gekrümmten Bogen, während das Bauchprofil von der Mundöffnung bis zur Anale entweder eine fast gerade oder eine etwas gebogene Linie bildet, so daß der ganze Körper einer flachen Ellipse gleicht.

Die maximale Körperhöhe, welche sich etwas vor der Rückenflosse oder beim Anfange derselben befindet, ist 3—3·4 mal in der Gesamtlänge enthalten. Der dreieckige Kopf verhält sich zur totalen Länge wie 1 : 3.1 — 3.7. Derselbe ist nur unbedeutend länger als hoch.

Die Höhe des Schwanzstieles ist in der Körperhöhe 2.4 — 2.7 mal enthalten. Der Kopf würde, falls man den Schultergürtel außer acht ließe, einem rechtwinkligen Dreieck ähneln, dessen rechter Winkel rückwärts unten läge, die gebogene Stirnprofillinie nur aber die Hypotenuse darstellen würde. Die Schädelknochen — insbesondere die des Schädeldaches — sind gekörnt und gefurcht, die Deckelstücke aber leicht gestreift, und zwar das breite Operculum der Länge nach, das mit einem nach oben gerichteten Fortsatz versehene Suopoperculum aber zeigt nahe seinem oberen gefalzten Rande eine schräge Streifung und Punk-

27*

tierung. Ob die übrigen Schädelknochen granuliert oder gestreift waren, ist mir nicht gut möglich anzugeben, doch ist es wahrscheinlich. Von den Schädelknochen nenne ich außer den zwei erwähnten die beiden Clavicula-Stücke, wovon die obere Hälfte rückwärts leicht eingebuchtet ist, die untere nach vorne S-förmig gebogen und der Mitte nach erhoben ist. Vor der Clavicula sehen wir lange, flache, dünne *Radii-branchiostegi* die vorn verschmälert, sonst aber ziemlich gleich breit waren; ich zähle davon sechs, doch konnten ihrer auch acht gewesen sein, wovon dann die zwei letzteren breiter waren.

Vor dem *Radii*, ja mit diesem im Zusammenhange, sieht man an einem Fische noch einen länglichen, verhältnismäßig starken Knochen, der gegen die Mitte eingeschnürt ist. Es ist dies das *Hyoidum*. Die Kiefer sind nicht deutlich erhalten, dafür aber die Zähne an fast allen Exemplaren. Man beobachtet längs des Kieferrandes kleine Zähne, die unter der konischen Krone eingeschnürt und somit keulenförmig scheinen. Die Spitze der Zähne ist aber *Colobodus*-artig warzig. Diese Zähne beobachtet man beim kleinsten unserer Exemplare. Am größten Fische dieser Art beobachten wir kurz konische Zähne,

Abb. 12. Riemen-deckel-Apparat u. Zähne. — *Heterol-epidotus dorsalis* vergrößert darge-stellt. — *op.* Oper-culum; *s. op.*—Sub-operculum; *i. op.* = Interoperculum.

dann verschieden große, runde, halbkugelige und elliptische Pflasterzähne. Die großen Pflasterzähne bilden eine Gruppe, um welche die kleinen Zähne umherliegen. Der Durch-messer des größten Pflasterzahnes mißt etwas über einem Millimeter. Ferner sieht man an anderen Exemplaren, daß die vorderen Kieferzähne auch schlank — konisch sind und einen eingeschnürten Hals haben, deren Spitze aber stumpf ist; dann beobachtet man auch hie und da sehr kleine feine Zähne. Die Bezahnung besteht bei den *Heterol-epidoten* also aus sehr feinen, kleinen vorderen und schlanken stumpf-konischen mit eingeschnürtem Halse, dann von kurz-konischen Griffelzähnen der Kiefer, sowie von runden, ovalen, ungleichgroßen Pflasterzähnen des Gaumens, die sich durch den knopfartigen Ansatz auf der Krone auszeichnen.

Die Rückenflosse beginnt mehr weniger hinter der Mitte des Körpers (ohne Caudale). Sie besteht aus 26 Strahlen. Der erste daran ist mit langen schlanken Fulcra belegt und vor diesem stehen noch einige kürzere. Die geteilten und gegliederten Strahlen sind zumeist dünn und nahe aneinander gerückt, wodurch die Flosse relativ schmal erscheint. Die Strahlenlänge nimmt nach hinten zu langsam ab. Die längsten Strahlen betragen etwas über die halbe Körperhöhe.

Die Anale ist schmal und hoch und liegt unter der hinteren Partie der Dorsalen. Sie besteht aus neun Strahlen. Vor der Flosse sieht man eine große schildförmige Schuppe, deren Rand bezahnt ist.

Die Caudale ist leicht ausgebuchtet und besteht aus 21 Strahlen; der obere Teil des Schwanz-stiels ist nach rückwärts ausgezogen.

Die Ventrale liegt beim Exemplar (Taf. IV, Abb. 1) genau unter dem Anfange der Dorsale (wie beim Knerschen) oder hinter demselben. Letzteres ist dort der Fall, wo die Dorsale etwas vorge-rückt ist, während die Bauchflossen dem Anfange der Rückenflosse dort gegenüber stehen, wo diese weiter zurücksteht. Es erscheint demnach die Lage der Dorsale weniger konstant zu sein, als diejenige der Ventralen, die zugleich auch stets der Anale näher liegen als den Pectoralen. Die Ventrale besteht aus ziemlich langen Strahlen (ca. 6).

Die Pectoralen sind ziemlich gut entwickelt und bestehen aus 16—18 Strahlen. Die Schuppen hat bereits Kner gut beschrieben und ich habe da nichts Besonderes nachzutragen.

Erwähnenswert ist allerdings, daß beim Exemplar (Taf. III, Abb. 3,) sowohl die Träger der Dorsalstrahlen als auch die kräftigen Neurapophysen sichtbar sind. Auch die *Linea lateralis* ist in Form einer weißen Röhre erkenntlich. Dieselbe beginnt knapp hinter dem Kopfe im oberen Drittel und verläuft ziemlich geradlinig und mit dem Rückenprofil parallel.

Heterolepidotus parvulus, Kramb. Gorj.

(Taf. IV, Abb. 2.)

Ausmaße und Flossenstrahlenzahl:

Totale Körperlänge . . . . 51 *mm*

Körperhöhe in der Mitte . . . . 17·2 »

```
Kopflänge . . . . . . . . . . . . . . . . . . .   14·6 mm
Schwanzstielhöhe . . . . . . . . . . . . . . .   5·7  »
Dorsale hat Strahlen. . .        . . . . . l 13—14
Anale    »        »     . . . . . . . . . . . ca. 2 l 13—14
Caudale  »        »     . . . . . . . . . . . . . . l 12—12 l
```

Der Körper dieser Fischart ist klein und die Gestalt untersetzt, denn es ist die maximale Körperhöhe kaum dreimal in der Gesamtlänge enthalten. Die Körperhöhe nimmt nur allmählich nach rückwärts ab. Die Höhe des Schwanzstiels macht kaum den dritten Teil der Körperhöhe aus. Der kurze deformierte Kopf lässt nur Weniges erkennen. Der längliche, vorne zugespitzte Unterkiefer trägt feine Zähne; hinten sieht man auch mehrere größere und kleinere, runde, halbkugelige, die offenbar dem Gaumen angehören und wovon einer deutlich jene Warze zeigt, die bei dem *Colobodus* so allgemein zu beobachten ist. Das Operculum ist breit, das Suboperculum groß. Von der Clavicula ist der untere Teil sichtbar, dessen Hinterrand leicht ausgebuchtet ist.

Die D o r s a l e ist hinter der Mitte des Körpers inseriert selbst dann, wenn wir die Caudale in Betracht ziehen. Diese Flosse ist schwach entwickelt, doch höher als ihre Basislänge. Sie besteht aus 13—14 Strahlen, von denen der erste mit Schindeln bedeckt ist. — Gegenüber dem letzten Dorsalstrahl beginnt die A n a l e, die aus derselben Anzahl von Strahlen besteht wie die vorige Flosse, nur daß ihre Strahlen etwas dichter beisammen stehen, weshalb sie auch eine kürzere Basis als jene einnehmen. Ihr erster Strahl ist mit dünnen Fulcra belegt; vor diesem waren etwa noch zwei ungeteilte.

Die C a u d a l e ist verhältnismäßig breit, leicht ausgebuchtet und besteht aus 24 Hauptstrahlen, die flach und ziemlich breit, dabei geteilt und gegliedert sind. Die Schuppen des Schwanzstiels übergehen nicht in den oberen Caudallappen und es hat diese Flosse ein ganz homozerkes Aussehen.

Die V e n t r a l e n sind gleich hinter und unter dem Anfange der Dorsale gelegen; sie bestehen aus beiläufig acht zarten, doch langen Strahlen, die nahe an die Anale zurückreichen. Sie liegen um ein Drittel näher den Analen als den Pectoralen, welche letzteren ebenfalls ziemlich lang und aus ca. 14 Strahlen zusammengesetzt sind.

Abb. 13. — *Heterolepidotus parvulus*, n. f. Unterkiefer- u. Gaumenzähne.

Die Schuppenreihen divergieren gegen den Kopf hin, weil dahin ihre Höhe allmählich zunimmt. Vom Kopfe bis zur Schwanzflossenbasis dürften etwa 38 Schuppen liegen. Auf die Körperhöhe bei den Ventralen kommen an 18 und die Schwanzstielhöhe bilden 10 Schuppen. Es möge bemerkt sein, daß die unpaaren Schuppen des Rückens etwas größer als die übrigen und daß sie nach rückwärts kurz spitz auslaufen. Einige Seitenschuppen knapp hinter dem Schultergürtel lassen eine dichte feine Zähnelung wahrnehmen; außerdem sind auch diese Schuppen höher als lang, sonsten aber sind sie rhombisch.

4. Genus **Dapedius**. Leach (emend. Agassiz).
(Taf. V, Abb. 3.)

Zu dieser Gattung gehört das Fragment eines größeren Fisches, wovon bloß die vordere obere Seitenpartie hinter dem Schädel vorliegt. Wir sehen da noch die gekörnten Schuppen mit ihren verdickten Rändern, auch bemerken wir, daß die Schuppen ungleich groß und je nach ihrer Körperlage auch verschieden gestaltet sind. Am größten sind jene Schuppen, die sich hinter dem Schädel befinden; ihr dornig vorgezogener oberer Schuppenteil befindet sich nicht am vorderen oberen Rande, wie dies bei den weiter rückwärts liegenden Schuppen der Fall ist, sondern er steht näher zur Mitte (vergl. die beiden Schuppenskizzen *a* und *b*). — Nachdem an der Seite die Schuppenhülle mangelt, sehen wir noch die sehr langen Neurapophysen, wovon die vorderen acht fast ganz, die weiteren nur in Abdrücken vorhanden sind. Unter den vorderen Apophysen gewahrt man die innere Schuppenseite der anderen Flanke und daran die kräftigen verdickten Schuppenränder.

Abb. 14. — Schuppen von *Dapedius* sp.

Dieses Fragment dürfte mit *Dapedius Costae* Bass.[1]) verwandt sein, doch kann darüber nichts Näheres berichtet werden, da vorliegendes Fragment doch zu ungenügend erhalten ist.

5. Genus: Spaniolepis, Kramb. Gorj.

So benenne ich eine neue Fischgattung, die in die Familie *Semionotidae* und in die nächste Nähe der Gattung *Dapedius* zu stellen ist. Sie bekundet auch eine große Ähnlichkeit zur Gattung *Aetheolepis* A. S. Woodward, welche aus dem Upper Hawkesbury-Wianamatta-Series von Talbralgar in New-South-Walles herrührt.[2]) Die Übereinstimmung mit *Dapedius* beruht auf dem sehr analogen Skeletbau und der Anordnung der Flossen, die Unterschiede aber liegen wiederum in einer ganz anderen Beschuppung unserer Fische als auch darin, daß die Schädelknochen von *Spaniolepis* glatt sind. Was die Ähnlichkeit meines *Spaniolepis* mit *Aetheolepis* betrifft, so basiert sie, wie bereits bemerkt wurde, auf einem ähnlichen Skeletbau und der teilweise entsprechenden Beschuppung. Unsere Gattung besitzt nämlich zumeist dünne, rundliche, mit konzentrischen Kreisen gezierte Schuppen, wie ähnliche auch *Aetheolepis*, jedoch bloß in der hinteren Körperpartie hat. Letztere Gattung besitzt einen kleinen Kopf und einen sehr hohen Körper, während unser *Spaniolepis* einen mehr flach-elliptischen Körper und einen größeren Kopf hat.

Die Gattungscharaktere werden sich aus der nachfolgenden Beschreibung, welche auf allen vorliegenden Stücken fußt, ergeben:

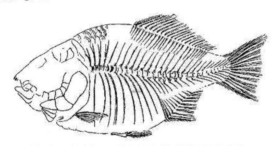

Abb. 15. — Skelett von *Spaniolepis* etwa 1½mal vergrößert.

Die Gattung *Spaniolepis* umfaßt kleine Fische mit regelmäßig elliptischen Körper, dessen Höhe beiläufig der halben Körperlänge entspricht. Der Kopf beträgt den dritten Teil der Körperlänge. Die Operkularknochen sind wie bei *Dapedius* bogig angeordnet; das Präoperculum dürfte sehr schmal sein, da für dasselbe nur sehr wenig Raum vorhanden ist. Die Suborbitalia sind zumeist viereckig; die Circumorbitalia sind kleiner und ebenfalls eckig. Die Zwischenkiefer mit vier schräg vorstehenden feinen Zähnen, dahinter noch mehrere kleinere Zähne von undeutlicher Beschaffenheit. Die *Radii branchiostegi* sind kurz und hinten ausgebreitet. Die Wirbelsäule besteht aus 28—30 Halbwirbel mit deutlich ossifizierten Neur- und Hämapophysen; letztere sind kurz und haben eine breite Basis und gehen in eine lange Spina über. Die Neurapophysen artikulieren mit der langen Spina und nehmen mit der wachsenden Körperhöhe an Länge zu. Die vorderen abdominalen Neurapophysen sind etwas nach vorn gebogen und am Ende gegabelt. Die Rippen sind lang. — Die Rückenflosse beginnt in der Mitte der totalen Körperlänge, ist lang und zählt gegen 30 Strahlen, von denen der erste mit Fulcra bedeckt ist. Vor dem ersten Strahle stehen noch einige kurze ungegliederte. Die Strahlen werden durch oben kurzgegabelte Interneuralia gestützt. Letztere sind wiederum so angeordnet, daß mit Ausnahme der vorderen, sonst gewöhnlich drei Träger auf zwei Neurapophysen kommen. Die Träger der vorderen Flossenstrahlen sind nämlich weniger dicht und so entspricht da je ein Flossenstrahlträger einer Neurapophysis. — Die ähnlich gebaute, doch kürzere Anale hat eine über die

[1]) Ittiofauna della Dolomia princ. di Giffoni. 1895. Pag. 197, Tav. XII (IV), Fig. 1—3.
[2]) »The fossil Fishes of the Talbralgar Beds.« — Memoires of the geolog. Survey of New. South Wales. Sydney 1895, pag. 12, Taf. IV, Fig. 1.

Hälfte geringere Strahlenzahl. Der erste Strahl ist mit Fulcra belegt und vor diesem stehen einige ungegliederte kürzere Strahlen. Die Anordnung der Träger ist genau wie bei der Dorsale, nur daß dieselben von vorn nach rückwärts an Größe abnehmen. — Die C a u d a l e ist zweimal schwach ausgebuchtet und enthält 16—18 Hauptstrahlen, von denen die beiden randständigen mit dünnen Fulkra belegt sind. Die Flosse ist kaum heterozerk; bloß sieht man, daß die Hämapophysen des Schwanzstieles kräftiger entwickelt sind als die Neurapophysen. — Die kleinen B a u c h f l o s s e n sind an längliche, vorn etwas abgeflachte Beckenknochen befestigt; der erste Strahl ist mit Fulcra besetzt. Diese Flosse liegt in der Mitte zwischen der Anale und den Pectoralen. Diese letzteren wiederum liegen etwas ober dem unteren Körperrand; ihre Strahlen sind dünn und lang und reichen bis zu den Ventralen zurück. Die Anzahl der Strahlen beträgt etwa 16.

Die S c h u p p e n sind hautartig, abgerundet und konzentrisch gestreift. Ihre Dicke ist nicht gleichmäßig, denn es ist die hintere Zone beim Schuppenrande etwas dicker als die übrige Schuppenfläche und zeigt hier etwas deutlichere Eindrücke der konzentrischen Kreise. Die Schuppen des Bauchrandes, dann jene am Vorderrücken sind stärker als die übrigen und erreichen einen Durchmesser von 1·5 mm.

Spaniolepis ovalis, Kramb. Gorj.

(Taf. IV, Abb. 6, 7, 8)

Es liegen davon 6 Exemplare (eines mit dem Abdrucke) vor, wovon nur eines vollständig erhalten blieb, während einem anderen sehr gut erhaltenen Fische leider ein Teil des Rückens abgebrochen ist. Die übrigen Stücke sind mehr weniger fragmentarisch. — Ich werde vorerst die Ausmaße den beiden best erhaltenen Exemplaren entnehmen und dann noch eine kurze Zuschrift zu der bereits bei der generischen Charakteristik gegebenen Beschreibung hinzufügen:

Totale Körperlänge				59·3	47·3 mm
Körperlänge ohne C				47·5	39·5 »
Körperhöhe				24·5	ca. 22·3 »
Köpflänge				18·5	ca. 13·4 »
Kopfhöhe				16·5	16·5 »
Schwanzstielhöhe			ca.	5·5	— »
Dorsale hat Strahlen				29—30	»
Anale » »				12	12 »
Caudale »				16—18	— »
Pectorale » »			ca.	16	— »
Wirbelsäule hat Halbwirbel			ca.	28—30 (15 + 13 — 15).	

Die maximale Körperhöhe vor der Rückenflosse ist 2·3—2·4mal und die Kopflänge 3·2—3·5mal in der Gesamtlänge enthalten.

Die Kopfknochen haben wir bereits beschrieben. Die Wirbelsäule besteht aus beiläufig 28—29 Gliedern, wovon 15 auf den abdominalen und fast ebenso viele auf den caudalen Körperabschnitt entfallen. Es ist jedenfalls bemerkenswert, daß der Wirbelkörper hier schon zum Teil zum Ausdruck kommt, und zwar durch die basalwärts stark entwickelten Bogen und den zwischen diesen sichtbaren quadratischen und länglichen Eindrücken und Leisten. Freilich sind diese Wirbelteile sehr undeutlich und lassen uns kein sicheres Bild über den Bau derselben entwerfen. — Die *Spina neuralis* ist von der entsprechenden Apophysis getrennt, ebenso auch die *Spina haemalis* des caudalen Körperteiles, die sich von den breiten Apophysen nach rückwärts winklig abbiegen. Die Rippen sind lang und nur mäßig gebogen. An der hinteren Partie der Wirbelsäule des kleineren Exemplars ist zu sehen, daß etwa acht Halbwirbel mit ihren Apophysen zur Stütze der Caudale dienten. Hauptsächlich sind es die Hämapophysen, die hier diesbezüglich stärker entwickelt sind und deutlich zum Ausdruck kommen. Der Wirbelkörper erscheint als eine dünne, häutige Substanz, die gegenüber den basalen Eindrücken der Bögen an Stärke zurückbleibt. Im caudalen Körperabschnitt gewahrt man auch deutliche rhombische Körpereindrücke zwischen je zwei Wirbeln, als auch kräftige, dazwischen liegende horizontale Leisten.

226

Die Dorsale beginnt in der Mitte des Körpers oder etwa hinter derselben und besteht aus 30 Strahlen, welche nach rückwärts zu allmählich kürzer werden. Der erste Strahl ist mit dünnen Fulcra belegt. Die Träger sind an ihrem oberen Ende gespalten. Die Anale beginnt beiläufig unter der Mitte der vorigen, ist kürzer und enthält demgemäß auch bloß etwa 15 Strahlen, von denen der erste einen Fulcrabesatz aufweist. Die Träger der vorderen — insbesondere des ersten Strahles — sind sehr lang und reichen hoch gegen die Wirbelsäule herauf. Die Caudale ist zweimal schwach ausgebuchtet und enthält 16—18 Strahlen. Beide randständigen Hauptstrahlen sind mit Fulcra belegt. Vor letzteren stehen wenige — 2—3 — Randstrahlen. Die Ventralen liegen unter dem Anfange der Dorsalen und enthalten nur einige Strahlen, die indessen lang sind und zurückgelegt bis zur Anale reichen. Der Außenstrahl besitzt Fulcra. Die Pectoralen sind etwas ober dem unteren Körperrand angebracht und enthalten an 16 Strahlen, die zurückgelegt bis zu den Ventralen reichen.

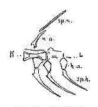

Abb. 16. *Spaniolepis ovalis* n. gen. et sp. — Zwei vordere Caudalwirbel (4 u. 5) mit den Apophysen und Spinen etwas vergrößert dargestellt.

Die Schuppen endlich sind ziemlich groß, häutig und abgerundet; ihre Oberfläche ist mit konzentrischen Kreisen bedeckt und vor dem Raude deutlich verstärkt.

II. Fam. Macrosemiidae.

6. Genus: Ophiopsis, Agassiz.

Da bisher die Gattung *Ophiopsis* hauptsächlich aus den Ablagerungen des Jura bekannt war, so ist das Vorkommen derselben, speziell aber der oberjurassischen Art *Ophiopsis attenuata* Wagner in den Schichten der oberen Trias von Wichtigkeit, um so mehr, da sie mit der von Deecke zitierten Art *Ophiopsis lepturus* Bell.[1]) aus dem Muschelkalke von Perledo, die ebenfalls der Art *Ophiopsis attenuata* sehr ähnlich ist, nun eine kontinuierliche Formserie vom Muschelkalke an bis in den oberen Jura herauf bildet, die sich nur wenig änderte. — Zu *Ophiopsis* gehört nach Deecke auch der *Nothosomus Bellottii* Bass. aus dem Keuper von Besano in der Lombardie.[2])

Ophiopsis attenuata, Wagner.

(Taf. IV, Abb. 3, 4.)

1863. *Ophiopsis attenuata*, A. Wagner: Abhandl. d. bayr. Ak. d. Wiss. Vol. IX, pag. 655.
1873.   »   »   V. Thiollière: Pois. foss. Bugey. II, pag. 19, Pl. VIII, Fig. 2.
1895.   »   »   A. S. Woodward: Catalogue of the fossil Fishes in the British Museum. Part. III, pag. 167, Tab. III, Fig. 2, 3.

Von dieser Fischart liegen mehrere gut erhaltene Stücke vor, von denen zwei vorzüglich konserviert sind. Diesen zwei Exemplaren wurden auch die nachfolgenden numerischen Aufzeichnungen entnommen.

	I	II
Gesamtlänge des Körpers .	. 68·3	62·0 *mm*
Körperlänge ohne Caudale . .	. . 53·6	50·3 »
Körperhöhe hinter dem Kopfe .	. ca. 14·0	14·7 »
Höhe des Schwanzstieles .	6·0	6·0 »
Kopflänge .	. 18·3	17·5 »
Kopfhöhe . .	. 15·2	15·2 »
D hat Strahlen .	. 5 l 24	5 l 24 »
A » » .	. —	6 »
C » » .	. ca. 14	14 »

[1]) Palaeontogr. Vol. XXXV, pag. 122, Pl. VI, Fig. 4.
[2]) Atti Soc. Ital. Sci. Nat. Vol. XXIX, pag. 37.

Die Schuppen sind am Hinterrande sehr fein gesägt.

Zur Beschreibung dieser Art, welche uns Wagner gab, wäre nur weniges hinzuzufügen. Hauptsächlich ist zu bemerken, daß die Anale unserer Exemplare vor dem Ende der Dorsale beginnt und auch noch etwas vor dem Ende derselben endet. Ferner lassen noch unsere obertriadischen Ophiopsiden den Verlauf der Wirbelsäule durch die Schuppenhülle teilweise wahrnehmen.

III. Fam. Pycnodontidae.

7. Gen. Mesodon, Wagner.

In der Prof. Hoelerschen Kollekte befinden sich auch zwei ganze Reste mit Abdrücken einer kleinen Fischart, welche sich durch ihre charakteristischen Zähne, die Entwicklung der Dorsal- und Analflosse, die an den Vorderkörper beschränkten Verdickungen der Schuppenränder: als der Gattung *Mesodon* angehörig erweisen. Das Erscheinen der Pycnodontiden in der Trias ist, soviel ich weiß, bisher noch nicht bekannt gewesen und es ist deshalb interessant zu wissen, daß die bis nun aus dem Jura stammende Gattung, bereits in der oberen Trias existiert hat.

Unsere Halleiner Fische ähneln am meisten dem *Mesodon macropterus* Ag. var. *parvus* (A. S. Woodward, Geolog. Magaz. vol. II, 1895, pag. 147. Tab. VII, Fig. 2), und zwar hauptsächlich was die Gestalt des Körpers anlangt, da auch bei unseren Fischen die Rückenprofillinie nicht sogleich vom Anfange der Dorsalen gegen die Schnauze abfällt, sondern wie bei der erwähnten Art, noch eine Strecke parallel zur Wirbelsäule verläuft und dann sich erst mit dem Beginne des Hinterhauptes steil herabsenkt. Es besteht aber ein äußerst großer Unterschied zwischen den erwähnten und den übrigen Arten der Gattung *Mesodon*; dieser Unterschied liegt aber in der Anzahl der Flossenstrahlen. Während *Mesodon macropterus* var. *parvus* in der D und in der A 26 Strahlen besitzt, haben unsere Halleiner Fische in der D bloß 23—25 und in der A 4 19 Strahlen. Dieser Unterschied der Strahlenanzahl, insbesondere aber die geringe Anzahl der Strahlen in der Anale ist so auffallend, daß da von einer Identifizierung unserer Halleiner Fische mit irgend einer der bekannten Arten der Gattung überhaupt, nicht gesprochen werden kann. Diese sehr geringe Anzahl der Analstrahlen ist aber in genetischer Beziehung von großer Wichtigkeit, da man behaupten darf, daß sich die Pycnodonten wohl aus flachen, hohen Fischformen, doch aus solchen mit geringerer Analstrahlenzahl ent-

Abb. 17. — Analflosse von Mesodon: 1—4 = Basalstrahlen; *F* = Fulcra; *I* = 1. Analstrahl.

wickelten. Unser *Mesodon* hat ferner in der Analflosse noch eine weitere Eigentümlichkeit, die nämlich, daß nach den ersten vier kurzen spitzen Basalstrahlen (1—4) und zwischen dem ersten Analstrahl (*I*) Fulcra (*F*) zu beobachten sind. Durch diesen Befund sind die Pycnodonten abermals zu ihren älteren fulcratragenden Vorfahren näher getreten, doch zeigt unser *Mesodon*, daß die Fulcra sich nur noch an der Analen teilweise erhielten. Ich kann mich in keine näheren genetischen Betrachtungen der Gattung *Mesodon* einlassen, weil das vorliegende Material doch zu unausreichend ist. Es kann sein, daß die Pycnodonten einen im Schädelbau reduzierten Seitenzweig der Gruppe *Semionotidae* darstellen.

Den neuen *Mesodon* widme ich dem für die Kenntnis vorliegender Fischfauna so verdienstlichen Herrn Prof. H. Hoefer in Leoben.

Mesodon Hoeferi, Kramb. Gorj.

(Taf. IV, Abb. 5, Taf. V, Abb. 2).

Ausmaße und Strahlenzahl:

Da zwei Exemplare vorliegen und nur eines ganz gut erhalten ist, so will ich die Dimensionen beider nebeneinander stellen, die Strahlenzahl aber bloß dem kleineren aber vollständigen Exemplare entnehmen.

Totale Körperlänge . .	. 34·5	29·0 *mm* (22·5 ohne C)
Körperhöhe (maximale) .	. 16·6	14·3 »

Schwanzstielhöhe   —   2·5 *mm*

Dorsale hat Strahlen   —   23·0 »

Anale »   »   —   4·19 »

Caudale »   »   —   14—16 »

Halbwirbel ,   —   26—28 »

Die Körperhöhe dieser sehr flachen, hohen Fische ist bloß zweimal in der Gesamtlänge oder 1·5mal in der Körperlänge ohne der Caudale enthalten.

Der hohe, schmale Schädel ist vorn abgestumpft und das Maul ist etwas geöffnet, so daß man das ganze Gebiß sieht. Nach oben spitzt sich der Schädel zu; derselbe endet da mit dem stark gekörnten und längs gefurchten Occipitale. Nach abwärts schweift sich der Scheitelteil etwas aus und übergeht in das Stirnbein, hinter welchen man den Eindruck des unregelmäßig fünfeckigen Squamosum sieht. Alle diese Knochen sind stark gekörnt. Das runde große Auge ist nahe an das vordere Profil genähert. Hinter demselben sieht man das länglich dreieckige und reduzierte Operculum, an welches sich nach vor- und abwärts das große Präoperculum anschließt. Beide diese Deckelknochen sind gekörnt. Hinter diesen Knochen umgibt den Schädel die Clavicula und vor ihr stehen einige schlanke, etwas abgeflachte *Radii branchiostegi*.

Der Kiefer, besonders das Gebiß, ist vorzüglich konserviert geblieben. Am Zwischenkiefer stehen zwei schlanke, leicht gebogene und zugespitzte Zähne; die Gaumenplatte besteht aus einer Reihe querelliptischer größerer Zähne und neben ihnen sieht man einerseits noch zwei Reihen kleinerer runder Zähne. Es waren offenbar fünf Zahnreihen vorhanden: eine größere mittlere und beiderseits zwei Reihen kleiner runder Zähne.

Abb. 18. — Zähne von Mesodon Hoeferi n. f.

Der Unterkiefer hat vorn einen schlanken zugespitzten Zahn, dann folgten: eine Reihe querelliptischer größerer Zähne und neben diesen noch drei bis vier Reihen kleiner runder Zähne.

Die Wirbelsäule markieren die Fortsätze und Halbwirbel; man kann etwa 26—28 solcher annehmen.

Die Halbwirbel sind in der caudalen Körperpartie sichtbar; sie sind dünn und stehen mit den an der Basis gefalteten Neurapophysen im Zusammenhange, während die breiten, kurzen Hämapophysen vom Halbwirbel getrennt sind; an diese bindet sich die rasch zurückgewendete *Spina haemalis*. Das Ende der Säule ist nur etwas aufgebogen; also die Caudale ist innerlich heterozerk.

Die Dorsale beginnt nur etwas vor der Mitte der gesamten Körperlänge und besteht aus 23 weichen Strahlen, die ziemlich lang und so angeordnet sind, daß ihre Länge nach vorn und rückwärts abnimmt, somit die längsten Strahlen die Mitte der Flosse einnehmen. Diese Flosse reicht bis nahe zur Caudale zurück. Die ähnlich gebaute Anale reicht ebenso weit zurück, nur beginnt sie erst unter und hinter der Mitte der Dorsale. Sie besteht aus neun weichen, langen Strahlen, dann einen aus Schindeln gebildeten, vor welchem noch vier kurze, ungleich große Dornen stehen. Der vierte weiche Strahl war der längste. Sowohl die Strahlen der Dorsale als der Anale werden durch je einen entsprechend langen Träger unterstützt. Besonders lang sind aber jene, welche die Dorne der Analflosse tragen, denn davon ragen die hinteren weit gegen die Säule herauf.

Die Ventrale lag näher der Anale als den Pectoralen.

Die Pectoralen sind am unteren Viertel des Körpers und nahe beim Schultergürtel angebracht. Die Caudale ist ziemlich lang, am Ende abgerundet und besteht aus 13—14 Strahlen und einigen dünnen Randstrahlen.

Die Schuppenhülle bedeckte bloß den vorderen Körperteil, und zwar bis zum Beginne der Dorsale und Anale zurück. Sie ist durch ihre verdickten Ränder kenntlich, welche sich mit den langen Neurapophysen des abdominalen Körperabschnittes gitterartig kreuzen. Vor der Dorsale und bis zum Occipitale sieht man zwölf unpaare, einen kurzen Spitz bildende Firstschuppen, von denen besonders die vier vorderen deutlich sind. Auch den Bauchrand markieren kräftigere Schuppen, doch ist ihre Gestalt nicht erkennbar.

Subordo: **Isospondyli.**

IV. Fam.: **Pholidophoridae.**

8. Genus: **Pholidophorus**, Agassiz.

Pholidophorus latiusculus, Ag.

(Taf. IV, Fig. 9.)

1832. *Pholidophorus latiusculus*, L. **A g a s s i z**: Neues Jahrb., pag. 145.
1833—1844. *Pholidophorus latiusculus*, L. **A g a s s i z**: Poissons foss. Vol. II, pag. 9, 287.
1844. *Pholidophorus fusiformis*, L. **A g a s s i z**: Ibid., pag. 288.
1850. *Semionotus curtulus*, O. G. **C o s t a**: Atti Accad. Pontan., Vol. V, pag. 204, Pl. VII, Fig. 6; Pl. VIII, Fig. 2.
1853.   »   »   »   »   »   »   Loc. cit., Vol. VII, pag. 9; Pl. I, Fig. 5.
1866—1867. *Pholidophorus latiusculus*, R. **K n e r**: Sitzungsber. d. Ak. d. Wiss. math. nat. Kl., Bd. 54, pag. 328, Taf. III,
           Fig. 2, 3, und ibid., Bd. 56, pag. 903, Taf. II, Fig. 1.
1892. *Pholidophorus latiusculus*, F. **B a s s a n i**: Mem. Soc. Ital., Vol. IX, pag. 23.
1895.   »   »   A. S. **W o o d w a r d**: Catalogue III, pag. 454, Pl. XIV, Fig. 3.
1895.   »   »   F. **B a s s a n i**: Ittiofauna di Giffoni, pag. 203, Tav. XI (III), Fig. 3—6; Tav. XV (VII), Fig. 1.

Die generische Stellung des in Rede stehenden Fisches konnte genau ermittelt werden. Sowohl der Bau des Schädels, die Stellung der Flossen als auch die Beschuppung entsprechen der Gattung *Pholido-phorus*. Selbst die große schildförmige zugespitzte Schuppe vor der Basis des oberen und unteren Caudal-lappens ist vorhanden.

Ich bringe den Fisch zu *Phol. latiusculus* Ag., da solche bereits aus Seefeld bekannt sind und weil unser Fisch mit dieser Art, bis auf die Lage der Ventralen, die bei jenem hinter dem Beginn der Dorsale liegt, sonst ganz gut übereinstimmt.

Gesamtlänge . . . .   48·5   *mm*
Körperhöhe . . . .   15·5
Kopflänge . . . .   . . ca. 13·3
Dorsale hat Strahlen   . . . . (?) 10
Anale   »   9   »
Ventrale »   . .   7—8   »
Pectorale   »   . (?) 14   »
Caudale »   »   . . . . [11—12] »

Der Körper dieses kleinen Fisches ist flach elliptisch; seine Höhe bei der Dorsale ist 3·1mal und der kleine ovale Kopf 3·6mal in der Gesamtlänge enthalten. Von den Kopfknochen wäre das große Oper-culum, das dreieckige Suboperculum, das ebenso gestaltete Interoperculum und das schwach gebogene Präoperculum zu erwähnen. Vor letzterem stehen zwei ungleich große Suborbitalia, ferner der Unterkiefer, dessen Unterrand gebogen ist. Unter dem Unterkiefer sieht man einige fast gerade, nach hinten ausgebreitete *Radii branchiostegi* und hinter dem Operculum den ziemlich kräftigen Schultergürtel. Die Parietalia mit den Frontalia hinterließen einen kräftigen Eindruck, wovon besonders die beiden Parietalhöcker hervortreten.

Die **Dorsale** beginnt in der Mitte des Körpers (ohne der C), enthält zehn Strahlen und ist schwach entwickelt. Am ersten Strahl liegen einige feine Fulcra. Die **V e n t r a l e n** liegen unter und hinter dem Anfange der Rückenflosse und enthalten 7—8 Strahlen. — Die **A n a l e** steht in der Mitte zwischen der Caudale und den Ventralen; sie ist schwach entwickelt und besteht aus neun Strahlen. — Die mäßig ausgebuchtete **C a u d a l e** wird von 23 Strahlen gebildet, von denen die beiden rand-ständigen Hauptstrahlen mit feinen Schindeln bedeckt sind. Vor diesen Strahlen sind noch einige Randstrahlen.

Abb. 19. — *Pholido-phorus latiusculus* Ag.
op. = Operculum;
s.op. = Suboperculum;
iop. = Interoperculum;
p.op. = Präoperculum;
s.o. = Suborbitale;
cl. = Clavicula; R. = Radii branchiostegi.

28*

Die verhältnismäßig gut entwickelten Pectoralen
bestehen aus beiläufig 14 Strahlen. Noch wäre zu bemerken,
daß die Ventralen näher den Analen als den Pectoralen
stehen.

Die Schuppen sind zumeist nur noch als Abdrücke
erhalten geblieben; sie sind vorn — und zwar gleich hinter
dem Schultergürtel — höher als breit. Ihr hinterer Rand ist
etwas gebogen. An den Schuppen des caudalen Körperabschnittes ist dies besonders gut sichtbar, wo eben noch
eine Partie der Schuppenhülle erhalten blieb. Da gewahrt
man noch, daß der obere und untere Schuppenrand gerade
ist und daß die Ränder etwas verdickt sind. Es möge noch
bemerkt sein, daß jene größeren respektive höheren Schuppen
der vorderen Körperpartie auf die Mitte desselben beschränkt
bleiben, da die Schuppen sowohl gegen den Rücken als auch
gegen den Bauchrand zu an Größe abnehmen und ihr
hinterer Rand stark abgerundet wird. Knapp vor der Schwanzflosse, und zwar oben und unten liegt je eine gebogene,
beiderseits zugespitzte Schildschuppe.

Pholidophorus sp. n. (?).

Es liegen noch die Abdrücke zweier *Pholidophorus*-
artiger Fische, die sich durch ihren schlanken Körper auszeichnen vor. Leider sind beide ungenügend erhalten, um sie
näher charakterisieren zu können. Sie dürften offenbar eine
neue Art der genannten Gattung darstellen. Ich entnehme
den Fischen folgende numerische Aufzeichnungen:

Totale Körperlänge . . . . . ca. 52·5 . . 40·0 *mm*
Körperhöhe   11·5 . . 8·3 »
Kopflänge   — . . 10·7 »

Die Flossen sind sehr ungenügend erhalten. Es kann
bloß teilweise ihre Lage bestimmt werden.

Die Dorsale liegt in der Mitte des Körpers oder
etwas vor derselben. Bloß unbedeutend vor ihr oder unter
ihrem Anfange stehen die Ventralen, die wiederum in der
Mitte zwischen den Pectoralen und der Anale liegen. Die
Caudale war ausgebuchtet. Die Seitenlinie bildet eine durch
die Schuppen hindurch schimmernde dünne Röhre.

III. Schlußfolgerungen.

Die beschriebene Fischfauna reiht sich an die bekannten gleichalterigen von Seefeld und Giffoni, mit
denen sie auch einige Arten gemeinsam besitzt. Wichtiger
indessen ist der Umstand, daß mit der Fischfauna von
Hallein die Liste der Gattungen und Arten namhaft vermehrt
wurde, denn es entfallen an die obertriadische Fischfauna der
norischen Stufe nicht weniger als 13 Gattungen mit 22 Arten,

wovon acht Gattungen allein auf Hallein kommen. Es sind zwar auch von Giffoni acht Genera bekannt, doch hat Hallein damit nur drei gemeinsam, während Seefeld damit sechs Genera teilt. Die beiden naheliegenden Fundstellen Seefeld und Hallein haben auch nur vier Gattungen gemeinsam. Die vier oder fünf Gattungen aber, die in Hallein darüber auftreten, sind zum Teil höchst interessante Erscheinungen. Es sind dies die Gattungen: *Semionotus*, *Spaniolepis* n. g., *Ophiopsis* und *Mesodon*.

Was die Gattung *Semionotus* betrifft, so haben wir die Gelegenheit gehabt, eine bisher noch nicht als sicher zur Gattung *Semionotus* gehörende Art, nämlich den *Sem. Kapffi* Fraas kennen zu lernen. Es konnte dabei ihre Stellung in der Gattung *Semionotus* festgestellt und auch gleichzeitig die Gattungsdiagnose erweitert werden.

Die Gattung *Spaniolepis* ist neu und bildet eine zu *Dapedius* und *Aetheolepis* nahe stehende Gattung, wovon *Dapedius* bereits aus obertriadischen Bildungen bekannt, *Aetheolepis* aber aus jurassischen Ablagerungen stammen soll.

Ophiopsis war bisher in der oberen Trias nicht bekannt und bildet nun mit der Art *Oph. attenuata* eine kontinuierliche Formenreihe von der mittleren Trias bis in den oberen Jura herauf. Der *Oph. lepturus* Bell., aus dem Muschelkalke von Perledo, ist nämlich mit vorerwähnter Art nahe verwandt und steht also mit *Oph. attenuata* der oberen Trias und des oberen Jura in Kontinuität.

Am wichtigsten ist wohl das erste bisher bekannte Auftreten der Pycnodonten in der oberen Trias. Die Gattung *Mesodon* ist es, die uns da entgegentritt, und zwar mit einigen Charakteren, die in entwicklungsgeschichtlicher Hinsicht nicht unwichtig erscheinen, da man an diesen triadischen *Mesodon* das Verschwinden der Fulcra und die noch geringe Anzahl von Strahlen in der Anale konstatieren kann.

Der bequemeren Übersicht teile ich in tabellarischer Form das Verzeichnis der Fischfaunen von Giffoni, Hallein und Seefeld mit.

Gattung	Giffoni	Hallein	Seefeld
1. Undina	*Undina picnia*	—	—
2. Belonorhynchus	*Belonorh.* sp.	—	*Belonorhyn.* sp.
3. Semionotus	—	*Semion. Kapffi*	—
4. Colobodus	*Colob. ornatus*	*Colob. ornatus*	*Colob. ornatus*
"	—	» *decoratus*	—
5. Heterolepidotus	· ·	*Heterolep. dorsalis*	*Heterolep. dorsalis*
"	—	*parvulus*	—
6. Dapedius	*Daped. Costae*	*Daped.* sp.	*Daped. Bouei.*
7. Spaniolepis	—	*Spaniol. ovalis.*	—
8. Ophiopsis	—	*Ophiops. attenuata*	—
9. Mesodon	—	*Mesod. Hoeferi*	—
10. Eugnathus	*Eugn. brachilepis*	—	*Eugn. insignis*
11. Pholidophorus	*Pholid. cephalus*	*Pholid.* sp. n. (?)	*Pholid. cephalus*
"	» *latiusculus*	» *latiusculus*	» *latiusculus*
"	» *pusillus*	—	» *pusillus*
12. Peltopleurus	*Peltop. humilis.*	—	*Peltop. humilis*
13. Thoracopterus	*Thorac. (?)* sp.	—	—

Anhang.

Chemische Analyse der Schuppen von *Colobodus*.

In der Hoeferschen Kollekte befinden sich auch mehrere Bruchstücke der Schuppenhülle eines großen *Colobodus*. Einige der unansehnlichsten Bruchteile davon übergab ich Herrn Prof. Dr. S. Bošnjaković, Vorstand des k. Chemisch-analytischen Landesinstitutes in Agram zur Analyse. Dr. Bošnjaković selbst meinte, es würde eine derartige Analyse nicht ohne Interesse sein, um zu sehen, wie hoch noch der Gehalt an organischer Substanz und an Phosphaten wäre.

In der bei 100° C getrockneten Substanz wurde gefunden:

Organisches . . . . 4·29 %

Kieselsäure (Si O_2) . . . . 0·35 %

Tonerde ($Al_2 O_3$). .   . . . . 46·62 %

Kalk (Ca O). . . .   . 25·27 %

Magnesia (Mg O) . . . . 1·52 %

Kohlensäure (CO_2) . . . .   8·84 %

Schwefelsäure (SO_3) . . . .   1·47 %

Phosphorsäure ($P_2 O_5$) . . . . 11·51 %

Außerdem noch kaum nachweisbare Spuren von Natron und Chlor.

Demnach enthalten vorliegende Schuppen 25% an phosphorsaurem Kalke, welcher mit Berück-sichtigung der Muttergesteine (Mergel) ausschließlich den Schuppen entspringt.

233

ÜBER EINE NEUE EQUIDENART AUS DER PAMPASFORMATION.

Dr. O. Reche.

Mit einer Tafel und 14 Textabbildungen.

Unter den im geologischen Institute der Universität Breslau befindlichen Fossilien der Pampasformation[1]) befindet sich auch der Schädel eines Equiden. Derselbe stammt aus Pontezuela, Provinz Buenos Aires, und gehört nach dem Fundbericht dem äolischen Löß der oberen Pampasformation an, die zwar Santiago Roth (14) zum Pliocän rechnet, die aber meist als Quartär angesehen wird. O. Nordenskjöld z. B. gibt in seiner Abhandlung über die Pampasformation (11) folgende Tabelle:

				Sannolik motsvarighet inom andra områden
		Tertiär	Patagoniska formationen	Äldre miocen
			Suprapatagoniska formationen	
			Santa Cruz formationen	Yngre miocen
Pampasformation i vidsträckt mening	Intermediära bildningar		Parana formationen	Pliocen
			Monte Hermoso bildningarna	
	Egentliga pampasformation		Undre	Quartär
			Mellersta	
			Öfre	
			Postpampeana bildningar Nutida	Nutida

Hiernach wäre also die obere Pampasformation jungdiluvialen Alters, eine Ansicht, der sich unter anderem auch Frech (6), Koken und Woodward (21) anschließen, und auch Branco (3) meint, daß die beiden Pferdegeschlechter, die der Pampasformation angehören, *Hippidium* und *Equus*, in Südamerika während des Diluviums gelebt haben.

Außer dem Schädel ist bei Pontezuela in derselben Schicht noch ein Zahn aus dem linken Unterkiefer eines Equiden gefunden worden; im Fundbericht ist aber leider keine Angabe darüber enthalten, ob dieser Zahn in der Nähe des Schädels lag oder nicht.

Bei der Untersuchung des Schädels wurden neben den fossilen Pferden Süd- und Nordamerikas auch die rezenten zum Vergleiche herangezogen; die angeführten rezenten Exemplare befinden sich in der Sammlung des zoologischen Instituts der Universität Breslau.

Bei dieser vergleichenden Untersuchung ergab sich nun, daß der hier besprochene Schädel soweit von seinen Verwandten abweicht, daß die Aufstellung einer neuen Spezies berechtigt erscheint, die zu Ehren

[1]) Die Sammlung ist von Herrn Santiago Roth zusammengebracht und ein Geschenk des Herrn Kommerzienrats Haase in Breslau.

des Spenders der reichhaltigen Sammlung, des Herrn Kommerzienrats und Rittmeisters d. Res. H a a s e in Breslau, *Equus hausei* benannt werden möge.

Die neuerliche Zusammenstellung von G i d l e y (7) führt aus Nordamerika zehn sichere diluviale Pferdearten auf, es ist daher die Auffindung einer fünften in dem orographisch so mannigfach gegliederten Südamerika nicht auffallend, zeigen doch auch die übrigen Gruppen der südamerikanischen diluvialen Säugetierwelt eine erstaunliche Mannigfaltigkeit.

Erhalten ist von *E. haasei* nur der größte Teil des Schädels. Einige Verletzungen zeigt die Basis und das linke Parietale, von dem ein ca. 5 □cm großes Stück fehlt; auf der Photographie (Taf. 1, Fig. 2) ist die betreffende Stelle nach dem rechten Parietale ergänzt. Ferner fehlen Stücke des Occipitalkammes, der größte Teil des rechten Jochbogens, die Vorderteile der Nasalia und Maxillen und damit auch die Prämaxillen mit den Incisiven; vom linken Processus paroccipitalis ist die Spitze abgebrochen. Sämtliche Molaren und Prämolaren sind relativ gut erhalten. Der ganze Schädel war mit sehr harten Kalkkonkretionen (Lößkindel) inkrustiert, die sich von den sehr weichen und zerbrechlichen Knochen nur schwer abpräparieren ließen.

Schädel.

Gehen wir nun zur Beschreibung der Einzelheiten über, so sehen wir zunächst, daß *E. haasei* in der Länge des Schädels dem südamerikanischen *E. curvidens* Ow. und dem warmblütigen *E. caballus* am nächsten steht. Da von *E. haasei* der vorderste Teil des Gesichtsschädels fehlt, wurde als Vergleichsstrecke die Entfernung vom Hinterrande des foramen magnum bis zum Vorderrande von p^2, dicht am Alveolarrande, gemessen. Die von B r a n c o (3) verwandte Strecke (äußerster Punkt des Hinterhauptes bis zum Vorderrand von p^2) wurde deshalb nicht benützt, weil sie zu sehr von der verschiedenen Entwicklung des äußersten Hinterhauptes abhängig ist. Bei *E. curvidens* und *E. andium* mußten diese Maße, da Angaben über ihre Größe fehlen, an den Abbildungen genommen werden[1] ein Verfahren, das auch bei ganz genauen Abbildungen natürlich nie ganz korrekte Zahlen ergibt.[2] Der Fehler wird aber meist ziemlich gering sein und jedenfalls bei Berechnung der Indices kaum in Betracht kommen.

Die Entfernung des Hinterrandes des foramen magnum vom Vorderrande von p^2, dem vordersten Prämolaren, beträgt bei:

Equus haasei	Equus curvidens n. Burmister	Equus caballus Araber ♀ Zool. Inst.	Equus caballus Mischblut Geol. Inst.	Equus zebra 4½ Jahr Zool. Inst.	Equus andium n. Branco	Equus asinus ♂ üb. 20 Jahr Zool. Inst.	Hippidium neogaeum	
395	403*	381	407	368	307*	294	418	mm

Equus haasei gehört also zu den großen Pferdearten und unterscheidet sich schon durch diese seine Größe von einer der bisher bekannten südamerikanischen, dem von B r a n c o (3) beschriebenen *E. andium*, das ungefähr die Größe des Esels hatte. Zu *E. andium* zählt B r a n c o allerdings auch Reste von einigen Tieren, die wesentlich größer waren; so erreicht die Zahnreihe (Molaren und Prämolaren) eines der Tiere mit 160 mm Länge genau die Länge dieser Reihe bei *E. haasei*. Ob ausgewachsene Tiere von solcher Größendifferenz zu einer Art gezählt werden können, erscheint zweifelhaft, um so mehr, als sie auch andere Unterschiede aufweisen; der Umstand, daß es in der Spezies *E. caballus* auch kleine Varietäten, Ponys gibt, darf wohl nicht zum Vergleich herangezogen werden, da wir es doch bei *E. caballus*, wenn es überhaupt eine Art ist, mit einer durch den Einfluß des Menschen in Rassen zerspaltenen Art zu tun haben. Ich verstehe daher unter *E. andium* den bei B r a n c o abgebildeten schönen Schädel (loco cit. Taf. 2), von dessen Zahnreihen mir durch Herrn Prof. F r e c h s Vermittlung von Herrn Prof. B r a n c o freundlichst Abgüsse übersandt wurden.[3]

---

[1] Hier wie in allen folgenden Tabellen sind an Abbildungen genommene Maße mit einem Sternchen bezeichnet.

[2] Es kann ja, wenn die zu messende Strecke nicht in der Ebene der Abbildung liegt, immer nur ihre Projektion auf diese Ebene gemessen werden.

[3] Die Übersendung der Originale war ihrer Brüchigkeit wegen ausgeschlossen.

In der größten Schädelbreite (Abstand der äußersten Jochbogenpunkte voneinander) ähnelt *E. haasei* wieder sehr *E. caballus* und von fossilen Formen dem südamerikanischen *E. rectidens* Gerv. und Amegh. und dem nordamerikanischen *E. semiplicatus* Cope.

	E. haasei	*E. caballus* Geol. Inst.	*E. caballus* Araber ♀ Zool. Inst.	*E. rectidens*	*E. quagga* n. Branca ♀ 8 Jahr	*E. asinus* ♂ 7–8 Jahr n. Branco	*E. semiplicatus*	*E. zebra* 4½ Jahr Zool. Inst.	*E. curvidens* Abb. Burm.	*E. asinus* ♂ üb.20 Jahr Zool. Inst.	*E. andium* n. Branco	*Hippidium neogaeum*
gr. Breite	219	220	200	211	199	192	193*	190	186*	174	167	200 mm
Index $\frac{Br..100}{Länge}$	55	54	52	—	—	—	—	52	46*	59	54	47 mm

Für *E. rectidens* fehlt leider eine Angabe der Länge, so daß der Index nicht berechnet werden konnte, nach der Beschreibung bei Ameghino (1) ist der Schädel aber länger als bei *E. caballus* und da er auch etwas breiter ist, wird der Index ungefähr 54 sein.

Die relative Breite von *E. haasei*, *E. rectidens* und *E. andium* liegt also innerhalb der Variationsbreite der rezenten Equiden, während sich *E. curvidens* ähnlich wie *Hippidium* durch einen außergewöhnlich schmalen Schädel auszeichnet.

Ziemlich bedeutende Unterschiede finden sich bei den Equiden im Verhältnis der einzelnen Schädelteile zueinander, so z. B. im Verhältnis des Gesichtsschädels zum Hirnschädel. Nehmen wir als charakteristisch für die Länge des Hirnschädels die Strecke: Hinterrand des foramen magnum bis Vorderrand der Augenhöhle, und für den Gesichtsschädel: Vorderrand der Augenhöhle bis vor *p²* an, so erhalten wir folgende Zahlen:

	Equus haasei	*E. caballus* Araber ♀ Zool. Inst.	*E. caballus* Mischblut Geol. Inst	*E. curvidens*	*E. asinus* ♂ üb. 20 Jahr Zool. Inst.	*E. andium*	*E. zebra* 4½ Jahr Zool. Inst.	*Hippidium neogaeum*
a) Gesichtsschädel	193	190	201	187*	142	147*	180	202* mm
b) Hirnschädel	227	223	242	229*	175	181*	217	217* mm
Index $\frac{a.100}{b}$	85	85	83	82*	81	81*	77	93* mm

Der Gesichtsschädel ist also bei *E. haasei* unter den südamerikanischen eigentlichen Equiden am größten; einen gleich hohen Index zeigt nur noch das arabische Pferd, einen höheren *Hippidium*. Alle anderen, auch *E. curvidens* und *E. andium*, das sich hier übrigens wieder wie der gleich große *E. asinus* verhält, haben einen kürzeren Gesichtsschädel.

Vergleichen wir mit der eben erwähnten Länge des Hirnschädels die Strecke vom hintersten Punkte des Occipitalkammes bis zum Vorderrande der Augenhöhlen, so ergibt sich folgende Tabelle:

	Equus haasei	*E. caballus* Mischblut Geol Inst.	*Equus curvidens*	*Equus andium*	*E. asinus* ♂ üb.20 Jahr Zool. Inst.	*E. zebra* 4½ Jahr Zool. Inst.	*Hippidium neogaeum*
a) Hirnschädel	227	242	229*	181*	175	217	217* mm
b) Occip.-K. bis Vord. d. Augenh.	254	251	261*	203*	193	230	249* mm
Index $\frac{b.100}{a}$	112	103.7	114*	112*	110	106	114.7* mm

Bei den südamerikanischen Pferdearten lehnt sich also das Hinterhaupt mit seinem oberen Teile weiter nach hinten, als bei den rezenten, was zusammen mit der kräftigen Ausbildung der Cristen des Hinterhauptes auf eine stark entwickelte Kaumuskulatur schließen läßt.

Als Charakteristikum für *E. andium* bezeichnet B r a n c o (3), daß der Vorderrand der Augenhöhle senkrecht über dem Hinterrande von m^3 liegt, wenn der Schädel auf seiner Basis ruht. Nun ist allerdings das Verhältnis der Lage des Auges zur Lage von m^3 selbst bei demselben Individuum nicht konstant, da ja, wie Untersuchungen an rezenten Equiden gezeigt haben (7), die Zahnreihe im höheren Alter kürzer wird, da besonders die Molaren, also auch m^3, etwas nach vorn rücken. Bei einem alten Exemplar wird also der Hinterrand von m^3 etwas weiter vorn liegen, als bei einem jüngeren Tiere derselben Spezies. Aber abgesehen von dieser durch das Alter bedingten verschiedenen Lage von m^3 finden sich doch Unterschiede, die für die einzelnen Gattungen und Arten charakteristisch zu sein scheinen. Denn geht man die Entwicklungsreihe der Unpaarhufer durch, so zeigen die ältesten Vorfahren weit hinter dem vorderen Augenrand zurückreichende Zähne, und je jünger die Gattung ist, desto weiter ist die Zahnreihe nach vorn verschoben.

Um das Verhältnis der Lage des vorderen Augenrandes zum Hinterrand von m^3 zu verdeutlichen, wurde die Entfernung des vorderen Augenrandes vom hinteren oberen Rande des foramen magnum mit dem Abstand des Hinterrandes von m^3 von demselben Punkte des foramen magnum verglichen; diese beiden Strecken müssen ziemlich gleich sein (for. mag. bis vorderen Augenrand etwas größer), d. h. ihr Index muß 101—102 sein, wenn der vordere Augenrand senkrecht über dem Hinterrande von m^3 liegt; ist der Index größer, so liegt m^3 weiter hinten, ist er kleiner, weiter vorn.

	Palaeotherium Abbildung	*Hipparion speciosum* Abbildung	*E. andium*	*E. asinus* Zool. Inst.	*E. zebra* Zool. Inst.	*E. caballus* Araber Zool. Inst.	*E. caballus* Mischblut Zool. Inst.	*E. curvidens*	*Hippidium neogaeum*	*E. haasei*
a) for. mag. bis vord. Augenrand			181°	175	217	223	242	229°	217°	227 mm
b) for. mag. bis hinter m^3			166°	169	215	221	240	228°	225°	238 mm
Index $\dfrac{a \cdot 100}{b}$	140°	120°	109°	103	101	101	101	100°	96°	95 mm

Danach liegt also der Hinterrand von m^3 bei *E. haasei* weiter nach vorn, als bei irgend einem anderen Equiden, nur bei *Hippidium* ist die Zahnreihe annähernd soweit nach vorn gerückt. Bei allen rezenten liegen Augenrand und Hinterrand von m^3 so ziemlich senkrecht übereinander, ebenso bei *E. curvidens*, während bei *E. andium* m^3 etwas weiter nach hinten liegt. Noch besser kommen diese Verhältnisse auf nebenstehenden Abbildungen (Fig. 1—5) zum Ausdruck. Hier ist die Profilansicht des Schädels von *E. haasei* in die von *E. curvidens*, *E. andium*, *E. zebra*, *E. asinus* und *Hippidium neogaeum* hineingezeichnet, und zwar so, daß bei allen die Strecke: Hinterrand des foramen magnum bis vor p^2 gleich gesetzt wurde; das Profil von *E. haasei* ist dabei immer leicht angetuscht, das der verglichenen Pferdeart punktiert. Auch diese Figuren zeigen, daß das Auge bei *E. haasei* am weitesten hinter m^3 liegt. Dieses Vorrücken der Zahnreihe bei *E. haasei* ist auch der Grund für die oben erwähnte relativ große Länge des Vorderschädels.

Aus demselben Grunde ist auch scheinbar der Jochbogen bei *E. haasei* nach hinten und oben verschoben.

Die o b e r e P r o f i l l i n i e von *E. haasei* ähnelt, wie die vergleichenden Abbildungen zeigen, am meisten *E. asinus*; sie zeigt nicht, wie bei *E. curvidens* und *Hippidium neogaeum*, am Ansatz der Nasalia eine Auftreibung und ist weniger gewölbt, als bei den meisten anderen Equiden.

Die A u g e n h ö h l e liegt bei allen südamerikanischen Pferden sehr tief, d. h. ihr Abstand von der oberen Profillinie ist recht bedeutend, während bei rezenten Equiden das Auge sehr hoch liegt. *E. haasei* nimmt in dieser Beziehung eine Mittelstellung ein, da sein Auge höher als bei den anderen südamerika-

Synoptische Tabelle zum Vergleich der Profilansichten von Equus haasei (ausgetuscht) mit fünf anderen Pferdearten.

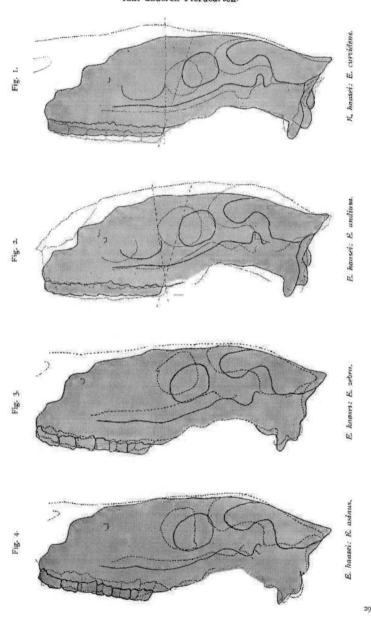

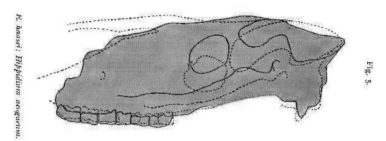

E. haasei: Hippidium neogaeum.   Fig. 5.

nischen, aber niedriger als bei den rezenten Arten liegt; ein Blick auf die Textfiguren 1—5 zeigt dies. Um dieses Verhalten in Zahlen auszudrücken, werden in der folgenden Tabelle der senkrechte Abstand[1]) der oberen Profillinie vom oberen Orbitalrande und Alveolarrande dicht hinter m^3 verglichen.

	Hippidium neogaeum	Equus curvidens	Equus andium	Equus haasei	Equus caballus ♂ schwer Branco	Equus caballus Araber ♀ Branco	Equus caballus Mischblut Geol. Inst.	Equus quagga ♀ Branco	Equus asinus d. 20 Jahr Zool. Inst.	E. zebra 4½ Jahr Zool. Inst.
a) Senkrechter Abstand d. ob. Profilrandes v. ob. Orbitalrand	51°	43°	28,5	24	27	18	23	23	15	13 *mm*
b) Senkrechter Abstand d. ob. Profilrandes v. Alveolarrand	156°	157°	117	124	147	133	150	133	98	124 *mm*
Index $\dfrac{a \cdot 100}{b}$	33°	27°	24	19	18	13	15	17	15	10 *mm*

Bei *E. haasei* ist also sogar der absolute Abstand des oberen Orbitalrandes vom Profilrande größer, als bei dem viel kleineren Schädel von *E. andium.* Am stärksten ausgeprägt ist diese für die südamerikanischen Pferde charakteristische tiefe Augenlage bei dem nur in Südamerika heimischen *Hippidium*, aber auch recht bedeutend bei *E. curvidens*, das ja auch in anderen Eigenschaften unter allen Equiden dem *Hippidium* am nächsten steht.

Recht verschieden ist bei den einzelnen Arten auch Gestalt und Lage der Masseterkante. Ihr vorderstes Ende liegt bei *E. haasei, E. curvidens, E. andium, E. zebra und E. caballus* über der letzten Hälfte von p^4, bei *E. asinus* und *Hippidium neogaeum* über der Mitte von m^3.

Besonders verschieden aber ist die Höhenlage der Masseterkante. Um diese festzustellen, ist in der folgenden Tabelle der senkrechte Abstand der Masseterkante vom Alveolarrande dicht hinter m^3 mit dem Abstande dieses Randes von der oberen Profillinie verglichen.

		Equus caballus schwer 8 Jahr Branco	Equus caballus Mischblut Geol. Inst.	Equus caballus Araber, Branco	Equus haasei	Equus asinus über 20 Jahr Zool. Inst.	E. asinus n. Branco	Equus zebra 4½ Jahr Zool. Inst.	Equus quagga Branco	Equus andium Branco	Equus curvidens	Hippidium neogaeum
Senkr. Abstand d. Alveo-larrandes von:	a) d. oberen Profillinie	147	150	133	124	98	114	124	133	117	157°	156° *mm*
	b) d. Masseterkante	55	51	40	40	28	36	38	30	25	27°	15° *mm*
Index $\dfrac{b \cdot 100}{a}$		37	34	30	32	28	31	30	22.6	21	17°	9.6° *mm*

[1]) Senkrechter Abstand ist hier die Projektion der betreffenden Strecke auf die in der Bildebene liegende Senkrechte.

In diesem Punkte liegt also *E. haasei* innerhalb der Variationsbreite der rezenten Equiden und weicht bedeutend von allen anderen südamerikanischen Arten ab, am meisten wieder von *Hippidium*. Auch die von der Masseterkante beschriebene Kurve ist bei den Pferdespezies recht verschieden. Das foramen infraorbitale liegt bei *Equus haasei*, wie bei den meisten Equiden, über dem hintersten Ende von p^4.

Zwischen foramen infraorbitale und der Augenhöhle findet sich bei *E. haasei*, wie bei allen anderen südamerikanischen Pferden und wie bei den Vorfahren der Equiden, eine flache breite Grube, die nach Weber (18) zur Aufnahme eines Drüsenkörpers, wie er von den Artiodactylen her als »Crumen« bekannt ist, diente. Bei den rezenten Equiden findet sich nur noch selten eine Andeutung dieser Grube.

Wenig typisch für die Beurteilung einer Pferdeart sind die Maße der Augenhöhlen. In der folgenden Tabelle ist die größte Breite schräg von vorn-unten nach hinten-oben gemessen, die größte Höhe steht senkrecht zu dieser Linie.

	Equus haasei	*Equus curvidens*	*Equus rectidens* n. Amegh.	*Equus andium*	*Equus caballus* schwer n. Branco	*Equus caballus* Araber n. Branco	*Equus zebra* Zool. Inst.	*Equus quagga* n. Branco	*Equus asinus* n. Branco	*Equus asinus* Zool. Inst.
gr. Breite d. Orbita	59	57'	59	55	60	67	57	60	48	43 *mm*
gr. Höhe d. Orbita	52	51*	54	48	59	58	53	55	49	44 *mm*
Index $\frac{\text{Höhe} \cdot 100}{\text{Breite}}$	88	89*	91	87	98	86.5	96	91	102	102 *mm*

Die südamerikanischen Pferde zeigen also im allgemeinen eine breitere, die rezenten eine höhere Augenhöhle. Nicht zum Ausdruck kommt in diesen Maßen, daß bei den rezenten der hintere Orbitalrand stärker nach außen vorspringt und etwas vertikaler steht als bei den fossilen.

Recht charakteristisch für eine Pferdespezies ist die geringste Breite des processus orbitalis des Stirnbeines. Bei den Vorfahren der Pferde waren die Augenhöhlen zunächst hinten offen, d. h. der processus orbitalis war zu kurz, als daß er das Jugale erreicht hätte. Später nahm die Länge dieses Fortsatzes zu und es trat endlich eine Verbindung mit dem Jugale ein, die aber zuerst noch schmal ist, wie z. B. be *Protohippus* und *Hipparion*; auch *Hippidium* hat noch einen recht schmalen processus orbitalis, und man kann daher wohl eine größere Breite dieses Fortsatzes als ein Kennzeichen der echten Equiden, des Endgliedes der Entwicklungsreihe, ansehen.

Folgende Tabelle gibt die geringsten Breiten der proc. orbitales verglichen mit der größten Schädelbreite.

	Equus haasei	*Equus curvidens*	*Equus andium* n. Branco	*Hippidium neogaeum*	*Equus asinus* Zool. Inst.	*E. caballus* Araber n. Branco	*E. caballus* schwer n. Branco	*E. caballus* Mischblut Geol. Inst.	*Equus zebra* Zool. Inst.
a) Kleinste Breite d. proc. orb.	31	27*	14	10*	25	27	30	27	24 *mm*
b) Gr. Schädelbreite	219	186*	167	200	174	212	238	220	190 *mm*
Index $\frac{a \cdot 100}{b}$	14	14·5*	8	5*	14·3	12·7	12·6	12·3	12·6 *mm*

E. haasei und *E. curvidens* haben also einen sehr breiten, *E. andium* und noch mehr *Hippidium* einen schmalen processus orbitalis.

Die Occipitalregion ist bei *E. haasei* recht gut erhalten (Textfigur 6). Die Maße derselben sind in der folgenden Tabelle mit denen von anderen Equiden verglichen.

	Equus haasei	Equus rectidens n Ameghino	Equus curvidens	Equus andium	Hippidium neogaeum	Equus scotti n. Gidley	Equus zebra Zool.Inst.	Equus asinus Zool.Inst.	Equus caballus Geol.Inst.
Gr. Höhe	114	110	110*	–-	108*	119*	93	74	109 mm
Gr. Breite	109	107	96*	90	96*	107*	96	81	126 mm
Index $\frac{\text{Höhe. 100}}{\text{Breite}}$	105	103	114*	—	112*	111*	97	91	86

Die größte Höhe ist vom untersten Rande der Hinterhauptskondylen bis zum Occipitalkamme, die größte Breite zwischen den Außenrändern der Basis der beiden processus paroccipitales gemessen. Bei all den angeführten fossilen Equiden, besonders bei *Hippidium*, *E. curvidens* und *E. scotti* übertrifft die Höhe die Breite, bei den rezenten ist das Umgekehrte der Fall. Bei *Hippidium* und *E. curvidens* ist der Grund hierfür die geringe Breite, bei *E. haasei*, *E. rectidens* und *E. scotti* mehr die bedeutende Höhe des Hinterhauptes.

Für *E. andium* läßt sich leider der Index nicht berechnen, da dem Schädel die Kondylen fehlen, die Höhe also nicht gemessen werden kann. Vergleichen wir aber die Strecke: oberer Rand des for. magnum bis Occipitalkamm von *Equus andium*, *Equus haasei* und *Equus caballus*, so erhalten wir:

	Equus haasei	Equus andium	Equus caballus Geol. Inst.
Höhe: for. magn. bis Occipitalkamm	75	ca. 70*	65
Gr. Breite	109	ca. 90*	126
Index $\frac{\text{Höhe. 100}}{\text{Breite}}$	69	ca. 78	51

Also auch *E. andium* hatte einen schmalen hohen Hinterschädel, wie alle übrigen südamerikanischen Equiden. Aus dieser Tabelle ist auch zu ersehen, daß es besonders der obere Teil des Hinterhauptes ist,

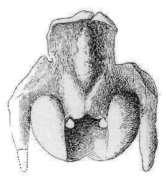

Fig. 6. Occiput von *E. haasei*. Orig. $^1/_2$.

der bei *E. haasei* die große Höhe verursacht; anders ist es bei *E. rectidens*, wo nach Ameghino (1) besonders der untere Teil schmal und hoch, der obere dagegen relativ breit ist.

Das Hinterhaupt von *E. haasei* zeichnet sich ferner dadurch aus, daß die vertikal stehende *linea nuchalis inferior* als ziemlich breiter, rauher Kamm entwickelt ist. Eine derartig starke Entwicklung habe ich bei keinem anderen Pferde gefunden, nur bei einem arabischen Hengste trat diese linea ziemlich deutlich hervor, während sie sonst fast ganz fehlt. Auch bei den anderen südamerikanischen Equiden scheint sie nicht in nennenswerter Entwicklung aufzutreten.

Auffallend ist auch bei *E. haasei* der weit nach hinten gewölbte, stark profilierte obere (hintere) Rand des foramen magnum, d. h. die Stelle, die zum Ansatz des *ligamentum obturatorium posterius* dient. Die Textfiguren 7—10 zeigen, wie verschieden diese Stelle gestaltet sein kann.

Dieselben Figuren dienen zur Veranschaulichung der verschiedenen Form der **Hinterhauptskondylen**. Sie sind bei *E. asinus*, *E. zebra* und bei den südamerikanischen Arten (Ameghino erwähnt das auch bei *E. rectidens*) kurz und schmal. Während bei den anderen Equiden die sich auf die Unterseite des Basioccipitale legenden Lappen ziemlich weit auseinander liegen und zwischen sich eine breite, tiefe, scharf umrandete Furche haben, ist bei *E. asinus* diese Furche meist flach, ohne scharfe Ränder, und bei *E. haasei* kommen sich die beiden Lappen so nahe, daß sie sich zum Teil berühren; von der Furche sind nur schmale, seichte Reste übriggeblieben.

Obwohl die Schädel von *E. haasei*, *E. rectidens* und *E. caballus* ungefähr gleiche Größe haben, ist doch die absolute Höhe und auch die Breite der Kondylen bei den südamerikanischen Arten bedeutend geringer; der Index bleibt, da beide Strecken kleiner sind, ziemlich derselbe. Auch bei *E. curvidens*, für das leider die Maße fehlen, sind, wie Burmeister (4) besonders hervorhebt, die Kondylen sehr klein.

Die Maße der Hinterhauptskondylen sind in der folgenden Tabelle zusammengestellt:

Hinterhauptskondylen (verkleinert) von:

Fig. 7.
Equus asinus. Orig

Fig. 8.
Equus zebra. Orig.

Fig. 9.
Equus haasei. Orig.

Fig. 10.
Equus caballus. Orig

Fig. 11.
Equus curvidens (n. Burmeister).

Fig. 12.
Hippidium neogaeum (n. Burmeister).

	Equus haasei	Equus rectidens n. Amegh.	E. caballus Geol. Inst.	E. zebra Zool.Inst.	E. asinus Zool.Inst.
Gr. Höhe (Länge)	50	52	61	39	34
Gr. Breite	29	33	34	23	20
Index $\frac{\text{Breite} \cdot 100}{\text{Höhe}}$	58	63	56	59	59

Der Abstand der äußersten Kanten der Kondylen beträgt bei:

E. *haasei* 84 *mm*
E. *curvidens* 81* *mm*
E. *caballus* 102 *mm*

Diese Unterschiede sind, da wir es ja mit drei fast gleich großen Schädeln zu tun haben, recht bedeutend. Das foramen magnum hat folgende Maße:

	Equus haasei	Equus rectidens	Hippidium neogaeum	Equus caballus Geol.Inst.	Equus zebra Zool.Inst.	Equus asinus Zool.Inst.
Gr. Höhe	39	43	40	40	34	29 *mm*
Gr. Breite	37	36	54	36	37	28 *mm*
Index $\frac{\text{Br..100}}{\text{Höhe}}$	94.8	83.7	135	90	108.8	96 *mm*

Die Maße, die die lichte Weite angeben, liegen also bei *E. haasei* und *E. rectidens* innerhalb der Variationsbreite der rezenten Equiden, während sich *Hippidium* durch ein abnorm breites foramen magnum auszeichnet.

Die processus paroccipitales sind bei *E. haasei* ziemlich schwach und divergieren nach unten stärker als beim rezenten Pferde; sie verhalten sich ähnlich, wie die von *E. curvidens*. Die Spitze des linken ist übrigens abgebrochen.

Betrachten wir den Schädel von *E. haasei* von der Unterseite, so sehen wir, daß der Vorderrand des ziemlich breiten Choanenausschnittes auf der Verbindungslinie der Mitten beider m^2 liegt, also an derselben Stelle, wie bei *E. asinus*, *F. zebra* und *E. semiplicatus*, während er bei *F. caballus* meist um $\frac{1}{4}$ Zahnlänge weiter nach hinten, bei *E. andium* um dieselbe Strecke nach vorn verschoben ist.

Das foramen palatinale posterius liegt meist etwas hinter dem Vorderrande des Choanenausschnittes, bei einigen Spezies aber auf gleicher Höhe. Folgende Tabelle gibt darüber Aufschluß:

	Equus andium	Hippidium neogaeum	E. zebra	E. haasei	Equus asinus	Equus caballus	Equus caballus
vord. Choanenrand	in einer Linie	in einer Linie	Mitte v. m^2	Mitte v. m^2	Mitte v. m^2	Mitte v. m^2	zwischen m^2 u. m^3
for. palat. post.	m^1 u. m^2	Mitte von m^2	hintere Hälfte v. m^2	zwischen m^2 u. m^3	zwischen m^2 u. m^3	Mitte v. m^3	Mitte v. m^3

Gebiß des Oberkiefers.

Nur die Molaren und Prämolaren sind erhalten (Taf. 1, Fig. 1).[1] Die Lage der Zahnreihen zueinander, und die von jeder einzelnen beschriebene Kurve zeigt bei den einzelnen Spezies verschiedene Unterschiede. In der folgenden Tabelle sind die Abstände immer vom Außenrande der Kaufläche eines Zahnes der einen Kieferhälfte bis zum Außenrande des gleichnamigen der anderen Kieferhälfte gemessen.

	E. haasei	E. andium	E. semiplicatus	E. scotti	H. neogaeum	E. caballus schwer (Branco)	E. caballus Araber (Branco)	E. caballus (Geol. Inst.)	E. zebra (Zool. Inst.)	E. quagga (Branco)	E. asinus (Branco)	E. asinus (Zool. Inst.)
Abstand der mittleren Außenkanten von m^1—m^2	128	100	102*	128*	152	139	121	121	112	113	107	100 *mm*
Abstand der vorderen Außenkanten von m^1—m^1	134	105	108°	136°	150°	143	123	115	109	110	106	100 *mm*
Abstand der vorderen Außenkanten von p^2—p^2	107	84	83*	108*	113*	98	90	86	85	93	78	73 *mm*

---

[1] Auf der Abbildung sind die Schmelzfalten der einen Zahnreihe, um sie besser hervortreten zu lassen, mit Deckweiß angelegt.

243

Von *E. curvidens* und *E. rectidens* fehlen leider diese Maße und von *E. conversidens* sind die von Owen (12) angegebenen Maße nicht zu verwerten, da der abgebildete Kiefer, wie Gidley (7) nachgewiesen hat, aus zwei gar nicht zueinander gehörenden Teilen zusammengesetzt ist. Nach der obigen Tabelle kann man zwei Gruppen unterscheiden, erstens solche Arten, bei denen die Zahnreihen hinten und zweitens solche, bei denen sie in der Mitte, d. h. im Abstand m^1—m^1 am weitesten voneinander entfernt sind. Zur ersten Gruppe gehören *E. asinus*, *E. quagga*, *E. zebra*, zum Teil *E. caballus* und *Hippidium neogaeum*, zur zweiten die südamerikanischen eigentlichen Equiden *E. haasei* und *E. andium*, das nordamerikanische *E. semiplicatus* und *E. caballus*. Von *E. rectidens* erwähnt Ameghino nur, daß der innere Abstand der beiden p^2 44 mm, der der m^3 86 mm betrage; über die Krümmung der Zahnreihen sagt er gar nichts. Bei *E. haasei* sind die betreffenden Maße 65 und 80 mm, die Zahnreihen konvergieren also weniger.

Über die **Länge** der Kauflächen der ganzen Prämolar-Molarreihe und ihr Verhältnis zur Länge des Hirnschädels (vom Hinterrand des for. magn. bis zum vorderen Augenrande) gibt folgende Tabelle Auskunft:

	H. neogaeum	*E. curvidens*	*E. rectidens*	*E. haasei*	*E. andium*	*E. conversidens*	*E. semiplicatus*	*E. scotti*	*E. caballus* schwer (Branco)	*E. caballus* Araber (Branco)	*E. robustus* (Geol. Inst.)	*E. zebra* (Zool. Inst.)	*E. quagga* (Branco)	*E. asinus* (Zool. Inst.)
a) Länge d. ganz. Zahnreihe	171*	180	172	159	138	144	153*	204	195	186	167	160	149	136 mm
b) Hinterrand d. for. mag. bis vord. Augenrand	217-	229'	—	227	181*	—	—	—	—	—	242	217	—	175 mm
Index $\frac{a \cdot 100}{b}$	78*	78*	—	70	76*	—	—	—	—	—	69	73.7	—	78 mm

Die absolute Länge der Zahnreihe von *E. haasei* ist also ungefähr so groß, wie die von *E. semiplicatus* und *E. zebra*, also für die Größe des Tieres sehr gering; die gleich großen Arten *E. curvidens*, *E. rectidens* und *E. caballus* haben zum Teil bedeutend längere Zahnreihen, daher auch höhere Indices. *E. haasei* hat also, wenn man von dem wohl ziemlich vereinzelten Fall von *E. caballus* absieht, die relativ kürzeste Zahnreihe.

Diese Gesamtlänge ist, da die Zahnreihe eine flache Kurve beschreibt, meist etwas kleiner als die Summe der Längen der Molaren- und Prämolaren. Der Anteil, den Molaren und Prämolaren an der ganzen Länge haben, ist bei den Arten verschieden.

	E. conversidens	*E. andium* größ. Tier	*E. curvidens*	*E. andium*	*E. haasei*	*E. caballus* Arabur (Branco)	*E. scotti* (Gidley)	*E. quagga* (Branco)	*E. asinus* (Branco)	*E. rectidens*	*E. caballus* schwer (Branco)	*H. neogaeum*	*E. semiplicatus*	*E. caballus* (Geol. Inst.)	*E. asinus* (Zool. Inst.)
Länge der Prämolaren	82.4	91	101	77	89	99	110*	81	75	93	105	91	81	88	71 mm
Länge der Molaren	62.6	69	79	61	71	81	92*	68	63	79	90	80	72	79	65 mm
Index $\frac{\text{Mol. } 100}{\text{Präm.}}$	75.6	76	78	79	79	82	83.6*	84	84	85	85.7	88	89	89.7	91 mm

Wir sehen zunächst, daß die Prämolaren bei allen Equiden den größeren Teil der Länge der ganzen Zahnreihe einnehmen, daß dieser Anteil aber recht verschieden, daß er sogar in derselben Spezies nicht konstant ist. Dieses letztere kommt daher, daß das Alter die Längen der Molaren und Prämolaren verändert. Schnitte parallel zur Kaufläche und Messungen der Zähne verschieden alter Exemplare derselben Art haben ergeben (besonders Gidley hat darüber gearbeitet), daß beim rezenten und den untersuchten fossilen Pferden mit zunehmender Abnützung der Zähne die Reihe der Prämolaren kürzer wird, während die der Molaren ungefähr gleich bleibt; Einzelheiten darüber siehe unten. Hier interessieren uns diese Tatsachen zunächst nur deshalb, weil dadurch das Verhältnis der Länge der Molaren zu der der Prämolaren verändert wird. Daher hat der von Branco erwähnte 7—8 Jahre alte Eselhengst den Index 84, der über 20 Jahre alte des Zoologischen Instituts den Index 91; d. h. die Prämolaren sind kürzer geworden.

Doch außer dieser durch das Alter bedingten Verschiedenheit finden sich auch zweifellos solche, die für die einzelnen Arten charakteristisch sind. So sehen wir, daß bei den echten südamerikanischen

	p^2			p^3			p^4			m^1			m^2			m^3			Länge der ganzen Reihe
	Lg.	Br.	Ind.	Lg.	Br.	Ind.	Lg.	Br.	Ind.	Lg.	Br.	Ind.	Lg.	Br.	Ind.	Lg.	Br.	Ind.	
H. neogaeum	36⁶	24¹	67	26⁸	27·5*	106	28⁸	29⁸	104	28⁸	30*	107	26⁸	31⁸	119	25⁹	23⁸	92	171*
E. haasei	35	25	71	27	28	103·7	25	29	116	22	28	127	22	26	118	27	23	85	159
E. andium¹) größ. Tier	37	25	68	27	28	104	27	28	104	22	27	123	23	26	113	24	23	96	160
E. andium¹)	31	29	94	26	25	96	23	24	104	21	23	109	21	21	100	19	16	85	138
E. conversidens²)	30	25	83	25	25	100	—	—	—	22	21	96	—	—	—	19	18	95	144
E. rectidens³)	35	26	74	29	30	103	29	31	107	26	30	115	26	28·	107·6	27	26	96	172
E. curridens	40⁸	28¹	70	32*	33°	103	29⁸	31*	107	26*	29⁸	112	26⁶	27*	103·6	27*	25*	92·6	180
E. curvidens⁴)	41	30	73	34	35	103	34	35	103	28	31	111	29	29	100	30	28	93	196
E. argentinus	—	—	—	—	—	—	28	28	100	—	—	—	—	—	—	—	—	—	—
E. occidentalis (excelsus⁶)	—	—	—	32	28·5	89	28·5	28·5	100	26·5	28·5	107	26·5	27	102	26	19	73	—
E. scotti⁵)	43	30·5	71	34	33	97	33	33	100	30	30	100	31	29	93·5	31	24	77	204
E. caballus¹) Pinzgauer ♂ 8 Jahr	45	31	69	32	33	103	31	32	103	28	30	107	30	30	100	34	28	82	195
E. caballus³) Araber ♂ 11 Jahr	42	27	64	31	30	97	29	29	100	27	29	107	27	27	100	28	25	89	180
E. quagga¹) ♀ 12 Jahr	34	24	71	28	25	89	24	26	108	22	24	109	22	24	109	25	21	84	155
E. zebra 4½ Jahr Zool. Inst.	34	25	73	26·5	26	98	26	25·5	98	26·5	26	98	25	25	100	22	18	82	160
E. asinus¹) ♂ 7—8 Jahr	29	21	72	23	24	104	22	24	109	20	23	115	21	22	105	23	20	87	138
E. asinus ♂ über 20 Jahr Zool. Inst.	27	21	78	22	23	104	22	26	118	19	24	126	19	23	121	24	22	92	136

¹) Nach Branco; die kürzere Zahnreihe von *E. andium* gehört wahrscheinlich zu dem abgebildeten Schädel.
²) Nach Owen.
³) Nach Ameghino.
⁴) Nach Burmeister, größeres Exemplar.
⁵) Nach Gidley.

Equiden die Prämolaren auffallend lang sind. Bei *E. haasei* muß man dabei noch das hohe Alter des Exemplares berücksichtigen, das die Prämolaren schon verkürzt hat; der normale Index dürfte also bei dieser Art unter 79 liegen. Ganz abseits von seinen Verwandten steht in dieser Beziehung *E. rectidens*, das den hohen Index von 85 aufweist, also sehr kurze Prämolaren besitzt.

Über die Gestalt des einzelnen Zahnes von *E. haasei*, d. h. über seine Krümmung und den Grad derselben läßt sich deswegen nichts Genaues aussagen, weil bei der ungeheuren Zerbrechlichkeit der Knochen kein Zahn, ohne den ganzen Kiefer zu gefährden, herausgenommen werden konnte. Soweit es sich aber von außen beurteilen läßt, sind die Zähne genau wie beim rezenten *E. caballus* nur wenig gekrümmt.

Genau dagegen lassen sich die Maße der Kauflächen der einzelnen Zähne angeben, da diese sehr gut erhalten sind. Gemessen wurde bei jedem Zahne nur die Kaufläche, und zwar die größte Länge in der Mittellinie des Zahnes, die größte Breite von der äußersten Rippe des Mesostyls bis zur äußeren Wand des hinteren Lobus des Protokonus, exklusive des Zements. Zur Berechnung des Index wurde die Länge jedes Zahnes gleich 100 gesetzt (s. Tafel auf S. 236).

Vergleicht man die Indices dieser Tabelle, so fällt sofort die außergewöhnliche Breite auf, die die Zähne von *E. haasei* besitzen; eine ähnlich relative Breite erreichen nur die Zähne des über 20 Jahre alten *E. asinus* im Breslauer Zoologischen Institute, während der von Branco angeführte 7—8 Jahre alte Eselhengst viel schmalere Zähne hat. Das alte Exemplar von *E. asinus* hat also breitere Kauflächen und nach Gidleys (7) Untersuchungen ist auch die mit dem Alter zunehmende Abnützung der Zähne die Ursache ihrer Verbreiterung. Er hat Pferde verschiedener Altersstufen untersucht und hat für die Zahnbreite folgende Verhältniszahlen gefunden:

Alter ca.	p^2	p^3	p^4	m^1	m^2	m^3
♀ 5 Jahre	67.5	89	91	90	88.3	74
♂ 8 Jahre	69.8	96.5	96.4	103.9	101.9	74.6
♂ 15 Jahre	59.7	93.2	98.2	108.3	103	75
20+ Jahre	66.7	101.9	108	116.2	116.2	75

Wir sehen also bei fast allen Zähnen bei steigendem Alter, d. h. weiter fortgeschrittenerer Abnützung eine Zunahme des Breitenindex.

Gidley (7) sagt über den Abnützungsvorgang und seine Folgen: »When the teeth first come into use the transverse diameters of all the teeth of the series are quite narrow, owing principally to the rapid incurving of the ectoloph; this diameter increases very rapidly for about one-half to three-fourths of an inch but from this point to the roots of the teeth the transverse diameters of p^3 to m^2 inclusive remain about the same, diminishing slightly near the roots; p^2 gradually diminishes while m^3 increases in transverse diameter as the crown wears away.« Parallel dieser Breitenzunahme läuft bei allen Zähnen, außer bei m^3, eine Abnahme der Zahnlänge. Die Länge der Kaufläche ist bei p^3 bis m^2 am größten in dem Augenblicke, wo die Zähne gerade voll in Gebrauch gekommen sind, d. h. wenn höchstens 1 cm abgekaut worden ist, »from this point the antero-posterior diameter diminishes very rapidly for a short distance and than continues to diminish more gradually to the roots of the tooth.« Das Resultat dieser beiden Vorgänge ist dann ein Größerwerden des Index.

Der erste Prämolar p^2 behält ungefähr seine Länge, wird nur manchmal etwas kürzer, während der letzte Molar m^3 der einzige Zahn ist, der mit steigender Abnützung länger wird.

30*

Am stärksten abgenützt und daher am breitesten sind immer m^1 und m^2, besonders ersterer, und zwar, weil diese am längsten im Gebrauch sind; bei ihnen ist auch die Verkürzung des Längsdurchmessers am stärksten; die Folge ist, daß diese beiden Zähne fast immer die größten Indices aufweisen.

Die Verkürzung der Längsdurchmesser der einzelnen Zähne hat eine Verkürzung der ganzen Zahnreihe, speziell der Prämolaren zur Folge; die Molarreihe wird deswegen nicht oder nur wenig kürzer, weil die Verkürzung von m^1 und m^2 durch das Längerwerden von m^3 ausgeglichen wird. Da p^2 wenig verändert wird und an seiner Stelle bleibt, rücken im Alter alle dahinter gelegenen Zähne nach vorn, am meisten m^3.

Das Verhältnis der Länge zur Breite der Kauflächen kann also, da es ja vom Alter abhängig ist, nicht als ein für eine Spezies charakteristisches Merkmal angesehen werden, es gibt nur in Verbindung mit anderen Anzeichen Aufschluß über das Alter des Exemplars. Danach muß man also schließen, daß das vorliegende Exemplar von E. haasei ein recht hohes Lebensalter erreicht haben wird.

Als spezifisches Merkmal zu verwerten wäre aber die Länge des ersten Prämolaren, die ja ziemlich konstant bleibt. Von manchen Forschern wird auch das Verhältnis der Länge von m^3 zu der von m^2 und p^2 als Unterscheidungsmerkmal verwendet, was zweifellos berechtigt ist, wenn man dabei das Alter des Individuums berücksichtigt: denn m^3 wird ja mit zunehmender Abnützung länger. Nach diesem Merkmal kann man die Equiden in zwei Gruppen einteilen, in eine, bei der m^3 kürzer ist als m^2 (nur im Alter ebenso lang oder wenig länger) und eine zweite, wo m^3 eine oft erheblich größere Länge erreicht, ja p^2 fast gleich kommen kann. Von den in der großen Tabelle angeführten Equiden würden dann zur letzten Gruppe, d. h. mit langem m^3, E. haasei, E. caballus, E. quagga und E. zebra gehören, zur anderen mit kurzem m^3 alle übrigen, auch alle anderen südamerikanischen Spezies. In dieser Beziehung steht also E. haasei völlig abseits von den südamerikanischen Equiden, nähert sich stark dem rezenten E. caballus.

Recht oft hat man fossile Pferdearten allein auf die Form der Schmelzfalten einzelner Zähne begründet; wenn sich wirklich wesentliche Verschiedenheiten fanden, so war das berechtigt, doch hat man meist nicht beachtet, daß erstens die individuelle Variation in der Bildung der Schmelzfalten, wie man bei den rezenten Equiden beobachten kann, recht groß ist und zweitens, daß die Abnützung des Zahnes auch hier bedeutende Veränderungen schafft.

Diese Verhältnisse haben unter anderen besonders Rütimeyer (16), Forsyth Major (10) und Gidley (7) untersucht.

Über die individuelle Variabilität in der Bildung der Schmelzfalten sagt Gidley: »no two specimens can be found, even of the same age and species, in which the enamel foldings of the corresponding teeth are exactly alike, and even corresponding teeth of the opposite sides of the same skull often show slight differences in the number and style of the minor enamel folds.« Bei E. caballus und E. asinus wird ja diese starke Variabilität zum Teil eine Folge der Domestikation sein, aber sie tritt auch bei allen Wildpferden auf und wird sich daher auch bei den fossilen Equiden finden.

Im höheren Lebensalter, also mit steigender Abnützung, wird die Gestaltung der Kaufläche nach Rütimeyer immer »altmodischer«, bei E. caballus eselartiger, »sie kann überhaupt die gewöhnlichen Merkmale des Pferdegebisses einbüßen.« Von der Abnützung wird besonders die Kompliziertheit der Schmelzfalten verändert. Wenn ca. $1-1\frac{1}{2}$ cm vom Zahn abgekaut ist, sind nach Gidley die Schmelzfalten am kompliziertesten, mit zunehmender Abnützung werden sie dann einfacher; die sich zwischen Hypokonus und Protokonus einschiebende, mit Zement gefüllte Hauptfalte wird schmaler und verliert etwa vorhandene Nebenfältchen, so daß sich ihr Ende abrundet; die die Mitte der Kaufläche einnehmenden halbmondförmigen Schmelzeinstülpungen büßen ebenfalls ihre Nebenfältchen ein, werden immer schmaler, verlieren ihre gebogenen Enden und können schließlich ganz verschwinden.

Nach Forsyth Major verändert sich durch die Abnützung auch die Gestalt der durch Abkauen des Protokonus entstandenen Schmelzschlinge, indem in höherem Alter der vordere Lappen derselben an Ausdehnung gewinne, Gidley dagegen sagt, daß die Länge von vorn nach hinten beim Protokonus ziemlich konstant bleibe, und seine Zahlen und Abbildungen lassen eher eine geringe Verkürzung dieser Schmelzschlinge erkennen.

Die Kauflächen der Zähne von *E. haasei* zeigen nun schon recht schmal gewordene Halbmonde, bei denen zum Teil schon die nach hinten gebogenen Hörner im Verschwinden begriffen sind; die große Innenfalte ist schmal geworden und hat bei m^1 schon die Nebenfalte verloren. Berücksichtigt man nun noch die große Breite der Zähne und den Umstand, daß die ursprünglich vorhandenen Querjoche fast ganz verschwunden sind, so muß man den Schluß ziehen, daß das vorliegende Exemplar von *E. haasei* ein ziemlich hohes Lebensalter (ca. 20 Jahre) erreicht haben muß.

Beim Vergleich mit anderen Equiden müssen wir daher die Altersmerkmale ausschalten und die rekonstruierte Zahnform des jüngeren Tieres verwenden. Wenn sich trotz des hohen Alters an den Innenrändern der Halbmonde noch eine ziemlich große Anzahl von Nebenfältchen findet, so muß man schließen, daß diese Fältelung beim jüngeren Tiere noch komplizierter ist.

Ferner wird beim jugendlichen Exemplar (die ursprüngliche Form hat sich noch am reinsten an p^3 bewahrt) die große Innenfalte zwischen Hypokonus und Protokonus breiter, ihre Konturen geschweifter, ihre Nebenfalte deutlicher und tiefer sein, werden die Halbmonde eine breitere, vollere Form zeigen: auch die zwischen Hypostyl und Hypokonus eindringende kleine Falte wird breiter und tiefer sein. Die durch Abkauen des Protokonus entstandene Doppelschlinge wird ungefähr dieselbe Gestalt mit rundlichen Enden und dieselbe Ansatzstelle haben; sie wird sich daher gut für Vergleiche eignen. Ebenso charakteristisch und durch das Alter nur wenig verändert ist die Gestalt des Parastyls, Mesostyls und Metastyls jedes Zahnes, und die Form von m^3, die entweder drei oder vierseitig und in dieser Form der Spezies eigentümlich ist.

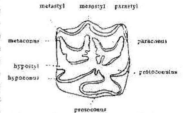

Fig. 13. m^2 von *E. caballus*, zur Erläuterung der Namen der Zahnteile.

Bei *E. haasei* sind die einander zugekehrten Seiten der Halbmonde reich gefältelt, es treten bis sechs größere und kleinere Fältchen auf; ähnlich verhält es sich bei *E. andium* und *E. rectidens*, während die Monde bei *E. argentinus* einfacher, bei *E. curvidens* noch komplizierter gebaut sind. Die Monde von *E. haasei* haben dabei die Form, die für die meisten fossilen nordamerikanischen und für die rezenten Equiden charakteristisch sind, während sie bei *E. argentinus* und *E. curvidens* einen anderen Bau zeigen.

Die große Innenfalte ist bei *E. haasei* breit mit gewellten Konturen und einer gut ausgeprägten Nebenfalte (siehe p^3); ihre Richtung ist sehr schräg nach vorn. Bei *E. andium*, *E. rectidens* und *E. argentinus* findet sich ebenfalls nur eine Nebenfalte, während *E. curvidens* Neigung zur Bildung einer zweiten zeigt. Die Richtung der Falte ist bei *E. andium*, *E. argentinus* und *E. curvidens* wie bei *E. haasei*, bei *E. rectidens* dagegen ist sie viel schräger einwärts gewandt.

Die kleine Innenfalte zwischen Hypostyl und Hypokonus ist bei *E. haasei* lang und fast ganz gerade nach vorn gerichtet, ebenso bei *E. andium*, *E. curvidens*, *E. excelsus*, *E. occidentalis*, *E. caballus* und anderen; bei *E. argentinus* und *E. rectidens* dagegen ist sie sehr klein und bei letzterem außerdem schräg nach außen gerichtet.

Die Schlinge des Protokonus ist bei *E. haasei*, *E. rectidens*, *E. curvidens*, den meisten nordamerikanischen Pferden und den rezenten zweilappig; bei *E. haasei* ist bei p^3, p^4, m^1 und m^2 der hintere Lappen etwa doppelt so lang als der vordere, bei m^3 etwas länger, bei p^2 fehlt er ganz. Bei *E. curvidens* hat auch p^2 einen vorderen Lappen, bei *E. andium* ist der hinten gelegene etwas größer, bei *E. rectidens* ist der ganze Protokonus sehr kurz und bei *E. argentinus* ist gar kein ausgebildeter Vorderlappen vorhanden.

Die Ansatzstelle des Protokonus liegt bei *E. haasei* bei den Prämolaren etwas vor der Mitte, bei den Molaren am Ende des ersten Viertels des Zahnes; bei *E. curvidens* und *E. andium* dagegen ist die Ansatzstelle etwas weiter nach vorn, auf der von Ameghino (1) gegebenen Abbildung des m^1 von *E. rectidens* etwas weiter nach hinten verschoben.

Bei *E. haasei* ist bei den Prämolaren nur die Kante des Parastyls, bei den Molaren auch diese nicht, mit einer Längsfurche versehen. Ebenso verhalten sich *E. andium* und *E. rectidens*, während bei *F. curvidens* auch das Mesostyl der Prämolaren und das Parastyl der Molaren eine Längsfurche zeigt. Bei *E. argentinus* treten derartige Furchen gar nicht auf.

Bezüglich der schon oben erwähnten G e s t a l t v o n m^3 kann man die Equiden in zwei Gruppen teilen, in solche, deren m^3 eine d r e i s e i t i g e und solche, bei denen dieser Zahn eine v i e r s e i t i g e Gestalt hat. Bei *E. haasei, E. curvidens, E. stenonis, E. scotti, E. quagga, E. burchelli, E. zebra* und *Hippidium* ist m^3 viereckig, seine Hinterkante läuft parallel der Vorderkante, bei *E. excelsus, E. andium, E. complicatus, E. semiplicatus, E. caballus, E. asinus* u. s. w. dagegen dreieckig und ähnelt in seiner Gestalt p^2.

Vergegenwärtigen wir uns noch einmal die Merkmale, in denen sich *E. haasei* in der Hauptsache von jedem einzelnen der anderen südamerikanischen Equiden unterscheidet. Von *E. andium* weicht es durch seine Größe, den längeren Vorderschädel, die höhere Lage des Auges, die Lage der Masseterkante und einigen Unterschieden im Bau der Schmelzfalten ab; von *E. conversidens* durch seine Größe und den Zahnbau; von *E. curvideus* durch die größere Schädelbreite, den längeren Vorderschädel, die höhere Lage des Auges, die Lage der Masseterkante, die kürzere Zahnreihe, den Bau der Schmelzfalten, das relative Längenverhältnis von m^3; von *E. rectidens* durch die Gestaltung des Hinterhauptes, speziell die starke linea nuchalis inferior, durch die kürzere Zahnreihe, durch die relative Kürze von m^3 und durch Unterschiede im Bau der Schmelzfalten; von *E. argentinus* endlich, von dem nur ein oberer Molar zum Vergleich vorhanden ist, durch die Ausbildung der Schmelzfalten.

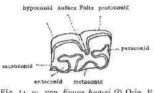

hypoconid   äußere Falte   protoconid

mesoconid

entoconid   metaconid

Fig. 14. m_1 von *Equus haasei* (?) Orig. $^1/_1$.

Der oben bereits erwähnte, auch in Pontezuela gefundene U n t e r k i e f e r z a h n gehört zur linken Kieferhälfte und ist aller Wahrscheinlichkeit nach m_1; Fig. 14 zeigt seine Kaufläche.

Das Ende der Wurzel ist abgebrochen und auf der Innenseite ist die Zementschicht zum Teil abgespalten.

Die folgende Tabelle enthält die Maße dieses Zahnes und zum Vergleich die entsprechenden anderer Equiden.

	E. haasei	*E. rectidens* n. Ameghino	*E. curvidens* n. Burmeister	*E. andium* n. Branco	*E. andium* größtes Tier n. Branco	*E. caballus* ♂ Pinzgauer 5 Jahr n. Branco	*E. caballus* ♂ Araber 11 Jahr n. Branco
Länge	23	24	24	19	25	29	27 *mm*
Breite	15	18	19*	15	15	21	20 *mm*

Die Länge ist in der Mittellinie, die Breite vom Protoconid bis zum Metaconid anterior gemessen. Bei der Breitenzahl muß man berücksichtigen, daß, wie erwähnt, auf der Innenseite ein Teil des Zements fehlt. In der Länge würde der Zahn also ganz gut zum oberen m^1 von *E. haasei* passen.

Der Zahn ist ziemlich stark abgekaut. In der Gestaltung seiner Kaufläche fällt die Länge der äußeren zwischen Hypoconid und Protoconid gelegenen H a u p t f a l t e auf, die mit ihrer Spitze bis in das Metaconid eindringt. Dieses tiefe Eindringen ist ein primitives Merkmal, das wir bei den Vorfahren der Pferde deutlich ausgeprägt finden, während bei den rezenten diese Falte kürzer ist. Unter den südamerikanischen Pferden finden wir eine ähnlich lange Hauptfalte bei einigen Exemplaren von *E. andium* und dem von R o t h (15) abgebildeten *E. rectidens*; bei *Hippidium* dringt diese Falte noch weiter ein.

Mit einer deutlich ausgeprägten N e b e n f a l t e ist die äußere Hauptfalte erst bei den rezenten Equiden versehen. Bei vielen diluvialen Arten finden wir sie noch nicht, so bei *E. curvidens*, während der hier beschriebene Zahn und die von *E. andium* und *E. rectidens* eine Andeutung von ihr zeigen.

Das M e t a c o n i d ist bei den rezenten Equiden durch eine breite, tiefe Einwölbung in zwei Schlingen geteilt, deren innere Ränder weit hervorstehen. Bei den fossilen Arten ist diese Einwölbung flacher und die Schlingen treten nicht so hervor. Der hier beschriebene Zahn steht in dieser Beziehung ungefähr in der Mitte; die Einwölbung unterscheidet sich von der bei *E. curvideus* sich findenden durch ihre größere Tiefe, von der bei *E. rectidens* und *E. andinum* dadurch, daß sie innen sanft abgerundet und nicht spitz ist.

Der in Figur 14 abgebildete untere Molar differiert also in verschiedenen Punkten von den bis jetzt aus Südamerika bekannten unteren Molaren, und in Rücksicht auf seine Länge, den gleichen Fundort und den gleichen Horizont ist es vielleicht berechtigt, ihn zu *E. haasei* zu rechnen.

In vielen Punkten unterscheidet sich also *E. haasei* recht bedeutend von den anderen südamerikanischen Equiden und zeigt, entsprechend seinem Vorkommen in der obersten Pampasformation, oft deutliche Annäherungen an nordamerikanische und rezente Formen.

Literaturverzeichnis.

1. Ameghino, F. Contribucion al conocimiento de los mamiferos fosiles de la República Argentina in: Actas de la Ac. nac. de cience de la Rep. Argentina en Córdoba, Bd. 6. Buenos Aires, 1889.
2. Boas, J. E. V. Om en fossil Zebra-Form fra Brasiliens Campos; in: Det kongelige danske vid. selsk. skr. 6. Raekke, Bd. 1. Kopenhagen, 1881.
3. Branco, W. Über eine fossile Säugetier-Fauna von Punin bei Riobamba in Ecuador; in: Pal. Abh. v. W. Dames u. E. Kayser. Bd. 1, Heft 2. Berlin, 1883.
4. Burmeister, H. Die fossilen Pferde der Pampasformation. Mit Nachtrag. Buenos Aires, 1875.
5. Felix u. Lenk. Übersicht über die pliocäne (diluviale) Säugetierfauna von Mexiko; in: Palaeontographica, Bd. 37. Stuttgart, 1890 u. 1891.
6. Frech, F. Lethaea geognostica. Teil 3, Bd. 2. Stuttgart, 1904.
7. Gidley, J. W. Tooth characters and revision of the North American species of the genus Equus; in: Bull. Amer Mus. of. Nat. Hist., Bd. 14, Art. 9. New-York, 1901.
8. Leidy, J. Contributions to the extinct vertebrale fauna of the western territories; in: Report of the U. St. Geol. Surv. of the territories. Bd. 1. Washington, 1873.
9. Leisering, Müller u. Ellenberger. Handbuch der vergl. Anatomie d. Haussäugetiere. Berlin, 1890.
10. Major. C. J. F. Beiträge zur Geschichte der fossilen Pferde, insbesondere Italiens; in Abh. d. Schweiz. Pal. Ges. 4 u. 7, 1877—1880.
11. Nordenskjöld, O. Om Pampasformationen; in: Geol. föremisgens i Stockholm förhandlingar. Bd. 22. Stockholm, 1900.
12. Owen, R. On fossil remains of Equines from Central and South America. Phil. Trans. of the Roy. Soc. of London. Bd. 159. London, 1869.
13. Owen, R. Description of the Cavern of Bruniquel and its Organic Contents. Phil. Trans. of the Roy. Soc. of London, Bd. 159. London, 1869.
14. Roth, S. Beobachtungen über Entstehung und Alter der Pampasformation in Argentinien. Zeitschr. d. Deutsch. geol. Ges. Bd. 40, Heft 3. Berlin, 1888.
15. Roth, S. Nuevos restos de Mamiferos de la caverna Eberhardt en Ultima Esperanca; in: Revista del Museo de La Plata, Bd. 11. La Plata, 1902.
16. Rütimeyer, L. Weitere Beiträge zur Beurteilung der Pferde der Quaternär-Epoche; in: Abh. d. schweiz. paläont. Ges., Bd. 2. 1875.
17. Wagner, A. Sitzungsber. d. math.-phys. Klasse d. kgl. bayr. Ak. d. Wissensch. 1860.
18. Weber, M. Die Säugetiere. Jena, 1904.
19. Wolf, Th. Über die Bodenbewegungen der Küste von Monabi, nebst einigen Beiträgen zur geognostischen Kenntnis Ecuadors; in: Zeitschr. d. Deutsch. geol. Gesellsch., Bd. 24. Berlin, 1872.
20. Wolf, Th. Geognostische Mitteilungen aus Ecuador; in: Neues Jahrb. f. Min., Geol. und Paläont. Stuttgart, 1875.
21. Woodward, A. G. On some Fish-remains from the Parana Formation Argentine Republic. Ann. and Mag. of nat. hist. ser. 7, Bd. 6, Nr. 31. London, 1900.
22. Zittel, K. A. Handbuch der Paläontologie. I. Abt. Paläozoologie, Bd. 4. Mammalia. München u. Leipzig, 1891—1893.

INHALT.

K. u. K. Hofbuchdruckerei Karl Prochaska in Teschen.

TAFEL I.

Sämtliche Originale befinden sich im k. mineralogischen Museum zu Dresden.

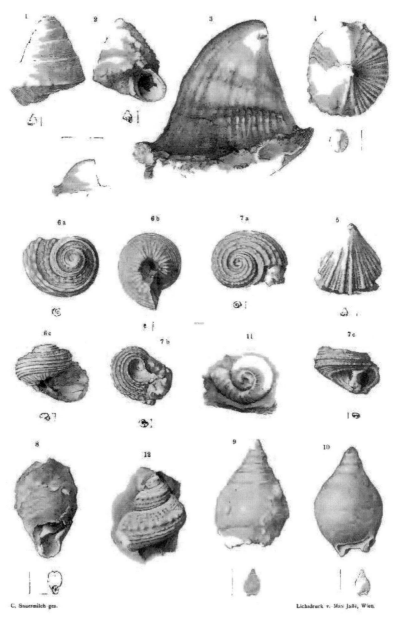

C. Sauermilch gez.   Lichtdruck v. Max Jaffé, Wien.

Beiträge zur Palaeontologie und Geologie Oesterreich-Ungarns und des Orients Bd. XVIII 1905.

Verlag v. Wilhelm Braumüller k. u. k. Hof- u. Universitäts-Buchhändler in Wien.

TAFEL II.

Dr. Karl Deninger: Die Gastropoden der sächsischen Kreideformation.

TAFEL II.

Sämtliche Arten vergrößert und in natürlicher Größe. Sämtliche Originale zu Tafel II stammen aus dem cenomanen Pläner vom Forsthaus in Plauen und befinden sich im k. mineralog. Museum zu Dresden.

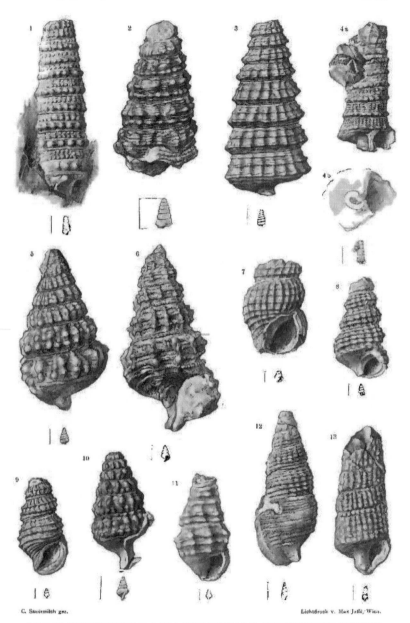

C. Sauermilch gez. Lichtdruck v. Max Jaffé, Wien.

Beiträge zur Palaeontologie und Geologie Oesterreich-Ungarns und des Orients Bd. XVIII 1905.

Verlag v. Wilhelm Braumüller, k. u. k. Hof- u. Universitäts-Buchhändler in Wien.

260

TAFEL III.

Dr. Karl Deninger: Die Gastropoden der sächsischen Kreideformation.

TAFEL III.

Sämtliche Originale zu Taf. III stammen aus dem cenomanen Pläner vom Forsthaus in Plauen und befinden sich im k. mineralogischen Museum zu Dresden. Sämtliche Arten (mit Ausnahme von Fig. 11) vergrößert und in natürl. Größe.

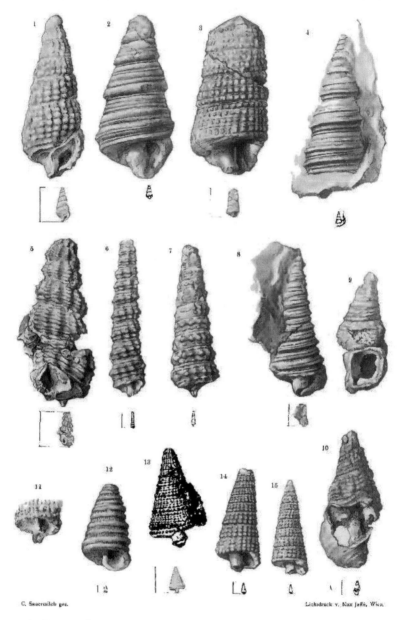

C. Sauermilch gez.   Lichtdruck v. Max Jaffé, Wien.

Beiträge zur Palaeontologie und Geologie Oesterreich-Ungarns und des Orients Bd. XVIII 1905.

Verlag v. Wilhelm Braumüller k. u. k. Hof- u. Universitäts-Buchhändler in Wien.

TAFEL IV.

Dr. Karl Deninger: Die Gastropoden der sächsischen Kreideformation.

TAFEL IV.

Sämtliche Originale befinden sich im k. mineralogischen Museum zu Dresden.

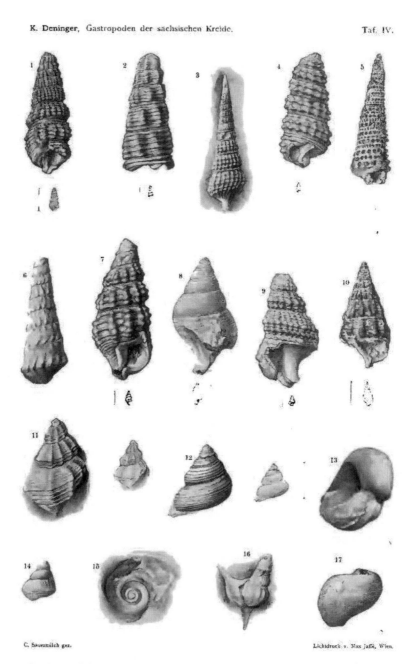

C. Sauermilch gez.

Lichtdruck v. Max Jaffé, Wien.

Beiträge zur Palaeontologie und Geologie Oesterreich-Ungarns und des Orients Bd. XVIII 1905.

Verlag v. Wilhelm Braumüller k. u. k. Hof- u. Universitäts-Buchhändler in Wien.

268

TAFEL V (I).

Ernst Stromer: Die Fischreste des mittleren und oberen Eocäns von Ägypten.

TAFEL V (I).

Alle Figuren sind in natürlicher Größe gezeichnet; bei Fig. 3, 4, 6, 7 und 10 sind wegen Platzmangels mehr oder weniger große Teile der Originale weggelassen. Stets ist der abgekaute Teil nach oben gerichtet.

Fig. 1. *Myliobatis Pentoni* Smith Woodward, anormale obere Kauplatte aus dem unteren Mokattam bei Abbasije (St.), Fig. 1a Querschnitt.

Fig. 2. *Myliobatis latidens* Smith Woodward, untere Kauplatte aus Mergeln der Kerun-Stufe (M.), Fig. 2a Querschnitt.

Fig. 3. *Myliobatis Edwardsi* Dixon, untere Kauplatte aus dem unteren Mokattam bei Abbasije (St.).

Fig. 4. *Myliobatis elatus* Stromer, halbe untere Kauplatte aus dem untersten Mokattam (St), Fig. 4a Querschnitt.

Fig. 5. *Myliobatis mokattamensis* Stromer, untere Kauplatte aus dem untersten Mokattam (St.), Fig. 5a Querschnitt.

Fig. 6. *Myliobatis Dixoni* Ag., halbierte untere Kauplatte aus dem Sandstein der Kerun-Stufe (St.), Fig. 6a Querschnitt des ganzen Stückes.

Fig. 7. *Myliobatis Fraasi* Stromer, untere Kauplatte aus der Kerun-Stufe (St.), Fig. 7a Querschnitt.

Fig. 8. *Aëtobatis spec. nov. indel.*, untere Kauplatte aus dem Sande der Fluviomarin-Stufe (St.).

Fig. 9. *Myliobatis Edwardsi* Dixon, untere Kauplatte aus dem untersten Mokattam (St.).

Fig. 10. *Myliobatis striatus* Ag., obere Kauplatte aus der Kerun-Stufe (M.), Fig. 10a Querschnitt.

Fig. 11. *Myliobatis latidens* Smith Woodward, untere Kauplatte aus dem untersten Mokattam (St.)

Fig. 12. *Myliobatis latidens* Smith Woodward, obere Kauplatte aus dem untersten Mokattam (St.), Fig. 12a Querprofil.

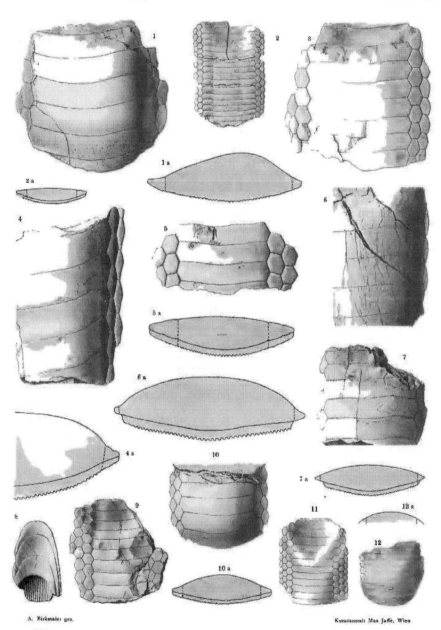

A. Birkmaier gez.   Kunstanstalt Max Jaffé, Wien

Beiträge zur Palaeontologie und Geologie Oesterreich-Ungarns und des Orients Bd. XVIII 1905.

Verlag v. Wilhelm Braumüller, k. u. k. Hof- u. Universitäts-Buchhändler in Wien.

TAFEL VI (II).

Ernst Stromer: Die Fischreste des mittleren und oberen Eocäns von Ägypten.

TAFEL VI (II).

Fig. 1. *Pristis fajumensis* Stromer, Rostrum von oben, $\frac{1}{2}$ nat. Größe, aus der Knochenschicht der Kasr es Sagha-Stufe (M.).

Fig. 2. *Pristis cfr. fajumensis* Stromer, Rostralstachel von unten, Fig. 2a dessen Basis, nat. Größe, aus der unteren Kasr es Sagha-Stufe (M.).

Fig. 3, 3a. Idem. nat. Größe, aus weißlichen Mergeln der Birket el Kerun-Stufe (St.).

Fig. 4. *Pristis sp.*, Rostralstachel von unten, Fig. 4a dessen Basis, Fig. 4b von hinten, nat. Größe, aus der Birket el Kerun-Stufe (St.).

Fig. 5. *Pristis ingens* Stromer, Wirbelkörper von vorn (?), $\frac{1}{2}$ nat. Größe, aus der Knochenschicht der Kasr es Sagha-Stufe (Fr.).

Fig. 6. Idem, Rostralstachel desselben Exemplars von unten, Fig. 6a sein oberer, Fig. 6b sein unterer Querschnitt, $\frac{1}{2}$ nat. Größe

Fig. 7. *Pristis cfr. ingens* Stromer, zweitgrößter Rostralstachel von oben, Fig. 7a sein oberer Querschnitt, $\frac{1}{2}$ nat. Gr., aus dem gelben Sandstein der Birket el Kerun-Stufe (St.).

Fig. 8. Idem, Rostralstachel von hinten, Fig 8a sein oberer Querschnitt, $\frac{1}{2}$ nat. Gr., aus der Kasr es Sagha-Stufe (St.).

Fig. 9. Idem, *var. prosulcatus* Stromer, Rostralstachel, obere Hälfte von unten, Fig. 9a sein oberer Querschnitt, $\frac{1}{2}$ nat. Größe, aus dem untersten Mokattam bei Kairo (St.).

Fig. 10. *Pristis cfr. Lathami* Galeotti, Rostralstachel von oben, Fig. 10a sein oberer Querschnitt, ebendaher (St.).

Fig. 11—14. *Amblypristis cheops* Dames, Rostralstacheln, Fig. 13a Basis des größten, nat. Größe, aus verschiedenen Schichten der Birket el Kerun-Stufe (M. u. St.).

Fig. 15. *Pristis subg. Eopristis Reinachi* Stromer, Rostrum von oben, $\frac{1}{2}$ nat. Größe, Fig. 15a sein vorderer Querschnitt ergänzt, nat. Größe, aus dem gelben Sandstein der Birket el Kerun-Stufe (St.).

Fig. 16. *Pristiophorus cfr. nudipennis* Günther, Querschnitt durch das Rostrum vor den Tentakeln, nat. Größe, rezent bei Victoria in Australien (St.).

Fig. 17. *Propristis Schweinfurthi* Dames, Rostrum von oben ?, $\frac{1}{2}$ nat. Größe, Fig. 17a mittlerer Querschnitt, nat. Größe, Fig. 17b sein Chagrin sechsfach vergr., aus der Zeuglodon-Schicht der Birket el Kerun-Stufe (St.).

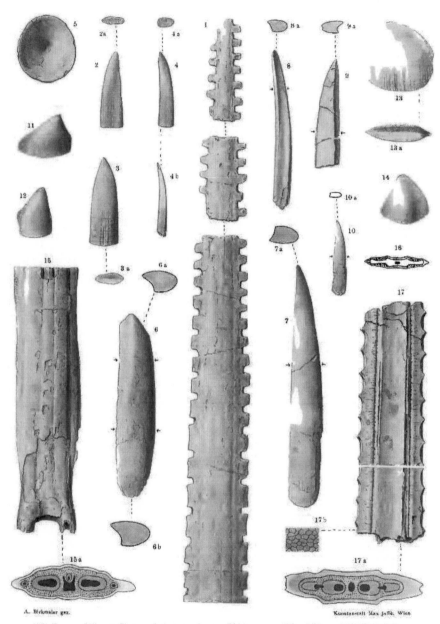

A. Birkmaier gez. Kunstanstalt Max Jaffé, Wien

Beiträge zur Palaeontologie und Geologie Oesterreich-Ungarns und des Orients Bd. XVIII 1905.

Verlag v. Wilhelm Braumüller, k. u. k. Hof- u. Universitäts-Buchhändler in Wien.

276

TAFEL VII (I).

Dr. M. Remeš: Nachträge zur Fauna von Stramberg.

TAFEL VII (I).

Fig. 1 *a—b* *Cyrtocrinus digitatus* n. sp.
  a) Ansicht von vorn,
  b) » » der Seite.

Fig. 2 *a—c* } *Thiolliericrinus Heberti* de Loriol.
  » 3 *a—c* }
  a) Ansicht von oben,
  b) » » der Seite,
  c) » » unten.

Fig. 4 *a—b* }
  » 5 } *Thiolliericrinus flexuosus* Étallon (Goldfuß).
  » 6 *a—d* }
  a) Ansicht von oben,
  b) *c*) Ansicht von der Seite,
  d) Ansicht von unten,
  5) Isolierter erster Radialring von unten.

Fig. 7 *a—c* } *Thiolliericrinus*, Axillaria.
  » 8 *a—c* }

Fig. 9 *a—b* }
  10 *a—c* }
  11 *a—b* }
  12 *a—b* } *Thiolliericrinus*, Stielglieder.
  13 *a—c* }
  14 *a—b* }

Fig. 15, 16 *a, b* *Apiocrinus* sp., Stielglieder.

Fig. 17 *a—b* }
  » 18 }
  » 22 *a—b* } *Pseudosaccocoma strambergense* n. sp.
  » 23 *a—b* }
  17 *a* Ansicht von unten,
  17 *b* » » oben,
  18 Obere Fläche,
  22 *a*, 23 *a* Ansicht von oben,
  22 *b*, 23 *b* » » der Seite.

Fig. 19 *a—c* } Randplatten eines Seesternes.
  » 20 *a—c* }

Fig. 21 *a—c* *Cidaris moravica* n. sp., Stachel.
  a) Ansicht von der Seite,
  b) » » oben,
  c) » » unten.

Von den abgebildeten Stücken befinden sich Fig. 5, 6, 11, 12, 13 in der Sammlung der k. k. geologischen Reichsanstalt in Wien, alle anderen in der Privatsammlung des Verfassers.

279

Beiträge zur Palaeontologie und Geologie Oesterreich-Ungarns und des Orients Bd. XVIII 1905.

Verlag v. Wilhelm Braumüller k. u. k. Hof- u. Universitäts-Buchhändler in Wien.

TAFEL VIII (I).

Lothar Krumbeck: Die Brachiopoden- und Molluskenfauna des Glandarienkalkes.

282

TAFEL VIII (I).

Fig. 1 a, b, c, d. *Rhynchonella Drusorum* n. sp. Größtes Exemplar. Natürl. Größe. Kelbtal oder Salimatal. Samml. Zumoffen. S. 75.

Fig. 2 a, b, c. Mittelgroßes Exemplar. Natürl. Größe. Kelbtal oder Salimatal. Samml. Zumoffen.

Fig. 3 a, b, c. Kleines Exemplar. Natürl. Größe. Kelbtal oder Salimatal. Samml. Zumoffen.

Fig. 4 a, b, c, d. *Rhynchonella* n. sp. Besterhaltenes Stück. Natürl. Größe. Salimatal. Samml. Zumoffen. S. 76.

Fig. 5 a, b. Kleineres Exemplar. Natürl. Größe. Salimatal. Samml.: Blanckenhorn.

Fig. 6 a, b, c, d. *Terebratula asiatica* n. sp. Großes Individuum. Natürl. Größe. Salimatal oder Kelbtal. Samml. Zumoffen. S. 77.

Fig. 7 a, b, c, d. *Terebratula Bauhini* Et. Größtes typisches Exemplar. Natürl. Größe. Kelbtal oder Salimatal Samml. Zumoffen. S. 78.

Fig. 8 a, b, c, d. Mittelgroßes Stück. Natürl. Größe. Kelbtal oder Salimatal. Samml. Zumoffen.

Fig. 9 a, b, c, d. *Terebratula beirutiana* n. sp. Größtes Individuum. Natürl. Größe. Kelbtal oder Salimatal. Samml. Zumoffen. S. 79.

Fig. 10 a, b, c, d. *Terebratula bisuffarcinata* Schl. Einziges Exemplar. Natürl. Größe. Schweir im Kelbtal. Samml. Zumoffen. S. 80.

Fig. 11 a, b, c, d. *Terebratula curtirostris* n. sp. Größtes Stück. Breitgerundeter Typ. Natürl. Größe. Schweir im Kelbtal. Samml. Zumoffen. — Hierher gehört ferner Fig. 1 a, b, c, auf Taf. II. S. 81.

Fig. 12 a, b, c, d. *Terebratula longisinuata* n. sp. Größtes Exemplar. Uniplikater Typ. Natürl. Größe. Salimatal oder Kelbtal. Samml. Zumoffen. S. 82.

Fig. 13 a, b, c, d. Kleines, prächtig erhaltenes Individuum. Biplikater Typ. Natürl. Größe. Salimatal oder Kelbtal. Samml. Zumoffen.

Fig. 14 a, b, c, d. *Terebratula phoeniciana* n. sp. Mittelgroßes Stück. Natürl. Größe. Salimatal oder Kelbtal. Samml. Zumoffen. — Hieher gehört auch Fig. 2 a, b, c, auf Taf. II. S. 83.

283

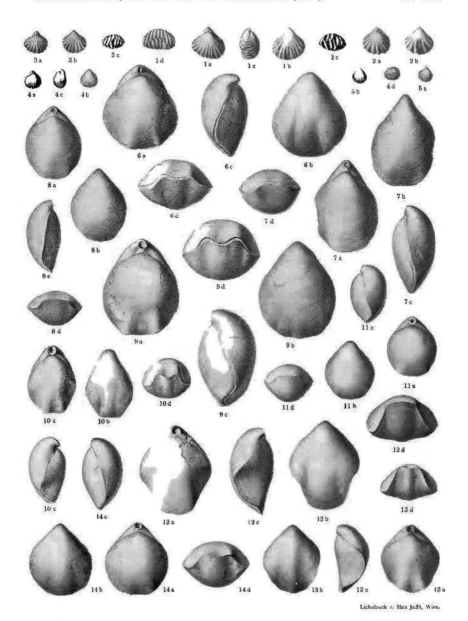

Beiträge zur Palaeontologie und Geologie Oesterreich-Ungarns und des Orients Bd. XVIII 1905.

Verlag v. Wilhelm Braumüller, k. u. k. Hof- u. Universitäts-Buchhändler in Wien.

TAFEL IX (II).

Lothar Krumbeck: Die Brachiopoden- und Molluskenfauna des Glandarienkalkes.

TAFEL IX (II).

Fig. 1 a, b, c. *Terebratula curtirostris* n. sp. Mittelgroßes Stück, Schmalerer Typ. Natürl. Größe. Am Hamäda. Salimatal. Samml. Zumoffen. — Gehört zu Fig. 11, Taf. I. S. 81.

Fig. 2 a, b, c. *Terebratula phoeniciana* n. sp. Mittelgroßes Exemplar. Natürl. Größe. Kelbtal oder Salimatal. Samml. Zumoffen. — Siehe Fig. 14, Taf. I. S. 83.

Fig. 3 a, b, c, d. *Terebratula sannina* n. sp. Natürl. Größe. Kelbtal oder Salimatal. Samml. Zumoffen. S. 83.

Fig. 4 a, b, c. Anderes Stück. Natürl. Größe. Kelbtal oder Salimatal. Samml. Zumoffen.

Fig. 5 a, b, c. Anderes Exemplar. Natürl. Größe. Kelbtal oder Salimatal. Samml. Zumoffen.

Fig. 6 a, b, c, d. *Terebratula subsella* Leym. Niedriger, breiter Typ. Natürl. Größe. Kelbtal oder Salimatal. Samml. Zumoffen. S. 84.

Fig. 7 a, b, c, d. Höher, schmalerer Typ. Natürl. Größe. Kelbtal oder Salimatal. Samml. Zumoffen.

Fig. 8 a, b, c, d. *Terebratula cfr. Zieteni* Lor. Einziges Exemplar. Natürl. Größe. Schweir im Kelbtal. Samml. Blanckenhorn. S. 86.

Fig. 9 a, b, c, d. *Terebratula* n. sp. Einziges Stück. Natürl. Größe. Schweir im Kelbtal. Samml. Zumoffen. S. 86.

Fig. 10 a, b, c. *Terebratula* sp. Natürl. Größe. Kelbtal oder Salimatal. Samml. Zumoffen. S. 87.

Fig. 11 a, b, c, d. *Eudesia Zitteli* n. sp. Einziges Stück. Natürl. Größe. Kelbtal. Samml. Zumoffen. S. 90.

Fig. 12 a, b, c, d. *Terebratulina substriata* Schloth. Mittelgroßes, ziemlich fein geripptes Exemplar mit konkaver Dorsalschale. Natürl. Größe. Salimatal. Samml. Zumoffen. S. 88.

Fig. 13 a, b. Sehr fein geripptes Stück mit konvexer Dorsalschale. Natürl. Größe. Salimatal. Samml. Zumoffen.

Fig. 14. Grobgerippter Typ mit stark entwickeltem Wirbel und kräftigen Ohren. Natürl. Größe. Salimatal. Samml. Zumoffen.

Fig. 15 a, b, c. *Kingena cubica* Qu. Größtes Exemplar. Breiter Typ. Natürl. Größe. Kelbtal oder Salimatal. Samml. Zumoffen. S. 91.

Fig. 16 a, b, c. Kleineres Stück. Dicker Typ. Natürl. Größe. Salimatal oder Kelbtal. Samml. Zumoffen.

Fig. 17 a, b, c. *Kingena gutta* Qu. Breiter, kräftig gewölbter Typ. Natürl. Größe. Schweir im Kelbtal. Samml. Blanckenhorn. S. 92.

Fig. 18 a, b. Schmaler Typ. Größtes Stück. Natürl. Größe. Kelbtal oder Salimatal. Samml. Zumoffen.

Fig. 19. Schmaler Typ. Mittelgroßes Individuum. Salimatal oder Kelbtal. Samml. Zumoffen.

Fig. 20 a, b, c. *Kingena latifrons* n. sp. Mittelgroßes, typisches Exemplar. Natürl. Größe. Salimatal oder Kelbtal. Samml. Zumoffen. S. 93.

Fig. 21 a, b. Großes Stück. Natürl. Größe. Salimatal oder Kelbtal. Samml. Zumoffen.

Fig. 22 a, b, c, d. *Kingena orbis* Qu. Größtes Exemplar. Natürl. Größe. Schweir im Kelbtal. Samml. Blanckenhorn. S. 94.

Fig. 23 a, b. Mittelgroßes Individuum. Natürl. Größe: Schweir im Kelbtal. Samml. Blanckenhorn.

Fig. 24 a, b, c, d. *Kingena triangularis* n. sp. Natürl. Größe. Kelbtal oder Salimatal. Samml. Zumoffen. S. 95.

Fig. 25 a, b. Exemplar der gleichen Art. Natürl. Größe. Kelbtal oder Salimatal. Samml. Zumoffen.

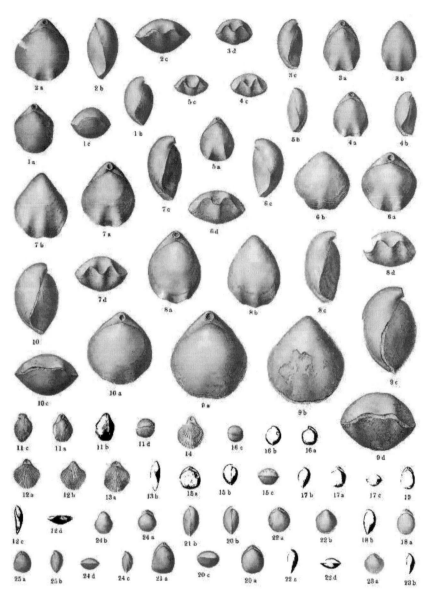

Beiträge zur Palaeontologie und Geologie Oesterreich-Ungarns und des Orients Bd. XVIII 1905.

Verlag v. Wilhelm Braumüller k. u. k. Hof- u. Universitäts-Buchhändler in Wien.

TAFEL X (III).

Lothar Krumbeck: Die Brachiopoden- und Molluskenfauna des Glandarienkalkes.

TAFEL X (III).

Fig. 1 a, b. Trichites suprajurensis n. sp. Natürl. Größe. Fig. 1 a zeigt die abgebrochenen Wirbel und die stark beschädigten Unterränder der beiden Klappen. Bekfēja im Kelbtal. Samml. Zumoffen. S. 96.

Fig. 2 a, b, c. Lima acutirostris n. sp. Fig. 2 a und b in natürl. Größe. Fig. 2 a zeigt die einzige, rechte Klappe. Fig. 2 b in der Ansicht von oben. Fig. 2 c gibt die Schalenskulptur in fünfmaliger Vergrößerung. Bekfēja im Kelbtal. Samml. Zumoffen. S. 97.

Fig. 3 a, b. Lima sublaeviuscula n. sp. Wohlerhaltenes Stück. Natürl. Größe. Fig. 3 a zeigt die linke Klappe von außen, Fig. 3 b von oben. Bekfēja im Kelbtal. Samml. Zumoffen. S. 99.

Fig. 4. Lima Zenobiae n. sp. Natürl. Größe. Bekfēja im Kelbtal. Samml. Zumoffen. S. 100.

Fig. 5. Lima libanensis n. sp. Natürl. Größe. Ohren nicht erhalten. Metein im Salimatal. Samml. Zumoffen. S. 99.

Fig. 6 a, b, c. Lima densistriata n. sp. Fig. 6 a und b in natürl. Größe. Fig. 6 a zeigt die rechte Klappe mit ihrem etwas beschädigten Mantelrand; Fig. 6 b von oben mit der verletzten hinteren Wirbelregion. Fig. 6 c gibt die Schalenskulptur in sechsmaliger Vergrößerung. Salimatal. Samml. Zumoffen. S. 98.

Fig. 7 a, b, c. Lima informis n. sp. Fig. 7 a und b in natürl. Größe. Fig. 7 a zeigt die einzige rechte Klappe mit dem beschädigten Wirbel und Vorderrand; Fig. 7 b von oben. Fig 7 c gibt die Schalenskulptur in fünffacher Vergrößerung. Duar im Kelbtal. Samml. Zumoffen. S. 100.

Fig. 8 a, b. Pecten palmyrensis n. sp. Natürl. Größe. Fig. 8 a zeigt die rechte, einzige Klappe mit der teilweise erhaltenen Schale; Fig. 8 b von oben. Bekfēja im Kelbtal. Samml. Zumoffen. S. 102.

Fig. 9. Pecten n. sp. Natürl. Größe. Erhalten ist nur der obere Teil der linken Klappe. Bekfēja im Kelbtal. Samml. Zumoffen. S. 104.

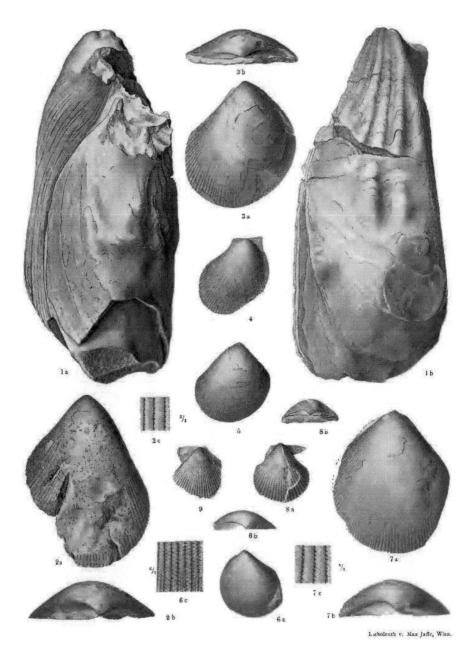

Lichtdruck v. Max Jaffé, Wien.

Beiträge zur Palaeontologie und Geologie Oesterreich-Ungarns und des Orients Bd. XVIII 1905.

Verlag v. Wilhelm Braumüller, k. u. k. Hof- u. Universitäts-Buchhändler in Wien.

TAFEL XI (IV).

Lothar Krumbeck: Die Brachiopoden- und Molluskenfauna des Glandarienkalkes.

TAFEL XI (IV).

Fig. 1 a, b, c.   *Pecten lykosensis* n. sp. Fig. 1 b natürl. Größe. Fig. 1 b und c in dreifacher Vergrößerung. Fig. 1 b zeigt die rechte Klappe, Fig. 1 c die linke, mit ihrem Alternieren von kräftigen, knotenbesetzten und schwächeren, knotenfreien Rippen. Mâr Eljâs im Kelbtal. Samml. Zumoffen. S. 103.

Fig. 2 a, b, c, d.   *Pecten* sp. Fig. 2 natürl. Größe, zeigt die einzige rechte Klappe, deren Wirbelregion fehlt und deren Mantelrand nur zum Teil erhalten ist. Fig. 2 b, c, d geben die Schalenskulptur in vierfacher Vergrößerung; Fig. 2 b aus der Mitte, 2 c von der Hinterseite. Bei 2 d gewahrt man die Skulptur der Vorderseite sowie den Ansatz des vorderen Ohres. Kelbtal, nahe den »Grotten«. Samml. Zumoffen. S. 104.

Fig. 3 a, b.   *Alectryonia hastellata* Schloth. Natürl. Größe. Fig. 3 a zeigt den Typ dieser Art von Mâr Eljâs im Kelbtal; Fig. 3 b ein anderes Stück von Duar im Salimatal. Samml. Zumoffen.

Fig. 4 a, b.   *Mytilus alatus* n. sp. Natürl. Größe. Größtes Exemplar mit beschädigten Wirbeln. Kefr Akkab im Kelbtal. Samml. Zumoffen. S. 108.

Fig. 5.   Kleineres Stück der gleichen Art. Wirbel schlecht erhalten. Kefr Akkab. Samml. Zumoffen.

Fig. 6.   *Mytilus* cfr. *furcatus* Münst. Einziges Stück. Natürl. Größe. Antûra im Salimatal, Samml. Zumoffen. pag. 109.

Fig. 7 a, b.   *Modiola Amphitrite* n. sp. Einziges Stück. Steinkern mit etwas abgeschliffenen Außenrändern. Natürl. Größe. Kefr Akkab im Kelbtal. Samml.: Zumoffen. S. 110.

Fig. 8 a, b, c.   *Lithodomus Lorioli* n. sp. Fig. 8 a und b in natürl. Größe, 8 c gibt die Schalenskulptur in sechsfacher Vergrößerung. Duar im Kelbtal. Samml. Zumoffen. S. 112.

Fig. 9 a, b.   *Lithodomus Zumoffeni* n. sp. Natürl. Größe. Fig. 9 a zeigt das größte Exemplar mit mangelhaft erhaltenem Hinterrand; Fig. 9 b ein kleineres Stück, das die typische Form des Hinterrandes teilweise erkennen läßt. Ersteres aus dem Kelbtal nahe den »Grotten«. Letzteres von Mâr Eljâs im Kelbtal. S. 112.

Fig. 10 a, b.   *Nucula* sp. Natürl. Größe. Zwischen Bekfêja und Aïn Alak im Kelbtal. Samml. Zumoffen. S. 113.

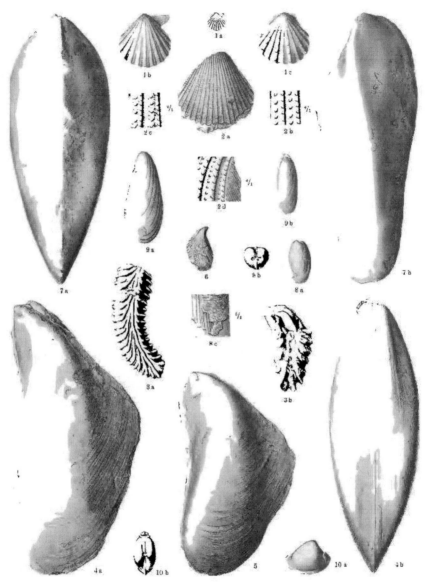

Lichtdruck v. Max Jaffé, Wien.

Beiträge zur Palaeontologie und Geologie Oesterreich-Ungarns und des Orients Bd. XVIII 1905.

Verlag v. Wilhelm Braumüller, k. u. k. Hof- u. Universitäts-Buchhändler in Wien.

TAFEL XII (V).

Lothar Krumbeck: Die Brachiopoden- und Molluskenfauna des Glandarienkalkes.

TAFEL XII (V).

Fig. 1. *Ostrea kakurensis* n. sp. Einziges Exemplar. Natürl. Größe. Zwischen Duar und Käkūr im Salimatal. Samml. Zumoffen. S. 106.

Fig. 2a, b. *Ostrea akkabensis* n. sp. Natürl. Größe. Fig. 2a zeigt die linke Klappe von außen; Fig. 2b von innen. Kefr Akkab im Kelbtal. Samml. Zumoffen. S. 105.

Fig. 3. *Modiola* sp. Einziger Steinkern. Mär Eljas im Kelbtal. Samml. Zumoffen. S. 111.

Fig. 4. *Myophoria* sp. Natürl. Größe. Schlecht erhaltener Steinkern. Vor dem Wirbel ist die Lunula angedeutet. Zwischen Aïn Alak und Bekfeja im Kelbtal. Samml. Zumoffen. S. 114.

Fig. 5a, b. *Trigonia libanensis* n. sp. Fig. 5a zeigt die rechte Klappe in natürl. Größe; Fig. 5b ihre hintere Area in zwei- und einhalbfacher Vergrößerung. Duar im Salimatal. Samml. Zumoffen. S. 114.

Fig. 6a, b, c. *Astarte* sp. Fig. 6a in natürl. Größe. Fig. 6b und c doppelt vergrößert. Zwischen Aïn Alak und Bekfeja im Kelbtal. Samml. Zumoffen. S. 115.

Fig. 7a, b. *Pachyerisma Blanckenhorni* n. sp. Natürl. Größe. Fig. 7a rechte Klappe mit beschädigtem Vorder- und Hinterrand. Fig. 7b Schloß der letzteren. S. 116.

Fig. 8a, b. *Cardium corallinum* Leym. Natürl. Größe. Fig. 8a rechte Klappe von außen. Vorder-, Unter- und Hinterrand etwas beschädigt. Fig. 8b Steinkern von hinten gesehen. Eindruck des hinteren Schließmuskels sowie des hinteren und mittleren Schloßzahnes der rechten Klappe sehr deutlich. Bekfeja im Kelbtal. Samml. Zumoffen. S. 119.

Fig. 9a, b. *Cardium* sp. Steinkern. Natürl. Größe. Zwischen Aïn Alak und Bekfeja. Samml. Zumoffen. S. 120.

Fig. 10a, b. *Isocardia eljasensis* n. sp. Fig. 10a zeigt die linke Klappe, Fig. 10b ihr Schloß in natürl. Größe. Einziges Exemplar mit beschädigtem Mantelrand. Mär Eljas im Kelbtal. Samml. Zumoffen. S. 117.

Fig. 11. *Isocardia* sp. Steinkern mit geringen Schalenresten. Bekfeja im Kelbtal. Samml. Zumoffen. S. 118.

Fig. 12. *Unicardium subglobosum* n. sp. Schalenexemplar mit leicht beschädigtem Hinterrand. Natürl. Größe. Zwischen Aïn Alak und Bekfeja im Kelbtal. Samml. Zumoffen. S. 118.

Fig. 13a, b. *Ceromya excentrica* Ag. Skultursteinkern von außen und vorn. Auf die Hälfte verkleinert. Feraïke im Kelbtal. Samml. Zumoffen. S. 122.

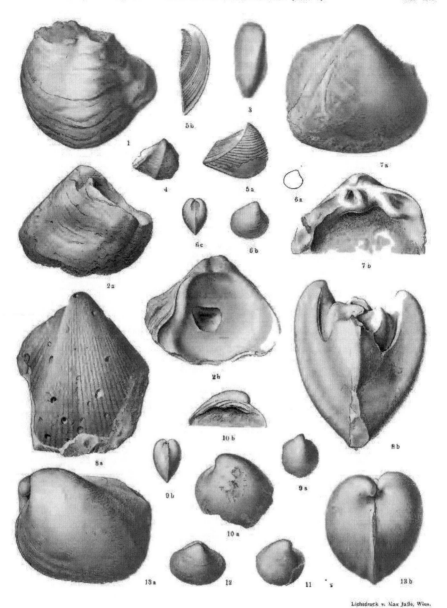

Lichtdruck v. Max Jaffé, Wien.

Beiträge zur Palaeontologie und Geologie Oesterreich-Ungarns und des Orients Bd. XVIII 1905.

Verlag v. Wilhelm Braumüller, k. u. k. Hof- u. Universitäts-Buchhändler in Wien.

TAFEL XIII (VI).

Lothar Krumbeck: Die Brachiopoden- und Molluskenfauna des Glandarienkalkes.

TAFEL XIII (VI).

Fig. 1.　　*Ceromya angusticostata* n. sp. Natürl. Größe. Bekféja im Kelbtal. Samml. Zumoffen. S. 121.

Fig. 2.　　*Pholadomya* sp. Schlecht erhaltener Skulptursteinkern von oben gesehen. Natürl. Größe. Bekféja im Kelbtal. Samml. Zumoffen. S. 123.

Fig. 3.　　*Anatina* sp. Steinkern mit Schalenabdruck und beschädigtem Hinterrand. Natürl. Größe. Duar im Salimatal. Samml. Zumoffen. S. 123.

Fig. 4 a, b.　*Turbo Antonini* n. sp. Fig. 4a in natürl. Größe. Fig. 4b in dreifacher Vergrößerung. Mar Eljäs im Kelbtal. Samml. Zumoffen. S. 124.

Fig. 5.　　*Turbo* sp. Steinkern. Natürl. Größe. Kefr Akkab im Kelbtal. Samml. Zumoffen. S. 125.

Fig. 6 a, b, c. *Delphinula Tethys* n. sp. Fig. 6a natürl. Größe; 6b und c in doppelter Vergrößerung. Duar im Salimatal. Samml. Zumoffen. S. 125.

Fig. 7 a, b.　*Nerita litoralis* n. sp. Fig. 7a natürl. Größe; 7b doppelt vergrößert. Bekféja im Kelbtal. Samml. Zumoffen. S. 126.

Fig. 8.　　*Purpuroidea* sp. Steinkern. Auf die Hälfte verkleinert. Natürl. Größe. Bekféja im Kelbtal. Samml. Zumoffen. S. 127.

Fig. 9 a, b.　*Natica* cfr. *amata* d'Orb. Steinkern in zwei Ansichten. Natürl. Größe. Feraïke im Kelbtal. Samml. Zumoffen. S. 127.

Fig. 10 a, b.　*Natica Dido* n. sp. Größtes Exemplar, auf drei Viertel der natürl. Größe verkleinert, in zwei Ansichten. Bekféja im Kelbtal. Samml. Zumoffen. S. 128.

Fig. 11 a, b.　*Natica Mylitta* n. sp. In zwei Ansichten. Natürl. Größe. Bekféja im Kelbtal. Samml. Zumoffen. S. 130.

Fig. 12.　　*Natica* n. sp. Äußerer Mundsaum, stark beschädigt. Natürl. Größe. Bekféja im Kelbtal. Samml. Zumoffen. S. 130.

Fig. 13.　　*Tylostoma* sp. Schlecht erhaltener Steinkern. Natürl. Größe. Ain Hamada im Salimatal. Samml. Zumoffen. S. 132.

•

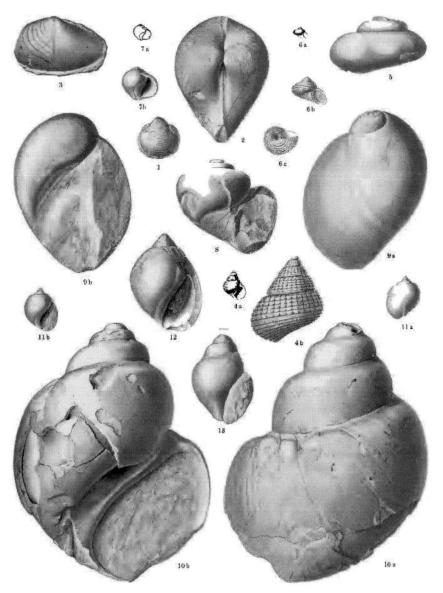

Lichtdruck v. Max Jaffé, Wien.

Beiträge zur Palaeontologie und Geologie Oesterreich-Ungarns und des Orients Bd. XVIII 1905.

Verlag v. Wilhelm Braumüller, k. u. k. Hof- u. Universitäts-Buchhändler in Wien.

TAFEL XIV (VII).

Lothar Krumbeck: Die Brachiopoden- und Molluskenfauna des Glandarienkalkes.

TAFEL XIV (VII).

Fig. 1.   *Natica* n. sp. Schalenexemplar. Mundsaum nicht erhalten. Oberste Umgänge abgebrochen. Natürl. Größe.
Bekfėja im Kelbtal. Samml. Zumoffen.   S. 131.

Fig. 2a, b. *Nerinea pauciplicata* n. sp. Natürl. Größe. Erhalten sind nur die vier bis fünf letzten Umgänge. Fig. 2b
Längsschnitt durch die dritt- und viertletzte Windung. Bekfėja im Kelbtal. Samml. Zumoffen.   S. 132.

Fig. 3a, b. *Nerinea Maroni* n. sp. Natürl. Größe. Schalenskulptur schlecht erhalten. Fig. 3b Längsschnitt durch die fünf
letzten Umgänge. Feraike im Kelbtal. Samml. Zumoffen.   S. 133.

Fig. 4a, b. *Nerinea Sesostris* n. sp. Natürl. Größe. Fig. 4a: Erste und letzte Windungen fehlen. 4b: Längsschnitt durch
die mittleren Windungen eines anderen Exemplars.   S. 134.

Fig. 5a, b. *Harpagodes cfr. Oceani* Brongn. sp. Steinkern in zwei Ansichten. Natürl. Größe. Bekfėja im Kelbtal
Samml. Zumoffen.   S. 135.

Fig. 6a, b. *Nautilus turcicus* n. sp. Teilweise beschalter Steinkern in zwei Ansichten. Auf die Hälfte verkleinert. Bekfėja
im Kelbtal. Samml. Zumoffen.   S. 137.

Fig. 7a, b. *Phylloceras Salima* n. sp. In zwei Ansichten. Fig. 7a zeigt die Stelle der Verdrückung sowie die mäßig
gut erhaltene Suturlinie. Natürl. Größe. Duar im Salimatal. Samml. Zumoffen.   S. 137.

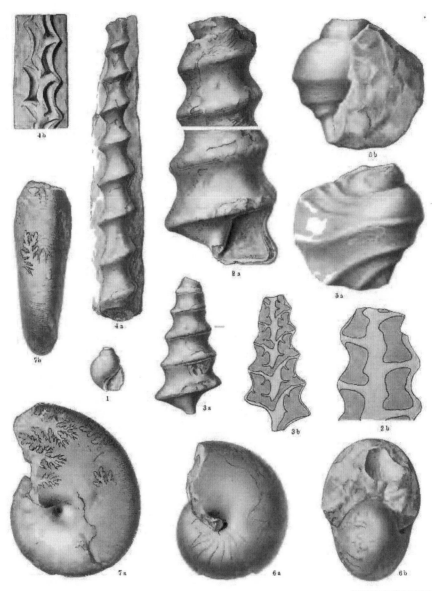

Lichtdruck v. Max Jaffé, Wien.

Beiträge zur Palaeontologie und Geologie Oesterreich-Ungarns und des Orients Bd. XVIII 1905.

Verlag v. Wilhelm Braumüller, k. u. k. Hof- u. Universitäts-Buchhändler in Wien.

TAFEL XV (III).

Ernst Stromer: Die Fischreste des mittleren und oberen Eocäns von Ägypten.

I. Teil.   Selachii, B. Squaloidei.

TAFEL XV (III).

Alle Figuren sind in natürlicher Größe gezeichnet.

Fig. 1 — 7. *Carcharodon* aff. *angustidens* Ag. Zähne von außen, aus dem untersten Mokattam bei Kairo, Fig 1 oberer Frontalzahn (M.), Fig. 2 unterer Seitenzahn (St.), Fig. 3 unterer Seitenzahn (Fr.), Fig. 4 oberer rückgebogener Seitenzahn (St.), Fig. 5 oberer Lückenzahn (St.), Fig. 6 unterer Frontalzahn (St.), Fig. 7 oberer Seitenzahn (St.).

Fig. 8 — 12. *Carcharodon* aff. *turgidus* Ag. Zähne von außen, aus der Birket el Kurun-Stufe im Fajum, Fig 8 oberer Seitenzahn (M.), Fig. 9 oberer Frontalzahn (St.), Fig. 10 oberer rückgebogener Seitenzahn (M.), Fig. 11 oberer Seitenzahn (M.), Fig. 12 oberer rückgebogener Seitenzahn (St.).

Fig. 13—14. *Otodus* cfr. *Aschersoni* nov. spec. Fig. 13 Frontalzahn (M) von außen, 13a von innen, aus der Birket el Kurun-Stufe, Fig. 14 vorderer Seitenzahn (M.) von außen, Or. Ex. Zittels aus dem unteren Mokattam.

Fig. 15—18. *Oxyrhina* spec., rückgebogene Seitenzähne (M.) von innen, aus der Birket el Kurun-Stufe.

Fig. 19—23. ? *Alopecias* nov. spec., Zähne (St.) aus der Birket el Kurun-Stufe, Fig. 19, 19 a größter, langer, vorderer Seitenzahn von innen und außen, Fig. 20, 20 a Frontalzahn von außen und innen, Fig. 21 kleinster Frontalzahn von außen, Fig. 22, 22 a schlanker Seitenzahn von innen und außen, Fig. 23 Seitenzahn von außen

Fig. 24—25. *Lamna* cfr. *Vincenti* Winkler Zähne (St.) von innen, aus dem untersten Mokattam bei Kairo, Fig. 24 Frontalzahn, Fig. 25 ? oberer Seitenzahn.

Fig. 26—27. *Odontaspis* cfr. *cuspidata* Ag. Zähne (St.) aus dem untersten Mokattam bei Kairo, Fig. 26, 26a Frontalzahn von außen und innen, Fig. 27 vielleicht dazugehöriger Lückenzahn von außen und innen.

Fig. 28—31. *Ginglymostoma Blanckenhorni* Stromer, Zähne (St.) von außen, aus dem untersten Mokattam bei Kairo, Fig. 28 oberer Frontalzahn, Fig. 29 — 31 Seitenzähne.

Fig. 32—33. *Scylliide*, gen. et spec. indet. Zähne (M.) aus der Birket el Kurun-Stufe, Fig 32 schlanker Seitenzahn von außen, Fig. 33, 33 a längerer Seitenzahn von innen und außen.

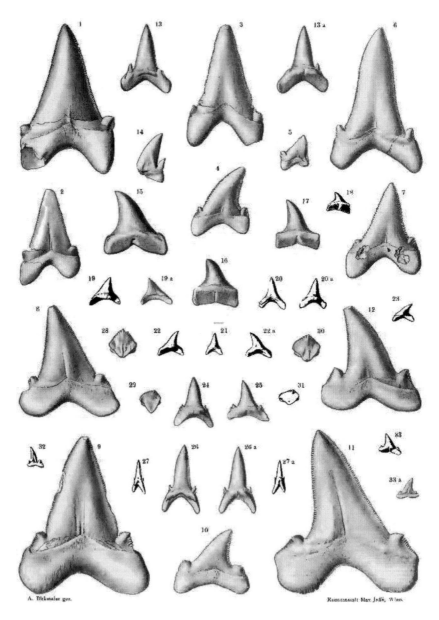

A. Dickmaler gez.   Kunstanstalt Max Jaffé, Wien.

Beiträge zur Palaeontologie und Geologie Oesterreich-Ungarns und des Orients. Bd. XVIII. 1905.

Verlag v. Wilhelm Braumüller, k. u. k. Hof- u. Universitäts-Buchhändler in Wien

TAFEL XVI (IV).

Ernst Stromer: Die Fischreste des mittleren und oberen Eocäns von Ägypten.

I. Teil. Selachii, B. Squaloidei und II. Teil: Teleostomi, A. Ganoidei.

TAFEL XVI (IV).

Alle Figuren bis auf Fig. 16—19 sind in natürlicher, diese in doppelter Größe gezeichnet.

Fig. 1—3. *Hemipristis curvatus* Dames Zähne (St.) aus der Birket el Kurun-Stufe, Fig. 1, 1 a symmetrischer Zahn von fraglicher Zugehörigkeit von außen und innen, Fig. 2 größter Seitenzahn von außen, Fig. 3 mesial glatter Seitenzahn von außen.

Fig. 4. *Galeocerdo aegyptiacus* nov. spec. Zahn (B.) von außen, aus der Birket el Kurun-Stufe.

Fig. 5 — 9. ? *Alopiopsis* aff. *contortus* Gibbes spec. Zähne (M.) aus der Birket el Kurun-Stufe, Fig. 5, 5 a vorderer Zahn von außen und innen, Fig. 6 vorderer Zahn von außen, Fig. 7 und 9 hintere Seitenzähne von außen Fig. 8. 8 a mittlerer Seitenzahn von außen und innen.

Fig. 10—15. *Galeocerdo latidens* Ag. Zähne aus dem untersten Mokattam bei Kairo, Fig. 10, 10 a vorderer Zahn (St.) von außen und innen, Fig. 11 hinterer Seitenzahn (St.) von außen, Fig. 12 vorderer Seitenzahn (St.) von außen, Fig. 13, 13 a hinterer Seitenzahn (St.) von außen und innen, Fig. 14 vorderer Seitenzahn (Fr.) von außen, Fig. 15 mittlerer Seitenzahn (St.) von außen.

Fig. 16. *Carcharias (Prionodon)* nov. spec. oberer Zahn (St.) aus dem untersten Mokattam bei Kairo, Fig. 16 von außen in doppelter Größe, Fig. 16 a von innen.

Fig. 17—19. *Carcharias (Prionodon)* cfr. *Egertoni* Ag. spec., obere Zähne aus der Birket el Kurun-Stufe, Fig. 17 (M. von außen in doppelter Größe, Fig. 17 a von innen, Fig. 18 (St.) von außen in doppelter Größe, Fig. 18 a von innen, Fig. 19 (St.) von außen in doppelter Größe, Fig. 19 a von innen.

Fig. 20—28. *Myliobatis* spec. indet., Zähne aus der Birket el Kurun-Stufe, Fig. 20 größter Zahn (M.) von Forma 1 von außen, Fig. 20 a von innen, Fig 20 b von der Seite, Fig. 23 mittelgroßer Zahn (St.) von Forma 1 von innen, Fig. 21 kleiner Zahn (St.) von Forma 1 von außen, Fig 22 Zahn (M.) von Forma 2 mit Absatz hinter der Krone von außen, Fig. 24 Zahn (M.) von Forma 2, Fig. 25, 25 a Zahn (St.) von Forma 3 von außen und innen, Fig. 26—28 kleinere Zähne (St.) von Forma 3 von außen.

Fig. 29—30. *Polypteride* gen. et spec. indet. Schuppen aus der Birket el Kurun-Stufe, Fig. 29, 29 a kleinste Schuppe (St.) von außen und innen, Fig. 30 größte Schuppe (St.) von außen.

Fig. 31—32. *Pycnodus* Schneidezähne (St.) aus dem untersten Mokattam bei Kairo, Fig. 31, 31 a sehr wenig abgenutzter Zahn von innen und außen, Fig. 32, 32 a deutlich abgekauter Zahn von innen und außen.

Fig. 33—37. *Pycnodus variabilis* nov. spec. Mahlzahngebisse aus dem untersten Mokattam bei Kairo, Fig. 33 kleines Gaumengebiß (M.), Fig. 34 größeres Gaumengebiß (St.), Fig. 35 größtes Unterkiefergebiß (St. 5), Fig. 36 drittkleinstes Unterkiefergebiß (St. 2), Fig. 37 mittelgroßes Unterkiefergebiß (M. 1).

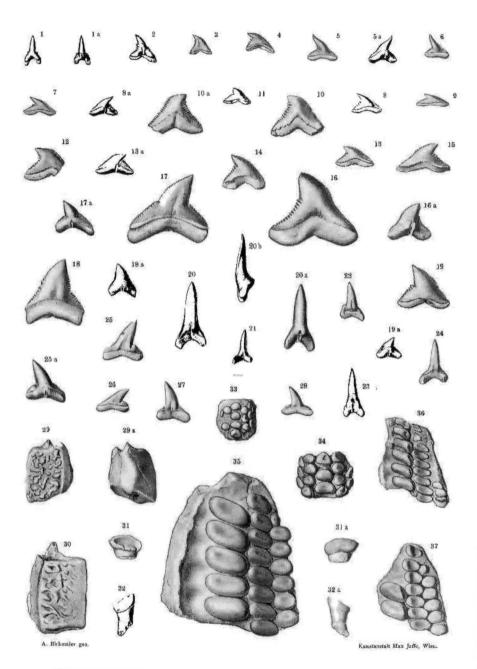

A. Birkmaier gez.

Kunstanstalt Max Jaffé, Wien.

Beiträge zur Palaeontologie und Geologie Oesterreich-Ungarns und des Orients. Bd. XVIII. 1905.

Verlag v. Wilhelm Braumüller k. u. k. Hof- u. Universitäts-Buchhändler in Wien.

TAFEL XVII (I).

TAFEL XVII (I).

Sämtliche Exemplare erliegen in der geologischen Sammlung der k. k. Bergakademie zu Leoben.

2

1

TAFEL XVIII (II).

Dr. Karl Gorjanović-Kramberger: Die obertriadische Fischfauna von Hallein in Salzburg.

Colobodus und Semionotus.

TAFEL XVIII (II).

Fig. 1. *Colobodus ornatus* (Agassiz), fast in der natürlichen Größe . .   S 205, 208
Fig. 2. *Semionotus Kapffi*, Fraas, in natürlicher Größe . . . . . .   S. 196

Sämtliche Exemplare erliegen in der geologischen Sammlung der k. k. Bergakademie zu Leoben.

1

2

Lichtdruck v. Max Jaffé, Wien.

Beiträge zur Palaeontologie und Geologie Oesterreich-Ungarns und des Orients. Bd. XVIII 1905.

Verlag v. Wilhelm Braumüller, k. u. k. Hof- u. Universitäts-Buchhändler in Wien.

TAFEL XIX (III).

Dr. Karl Gorjanović-Kramberger: Die obertriadische Fischfauna von Hallein in Salzburg.

Colobodus und Heterolepidotus.

TAFEL XIX (III).

Sämtliche Exemplare erliegen in der geologischen Sammlung der k. k. Bergakademie zu Leoben.

1

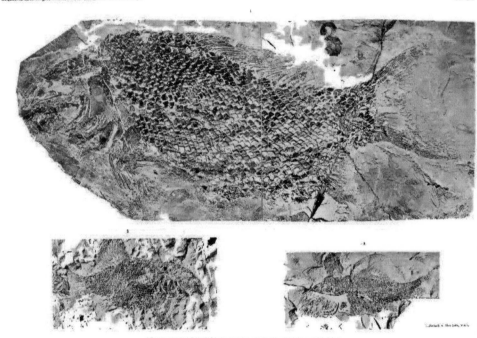

Beiträge zur Paläontologie und Geologie Österreich-Ungarns und des Orients. Bd. XVIII 1905.

Verlag v. Wilhelm Braumüller, k. u. k. Hof- u. Universitäts-Buchhändler in Wien.

TAFEL XX (IV).

Dr. Karl Gorjanović-Kramberger: **Die obertriadische Fischfauna von Hallein in Salzburg.**

Heterolepidotus, Ophiopsis, Spaniolepis, Mesodon und Pholidophorus.

TAFEL XX (IV).

Fig. 1. *Heterolepidotus dorsalis* (Kner), etwas unter der natürlichen Größe . . .

Fig. 2. *Heterolepidotus parvulus*, Kramb. Gorj., etwas über der natürlichen Größe .

Fig. 3. *Ophiopsis attenuata*, Wagner, fast in natürlicher Größe . . . . . .

Fig. 4. *Ophiopsis attenuata*, Wagner, in natürlicher Größe . . . .

Fig. 5. *Mesodon Hoeferi*, Kramb. Gorj., in natürlicher Größe . . . . . .

Fig. 6. *Spaniolepis ovalis*, Kramb. Gorj., etwas unter der natürlichen Größe . . .

Fig. 7. *Spaniolepis ovalis*, Kramb. Gorj., Abdruck etwas über der natürlichen Größe

Fig. 8. *Spaniolepis ovalis*, Kramb. Gorj., in natürlicher Größe . . . . . .

Fig. 9. *Pholidophorus latiusculus*, Ag., in natürlicher Größe . . . . .

Sämtliche Exemplare erliegen in der geologischen Sammlung der k. k. Bergakademie zu Leoben.

Lichtdruck v. Max Jaffé, Wien.

Beiträge zur Palaeontologie und Geologie Oesterreich-Ungarns und des Orients. Bd. XVIII 1905.

Verlag v. Wilhelm Braumüller, k. u. k. Hof- u. Universitäts-Buchhändler in Wien.

TAFEL XXI (V).

Dr. Karl Gorjanović-Kramberger: Die obertriadische Fischfauna von Hallein in Salzburg.

Colobodus, Dapedius und Mesodon.

TAFEL XXI (V).

Sämtliche Exemplare erliegen in der geologischen Sammlung der k. k. Bergakademie zu Leoben.

Lichtdruck v. Max Jaffé, Wien.

Beiträge zur Palaeontologie und Geologie Oesterreich-Ungarns und des Orients. Bd. XVIII 1905.

Verlag v. Wilhelm Braumüller, k. u. k. Hof- u. Universitäts-Buchhändler in Wien

TAFEL XXII.

Dr. O. Reche: Über eine neue Equidenart aus der Pampasformation.

TAFEL XXII.

Equus haasei nov. sp.

Ob. Pampasformation. Pontezuela, Prov. Buenos Aires.

Fig. 1. Ansicht der Zahnreihen des Oberkiefers in natürlicher Größe. (Die Schmelzfalten der einen Seite sind mit Deckweiß ausgemalt.)

Fig. 2. Profilansicht des Schädels (ca. $1/3$).

Das Original befindet sich im Geologischen Museum der Universität Breslau.

Beiträge zur Palaeontologie und Geologie Oesterreich-Ungarns und des Orients. Bd. XVIII 1905.

Verlag v. Wilhelm Braumüller, k. u. k. Hof- u. Universitäts-Buchhändler in Wien.